MW00784915

HLINGIT WORD ENCYCLOPEDIA

The Origin of Copper

Sally-Anne Lambert

Other works by the same author:
New Zealand Māori Word Encyclopedia

Watch out for future Word Encyclopedias
www.weintl.net

On the front cover is a picture of Mt. Denali.
For more information, see p404

HLINGIT WORD ENCYCLOPEDIA

The Origin of Copper

written, illustrated and recorded
by Sally-Anne Lambert

This Hlingit story is as told by Dekinā'k!^{u} of Sitka in 1904. Dekinā'k!^{u} was a member of Kūk! Hît (Box House).

The linguist John R. Swanton had arranged for the telling, then wrote it out in Hlingit with basic English translation and published it in 'Tlingit Myths and Texts', 1909.

 Published 2011.
Printed in Guangzhou, China, by Cheerwork, Inc.
CD recorded at Swan Studio, Guangzhou, China.
"Song For the Morning Star" from the album ***Canyon Trilogy*** by R. Carlos Nakai courtesy Canyon Records, 3131 West Clarendon Avenue, Phoenix, AZ 85017. www.canyonrecords.com.

Publisher: WE International Ltd., Auckland
www.weintl.net

National Library of New Zealand Cataloguing-in-Publication Data

Lambert, Sally-Anne, 1961-
Hlingit word encyclopedia : the origin of copper / written, illustrated and recorded by Sally-Anne Lambert.
Includes bibliographical references and index.
ISBN 978-0-473-17447-7
1. Tlingit language—Etymology—Juvenile literature. 2. Tlingit language—Glossaries, vocabularies, etc.—Juvenile literature. 3. Tlingit language—Grammar—Juvenile literature. 4. Tlingit Indians—Folklore. [1. Tlingit language. 2. Tlingit mythology. 3. Tlingit Indians—Folklore.] I. Swanton, John Reed, 1873-1958. Tlingit myths and texts. II. Title.
497.272—dc 22

Łīngît (Hleengit) = Gàidhlig *sliochd* = tribe, clan, multitude, progeny, descendants, posterity, offspring, seed, track, print, rut // *ginealach* = race, offspring, generation, single succession, genealogy, pedigree // *gintear* = father, ancestor, parent

*To know more about the L sound in Hlīngit, please see page xix & 390. See also Swanton's phonetic key on page viii of 'Tlingit Myths and Texts'. Compare 'Hlingĭt Language of Southeast Alaska' by WA Kelly & FH Willard

Dedication

To Herman Kitka Senior
Great nephew of Dekinā'k!ᵘ

Dedication

To John Reed Swanton

Photo taken 1903

Conical hats worn by Herman Davis (left) and Herman Kitka Sr. There is a conical hat of probably a different kind in this book's story. (See 'Dance hats and clothing' in Bibliography & Notes, p436.)

This page illustrates some notes at the end of the book.

Above: Stone tablet bearing turtle looks on as my sister Jenny (left) and I take our first tai chi lesson at the historic Confucius temple in Beijing. (See 'Medicine Wheel' in Bibliography & Notes, p505.)

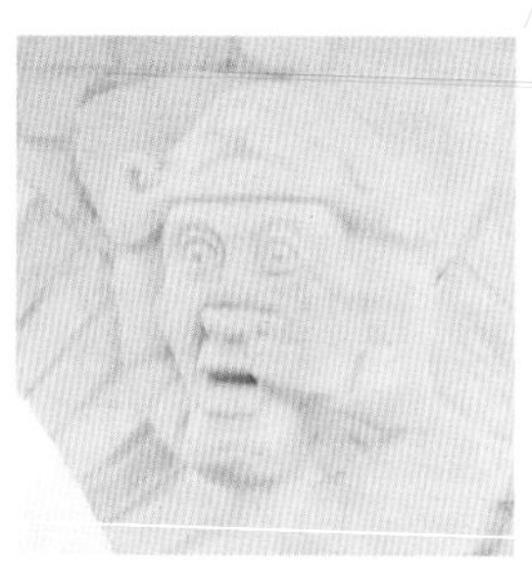

French humor in the design of an outdoor oven at a chateau. David Ogilvy says 'Make your thinking as funny as possible.' Atmospheric humor will do.

(See 'Grandmother Mouse' in Bibliography & Notes, p473.)

Serendipity

Just when I was buying sample paper from a big wholesale market, preparing this book for print, I found a black butterfly on the ground in the midst of busy trampling feet. It was the closest to a swallowtail butterfly that I'd seen, and I stopped and rescued it, though it looked dead.

I held it for some time, and my printing agent telling me this butterfly is dead, it's just the wind moving it... After I'd carried it for about ten minutes it took strength, grasped my finger and flew. Although it had one part of a wing stood on, it flew well. I clapped happily and some teenagers walking by joined in the moment. I was really thrilled about it. I felt it had just needed a bit of love. I really love that butterfly. It felt like liberating doves in a special ceremony.

It reminded me I'm supposed to be a black butterfly person in Mayan astrology. When I started this publishing company, I also saw a HUGE black velvet butterfly about as big as a bird.

These are the two smiling butterflies. They smile with their wings.

Foreword

This book has taken twenty years to do. In some ways, it's an outsider's job. But at least I can say I'm descended from the pilgrims on my father's side (both grandparents).

It started out for me as a world language mission, in 1987. After that, the mission slowly worked itself down into nine projects for different languages. This is the second project.

In 1990, I got Swanton's book of Hlīngit myths from a descendant of both Princess Pocahontas of the Powhatan nation and of the Piscataway princess, Kittemagund. The book was given to me when I was living offshore of Cape Cod, where generations of my family had lived since my pilgrim ancestors settled.

This is a picture of my grandmother, Alice Kimball Lambert, née Hamblin. I'll let her stand in for my family, whom I thank for their kindnesses throughout my life. She can also represent my United States heritage. Her mother was a Howland, those Howlands who came to America as pilgrims on the Mayflower ship.

I put her picture in this book because her spirit was visiting me many years in my dreams as I focused more on translating 'The Origin of Copper', since about 1995 maybe. I didn't understand the dreams until just before publishing this book.

All I saw in the dreams was 'my grandmother's house'. I never ever met her. She moved houses a fair bit, and the houses in my dreams changed too. I never saw any grandma in the dreams, and at first I assumed it was my other grandmother, the Scottish one. Maybe my American grandmother would like to give her blessing on the copper house of this story.

I do have one clear portrait of her, but she looked like butter wouldn't melt in her mouth, so I chose this one.

North America was earlier known as New France, and my grandmother married a man (my grandfather) whose ancestors were early French settlers of Quebec.

With many sides to my personal culture, I take some time to develop each language project organically.

Author bio

I was born in New Zealand. I'm a U.S. and New Zealand citizen. I'm American (English and French) on my Dad's side. My Scottish side comes through my mother. When I was about 22, I learned of the existence of our Scottish ancestral language, Gàidhlig, from a landlady, Tilly Matheson.

I also have 17 half- or step- brothers and sisters, and many of them are Polynesian. I began to know them when I was nine years old. Pacific culture has become part of me.

As a young child, I used the few books I had to keep my sense of humor. I liked Brer Rabbit. I even laughed at the Bible, especially when Jesus escaped the guys who were after him. But my first memory of reading was at age three, not only Beatrix Potter animal stories, but angrily and secretly trying to research something about my family.

I was meant to be valedictorian of my high school in Western Samoa, like my American grandmother was in Falmouth, Cape Cod. But I left early at sixteen to go to Brigham Young University – Hawaii. I first taught a class at age eleven. Then in Hawaii I switched my major from secretarial to education after hearing on the radio how some guy killed his teacher. Later I got a degree in education from Massey University. But doing it in a truly cultural way was not popular.

Actually most of what we learned in education was about psychology. My dad's dream was to be a great psychiatric research professor, but it didn't happen. He had issues, and I think his Germanic and Celtic sides were at war, the same with my mother. What the field of psychology understands as 'subconscious', we might better understand as prejudice. I'm not immune, but I present this book from my heart. I think culture is something we can grasp through honesty and good morals. Not always easy. But babies do it, it's not impossible.

My dad and I both developed our careers through teaching university. This book is from generations of family evolution. Everyone has their story.

Patrimoine français

Je vous salues avec mes sentiments les meilleurs!

Je voudrais dire aussi l'amour filiale pour mon chèr grand-papa français-américain, Henry George Lambert, qui pourtant je n'ai jamais rencontré. Mais je lui donne un grand merci pour la vie et pour notre patrimoine. J'irai faire des oeuvres à propos notre patrimoine français, à l'avenir. Lui, il aimait très bien la National Geographic. Et mon père, sa fils, etait spéléologue. Ce ligne généalogique masculine parvient à Montréal pendant quelques générations.

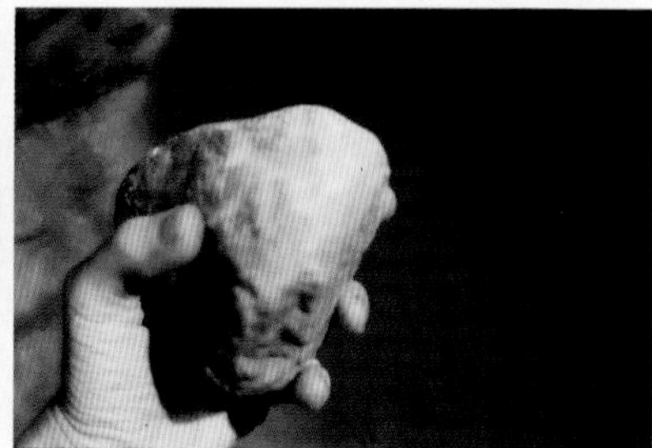

Moi, dans l'ancien mine de cuivre, Pioch Farrus (à Cabrières), un mine qui etait en opérant jadis depuis 3,000 ans av JC et plus tard au 1er siècle av JC. Je m'ai exercer comment à pris l'outil en pierre pour gagner le minerai de cuivre, avec l'aide de l'archéologue feu M Jean Luc Espérou. (Je ne parvenais à encorner aucun minerai avec cet outil.)

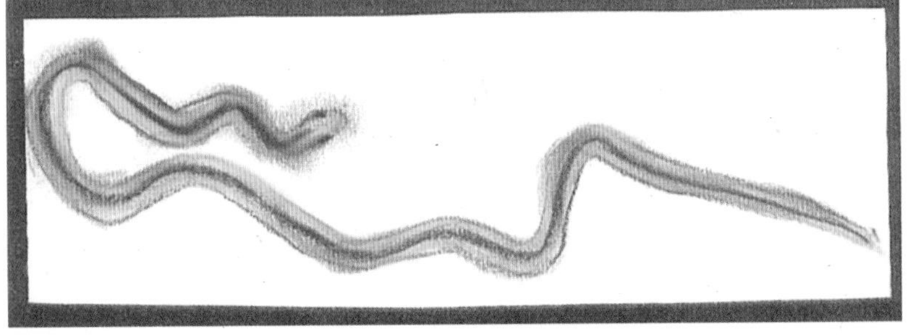

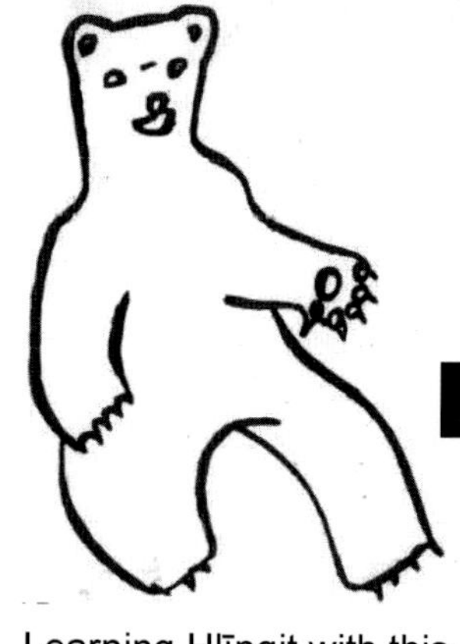

In this book...

LEARNING HLINGIT WITH THIS BOOK

Learning a new language

I had my first taste of teaching when I was eleven years old. I first learned a new language when I was the same age but it took me a year before I dared speak it.

Just like learning math practices our logic, language practices our understanding. More understanding increases our power as human beings.

But learning a new language is like developing a whole new world in our minds. And like becoming a little child again. To persevere and be effective, it helps to have purpose. Maybe many purposes... family leadership, social enrichment, ability to handle different situations, the satisfying feeling of self-expression, rights, unity, civilized life, practical goals (knowing about local fishing from another point of view, for example), the excitement of crossing boundaries between people, access to social circles, impressing people. There are so many forms of understanding that benefit. And when you pick up one new language, the next is easier.

Best ways to learn a language

I think there are two good ways to learn a language.

1) Use it (read stories, talk with people, practice listening, have goals, perform, pray, think in that language)
2) Know the words better (use of words in sentences, different forms of a word, word history, word structure, range of vocabulary)

Also I like to do my best to master good pronunciation early on. Why? - More opportunities to make myself heard, more courage to speak up, more comfortable moving my mouth to speak, hear myself fluently when I read (whether silently or aloud), consideration for my listeners, enjoy the rhythm and poetry of the sound better.

Don't let it beat you.

Spelling

There is a spelling table on page 96-97. The old spelling that linguists use has been replaced by modern spelling. The modern spelling was introduced by Bible translators by the names of Naish and Story. So it's called the Naish-Story system. I have put both linguists' and modern spelling versions in the story but in the dictionary and indexes I'ved used Swanton's linguists' spelling.

I also made a magic square of the Hlīngit letters, on page 99.

In Vowel 'a' and Vowel 'o' (at the end in the Bibliography & Notes), I argue for complete spelling of these vowel sounds.

Types of languages

This book contains a whole new word history that I discovered. It helps a lot with understanding Hlīngit. I don't think anyone suspected Hlīngit could have come from Gàidhlig, but that's what I found, over 20 years ago. Knowing the Gàidhlig origins helps me see how the word particles work. Also it makes pronunciation easier to understand.

Hlīngit is an agglutinative language. That means particles are put together to form words. Gàidhlig is not really like this, just a little.

Hlīngit is also a tonal language. High tones help to make word structures clear, and sometimes word meaning depends on the tone. Tone also relates to grammar. There is some idea about tonal language and its origins in the Bibliography & Notes at the end of the book. Gàidhlig is not a tonal language.

Here is a tone example: The Hlīngit word ACA'KAnadjAł (Sentence 130) means 'he set them all down'. There is a high tone marked after the second A. That high tone is on the key word particle, as CA' comes from Gàidhlig *càirich* = place (put). It's the root particle.

Gàidhlig is a gendered language. All its nouns are male or female. Hlīngit isn't. (See also Bibliography & Notes.)

Gàidhlig has a sound rule, 'broad to broad and slender to slender'. There's a note about this Gàidhlig sound rule in the Bibliography & Notes. Also there is an index of words that fit this rule, on page 373.

Pronunciation: Gàidhlig dh, gh, Hlīngit q (ĸ), ġ

Most of Gàidhlig pronunciation is quite straightforward. The most challenging thing is the dh and gh, two similar sounds made in the back of the mouth. Far in the back of the mouth, so that often we hardly hear them. Hlīngit has these kind of sounds too, q (ĸ) and ġ.

I believe Gàidhlig is very ancient, even as ancient as the Neandertal, and evidence of the Neandertal in Europe goes back 320,000 years. The Neandertal had large brains (not because of large bodies, they weren't so large), and they had some good stone technology, adorned themselves with body decoration (that's thought to be a sign of language ability), and had at least one gene related to speaking. It's generally accepted they probably could speak. (See more about that in the Bibliography & Notes.)

But some fossil study showed Neandertals' tongues were very high in their mouths, making speech more difficult. The mouth in French speech is quintessentially Neandertal. As my French has improved, so has my Hlīngit. Become competent with using the whole of your tongue. Use the tip of your tongue, the front, the far back and the sides of the tongue. Be able to use a wide tongue. Sometimes it's like breakdancing. Some vowels like A are lighter – use the front of your tongue slightly cupped.

It may take some getting used to, to get the back of your tongue to the back of your throat. It is really using your mouth differently. Try to find the comfortable way. Here are some diagrams showing back of the tongue positions.

Figure 1. Modern human mouth, making normal g sound. Dotted line shows the tongue in rest position.

Figure 2. Neandertal mouth, tongue resting position is higher in the mouth.

Figure 3. How to make the Gàidhlig dh and gh, and the Hlīngit q (ĸ) and ġ.

Pronunciation: Gàidhlig th, c, ch, Hlīngit c, x, ŷ, n

Gàidhlig th is very soft, hardly a 't' at all, very breathy. Gàidhlig c = k sound, Gàidhlig ch is soft, like in loch (you know, Loch Ness monster).

Hlīngit c = sh sound. Hlīngit x is soft like Spanish j, like a cross between h and j. Hlīngit ŷ is like a cross between r and y. Sometimes Hīngit n should be made with the tip of the tongue.

Pronunciation: Hlīngit L

The sound L doesn't exist alone in Hlīngit, just in combinations hl, tl, dl (ł, ʟ, Ļ). The h in hl should be a noisier h. I think the best way to do hl is to touch your tongue to the roof of your mouth and let the air come around the sides. Use a wide tongue and wide cheeks.

Vowels

There are lots of dipthongs (double vowels) in Gàidhlig, but not in Hlīngit. Gàidhlig has accented vowels – à,è,ì,ò,ù (grave accent, pronounced more at the back of the mouth, more flat), and é, ó (acute accent, pronounced more forward).

Hlīngit has four a's. A very light ᴀ (ă), that sounds like u in hum, o in done, the last a in banana. Use the front of the tongue. Normal a. Flat â (something between a in fall and in sat). Long ā (a bit like car or the first a in pasta). (See also the Bibliography & Notes, Vowel 'a'.)

Hlīngit has two u's. Regular u (like oo in look), and longer ū (like the u in rule).

Hlīngit has an o, but it's hardly written in modern writing. The same problem has been going on in South America with Incan language (Quechua), a language family spoken by about ten million people. I've put the o back, following Swanton's very accurate writing.

Sometimes modern writing (Naish-Story system) or even Swanton's spelling, uses w for a kind of light o or u. (See also the Bibliography & Notes, Vowel 'o'.) The o is holy, so q'ōs (means light) has long o.

Hlīngit has three i's. The î is light like i in is. The i is like ee (as in meet) and the ī is longer (like meal).

Hlīngit has three e's. Flat ê (like bell), regular e (like ten) and long Hlīngit ē is like the a in fate (but not a-ee). It's like the French è (as in manière = manner, or père = father).

Sound pattern: Hard and soft sounds
In Gàidhlig, a, o and u are the broad vowels. The e and i are slender vowels. When a palatal consonant like t, d, s, g or c (Gàidhlig k) comes before a slender vowel, these consonants become slender too, that is soft, breathy, girly, noisy. So ti becomes almost tchi, de is almost dje, si is nearly shi and ge and ci are softer too. (See also the Bibliography and notes, Broad to broad, slender to slender.)

On page 357, there's a section showing how the sounds of Hlīngit developed exactly.

When you pronounce Gàidhlig there are some almost silent sounds, but don't skip them, they are part of the rhythm. Gàidhlig has a Celtic lilt, the gentle rolling intonation and rhythm that makes the Scottish and Irish English accents the top two favorites (according to a BBC poll).

Hlīngit, like other Native American languages, also has a cool rhythm.

Notice the ! in Hlīngit spelling. This tends to represent a part of Gàidhlig that was skipped. Here are a few examples:

! Examples. Sentence 23: xōq!^{u} – among //
(**xōq!^{u}** = Gàidhlig *measg* = among, amongst, in the midst)
(**xōq** = Gàidhlig *moc* = move, yield, give way)
(**q!^{u}** = *gu'm* = that, in order that)
Sentence 38, 57: x̣ūts! = grizzly bear // Gàidhlig *ùruisg* = bear
Sentence 85 xēʟ! = slime // Gàidhlig *sal* = slimy dirt, mud, filth, scum, dross, refuse of anything, dust, wax of the ear, spot, blemish // *sleamhnan* = any slippery substance, mucus, saliva, piece of ice on which to slide, sneaking fellow //

The ! comes after some consonants, the palatal consonants (made on the roof of the mouth) like tc!, s!, k!, q!. x! and ʟ (tl), Ļ (dl). Make the consonant more audible, noisier. And after it, follow up with a tiny grunty sound before the next sound, a little break of sound. If you get used to using the whole of your tongue, it's easier to do these.

Using the story

You can read a story for many purposes: relaxing, entertaining, history, learning, sharing, recording, remembering, acting, joking, moral feeling, socializing. It's also useful for language learning. We can activate our memory in different ways with a story. It gives context. It helps us with expression. It allows repetition for mastery.

You can refer to the dictionary section at any time in your reading, to see how a word breaks down into parts, and to see the word's origin. Using the dictionary can help you to compare different uses of the word and different forms.

Most especially, using the dictionary can help you to understand how particles work in Hlīngit speech. Knowing the particles is essential.

If you, or your group or class, have access to someone who can speak Hlīngit, maybe an elder or grandparent, they might help you with sentences you can use in real speech. The story can act as a jumping-off place for learning more things to say. Then you can practice conversation. In New Zealand Māori language learning, an elder told me that everything is real, nothing can be just practice. Immersion is good, like using your new language during study, in classroom instructions and response, and for learning other subjects.

You can use the CD to mirror. Mirroring is like copying. We have mirror neurons in our brain. It helps us to feel what others are doing, so we can do it too. When mirroring, tune into drama, self-expression and situation. Situation and disclosing some truths about a situation are part of how Native American language work. They use some word particles to show a person's manner, how they did something, also to show position. (See Bibliography & Notes, 'Mannered languages'.) I focused on cu (shu) and yu for rhythm; See pages 341-346.

Grammar learning

There are people who are working hard to revive Hlīngit. With this book is out, there is a chance to use the history of Hlīngit in that process, to organize the grammar in a truly Hlīngit way so that people can become fluent.

The important thing is to speak in a natural way. It will be a lot of fun if the manner particles are used effectively. Manner particles are word parts that express something about people's manner etc., to show situations clearly. Remember that situations are an essential part of the language, so you can choose some situations to talk about. Describe how someone did something. Here is an example from the story.

Manner particles, Sentence 4:

Akā'yan	**kaoĻîŷA's!**	**yuxū'ts!**	**hāL!î**
On it	she stepped	the grizzly bear's	dung

yudā'qq!	**qok!ī't!ê.**
while up in the woods	berrying.

She stepped carelessly without looking where she was going. So the word **kaoĻîŷA's!** is used. This word breaks down as follows:

(**kaoĻî** – blissfully unaware then suddenly, paying no attention then suddenly)

(**ŷA's!** = *rach* = move, proceed, walk, go)

This is a break-down of the manner particle **kaoĻî**:

(**kao** = *caon* = (OG) refer, resemble, resemblance) +

(**Lî** = *slighe* = craft, manner, conduct, way, path, passage, approach, track, inlet, road) //

(**kaoL** = *claon* = go aside, go wrong, rebel, move aslant or obliquely)

You can see the manner particles in the dictionary on p146. Since the manner particles are emotional markers, they are necessary for good humor and a natural grammar.

Hlīngit pronouns are special

Hlīngit often uses double pronouns a and du, two pronouns in one. Like he-they, it-it, she-him. There is a pronoun section in the dictionary in this book, on p174 . Double pronouns are similar to French language pronouns. French, like Spanish and Italian, is Continental Celtic, and related to Gàidhlig. It's the Gaulish cousin of the Scottish Gael.

Here are some examples of French pronouns following one another:

Elles le quittent. = They him left. (They left him.)
Il lui semblait.. = It him seemed.. (It seemed to him..)
Il s'assit.. = He (himself) sat.. (He sat (himself)..)

Here are three sentence examples showing Hlīngit dual pronoun a, along with one example of the dual pronoun du:

aġa' (144) what (for it) // Aġa' (157) for her // aġā' (176) for him

(**a** – it-it) (144) +

(**A** – her-they, 157, he-him, 176)

(**ġa' / ġā'** – for, subjective action)

Sentence 144: She didn't know what the copper was, or what that copper was for.

Lēł	**aġa'**	**wus-ha**	**yuē'q.**
Not	it for it	know this	the copper.

Sentence 157: Two days had already passed they were hunting for her.

KAnaxsa'	**dēx**	**oxe'**	**Aġa'**
Across passed	two [days]	already gone by	for her-they

uġa'qoduciŷa'.
about for everywhere she-they hunting.

Sentence 176: When they went home, he sent for his father-in-law.

Nēłdê'	**hAS**	**naā'dawe**	**aġā'**
Home	they	when as it happened they-it (home)went	he for him

qoqā'awaqa	**duwu'.**
he properly sent over there for him	his father-in-law.

Note: In these examples, I've used my own word-for-word translations. Usually (in the story section) I leave Swanton's word-for-word translations exactly as he did them. For an exact word-for-word translation when you are reading the story, you can see the dictionary section.

When we see the complete dual pronoun translation, we can understand the phrases better, because they're very different to English.

You will see in the Pronouns section, a can refer to any persons, he, she, they and also it. Du usually is he, she, they, but also as a dual pronoun it can include it.

I guess the other Native American languages do the same as Hlīngit with pronouns. I haven't seen any linguists ever discovered this feature of grammar before. Etymology helps make grammar clearer.

Language and culture

Most languages have some word particles. Some have many. I think this started in Native American 'mannered language'. In this language culture, situations are important.

Another aspect of Hlīngit culture is the 'two', dichotomy, dividing things into twos or opposites. (See also the Bibliography & Notes, 'Dichotomy'.) Various twos appear in the culture... two moieties (Raven and Eagle), two continents (North and South America), two great mountain chains (Andes and Rockies), dual pronouns. And some of the word particles contain two opposites, such as the particles e and qo.

Opposites example: e – beginning and end, repetitive tasks

Sentence 12:

Tc!uLe'	**ACī'n**	**ġone'**	**uwaA't.**
Then	with her	starting	he went.

ġone' = starting

The particles are: **ġo** (business, errand, call of nature)+ **n** (with) (+ **on** (hurry)) + **e'** (beginning and end).

Notice that the high tone mark after e emphasizes the key particle is e – 'beginning'. This is her coming of age, a beginning and end.

Sentence 129:

Tînna'	**yAX**	**ts!u**	**at!ē'q!.**
Copper plates	like	also	he pounded.

at!ē'q! = he pounded
(**ā't!** = Gàidhlig *òrd* = hammer (noun))
(The full Hlīngit word for hammer or pound is **ā't!Aq!a** = Gàidhlig *aothachd* = (OG) ringing of bells // Gàidhlig *claidean* = absurd hammering at anything. Note: **ē'** replaces A as an infix.)
(**ē'** – repetitive task, end result) + (**q!** – border, (as, hammered it out)

Other word particles exist in opposite forms too, for example wudu and wudi. Another example is xa and sa. You can find these and other particles in the Manner particles section, page 146.

Geometric world

Internal geometry, the landscape of the mouth

Geometry (the science of shape) is also important in culture. It used to be a major subject in schools. The mouth diagram on page xix shows internal geometry, the landscape of the mouth. The labial sounds are made by the lips, dentals by the teeth, palatals on the roof of the mouth (front, center and back of the palate), and there are velar or glottal sounds made at the back of the mouth / in the throat. The breathing system is a part of this landscape, and the tongue forms many shapes. Not simple shapes like circles or squares, but shapes.

In human history, the back of the mouth featured more in Neandertal language. Their tongue position was higher, they had less range of sounds. They used the back of their mouth and the palate. So Gàidhlig and Hlīngit have kept some of those sounds like dh, gh, q and ġ, made far back in the mouth. It's an ancient language inheritance. Some people like the Bushmen of Africa have click sounds made with the palate... maybe for the same reason. Some say it's an ancient language.

Hlīngit uses k (mid to back of the palate) instead of Gàidhlig m (made in the front of the mouth, with the lips), or just leaves m out.

Examples: **djA'q** (48, 50, 96) – kill // Gàidhlig *marbh* = kill
kês (80) – out // = Gàidhlig *measg* = among
łī'tsqk (141) – pushing (through a hole in the wall) = Gàidhlig *sleamhnaich* = ṣlip, slide, make slippery, glide, move imperceptibly, make smooth
ēq (122, 123, 126,...) – copper = Gàidhlig *mèinn* = metal

Maybe Hlīngit resisted m, or held to the tradition of k. The Neandertal-Celts developed m later, when they began to use the front of the mouth more in speech. And the Native Americans have been in the New World at least 25,000 years, according to DNA research. (See Bibliography & Notes, 'DNA'.) Since the very last Neandertal disappeared.

External geometry, the shape of the land

All the shapes of geometry can be seen in our real world. All around us, in snowflakes, leaves, flowers, gemstones, seashells, chemical structures there is shape. The character of the land (and the ecosystem) is an influence for culture and language. So we create shapes in our buildings and homes, and in our environment. Also geometry of the landscape influences territory, relations between peoples, and how we use language.

So there is the external geometry of landscape. Herman Kitka Senior (to whom this book is dedicated) was knowledgeable about Hlīngit place names. (See also Bibliography & Notes, Sitka places.) This knowledge is valuable.

In New Zealand, the spirit travels across the land at death, visiting many places until it reaches Te Reinga, the leaping place. A good speaker (such as my teacher Pa Pukepuke) can tell this passage of the spirit in oratory. A New Zealand Māori elder also told me that the name of a place tells you what you should do in that place.

Herman Kitka passed his knowledge of place names on to Thomas F. Thornton, who wrote the book ‘Being and Place Among the Tlingit’.

The Scots and the Hlīngit both have words to show direction according to water flow or location. The river or stream direction in the area is the basis for Gàidhlig direction words, *sios* – down and *suas* – up. In Hlīngit it is location of water, de = down, seawards, lakeward, daq = up, homeward, toward the forest or inland.

The importance of the larger landscape is quite basic to a culture. North and South ends of the Andes-Rockies mountain chain, and also the two continents. (See the Bibliography & Notes – ‘Aconcagua’, ‘Copper’, ‘Turtle Island’.)

Sentence numbering

Like Bible verses, we’ve got the sentences in this story numbered. This helps when using the dictionary. You can spot a word by noticing the number. Using the word’s sentence number, you can also cross-reference using this dictionary. Cross-referencing helps to compare word use, and similar words.

Practice for fluency

You will see that the phrase arrangement is not the same as it is in English sentences. You can look at the word-for-word translation that goes with each sentence (which I got from the linguist John Swanton). You can translate and write out from the dictionary word-for-word. I suggest doing a variety of exercises. Thinking in Hlīngit also means engaging with people and situations. Some follow-up sources are in the Bibliography, page 402.

At the end of the book (after the Bibliography) the text of the story is given without English. Just straight text. Reading this, you can check your memory and fluency. Use the expression of a storyteller.
Straight Hlīngit text just goes like this:

An kuḻayA’t! dîgī’ŷīga a’ya u ānqā’wo. Dusī’ qok!ī’t! akucîtA’n. Qok!ī’t! ān ū’at duī’c guxq!ᵘ tîn. …

This is Swanton’s spelling. Then there’s a version in modern spelling.

Different letters

Don't worry about different-looking letters. They're quite straightforward. I used regular common computer fonts so anyone can do it. Here is some detail on how to type these letters:

ᴀ – light a.
ʟ – tl
} These are typed using small caps: CTR + SHIFT + K then type.

ᵘ – very light u
ᵒ – very light o
} These are typed using superscript: CTR + D > select superscript

Note: After selecting small caps or superscript, you have to use the same process to de-select it, to get normal letters again.

ł (Capital: Ł) – hl
Ļ – dl
} Use Symbols under the Insert menu. I wanted to make Ļ small caps with a dot like Swanton's but couldn't. Symbols has Ŀ too, which is cool, but I followed Swanton and put the mark under. I used Office Word 2003.

ó, ê and other vowel accents   Just use Symbols under the Insert menu.

ġ – g at the very back of the mouth   Swanton's dot was under the letter, but over is easier to see, and underlining doesn't cause a problem.

x, ҳ – Spanish j, or like ch in Scottish loch   The ҳ is stronger, a noisier consonant. The letter ҳ is found on the computer in Symbols under the Insert menu. It's a Russian letter.

q (қ) – k at the very back of the mouth   In modern writing (Naish-Story) they use underlines for this (and for ġ) but I prefer no underlines for spelling. To use q in the modern writing would be fine, but people are used to reading it as underlined k, so I used Russian қ (typed using Symbols under the Insert menu).

Revitalization: Making a language live again

When I was young, I had no idea my mother's ancestors' language, Gàidhlig, even existed. Maybe compared to me you have a headstart with Hlīngit.

Reviving a language is a big task, but one person can do a lot! A man in Israel, Eliezer Ben-Yehuda, revived Hebrew so it became their spoken language again in their country. Remember, there are others bravely working at it too, especially if you influence them with your goodness and dedication.

Actually speaking, and real language use, even in little steps, will help. Keeping social contacts and seeing others' progress, online and in person, in groups, sharing or using resources. Programs, cooperation, planning. Wisdom, respect, reverence, politeness, discipline, flexibility, pride, humility. Some cool expressions. These are all treasures in the revitalization process. Most of all, love and moral strength.

It is my great honor and pleasure to present you this book, with my love and blessing.

The Origin of Copper

The Origin of Copper

An kuhlayǻt' digéeŷēega áya u aanķáawo.

1

An kułayA't! dîgī'ŷīga a'ya u ānqā'wo.

There was a town, kind of long-shaped. And in the middle of the town lived the town chief.

An	kułayA't!	dîgī'ŷīga	a'ya	u	ānqā'wo.
Town	was long	in the middle of	it	lived	a chief.

Dusée ķok'éet' akushitǻn.

2

Dusī' qok!ī't! akucîtA'n.

His daughter was into picking berries.

Dusī'	qok!ī't!	akucîtA'n.
His daughter	berries	liked to pick.

Qok!ī't! ān ū'at duī'c guxq!ᵘ tîn.

Ꞣok'éet' aan óoat duéesh guxꞢ'ᵘ tin.

3

She even joined with her father's slaves (or colleagues, if you like), and went out with them gathering berries together.

Qok!ī't!	**ān**	**ū'at**	**duī'c**	**guxq!ᵘ**	**tîn.**
Berries	with them	she went	her father's	slaves	with.

Akā'yan kaoĻîŷA's! yuxū'ts! hāL!î yudā'qq! qok!ī't!ê.

Akáayan kaodliŷás' yuxóots' haatl'i yudáaꞢꞢ' Ꞣok'éet'ê.

4

While berrying, she wasn't looking down, and it happened then she stepped on grizzly bear's dung.

Akā'yan	**kaoĻîŷA's!**	**yuxū'ts!**	**hāL!î**
On it	she stepped	the grizzly bear's	dung

yudā'qq!	**qok!ī't!ê.**
while up in the woods	berrying.

Yei ayáosiķa yooχóots' haatli, "Ts'ăs ķáķ'osee ŷeedế hăs atléetl' toķ ķăk^{u}."

5

Yē aŷa'osîqa yūχū'ts! hāL!î, "Ts!As qa'q!osi ŷidê' hAs aLī'L! toq qAk^{u}."

So she spoke to that shit in no uncertain terms. "Sneaks... Think they own this place tramping around down here, big butthole bears!"

Yē	aŷa'osîqa	yūχū'ts!	hāL!î,	"Ts!As	qa'q!osi
So	she said to	the grizzly bear's	dung	"Always	feet

ŷidê'	hAs	aLī'L!	toq	qAk^{u}."
down to it	they	want,	anuses	wide.

Aatxếķdê hăs ayắ da.áadawe ŷáohleek'oots dukắgu.

6

Ātxê'qdê hAs ayA' daā'dawe ŷa'ołik!ūts dukA'gu.

They were pleased with their work and were wanting to go back down to the house, but then her basket broke, and she dropped her berries.

Ātxê'qdê	hAs	ayA'	daā'dawe	ŷa'ołik!ūts	dukA'gu.
Down	they	when	wanting to go	broke down	her basket.

Duī'c guxq!ū'tcawe ŷʌsahē'x akā'dê dudjiŷî's.

Duéesh guxʞ'óotshawe ŷăsahéix akáadê dudjeeŷís.

7

Her father's slaves all took care of it for her and briskly gathered them back into the basket. As colleagues generously would do.

Duī'c	**guxq!ū'tcawe**	**ŷʌsahē'x**	**akā'dê**
Her father's	slaves it was	were picking up and putting	onto it
dudjiŷî's.			
for her.			

Tlăxdế yáaduēesh
nehleexắnқ’awe
ts’u ŷáoleek’oots.

8

LAxdê’ yā’duīc neɫixA’nq!awe ts!u ŷa’olik!ūts.

She was entering in at the border of her father's property. Once again the basket broke, dumping the berries out.

LAxdê’	**yā’duīc**	**neɫixA’nq!awe**	**ts!u**	**ŷa’olik!ūts.**
Very close to	her father	into his house it was	again	it broke.

Tsh’utlé yei aŷa’osiқa
“Tsh’a waétsh déi ŷăsaha.”

9

Tc!uLe’ yē aŷa’osîqa “Tc!a wae’tc dē’ ŷAsaha.”

So then one of those colleagues spoke surely to her, “Now you get down and pick them up yourself.”

Tc!uLe’	**yē**	**aŷa’osîqa**	**“Tc!a**	**wae’tc**	**dē’**
Then	so	he (i.e. one) said to her,	“Now	you	now
ŷAsaha.”					
pick it up.”					

Akā'dê tc!a Lē' nA'xawe de At a'na doxA'nt ū'wagut yuqā' wAs!-ya acakA'nAłyên.

Akáadê tsh'a tléi nǎxawe de ǎt ána doxǎ́nt óowagut yuĸáa wǎs'-ya ashakǎ́nǎhlyên.

10

Of course, she did it. She was gathering them up in her hands and putting them in the basket, when a man came toward her, whirling a stick in his hand.

Akā'dê	**tc!a**	**Lē'**	**nA'xawe**	**de**	**At**	**a'na**
Onto it	right	by	herself it was	at once	things	she was putting in

doxA'nt	**ū'wagut**	**yuqā'**	**wAs!-ya**	**acakA'nAłyên.**
to her	came	a man	a stick	was whirling in his hand.

"Iqâca'" Le yū'Acia'osîqa.

"Eeĸâshá" tle yóoǎsheeáosiĸa.

11

"Let me marry you," is what he said to her.

"Iqâca'"	**Le**	**yū'Acia'osîqa.**
"Let me marry you,"	that	what he said to her.

12

Tsh'utlé ăshéen ġoné uwaắt.

Tc!uLe' Acī'n ġone' uwaA't.

Suddenly he snatched her away, they passed by the others unnoticed. Then he went with her.

Tc!uLe'	Acī'n	ġone'	uwaA't.
Then	with her	starting	he went.

13

Dăķ datshóon ăseeyú deix xao taŷeenắx ăshéen ŷáawaăt.

DAq datcū'n Asiyu' dēx xao taŷinA'x Acī'n ŷā'waAt.

*He went with her up into the woods, under two *logs.* [*See notes on page 562]

DAq	datcū'n	Asiyu'	dēx	xao	taŷinA'x	Acī'n
Up	toward the woods	it was	two	logs	under	with her

ŷā'waAt.
went.

14

Xătsh sháa.ayu xao yăx ăsh tuwáaŷati.

XAtc cā'ayu xao yAX Ac tuwā'ŷatî.

These mountains seemed to her like logs.

XAtc	cā'ayu	xao	yAX	Ac	tuwā'ŷatî.
These	mountains were	logs	like	her	looked to.

Duītē’x qoŷa’odū’waci yucawᴀ’t yū’antqenītc.

Duēetéix ĸoŷa’odóowashee yushawắt yóoantĸenēetsh.

15

The people went back up and made a thorough search for her.

Duītē’x	qoŷa’odū’waci	yucawᴀ’t	yū’antqenītc.
For her	searched	the woman	the people.

Yên yúкodoosheeawa dueetéк' yuġáa wuduwatắn.

16

Yên yu'qodūciawa duite'q! yuġā' wuduwatA'n.

For this reason folks had been brought in, and had searched the land.

Yên	**yu'qodūciawa**	**duite'q!**	**yuġā'**
(Every)where	having searched for her	for that	the people
wuduwatA'n.			
were ćalled.			

Xătsh xoots' кoáni ăsiyú ăshóowasha yuáxk'ănya-káodligădi yuaanŷḗdi.

17

XAtc x̹ūts! qoa'nî Asiyu' Acū'waca yua'xk!Anya-ka'oȽîgAdî yuānŷê'dî.

It was these same grizzly bears whom this upper-class young lady had been raving at, who were arranging the terms of her marriage.

XAtc	**x̹ūts!**	**qoa'nî**	**Asiyu'**	**Acū'waca**
This	grizzly bear	tribe	it was	that married her
yua'xk!Anya-ka'oȽîgAdî			**yuānŷê'dî.**	
what angrily had spoken to			the high caste girl.	

Xāt gā naAdî'· naA'ttc yuxūts! qoa'nî'.

Xaat gaa naădí naăttsh yuxoots' ĸoání.

18

The grizzly bear tribe was always after salmon, so they were always back and forth for the getting of it.

Xāt	gā	naAdî'	naA'ttc	yuxūts!	qoa'nî'.
Salmon	for	going	always went	the grizzly bear	tribe.

Yuxáat ga naădi eetéeĸ’awe heen taakᵘsháagê yădanéinutsh.

19

Yuxā’t ga naA’dî itī’q!awe hīn tākᵘcā’gê yAdanē’nutc.

When they had gone for salmon, he (her husband) always went meandering around after wet wood.

Yuxā’t	ga	naA’dî	itī’q!awe	hīn
The salmon	for	when they had gone	after they had left	wet

tākᵘcā’gê	yAdanē’nutc.
wood	he (her husband) always went after.

Hó qóa ts’ăs xook ătléeĸ’anutsh.

20

Ho’ qo’a ts!As xūk ALī’q!anutc.

But she always just got dry wood.

Ho’	qo’a	ts!As	xūk	ALī’q!anutc.
She,	however,	only	dry wood	always got.

Kē aġaA'dînawe xāt ā'ni dAx qāk!udA's! kāxkî'nde du'qêtcnutc.

Kei aġaắdinawe xaat áanee dăx ĸaak'udắs' kaaxkínde dúĸêtshnutsh.

21

When they came up from the salmon place, they would each magically throw off their fur coats and appear as they truly were.

Kē	aġaA'dînawe	xāt	ā'ni	dAx	qāk!udA's!
Up	when they came	salmon	place	from	their coats

kāxkî'nde	du'qêtcnutc.
off	they always threw.

KAdukî'ksînutc.

22

Kădukíksinutsh.

They always shook them.

KAdukî'ksînutc.
They always shook them.

Atūtxī'nawe Le ex yêx At akuġā'ntc yū'caq xōq!ᵘ.

Atootxéenawe tle ex yêx ăt akuġáantsh yóoshaĸ xōĸ'ᵘ.

23

Sparks then from in the fur clothing would blaze like traces of grease amongst the wet wood.

Atūtxī'nawe	Le	ex	yêx	At
From into it (clothing)	then	grease	like	something

akuġā'ntc	yū'caq	xōq!ᵘ.
would burn	the soaked wood	among.

Doayē' qo'a awe' ts!As kułkī'stc yū'xūk yū'cāwat.

Doayéi ĸóa awé ts'ăs kuhlkéestsh yóoxook yóoshaawat.

24

That fire of hers though, with her dry wood, it always just went out.

Doayē	qo'a	awe'	ts!As	kułkī'stc
Hers,	however,	that thing	only	always went out

yū'xūk	yū'cāwat.
the dry wood	the woman.

25

Akáaķ’awe tleihl unahlắ wâsá odusneeyí yuaanyêtķ’^{u}.

Akā’q!awe Lēł unałA’ wâsa’ odusniyî’ yuānyêtq!^{u}.

So it was not long until they did something distressing to their young high-class woman.

Akā’q!awe	Lēł	unałA’	wâsa’	odusniyî’
For it was	not	was long	what (or something)	they did to the
yuānyêtq!^{u}.				
high-caste woman.				

26

Ts’u ănaáadawe ts’u hăs wuáat ġắnġa tsh’a yáadoķ’osi ŷêdế áwe aositéen yusháawăttsh s’eiķ.

Ts!u Anaā’dawe ts!u hAs wuā’t ġA’nġa tc!a yā’doq!osî ŷêdê’ a’we aositī’n yucā’wAttc s!ēq.

They were going out again, again to get firewood. She was walking with careful steps, when right below her foot the woman spied smoke.

Ts!u	Anaā’dawe	ts!u	hAs	wuā’t	ġA’nġa
Again	when they were going	again	they	went	for firewood

tc!a	yā’doq!osî	ŷêdê’	a’we	aositī’n	yucā’wAttc	s!ēq.
right	her foot	under	that thing	saw	the woman	smoke.

Yū'gutc kîtū'nAx nacu' qAġA'qqocā-nAk!.

Yóogutsh kitóonăx nashú ķăġắķķoshaa-năk'.

27

Suddenly a grandmother mouse appeared. She made her way out calmly from under the little hillock there. She was hospitable.

Yū'gutc	**kîtū'nAx**	**nacu'**
The little hill	out from under	was coming out

qAġA'qqocā-nAk!.
a grandmother mouse.

Ăseeyú ăsheegáa wusú.

28

Asiyu' Acigā' wusu'.

It was that grandmother mouse that would help her.

Asiyu'	**Acigā'**	**wusu'.**
It was that	for her	would help.

"Neihl gu tshxănk'.

29

"Nēł gu tcxAnk!.

"Come into the house, grandchild," she said urgently.

"Nēł	**gu**	**tcxAnk!**
"Into the house	come	grandchild.

Tleihl neeyá kushigănéix ăt eeŷắdawe, xoots' ĸoánee awé éeuseenéix."

30

Lēł niya' kucîgAnē'x At iŷA'dawe, xūts! qoa'ni awe' ī'usinē'x."

It has not been easy for your allies among the bear tribe to protect you, but they have shown their best hospitality to you, and encircled you to protect you from the others.

Lēł	**niya'**	**kucîgAnē'x**	**At**	**iŷA'dawe,**	**xūts!**
Not	easy	what saved you	things	around you	grizzly bear

qoa'ni	**awe'**	**ī'usinē'x."**
people	it was	saved you.

Acī'n qonā'xdaq aka'wanîk.

Ăshéen ĸonáaxdaĸ akáwanik.

31

She told her the truth, and made her gently to understand.

Acī'n	qonā'xdaq	aka'wanîk.
To her	right	she told it.

Tc!uLe' Acu-kā'wadjA.

Tsh'utlé ăshu-káawadjă.

32

Then she admonished her with good humor.

Tc!uLe'	Acu-kā'wadjA.
Then	she gave her advice.

"Yū'do ŷī'c ānî'."

33

"Yóodo ŷēe.éesh aaní."

Over there yonder is your father's home.

"Yū'do	ŷī'c	ānî'."
"Over there	your father's	home."

Ayǎ́xawe tsh'u ts'utáat xaat ġa na.adế, ġonayé áadawe ădakǎ́deenawe yoot wudjeex̧éex̧.

34

AyA'xawe tc!u ts!utā't xāt ġa naadê', ġonaye' ā'dawe AdakA'dīnawe yūt wudjix̧ī'x̧.

So in the morning then, like when they started out...after when the grizzly bears were going for salmon... When they went down there, she ran away in exactly the opposite direction, up.

AyA'xawe	**tc!u**	**ts!utā't**	**xāt**	**ġa**
Like it it was	then	in the morning	salmon	after

naadê',	**ġonaye'**	**ā'dawe**
when they were going,	started	when they went

AdakA'dīnawe	**yūt**	**wudjix̧ī'x̧.**
in exactly the opposite direction	away	she ran.

Yéegiŷi ke a.áadawe dueetéix k̨oyáoduwashi x̧oots' k̨oáneetsh.

35

Yī'gîŷî ke aā'dawe duitē'x qoya'oduwacî x̧ūts! qoa'nitc.

At midday when they came up, the grizzly bear tribe searched for her.

Yī'gîŷî	**ke**	**aā'dawe**	**duitē'x**	**qoya'oduwacî**
At midday	up	when they came	for her	they searched

x̧ūts!	**qoa'nitc.**
grizzly bear	tribe.

Yāq! kē uwaL!A'k duL!ā'ke yucā'wAt.

Yaaķ' kei uwatl'ǎ́k dutl'áake yusháawǎt.

36

At this place, the woman's dress had rotted away almost to threads.

Yāq!	kē	uwaL!A'k	duL!ā'ke	yucā'wAt.
At this place	up	had rotted	her dress	the woman's.

De tleiκ̧’ shaa kănắx ŷawushix̧éeawe κ̧ox awudligến duítdê.

37

De ʟēq! cā kᴀnᴀ’x ŷawucîx̧ī’awe qox awuĻîgê’n duî’tdê.

She had darted quickly ahead across one mountain... Now when she dared to look back over in suspense she saw the bears chasing up behind her.

De	**ʟēq!**	**cā**	**kᴀnᴀ’x**	**ŷawucîx̧ī’awe**	**qox**
Now	one	mountain	across	when she had run	back

awuĻîgê’n	**duî’tdê.**
she looked	behind her.

Tlei κ̧aġết yăx ġấawe ŷatí duít x̧oots’ κ̧oáni.

38

Lē qaġê’t yᴀx ġâ’awe ŷatî’ duî’t x̧ūts! qoa’nî.

Then there was a fierce darkness, as if, it seemed, that the grizzly bear tribe were rushing up upon her.

ʟē	**qaġê’t**	**yᴀx**	**ġâ’awe**	**ŷatî’**	**duî’t**	**x̧ūts!**
Then	it was dark	like	as if	it was	to her	grizzly bear

qoa’nî.
tribe.

Ackā' yAx ŷāġāā'dawe ciaŷidē'kdaġā'x.

Ăshkáa yăx ŷaaġaa.áadawe sheeaŷeedéikdaġáax.

39

When they were getting closer, she began to wail, and cry out for life, in a flurry of agitation. She acknowledged the noble animal.

Ackā'	yAx	ŷāġāā'dawe	ciaŷidē'kdaġā'x.
On her	like	when they were gaining	she began to cry for life.

Ak!ayaxê' dāk udjixī'x̣.

Ak'ayax̣ê daak udjeex̣éex̣.

40

As fortune would have it, she came out on the edge of a big lake, and out she quickly ran.

Ak!ayaxê'	dāk	udjix̣ī'x̣.
On the edge of a lake	out	she ran.

Yóoa tlen ắdi gēeyēeġéit gwâyú hleexa̱ash yóoyaak[u] shădakóoĸ' ăshá.

41 **Yū'a Len A'dî gīyīġē't gwâyu' łixa̱'c yū'yāk[u] cAdakū'q! Aca'.**

Facing her out in the middle of the wide lake was a canoe, floating there. It was wearing a high-crowned dance hat on its head.

Yū'a	Len	A'dî	gīyīġē't	gwâyu'	łixa̱'c
The lake	big	of it	in the middle	was	was floating

yū'yāk[u]	cAdakū'q!	Aca'.
a canoe	a dance hat with high crown	on its head.

"Háande hēent eeshíx," yuasheeáosiĸa.

42 **"Hā'nde hīnt icî'x̱," yuacia'osîqa.**

"Run this way into the water," is what it said to her.

"Hā'nde	hīnt	icî'x̱,"	yuacia'osîqa.
"This way	into the water	you run,"	what it said to her.

Tle akáade hēent wudjeexéex̱.

43 **Le akā'de hīnt wudjix̱ī'x̱.**

Then she ran to it, out into the water.

Le	akā'de	hīnt	wudjix̱ī'x̱.
Then	to it	into the water	she ran.

Yāx wuduwaŷē'q. 44 Yaax wuduwaŷéiҝ.

They pulled her out of the water and into the canoe.

Yāx	wuduwaŷē'q.
From it	they pulled her in.

Tc!uLe' Acī'n dekī't wudzîxA'q ġAgā'n tūt. 45 Tsh'utlé ăshéen dekéet wudzixăҝ ġăgáan toot.

They went up traveling sunwise, far beyond the earth, high high up and into the face of the sun.

Tc!uLe'	Acī'n	dekī't	wudzîxA'q	ġAgā'n	tūt.
Then	with her	far up	it came to go	sun	into.

ŁuqAnā' Asiyu' hAs ā'waca yū'ġAgān ŷê'tq!î. 46 Hluҝănáa ăseeyú hăs áawasha yóoġăgaan ŷếtҝ'i.

It was the cannibal whom the sun's sons had married.

ŁuqAnā'	Asiyu'	hAs	ā'waca	yū'ġAgān	ŷê'tq!î.
Cannibal	it was	they	married	the sun's	sons.

Hăs ắġashaan tléhlsdji hăs uhlsáak[u].

47

HAs A'ġacān Le'łsdjî hAs ułsā'k[u].

The lives of those whom they married never lasted a long time.

HAs	A'ġacān	Le'łsdjî	hAs	ułsā'k[u].
They	when they married	never	they	lasted long.

Tlei sadjắĸx.

48

Lē sadjA'qx.

Of course in the end they always killed them.

Lē	sadjA'qx.
Then	they always killed [them].

Ŷeedắti áaŷi ĸóa.awe shtóogas áodisha.

49

ŶīdA'tî ā'ŷî qo'aawe ctū'gas a'odîca.

Now however, they had hopes in her, and felt they were going to like this modest woman. They were starting to pledge themselves to her.

ŶīdA'tî	ā'ŷî	qo'aawe	ctū'gas
Now	it was,	however,	they liked [the one]
a'odîca.			
they started to marry.			

A'ya aq dA'xawe hAs ā'wadjAq yū'łūqAna'.

Áya aĸ dǎxawe hǎs áawadjǎĸ yóohlooĸǎná.

50

To make way for her, they killed the cannibal.

A'ya	aq	dA'xawe	hAs	ā'wadjAq	yū'łūqAna'.
To	make	way for her	they	killed	the cannibal.

Ts!ūtsẋA'n ā'nî kînā'q! ayu' hAs ā'wadjAq.

Ts'ootsxǎn áani kináaĸ' ayú hǎs áawadjǎĸ.

51

It was when they were right overhead the Tsimshian town that they killed her.

Ts!ūtsẋA'n	ā'nî	kînā'q!	ayu'	hAs	ā'wadjAq.
Tsimshian	town	on top of	it was	they	killed.

Tc!aŷē'guskî wucdA'x awułîsū'.

Tsh'aŷéiguski wushdǎx awuhlisóo.

52

They chopped her up into very tiny small pieces.

Tc!aŷē'guskî	wucdA'x	awułîsū'.
Very small	apart	they chopped her.

Ătshawé hluκănă áashaŷăndeehéin.

53

Atcawe' łuqAna' ā'caŷAndihēn.

This act foretold how there began to be so many cannibals there.

[It's the original story, but see Bibliography and Notes, page 413.]

Atcawe'	**łuqAna'**	**ā'caŷAndihēn.**
That is why	cannibals	began to be so many [there].

Ts'óotsxăn áani tle k'awêhlguha.

54

Ts!ū'tsxAn ā'nî Le k!awê'łguha.

Descending further, they could clearly see the Tsimshian town outspread below.

Ts!ū'tsxAn	**ā'nî**	**Le**	**k!awê'łguha.**
Tsimshian	town	then	they could see.

Duī'c ā'nî akînā' wuġaẋî'ẋîn yū'ġAgān ye yên dosqê'tc, "Hē duī'c ā'nî."

Duéesh áani akináa wuġaẋíẋin yóoġăgaan ye yên dosĸḗtsh, "Hei duéēsh áani."

55

They traveled with the sun.. Whenever they came high above her father's town, they always said with a sigh, 'Here is your father's town'.

Duī'c	**ā'nî**	**akînā'**	**wuġaẋî'ẋîn**	**yū'ġAgān**	**ye**
Her father's	town	on top of it	when gets	the sun	thus

yên	**dosqê'tc,**	**"Hē**	**duī'c**	**ā'nî."**
there	they always said,	"Here [is]	your father's	town."

Waananéesawe ŷêt hăs áawa-oo.

56

Wānanī'sawe ŷêt hAs ā'wa-ū.

Very soon they had the good fortune to have a baby.

Wānanī'sawe	ŷêt	hAs	ā'wa-ū.
Very soon	baby	they	had.

Hăsdutshukătawe ŷeeatăn hăsduéesh yáagu χoots' yaak[u].

57

HAsdutcukA'tawe ŷiatA'n hAsduī'c yā'gu χūts! yāk[u].

Over at the end of town rested their father's canoe, waiting. Grizzly bear canoe.

HAsdutcukA'tawe	ŷiatA'n	hAsduī'c	yā'gu
At the end of them (i.e. the town)	stood	their father's	canoe,

χūts!	yāk[u].
grizzly bear	canoe.

Ḱṓwaăxtsh yóoyaak[u].

58

Qō'waAxtc yū'yāk[u].

They could hear a troubled sound coming from the canoe.

Qō'waAxtc	yū'yāk[u].
Could hear	the canoe.

Āŷî's At ka'ołiga. **59** Aaŷís ăt káohleega.

They took things for it and loaded it with them.

Āŷî's	At	ka'ołiga.
For it	things	they loaded it with.

HAsduwū' xA'ndî dAnē't aŷîde' ye wududzî'nê. Hăsduwóo xắndi dănéit aŷidé ye wududzínê.

60

They came to put the grease box inside it, to give their father-in-law.

HAsduwū'	xA'ndî	dAnē't	aŷîde'	ye	wududzî'nê.
Their father-in-law	to	grease box	inside it	thus	they came to put it.

Hăsduéen ġonayé oowagút.

61

HAsduī'n ġonaye' ūwagu't.

The canoe performed its magic, and with them it made to walk away.

HAsduī'n	ġonaye'	ūwagu't.
With them	started	it walked away.

Tsh'aak[u] yáanagútiawe κox ăkóodadjeetsh.

62

Tc!āk[u] yā'nagu'tîawe qox Akū'dadjītc.

After a long time that it had walked on, it would toss around and turn back suddenly.

Tc!āk[u]	yā'nagu'tîawe	qox	Akū'dadjītc.
Long time	after it had walked on	back	it would turn suddenly.

XAtc u'tiyānġahē'n, awe' wē'yāk^{u} dAnē't hAs akust!ē'q!Atc ayat!A'kq!^{u}.

Xătsh úteeyaanġahéin, awé wéiyaak^{u} dănéit hăs akust'éiḳ'ătsh ayat'ắkḳ'^{u}.

63

In fact, the canoe would get hungry. At that time when its keen appetite arose, they would always knock the grease box on the edge of the bow, and splash some to its face.

XAtc	u'tiyānġahē'n,	awe'	wē'yāk^{u}	dAnē't
This	when it would get hungry	when	the canoe	grease box

hAs	akust!ē'q!Atc	ayat!A'kq!^{u}.
they	would break up always	in front of the bow.

Yū'yāk^{u} āeġayā't hAs ū'waqox dūwu'.

Yóoyaak^{u} aaeġayáat hăs óowaḳox doowú.

64

The canoe made its way down to the final destination, to the father-in-law's place..

Yū'yāk^{u}	āeġayā't	hAs	ū'waqox	dūwu'.
The canoe	below it	they	went then	his father-in-law.

Awusikū' duī'c hî'tî.

Awuseekóo duéesh híti.

65

She recognized her father's house from memory.

Awusikū'	duī'c	hî'tî.
She knew	her father's	house.

Tle aaeġayáa daaķ oowagút.

66

Le āeġayā' dāq ūwagu't.

Then she came up to the front of the house. She faced the home of her childhood.

Le	āeġayā'	dāq	ūwagu't.
Then	in front of [the house]	up	she came.

Duéek'tshawe neihlt'áa uwagút "Ăxdláak' gaant oowagút."

67

Duī'k!tcawe nēłt!ā' uwagu't "AxĻā'k! gānt ūwagu't."

It was her brother actually who came into the house going "My sister's outside! She's come!"

Duī'k!tcawe	nēłt!ā'	uwagu't	"AxĻā'k! gānt
Her brother it was	into the house	came [& said],	"My sister outside

ūwagu't."
came."

Akā’q!awe dudjā’q duLā’tc tc!āk^{u} qot wudzîgī’tî duĻā’k!Atc wAq kaodAnigītc.

Akáaķ’awe dudjáaķ dutláatsh tsh’aak^{u} ķot wudzigéēti dudláak’ătsh wăķ kaodăneegēetsh.

68

Because of this his mother beat and scolded him. Though his sister had come to be lost a long time since, he claimed to have seen her with his eyes.

Akā’q!awe	**dudjā’q**	**duLā’tc**	**tc!āk^{u}**	**qot**
For it it was	beat him	his mother	a long time	lost

wudzîgī’tî	**duĻā’k!Atc**	**wAq**	**kaodAnigītc.**
had come to be	his sister	eyes	he claimed to see with.

Áayux wugóot dutláa.

69 Ā'yux wugū't duʟā'.

His mother went out to the canoe.

Ā'yux	wugū't	duʟā'.
Out to it	went	his mother.

Xătsh ḳ'éiġa ăseeyú dắḳde hăs duhlát.

70 XAtc q!ē'ġa Asiyu' dA'qde hAs duła't.

It really was true, they were coming ashore, getting their things to shore.

XAtc	q!ē'ġa	Asiyu'	A'qde	hAs	duła't.
That	truly	was so	ashore	they	were coming in their things.

Hăs ḳóa tleihl hăs dutéen.

71 HAs qo'a ʟēł hAs dutī'n.

However, the people did not see them.

HAs	qo'a	ʟēł	hAs	dutī'n.
Them,	however,	not	they	saw.

XAtc dē'tc!a A'sîyu yū'Ałdî's q!os yêx kātuwā'(ŷ)ati.

Xătsh déitsh!a ăśiyu yóoăhldís ḳ'os yêx kaatuwáa(ŷ)atee.

72

It seemed exactly like streaks of real moonlight swirling round them, really like moonlight.

XAtc	dē'tc!a	A'sîyu	yū'Ałdî's	q!os	yêx
This	very thing	it was	the moon	shine (streaks)	like
kātuwā'(ŷ)ati.					
there is.					

Dāq kAdudjē'ławe yū'AtłaAt ā'yux ā'wagut.

Daaḳ kădudjéihlawe yóoăt.hlaăt áayux áawagut.

73

When they had brought all their things up shoreside, one person went out to them.

Dāq	kAdudjē'ławe	yū'AtłaAt	ā'yux	ā'wagut.
Up	when they brought	their things	out to them	[one] went.

"Tleihl da ăt," yóosheeaodudzeeĸa.

74

"Lēł da At," yū'siaodudziqa.

"There's no sign of them" was what he said to them.

"Lēł	da	At,"	yū'siaodudziqa.
"Not	there	[is] a thing,"	what he said to them.

Dushắt ye ŷawaĸá, "Detsh'á.a.awé weăhldís-ĸ'os ŷee yêx ŷatí.

75

DucA't ye ŷawaqa', "Detc!a'a.awe' weAłdî's-q!os ŷi yêx ŷatî'.

So their wife said "That truly is them, that lovely moonlight shining down,".

DucA't	ye	ŷawaqa',	"Detc!a'a.awe'	weAłdî's-q!os	ŷi
His wife	thus	said,	"That is they,	that moonshine	down

yêx	ŷatî'.
like	there is."

Yē ŷana-isAqa a dāq ŷiA’dî.”

Yei ŷana-eesăқa a daaқ ŷeeắdi.”

76

So tell them very politely to come straight on up.”

Yē	ŷana-isAqa	a dāq	ŷiA’dî.”
Thus	you tell them	up	to come.”

Ye ŷa’odudzîqa.

77

Ye ŷáodudziқa.

So they went right back to tell them.

Ye	ŷa’odudzîqa.
Thus	they came to tell them.

Dāq uwaA’t.

78

Daaқ uwaắt.

Up they came.

Dāq	uwaA’t.
Up	they came.

Tsh’utlé ġăgáan κ̧’ōs wắsâ
neihl kăx dugúġun yóoġăgan
κ̧’ōs yóoshaawăt
tuwắnκ̧’ hăsduŷéet k’ătsk’^{u}
ts’u κ̧’wăseŷế ăhlts’ú
ġăgáan κ̧’ōs ŷêx ŷatí.

79 **Tc!uLe’ ġAgā’n q!ōs wA’sâ nēł kAx dugu’ġun yū’ġAgan q!ōs yū’cāwAt tuwA’nq! hAsduŷī’t k!Atsk!^{u} ts!u q!wAseŷê’ Ałts!u’ ġAgā’n q!ōs ŷêx ŷatî’.**

Then inside the house there were strange, awesome bands of sunbeams alongside the woman, and their little son also was like streaks of sunbeams in front of them.

Tc!uLe’	ġAgā’n	q!ōs	wA’sâ	nēł	kAx
Then	the sun	beams	how	in the house	across
dugu’ġun	**yū’ġAgan**	**q!ōs**	**yū’cāwAt**	**tuwA’nq!**	
lay in streaks	the sun	beams	the woman	alongside of	
hAsduŷī’t	**k!Atsk!^{u}**	**ts!u**	**q!wAseŷê’**	**Ałts!u’**	**ġAgā’n**
their son	little	also	in front of them	and also	sun
q!ōs	**ŷêx**	**ŷatî’.**			
beams	like	were.			

Tc!uLe’ nēłq! yên hAs qē’awe tsa wA’sa Atū’nAx kês yê’nAx hAs ŷî yA’xawe ŷasiate’ yuqoġā’s!.

Tsh’utlé neihlĸ’ yên hăs ĸéi.awe tsa wắsa ătóonăx kês yḗnăx hăs ŷi yắxawe ŷaseeaté yuĸoġáas’.

80

Then at the house, they were being hospitably received and seated there, and only then did her husbands appear, like from within something like a swirling fog.

Tc!uLe’	**nēłq!**	**yên**	**hAs**	**qē’awe**	**tsa**	**wA’sa**
Then	at the house	there	they	being seated	then	as if

Atū’nAx	**kês**	**yê’nAx**	**hAs**	**ŷî**	**yA’xawe**	**ŷasiate’**
from into it	out	from there	they	being	like that	was

yuqoġā’s!.
the fog.

“AtġAxā’ dê Axsī’k!^{u}” yū’ŷawaqa yuānqā’wo.

“Ătġăxáa dê ăxséek’^{u}” yóoŷawaĸa yuaanĸáawo.

81

“Take some food, do have something, my daughter, my little girl,” said the chief.

“AtġAxā’	**dê**	**Axsī’k!^{u}”**	**yū’ŷawaqa**
“Let eat something	(imperative)	my daughter,”	said

yuānqā’wo.
the chief.

Tlăx shkăstáaxwâ awé wudjixéex hăsduк'oés héenġa.

82

LAx ckAstā'xwâ awe' wudjîxī'x hAsduq!oe's hī'nġa.

It was a very young guy who was running for water for them.

LAx	ckAstā'xwâ	awe'	wudjîxī'x	hAsduq!oe's	hī'nġa.
Very	was a young man	that	was	for them	water.

Ax ke áawatăn kidjóok кínaŷi.

83

Ax ke ā'watAn kîdjū'k qî'naŷî.

The sun's son took out a quill from a fish-hawk.

Ax	ke	ā'watAn	kîdjū'k	qî'naŷî.
From it	out	he took	a fish-hawk	its quill.

Ăкadē̂ awatsáaк.

84

Aqadê' awatsā'q.

He put it into the water.

Aqadê'	awatsā'q.
Into it	he put it.

Yū yên kā'watAn xēL! qAx Lēł cka' wucku'k yuqā'.

Yoo yên káawatăn xeitl' ḳăx tleihl shká wushkúk yuḳáa.

85

If it bent over and bowed down on account of slime, the man had not behaved himself.

Yū	yên	kā'watAn	xēL!	qAx	Lēł	cka'
If	it	bent over	slime	on account of	not	behaved

wucku'k	yuqā'.
himself	the man.

Shunaaŷết yên da yéiġawetsa,
duéek' k'ătsk'^{u} káawaka̧.

86

Cunāŷê't yên da yē'ġawetsa, duī'k! k!ᴀtsk!^{u} kā'waqa.

When everyone there had observed and taken notice of it, she sent her little brother.

Cunāŷê't	yên	da	yē'ġawetsa,	duī'k!	k!ᴀtsk!^{u}
Everyone	there	when	they examined,	her brother	little
kā'waqa.					
she sent.					

Tshutléixdê heen hắsduķ'oéidê
áawayă hắsdueek'
k'ắtsk'^{u}.

87

Tc!uʟē'xdê hīn hᴀ'sduq!oē'dê ā'wayᴀ hᴀ'sduīk! k!ᴀ'tsk!^{u}.

From that time on, their little brother then carried water for them.

Tc!uʟē'xdê	hīn	hᴀ'sduq!oē'dê	ā'wayᴀ	hᴀ'sduīk!
Ever since then	water	for them	carried	their brother
k!ᴀ'tsk!^{u}.				
little.				

Qot ġagū'dawe duī'k! hīn ġā a'watan q!īca' duxo'xq!ᵘ wA'nq!es.

Ḳot ġagóodawe duéek' hēen ġaa áwatan ḳ'ēeshá duxóxḳ'ᵘ wǎnḳ'es.

88

When her brother had entirely left and gone away, she took a bucket to get water for her husbands.

Qot	ġagū'dawe	duī'k!	hīn	ġā	a'watan
Entirely	when went away	his brother	water	for	she took

q!īca'	duxo'xq!ᵘ	wA'nq!es.
bucket	her husbands	for.

DA'xda hī'nġa gū'dawe Acdjī'n awu'łîcāt qā hīn q!ēq!.

Dǎxda héenġa góodawe ǎshdjéen awúhlishaat ḳaa hēen ḳ'eiḳ'.

89

Twice when she went for water, a man she encountered near the water place snatched a touch of her hand.

DA'xda	hī'nġa	gū'dawe	Acdjī'n	awu'łîcāt	qā
Twice	for water	when she went	her hand	caught	a man

hīn	q!ēq!.
water	near (by the).

Tshutlé neihl awísēenéawe duxóxķ'^{u} awăn xănķ' aķadéi uduwatsáak kidjóok ķ'ínayi.

90

TcuLe' nēł awî'sīne'awe duxo'xq!^{u} awA'n xA'nq! aqadē' uduwatsā'k kîdjū'k q!î'nayî.

Then when she brought the water into the house, her husbands would be close by. They would take out a fishhawk quill, put it to the water, dip it in.

TcuLe'	**nēł**	**awî'sīne'awe**	**duxo'xq!^{u}**	**awA'n**
Then	in the house	when she brought it	her husbands	close by
xA'nq!	**aqadē'**	**uduwatsā'k**	**kîdjū'k**	**q!î'nayî.**
to	into it	they put [it]	fishhawk	its quill.

Tsh'uyóo dudjéen wuduhlsháadi awé tla yóoyênkáawatăn xeitl'ķaax.

91

Tc!uyū' dudjī'n wudułcā'dî awe' La yū'yênkā'watAn xēL!qāx.

It was the times her hand was caught when the quill then bent from slime.

Tc!uyū'	**dudjī'n**	**wudułcā'dî**	**awe'**	**La**	**yū'yênkā'watAn**
The time	her hand	was caught	when	then	it bent
xēL!qāx.					
slime from.					

Lē awē' wudîna'q duxo'xq!^{u} wA'nġA'ndî dunA'q.

Tlei awéi wudináķ duxóxķ'^{u} wắnġắndi dunắķ.

92

Then it was that her husbands, they being different people, began to part from her. They began to go outside. They rose up on high above.

Lē	**awē'**	**wudîna'q**	**duxo'xq!^{u}**	**wA'nġA'ndî**
Then	it was	started to get up	her husbands	to go outside

dunA'q.
from her.

Ts!uhē't!aawe aġacA'ttc, Le atū'nAx wudjA'łtc.

Ts'uhéit'a.awe aġashắttsh, tle atóonăx wudjắhltsh.

93

When she would go to catch them, one of them then the other, her hands just passed sideways through them.

Ts!uhē't!aawe	**aġacA'ttc,**	**Le**
First one and then the other	when she would catch	then

atū'nAx	**wudjA'łtc.**
through them	[her hands] would go.

Tsh'utlé tleihl hăs wudustéen.

94

Tc!uLe' Lēł hAs wudustī'n.

Then after that they did not see the sun's sons.

Tc!uLe'	Lēł	hAs	wudustī'n.
Then	not	they	saw [them].

Hắsduyáagu ḳóa awé aa kăt wudjeexẹ́ex.

95

HA'sduyā'gu qo'a awe' ā kAt wudjixḷī'x.

However, their canoe ran about across the lake.

HA'sduyā'gu	qo'a awe'	ā	kAt	wudjixḷī'x.
Their canoe,	however,	lake	on	ran up.

HAsdūŷī'dî qo'a awe' yē'At hAs aodîcî' qahā's!tc ŷāqġadjā'q.

Hăsdooŷéedi ĸóa awé yéi.ăt hăs aodishí ĸaháas'tsh ŷaaĸġadjáaĸ.

96

However also this thing was like blame in their hearts, and they came to wish filth would kill their son.

HAsdūŷī'dî	**qo'a awe'**	**yē'At**	**hAs**	**aodîcî'**	**qahā's!tc**
Their son,	however,	for this	they	came to wish	filth
ŷāqġadjā'q.					
would kill him.					

Atcawe' duī'c nAġanā'n Atk!A'tsk![u] q!AnAskîdē'tc wudjā'qtc.

Ătshawé duéesh năġanáan ătk'ătsk'[u] ĸ'ănăskidéitsh wudjáaĸtsh.

97

It is because of this thing, that when a little orphan's father has died, he is always killed of the wretchedness and evil destiny of poverty and want, even sorcery.

Atcawe'	**duī'c**	**nAġanā'n**	**Atk!A'tsk![u]**	**q!AnAskîdē'tc**
This is why	his father	when he dies	a little boy's	poverty
wudjā'qtc.				
always is killed of.				

Tlăx wấyu kăshóosawedê duyếtk'[u], dutláa tin gáaniyăx káodudli-ú.

LAx wâ'yu kAcū'sawedê duyê'tk![u], duLā' tîn gā'nîyAx ka'oduḶî-u'.

98

When her little child had been really afflicted and persecuted by them, finally then, softly, they let him to go off outside with his mother.

LAx	wâ'yu	kAcū'sawedê	duyê'tk![u],	duLā'	tîn
Very	when	had suffered	her little child,	his mother	with

gā'nîyAx	ka'oduḶî-u'.
outside	they let him go.

Aan tshukăķ'awe tshaash hit aká aohliyắx.

Ān tcukA'q!awe tcāc hît aka' aoɬîyA'x.

99

At the other end of town his mother made a branch house.

Ān	tcukA'q!awe	tcāc	hît	aka'	aoɬîyA'x.
Town	at the other end of	branch	house	at it	she made.

Duyê'tk!° ᴀ'q! ān yē wutî'.

Duyḗtk'° ắḳ' aan yei wutí.

100

So then she settled in on the outskirts of the town with her little child.

Duyê'tk!°	ᴀ'q!	ān	yē	wutî'.
Her little child	then	with it	so	she stayed.

Ắshutshnutsh duyḗtk'ᵒ
yóotshaash hit ŷik.

101

A'cutcnutc duyê'tk!ᵒ yū'tcāc hît ŷîk.

She always bathed her little child inside the branch house.

A'cutcnutc	duyê'tk!ᵒ	yū'tcāc	hît	ŷîk.
She always bathed	her little child	the branch	house	inside.

Desgwắtsh tl'agáayan năhlgéin.

102

DesgwA'tc L!agā'yan nAłgē'n.

Now he was getting taller and stronger, and more mature, almost coming of age.

DesgwA'tc	L!agā'yan	nAłgē'n.
Now	he was getting	large.

Қақ'aitéi.awe dukadḗқ
doġḗtshnutsh.

103

Qaq!aitē'awe dukadê'q doġê'tcnutc.

People were always constantly depositing filth, refuse and kitchen waste on where he dwelt.

Qaq!aitē'awe	dukadê'q
Garbage	on top of him (i.e. his house)

doġê'tcnutc.
they would always throw.

"Yā't!ayauwaqā'," yuawe' daŷadoqā'nutc.

"Yáat'ayauwaĸáa," yuawé daŷadoqáanutsh.

104

The fond nickname they always called him by was 'King of the Heap'. They had a petty conspiracy.

"Yā't!ayauwaqā',"	yuawe'	daŷadoqā'nutc.
"This man living here"	was what	they always called him.

Úx uduhlshúĸ̧nutsh.

105

U'x udułcu'qnutc.

They always made an ill-natured sport of laughing at him.

U'x	udułcu'qnutc.
At him	they would laugh.

Waananéesawe yux wudjeex̧éex̧ yuătk'ắtsk'° ăshkuhlŷ́ếtixōĸ̧'.

106

Wānanī'sawe yux wudjix̧ī'x̧ yuᴀtk!ᴀ'tsk!° ᴀckułŷê'tîxōq!.

As soon as he acted sociable, and rushed out to play amongst the boys and mix with them…

Wānanī'sawe	yux	wudjix̧ī'x̧	yuᴀtk!ᴀ'tsk!°
As soon as	out	he ran	the little boy

ᴀckułŷê'tîxōq!.
among the boys playing….

"Tca-ī' Q!aī'tî-cūye'-qā"
La yū'duwasa.

"Tsha-ée Ḳ'aéeti-shooyé-ḳaa" tla yóoduwasa.

107

'Ewh, you dirty Garbage-Man,' is how they murmured and they chanted.

"Tca-ī' Q!aī'tî-cūye'-qā"	La	yū'duwasa.
"Oh! You dirty Garbage-Man,"	then	what they called him.

DuLā' ye aya'osîqa,
"SAks A'xdjîŷîs łayA'x."

Dutláa ye ayáosiḳa, "Săks ắxdjiŷis hlayắx."

108

He said to his mother, "Please make bows and arrows for me!"

DuLā'	ye	aya'osîqa,	"SAks	A'xdjîŷîs	łayA'x."
His mother	thus	he asked,	"Bows and arrows	for me	make."

Atlé ye anăsnéeawe tsh'óoya akăndagănêawé aanagúttsh at'ókt'.

109

ALe' ye anAsnī'awe tc!ū'ya akA'ndagAnêawe' ānagu'ttc at!o'kt!.

So then the moment she had made them, he was off. When it turned daylight, he always was going shooting with his bows and arrows.

ALe'	**ye**	**anAsnī'awe**	**tc!ū'ya**
Then	so	when she had made them	just then

akA'ndagAnêawe'	**ānagu'ttc**	**at!o'kt!.**
when it was daylight	he always went	shooting with them.

Hldakăt ădawe at'ókt'inutsh.

110

ŁdakA't A'dawe at!o'kt!înutc.

He would shoot all those things there.

ŁdakA't	**A'dawe**	**at!o'kt!înutc.**
All	things those	he would shoot.

Qāx ŷaqsatī'yawe desgwa'tc yū'āk! aŷahê'taqguttc.

Ķaax ŷaķsatéeyawe desgwátsh yóoaak' aŷahế̂taķguttsh.

111

Now when he was getting to be a man, he always went up to that particular area near the lake.

Qāx	**ŷaqsatī'yawe**	**desgwa'tc**	**yū'āk!**
Getting to be a man	when he was	now	the lake
aŷahê'taqguttc.			
he always went up close by.			

Q!ū'na ā'daq gū'tsawe Acŷîs ŷînAx ke q!ē'waxix.

Ķ'óona áadaq góotsawe ăshŷis ŷinăx ke ķ'éiwaxeex.

112

Many times after he had gone inland to that area, a thing made for him, ran to him. It gamboled toward him and darted up at him.

Q!ū'na	**ā'daq**	**gū'tsawe**	**Acŷîs**	**ŷînAx**	**ke**
Many times	inland to it	after he had gone	for him	toward	up
q!ē'waxix.					
came quickly.					

Ⱪ'aană̆x hlatí ăhleⱪ'áa.

113

Q!ānᴀ'x łatî' ᴀłeq!ā'.

In and around its mouth was blood red.

Q!ānᴀ'x	łatî'	ᴀłeq!ā'.
It was around mouth	was	red.

Dăxdanéen ye ăsh năsnée dutláa ⱪ'éiwawoos', "Dáasayu atlé?"

114

Dᴀxdanī'n ye ᴀc nᴀsnī' duʟā' q!ē'wawūs!, "Dā'sayu aʟe'?"

One time, it had done this twice, and he asked his mother, 'What is that, mother?'

Dᴀxdanī'n	ye	ᴀc	nᴀsnī'	duʟā'	q!ē'wawūs!,
Twice	so	him	it had done for	his mother	he asked,

"Dā'sayu	aʟe'?"
"What is that,	Mother?"

Tshutlé yên áosini ŷees tlaak.

115

Tcuʟe' yên a'osînî ŷīs ʟāk.

Then he fashioned a new spear there in that mystical place.

Tcuʟe'	yên	a'osînî	ŷīs	ʟāk.
Then	there	he prepared	spear	new.

"Dekī' q!wAn dāq īcī'q îyA'x q!aowut!ā'xe x̨āk^u qâ'djî gA'łaat.

"Dekée ḳ'wăn daaq eeshéeḳ iyắx ḳ'aowut'áaxe xaak^u ḳấdji găhla.at.

116

"Now, run out on the upper shore of the lake, and it will open its mouth for you, and put its claws up on land.

"Dekī'	**q!wAn**	**dāq**	**īcī'q**	**îyA'x**	**q!aowut!ā'xe**
Seaward	now	out	you run	for you	it opens its mouth
x̨āk^u	**qâ'djî gA'łaat.**				
claws	it puts up on land.				

Iī'c yāgu' awe'."

117

Ee.éesh yaagú awé.

It is your father's canoe."

Iī'c	**yāgu'**	**awe'.**
Your father	his canoe	it is.

Aq! āyA'x dugudē'awe AcyA'x q!ē'wat!āx.

Aḳ' aayắx dugudéi.awe ăshyắx ḳ'éiwat'aax.

118

According to that, when he had gone down there, so it opened its mouth for him.

Aq!	**āyA'x**	**dugudē'awe**	**AcyA'x**	**q!ē'wat!āx.**
To it	so	when he had gone	for him	it opened its mouth.

"Duhleiķ'ǎ tshǎ t'úk."

119 **"Dułēq!A' tcA t!u'k."**

"Shoot right into the reddest part of its mouth."

"Dułēq!A'	tcA	t!u'k."
"It's (mouth's) redness	right in	shoot it."

Tsh'utlé awut'óoguawe ye uduwaǎx "Ġaa" yeihl yǎx.

120 **Tc!uLe' awut!ū'guawe ye uduwaA'x "Ġā" yēł yA'x.**

Then when he had shot it, it was so heard to say 'Gaa', like a raven.

Tc!uLe'	awut!ū'guawe	ye	uduwaA'x	"Ġā"
Then	when he had shot it	so	it was heard to say	"Ġā",

yēł	yA'x.
raven	like.

Ayê'x caŷa'oĻixAc yeyA'x awe' wūne' ayêxak!ā'wu.

Ayê̂x shaŷáodleexăsh yeyắx awé wooné ayêxak'áawu.

121

It was as if all its seat planks had been sawn out, something like that.

Ayê'x	caŷa'oĻixAc	yeyA'x	awe'	wūne'	ayêxak!ā'wu.
As if	were all cut off	like it	that	it was	its seats.

XAtc ēq yā'gu ayu' yēk[u]dīwuq! ayAxak!āw'o.

Xătsh eiĸ yáagu ayú yeik[u]dēewuĸ' ayăxakaaẃo.

122

It was a copper canoe that had an array of wide seats in it.

XAtc	ēq	yā'gu	ayu'	yēk[u]dīwuq!	ayAxak!āw'o.
It was	a copper	canoe	that	in it were wide	seats.

Xătsh tsh'ăs tle yéiti éiḵayu,
tle káawawătl' yóoyaak^{u}
hldakắt aa.

123

XAtc tc!As Le yē'tî ē'qayu, Le kā'wawAL! yū'yāk^{u} łdakA't ā.

It was nothing but copper then, and the whole canoe broke itself up into separate pieces.

XAtc	tc!As	Le	yē'tî	ē'qayu,	Le	kā'wawAL!
It was	only	then	was	copper it was	and	broke up

yū'yāk^{u}	łdakA't ā.
the canoe	all did.

Taat ŷeenắx awé áawaya
duhíti dê dutláa xắndi.

124

Tāt ŷinA'x awe' ā'waya duhî'tî dê duLā' xA'ndî.

It was throughout the night that he carried it all down to his mother's house.

Tāt	ŷinA'x	awe'	ā'waya	duhî'tî	dê	duLā'
Night	throughout	it was	he carried	his house	to	his mother

xA'ndî.
to.

Lēł Łīngî'ttc wusko'.

Tleihl Hlēengíttsh wuskó.

125

Not one of the Hlingit people knew it. No one pried.

Lēł	**Łīngî'ttc**	**wusko'.**
Not	Hlingit	knew it.

Tc!uLe' ā'Len hî'txawe ŷā'nAłyAx yuī'q.

Tsh'utlé áatlen hítxawe ŷáanăhlyăx yuéeĸ.

126

Then he was took a big piece, and was making it into a copper house.

Tc!uLe'	**ā'Len**	**hî'txawe**	**ŷā'nAłyAx**
Then	big one	into house it was	he was making from
yuī'q.			
the copper.			

Yutsháashtaŷēeĸ̧’ adéawe áat’ăĸ̧’anutsh tlaaĸ săk^u kēes săk^u.

127

Yutcā’ctaŷīq! ade’awe ā’t!ᴀq!anutc Lāq sᴀk^u kīs sᴀk^u.

It was there he dwelt, under the branches, hammering madly. He busied himself pounding out plenty of good spears, good bracelets.

Yutcā’ctaŷīq!	ade’awe	ā’t!ᴀq!anutc	Lāq
Under the branches	there it was	he would pound	spears

sᴀk^u	kīs	sᴀk^u.
for	bracelets	for.

Tleihl ġayéis’ ĸ̧ōstéeyēen ĸ̧ắtshu eiq yăx ŷatéeŷēe ăt.

128

Lēł ġayē’s! qōstī’ŷīn qᴀ’tcu ēq yᴀx ŷatī’ŷī ᴀt.

There, there was no iron or copper. Things like this were unseen.

Lēł	ġayē’s!	qōstī’ŷīn	qᴀ’tcu	ēq	yᴀx	ŷatī’ŷī	ᴀt.
Not	iron	there was	or	copper	like	were	things.

Tinná yăx ts'u at'éiκ'.

129

Tînna' yAx ts!u at!ē'q!.

He also pounded out copper plates, 'coppers'.

Tînna'	yAx	ts!u	at!ē'q!.
Copper plates	like	also	he pounded.

Tle neihl ŷéeya ăshắkănadjăhl.

130

Le nēł ŷī'ya AcA'kAnadjAł.

Then he set them down and laid them all out impressively, inside the house there.

Le	nēł	ŷī'ya	AcA'kAnadjAł.
Then	in the house	inside	he set them all down.

Tsh'utlé dokắt ku-doxéitsh ҝ'aēeté.

131

Tc!uLe' dokA't ku-doxē'tc q!aīte'.

They always flung deposits of garbage on his place.

Tc!uLe'	dokA't	ku-doxē'tc	q!aīte'.
Then	on him	they always threw	garbage.

"Yáadat'ắķ'-anķáawo."

132 **"Yā'dat!A'q!-anqā'wo."**

"This Pounding Rich Man."

"Yā'dat!A'q!-anqā'wo."
"This pounding rich man."

Yên asnée wehít ķa yútinna de sháaŷadihein yóonihlķ' adé ăt'aķ'ắt.

133 **Yên asnī' wehî't qa yu'tînna de cā'ŷadîhēn yū'nîłq! ade' At!aq!A't.**

When he finished that lovely house, and plenty of copper plates in the house, he was at it, pounding away.

Yên	**asnī'**	**wehî't**	**qa**	**yu'tînna**	**de**
When	he finished	the house	and	the copper plate	of

cā'ŷadîhēn	**yū'nîłq!**	**ade'**	**At!aq!A't.**
there were plenty	in that house	at them	he was pounding.

Tc!aye' u'xanAx dułcu'ġtawe', k!êsā'nî xō yux nacî'qtc.

Tsh'ayé úxanăx duhlshúġtawé, k'êsáani xō yux nashíкtsh.

134

So when they laughed at him, he would run out among the little boys.

Tc!aye'	u'xanAx	dułcu'ġtawe',	k!êsā'nî	xō	yux
So	at him	when they laughed,	little boys	among	out

nacî'qtc.
would run.

"Tca-ī' Q!a-īte'-cū'-ye-qā."

"Tsha-ée к'a-ēeté-shóo-ye-кaa."

135

"Eeww! You dirty Garbage-Man!"

"Tca-ī'	Q!a-īte'-cū'-ye-qā."
"Oh!	You dirty Garbage-Man."

Yū'ans!atî'-si Lēł dudjîde' yē'qasado'ha.

Yóoans'atí-see tleihl dudjidé yéiкasadóha.

136

There was a rich man's daughter. The rich man wouldn't permit any man any right to court or marry his daughter. He would not say yes.

Yū'ans!atî'-si	Lēł	dudjîde'	yē'qasado'ha.
A rich man's daughter	not	to her	would let anyone have.

Hldakǎt yeitx dusháaқ'awé tsh'utlé aŷís yên óowanee.

137

ŁdakA't yētx ducā'q!awe' tc!uLe' aŷî's yên ū'wani.

They came from all over the domain, trying to arrange a marriage pledge. For her, then, he got ready there.

ŁdakA't	yētx	ducā'q!awe'	tc!uLe'	aŷî's
All [places]	from	when they tried to marry	then	for her

yên	ū'wani.
there	he got ready.

Hootsh қóa táadawe shtáade yéidjiwudine.

138

Hūtc qo'a tā'dawe ctā'de yē'djîwudîne.

But he got himself all dressed up at nighttime, however.

Hūtc	qo'a	tā'dawe	ctā'de	yē'djîwudîne.
He	however	at night	himself	dressed up.

Eқ kǎtíқ aosité.

139

Eq kAtî'q aosîte'.

He collected a twist of copper to take.

Eq	kAtî'q	aosîte'.
Copper	a twist of	took.

Ātē'xŷa aosîku' yuānyê'dê.

Aatéixŷa aosikú yuaanyếdê.

140

He knew well where the rich man's daughter slept.

Ātē'xŷa	aosîku'	yuānyê'dê.
Where she slept	he knew	the rich man's daughter.

T!aq!ā'nAxawe Atc yu-Aqłî'tsAqk yucā'wAt yuē'q-kAtî'q!tc.

T'aʞ'áanăxawe ătsh yu-ăʞhlítsăʞk yusháawăt yuéiʞ-kătíʞ'tsh.

141

There was a hole, and he slid the copper roll through to the woman.

T!aq!ā'nAxawe	Atc	yu-Aqłî'tsAqk	yucā'wAt
From the hole	that	he was pushing with it	the woman

yuē'q-kAtî'q!tc.
the copper roll.

Yucawā'ttc aołicā't.

Yushawáattsh aohleesháat.

142

The woman caught it.

Yucawā'ttc	aołicā't.
The woman	caught it.

Aodziníķ'.
She smelt it.

143

Aodzînî'q!.

Aodzînî'q!.
She smelt it.

Tleihl aġá wus-ha yuéiķ.

144

Lēł aġa' wus-ha yuē'q.

She didn't know what the copper was, or what was made for.

Lēł	aġa'	wus-ha	yuē'q.
Not	what (for it)	it was [she knew]	the copper.

Tleihl hleengít-aanéiķ' ax dustíndjiayú eiķ.

145

Lēł līngî't-ānē'q! ax dustî'ndjîayu' ēq.

No one of the Hlīngit World had ever seen this copper.

Lēł	līngî't-ānē'q!	ax	dustî'ndjîayu'	ēq.
Not	in the world	of it	having ever seen	copper.

Tc!uLe' ā'waxox, "Hāgu gā'nq!a."

Tsh'utlé áawaxox, "Haagu gáanк'a."

146

Then he called her seductively, "Come outside."

Tc!uLe'	ā'waxox,	"Hāgu	gā'nq!a."
Then	he called her,	"Come	outside."

XA'ni yux wugū't.

Xănee yux wugóot.

147

She went outside to him.

XA'ni	yux	wugū't.
To him	outside	she went.

"Axhî'tîŷīdê' xā'naAde.

"Ăxhítiŷēedê xáana.ăde.

148

"Please go down to my house with me.

"Axhî'tîŷīdê'	xā'naAde.
"Down to my house	go with me.

Axăneeŷé iĸ-gwâté" yóoaŷaosiĸa.

AxAniŷe' îq-gwâte'" yū'aŷaosîqa.

149

You are going to stay here faithfully with me and be loved," is what he said to her.

AxAniŷe'	îq-gwâte'"	yū'aŷaosîqa.
With me	you are going to stay,"	what he said to her.

GudAxqā'x sayu' ū'wadjî Lēł ye'awusku.

Gudăxқáax sayú óowadji tleihl yéawusku.

150

She didn't know from whence it was that he came.

GudAxqā'x	sayu'	ū'wadjî	Lēł	ye'awusku.
From whence	it was	he came	not	she knew.

Yū'duīqonī'k qāx sateyî', ts!As yuî'qtê ayu'Acī'n ŷā'naAt.

Yóodueeкonéek кaax sateŷí, ts'ăs yuíкtê ayú ăshéen ŷáanaăt.

151

Suddenly, the man they used to thoroughly insult and shame was come to be the one man among that woman's many suitors who got to go to the beach with her.

Yū'duīqonī'k	qāx	sateyî',
The man they used to call [dirty]	come to be the man	it was

ts!As	yuî'qtê	ayu'	Acī'n	ŷā'naAt.
only	to the beach	that	with her	was going.

152

Tsh'a dudjí shukădawé neihl shóodjixin, yuéiқ қ'axáat duyế t kaodigắnaŷí.

Tc!a dudjî' cukAdawe' nēł cū'djîxîn, yuē'q q!axā't duyê't kaodîgA'naŷî'.

As she advanced to the copper door, it shone before her in her face, and the door flew inward into the house.

Tc!a	**dudjî'**	**cukAdawe'**	**nēł**	**cū'djîxîn,**	**yuē'q**
Just	before her	in front of	into the house	it flew,	the copper

q!axā't	**duyê't**	**kaodîgA'naŷî'.**
door	her face	shining in.

153

Tsh'utlé gutxắtsayu tle neihlŷée shaŷaқáawadjăhl yóotinna.

Tc!uLe' gutxA'tsayu Le nēłŷī' caŷaqā'wadjAł yū'tînna.

*Then all along down inside the house, amazingly and mysteriously the *coppers stood around.*

Tc!uLe'	**gutxA'tsayu**	**Le**	**nēłŷī'**
Then	from where was it	then	down inside the house

caŷaqā'wadjAł	**yū'tînna.**
stood all around	the coppers.

*See 'A Copper', page 434.

Tc!uLe' ā'waca duhî'tîq!.

Tsh'utlé áawasha duhítiķ'.

154

Then he married her right there in his house.

Tc!uLe'	ā'waca	duhî'tîq!.
Then	he married her	in his house.

Du-īġā' qodicī' yū'cawAt.

Du-ēeġáa ķodeeshée yóoshawăt.

155

They started to hunt for that woman.

Du-īġā'	qodicī'	yū'cawAt.
For her	they started to hunt	that woman.

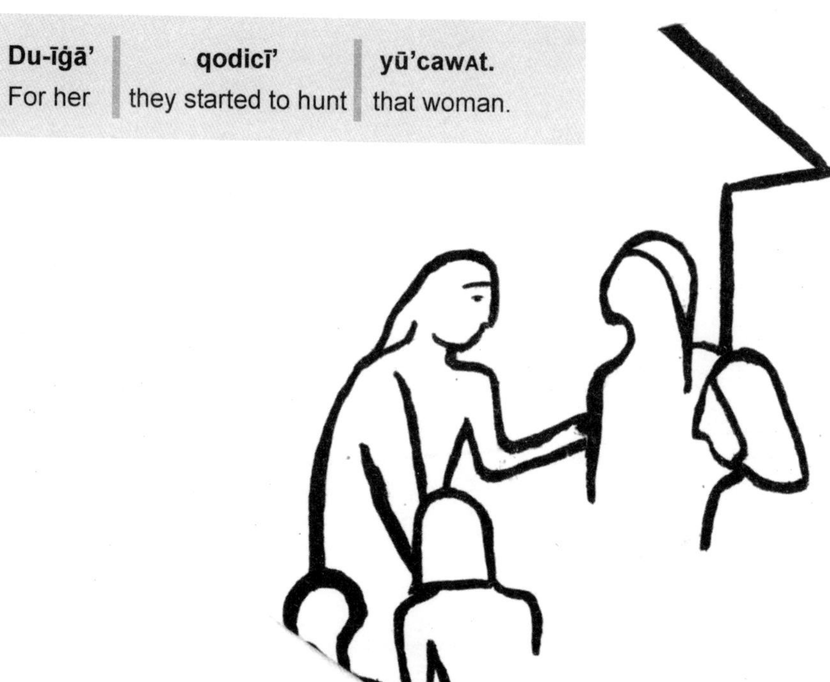

Wudóodzeeha
k'óonŷageeŷi.

156

Wudū'dziha
k!ū'nŷagīŷî.

They came to miss her. For many days they missed her.

Wudū'dziha	**k!ū'nŷagīŷî.**
They came to miss her	for many days.

Kănaxsá deix oxé ăġá
uġáĸodusheeŷá.

157

KAnaxsa' dēx oxe'
Aġa' uġa'qoduciŷa'.

Throughout two days that passed, they were busy hunting for her.

KAnaxsa'	**dēx**	**oxe'**	**Aġa'**	**uġa'qoduciŷa'.**
After	two [days]	were passed	for her	while they were hunting.

Wānanī'sawe duī'c gux ye' aŷa'osîqa, "K!ē ġêna't qe'cî."

Waananéesawe duéesh gux yé aŷáosiқa, "K'ei ġênát қéshi."

158

And so then her father said to a slave, "It would be wise to search down here inside this mess of branches and garbage."

Wānanī'sawe	duī'c	gux	ye'	aŷa'osîqa,	"K!ē
And then	her father	a slave	thus	said to,	"Good

ġêna't	qe'cî."
below here	hunt."

At kū'wacî yū'gux doxA'nt.

Ăt kóowashi yóogux doxắnt.

159

Then that slave did hunt for her.

At	kū'wacî	yū'gux	doxA'nt.
Then	hunted	the slave	for her.

Tsh’utlé áaneihl ŷawusaŷéawe yóogux ġáani ķóxodjiķăķ.

160

Tc!uLe’ ā’nēł ŷawusaŷe’awe yū’gux ġā’nî qo’xodjîqAq.

Then once the slave looked into the house, he backed away outside.

Tc!uLe’	**ā’nēł**	**ŷawusaŷe’awe**	**yū’gux**	**ġā’nî**
Then	into the house	when he looked	the slave	outside

qo’xodjîqAq.
backed.

Duŷết káodeegăn.

161

Duŷê’t ka’odigAn.

The copper began to shine in his face.

Duŷê’t	**ka’odigAn.**
His face	it started to shine in.

Yuhít ŷéedăx, “Neihl gú” yóoaŷaosiķa yóoshaaawăt xoxtsh.

162

Yuhî’t ŷī’dAx, “Nēł gu’” yū’aŷaosîqa yū’cāwAt xoxtc.

From in the house the woman’s husband said “Come in.”

Yuhî’t	**ŷī’dAx,**	**“Nēł**	**gu’”**	**yū’aŷaosîqa**
The house	from in,	“Into the house	come”	what said

yū’cāwAt	**xoxtc.**
the woman’s	husband.

"Łîł kīnigī'q ya Axhî'tî," Le yū'aŷaosîqa.

"Hlihl kēeneegéeқ ya ăxhíti tle yóoaŷaosiқa.

163

Then he said to him, "Don't go prating to others about my house and making a big clamor, not a word."

"Łîł	kīnigī'q	ya	Axhî'tî,"	Le	yū'aŷaosîqa.
"Never	tell it	about	my house,"	then	he said to him.

Yē qo'a yên aŷa'osîqa, "'Q!a-ī'tîcuye-qātc uwaca' ' yuq!wA'nskāniłnîq."

Yei қóa yên aŷáosiқa, "'Қ'a-éetishuye-қaatsh uwashá' yuқ'wắnskaaneehlniқ."

164

Anyway, he made a decision right there, and said to the slave, "'Garbage-Man married her', tell that to them directly."

Yē	qo'a	yên	aŷa'osîqa,	"'Q!a-ī'tîcuye-qātc	uwaca' '
So	but	there	he said to him,	"'Garbage-Man	married her'

yuq!wA'nskāniłnîq."
tell that."

Tlă neihl wugudéeawe akáwanêk.

165

LA nēł wugudī'awe aka'wanêk.

Then when the slave came into the house, he told them the insulting news directly.

LA	nēł	wugudī'awe	aka'wanêk.
Then	into the house	when he came	he told it.

"Ḳ'a-ée.ishuye-ḳaatsh uwashá" yóoshkăhlneek.

166

"Q!a-ī'îcuye-qātc uwaca'" yū'ckᴀłnīk.

"Garbage-Man married her," he said.

"Q!a-ī'îcuye-qātc	uwaca'"	yū'ckᴀłnīk.
"Garbage-Man	married her,"	he said.

Tsh'utlé awé yoox hăs djúdeăt.

167

Tc!uLe' awe' yūx hAs dju'deAt.

That was when, all seriously, they went rushing out.

Tc!uLe'	awe'	yūx	hAs	dju'deAt.
Then	it was	out	they	started to rush.

"Axsī'k!" yū'q!oyaqa duLa'.

"Ăxséek'" yóoĸ'oyaĸa dutlá.

168

"My daughter," her mother said, rallying the group and properly outraged.

"Axsī'k!"	yū'q!oyaqa	duLa'.
"My daughter"	said	her mother.

Tc!uLe' aq!a'wułt hAs łū'waguq.

Tsh'utlé aĸ'áwuhlt hăs hlóowaguĸ.

169

Then they rushed to his door.

Tc!uLe'	aq!a'wułt	hAs	łū'waguq.
Then	to his door	they	rushed.

Yū'tcac-hît ġetła'a hît nēł Acuka'ołîtsAx.

Yóotshash-hit ġet.hlá.a hit neihl ăshukáohlitsăx.

170

Blindly they kicked the branch house door right in.

Yū'tcac-hît	ġetła'a	hît	nēł	Acuka'ołîtsAx.
The branch house	inside	house	into	they kicked.

"Dăm" yóoyudowaăx.

171 **"DAm" yū'yudowaAx.**

The door was heard to make a sound. It was like, 'DAm!'

"DAm"	yū'yudowaAx.
"DAm"	it was heard like.

Duyết́ayu kaodeegǎ́n.

172 **Duyê'tayu kaodigA'n.**

The copper began shining right in the mother's face.

Duyê'tayu	kaodigA'n.
Her face it was	it started to shine in.

Yuhítŷeeanǎ́ꝁ gáaniꝁox hăs wúdeeꝁêtl'.

173 **Yuhî'tŷīanA'q gā'nîqox hAs wu'diqêL!.**

They retreated, and moved step by step back outside from the house door.

Yuhî'tŷīanA'q	gā'nîqox	hAs	wu'diqêL!.
From the house door	back outside	they	started to go.

Gūsū' aŷî's k!ānt wunū'gu?

Goosóo aŷís k'aant wunóogu?

174

Their quick anger had brought them this far, but where was their anger toward him now? And where was their dignity?

Gūsū'	aŷî's	k!ānt	wunū'gu?
Where	for him	anger	was?

Tc!uLe' kāwadī'q!.

Tsh'utlé kaawadéeĸ'.

175

Then the mother became ashamed.

Tc!uLe'	kāwadī'q!.
Then	she became ashamed.

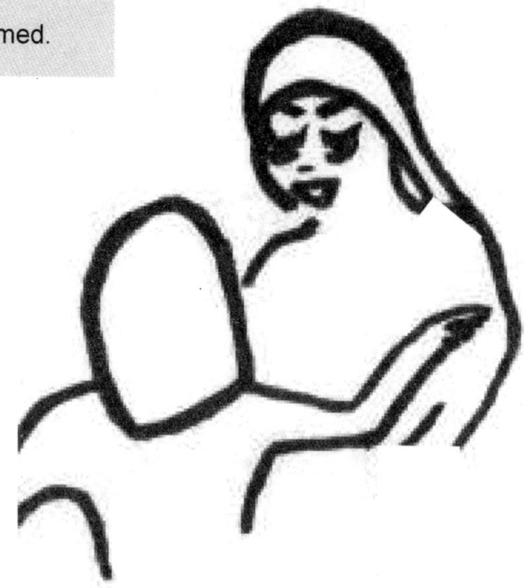

Neihldế hăs na.áadawe aġáa қoқáaawaқa duwú.

176

Nēłdê’ hAs naā’dawe aġā’ qoqā’awaqa duwu’.

When they went home, he sent for his father-in-law.

Nēłdê’	**hAs**	**naā’dawe**	**aġā’**	**qoqā’awaqa**	**duwu’.**
Home	they	when went	for him	he sent for	his father-in-law.

Doxánt hăs áadawe năs’gadushú tinná ăshnáaŷe aosíne ăsée awusháaŷetsh.

177

DoxA’nt hAs ā’dawe nAs!gaducu’ tînna’ Acnā’ŷe aosî’ne Asī’ awucā’ŷetc.

When they came to him, he bestowed eight coppers on him. That was because he’d taken it on himself to up and marry the man’s daughter.

DoxA’nt	**hAs**	**ā’dawe**	**nAs!gaducu’**	**tînna’**	**Acnā’ŷe**
To him	they	when came	eight	coppers	on him

aosî’ne	**Asī’**	**awucā’ŷetc.**
he put	his daughter	because he married.

Le adadA'xdê caoduĻîġê'tc yutcā'c-hît ŷīŷî.

Tle adadắxdê shaodudliġḗtsh yutsháash-hit ŷeeŷi.

178

Then they went and flung everything away from around the branch house.

Le	adadA'xdê	caoduĻîġê'tc	yutcā'c-hît	ŷīŷî.
Then	from around it	they threw away from	the branch house	did.

Yut ka'odigAn yū'ēq.

Yut káodeegăn yóoeiķ.

179

Now the copper shone out.

Yut	ka'odigAn	yū'ēq.
Out	started to shine	the copper.

Qo'a duī'c awe' ye Acī't ta'oditAn duīġā' At nAġasū't.

Ķóa duéesh awé ye ăshéet táodeetăn duēeġáa ăt năġasóot.

180

But that was something his father did for him. It was his father who did all that to him on purpose, so as to help him out.

Qo'a	duī'c	awe'	ye	Acī't	ta'oditAn	duīġā'
But	his father	that one	so	to him	did it purposely	for him

At	nAġasū't.
something	to help him out.

Ătshawé ŷeeŷeedắde ҁawu ts'u ҁ'anăshkidéix nắxsătēen yuġáa.ayu ăt yăséik.

181

Atcawe' ŷiŷidA'de qawu ts!u q!anAckîdē'x nA'xsAtīn yuġā'ayu At yAsē'k.

This is why, even now, if a man has the misfortune to be poor, is fallen into poverty, bewildered, something will come along to help the person out.

Atcawe'	ŷiŷidA'de	qawu	ts!u	q!anAckîdē'x	nA'xsAtīn
This is why	even now	a man	also	poor	is

yuġā'ayu	At	yAsē'k.
for him	something	comes up and helps out.

Ătshawé héinăxa eiҁ áaҁ'aohleetsēen.

182

Atcawe' hē'nAxa ēq ā'q!aołitsīn.

This is why copper from there is expensive.

Atcawe'	hē'nAxa	ēq	ā'q!aołitsīn.
This is why	there	copper	is expensive.

Aq! ye At wuniŷī'tc.

Ăĸ' ye ăt wuneeŷéetsh.

183

So it happened, this is the traditional and accurate story.

Aq!	ye	At	wuniŷī'tc.
At it	so	thing	happened.

Tc!uya' ŷîdAt xA'nġāt ts!u dēx gux ckA'teAtsinen tînna'.

Tsh'uyá ŷidăt xắnġaat ts'u deix gux shkắteătseenen tinná.

184

Even lately in recent times it was so expensive, two slaves used to cost a copper.

Tc!uya' ŷîdAt xA'nġāt	ts!u	dēx	gux	ckA'teAtsinen	tînna'.
Even lately	too	two	slaves	used to cost	a copper.

TcA LA'k^u qo'dzîtī'yī-Atx sîtî' Aq!.

Tshă tlắk^u ĸódzitéeyēe-ătx sití ăĸ'.

185

It is become an everlasting living thing there.

TcA	LA'k^u	qo'dzîtī'yī-Atx	sîtî'	Aq!.
Become	an everlasting	living thing	it is	there.

Etymological Dictionary

This dictionary contains all of the story's words, together with a new word history for these Hlīngit words. The first sections are the word particles that form Hlīngit words.

In the dictionary section:

All Hlīngit words in this dictionary are followed by their equivalent source word(s) from Gàidhlig, the ancient language of Scotland, a member of the ancient Celtic language family of Western Europe.

The hidden poetry is like an education system, containing not only structure, but also ancient history and romantic imagery. The poetic structure gives the story rhythm like a drumbeat, sound pattern made with the ancient vowel u, and expresses the culture of dichotomy (dividing the world into two's, see Bibliography & Notes). Knowing this structure can help us understand. It's the beginning of a new understanding of hidden form in the art of Hlīngit story, and maybe in other Native American storytelling.

The range of North, South and Central American native languages are represented. The word 'water' is used for example. Some Old World languages are in there too. The Gàidhlig words for water are used for comparison.

LAMBERT'S HLINGIT SPELLING TABLE

(Line 1) <u>The Swanton system</u>. (Line 2) <u>The Naish Story system</u> (Line 3) <u>My Naish-Story adaptation</u>.

Broad vowels -- Vowels go from lightest on the left, to heaviest toward the right. High tones are in brackets ( ).

A (A')	â (â')	a (a')	ā (ā')	LINE 1 Swanton
(missing, big mistake)	(missing)	a	aa (áa)	LINE 2 Naish-Story
ă (ắ)	â (ấ)	a (á)	aa (áa)	LINE 3 My Naish-Story
u (u')	ū (ū')	^{u} , ^{o}	o (o')	ō (ō')
u (ú)	oo (óo)	w / missing / u	o (rare, use varies) / w	ó (use varies, rare)
u (ú)	oo (óo)	^{u} , ^{o}	o (ó)	ō (ṓ)

Slender vowels

ê (ê')	e (e')	ē (ē')		
(missing)	e (é)	ei (éi)		
ê (ế)	e (é)	ei (éi) (But it's not a dipthong, it shouldn't sound like a double vowel.)		
î (î')	i (No high tone)	ī (ī')		
i (í)	ee (No high tone)	ee (ée)		
i (í)	ee (No high tone)	ēe (ée)		

Consonants. Front of your mouth consonants are toward the left of the chart, back of your mouth toward the right.

An exclamation point gives the consonant more emphasis, and also kind of a slight grunty break after.

k!	q	q!	ġ	LINE 1 Swanton
k'	k̲	k̲'	g̲ (Has underline)	LINE 2 Naish-Story
k'	ķ	ķ'	ġ	LINE 3 My Naish-Story
c	ts	ts!	s	s!
sh	ts	ts'	s	s'
sh	ts	ts'	s	s'
tc!	tc	dz	dj	
ch'	ch	dz	dj	
tsh'	tsh	dz	dj	
y	x	x̦	ŷ	
y	x	x	--	
y	x	x̦	ŷ	
L	L!	ł	Ļ	Ļ!
tl	tl'	missing / thl / L	dl	dl'
tl	tl'	hl	dl	dl'
Also have normal k, g, t, d, h, n.				

Magic square or Matrix

The magic squares and alphabets

The 8 x 8 magic square has 28 squares around the outside perimeter; it can hold the 28 letters of the Arabic alphabet. The 9 x 9 magic square has 32 squares around the perimeter; it can hold the 32 letters of the Persian alphabet. The 10 x 10 magic square has 36 squares around the outside. This symbolizes the squaring of the circle, as there are 360 degrees in a circle. This is one of the most important ideas in sacred architecture.

I designed the Hlīngit magic square to have ten squares. The inner 6 x 6 magic square was bad luck for me, so I put sentries of 1's all around it. I think it brings about a kind of balance and completion.

Magic squares and design

Magic squares can be found in monuments like pyramids, in chess sets, and in philosophy, logic and metaphysics. 'The Fire', a novel by Katherine Neville, features magic squares and chess. Benjamin Franklin was very fond of magic square puzzles. I could have put Franklin's 8 x 8 square in the center of the Hlīngit magic square, but I like the frame of 1's. I think a magic square is a powerful thing, and I like to contain it with a frame of numbers. It's said the city of Washington D.C. is in a 10 x 10 magic square layout. So far, I am a bit skeptical. Supposedly Jefferson had Pierre l'Enfant do it, he was fired after a year, then they still did it from memory. Hardeep Aiden has done some history on magic squares.

Paul Heimbach does magic square art, and looks at form. There are photos online, the website is in German.

Math and magic squares

The National Council of Teachers of Mathematics has some more math information relating to magic squares and their history, www.illuminations.nctm.org/LessonDetail.aspx?id=L263 Paul Knoderer has a website.

HLINGIT MAGIC SQUARE

Contains a 6 x 6 Pythagorean square, adding up to 111 (+2) in every direction.
The lines of one's add up to the Hlīngit sacred number eight.

u	ū	w	ê	e	ē	î	i	ī	dz
u	1	1	1	1	1	1	1	1	dj
o	1	28	4	3	31	35	10	1	d
o	1	36	18	21	24	11	1	1	t
ō	1	7	23	12	17	22	30	1	tc
ā	1	8	13	26	19	16	29	1	ts
a	1	5	20	15	14	25	32	1	c
â	1	27	33	34	6	2	9	1	s
A (ă)	1	1	1	1	1	1	1	1	x, x̧
ł	L	Ļ	h	w	k	g	q	ġ	y, ŷ

Preposition dictionary

a, A — refer to someone or something before they take action, or before something happens // *a* = at, to, in, about, in the act of //

ā (123) did // Longer because contains two a's in one.

(**ā** = *bha* = was, were)

ātxê'qdê (6) down // AdakA'dīnawe (34) in exactly the opposite direction // A'ġacān (47) when they married // awuĻîgê'n (37) she looked // ā'nēł (159) into the house // ciaŷidē' kdaġā'x (39) she began to cry for life (i.e. a good life) // akînā' (55) on top of it // ġonaye' (61) started // ā'yux (69) out to it // ānagu'ttc (109) he always went // nacî'qtc (134) would run // gā'nq!a (146) outside // aq!a'wułt (169) to his door // yuġā'ayu (181) for him //

a, A — on // *air* = on, upon, of, concerning, by, with //

Aca' (41) on its head // ayat!A'kq!ᵘ (63) in front of the bow // a dāq (76) up //

a, ac , An — in // *anns* = in, in the // *ann* = in him, in it //

acakA'nAłyên (10) was whirling in his hand // taŷinA'x (13) under // aŷîde' (60) inside it // q!wAn (116) now // AcA'kAnadjAł (130) he set them all down // ġetła'a (170) inside //

Ack — among // *am measg* = among, amongst, in the midst, (substantive); mingle, mix, stir about, move //

Ackułŷê'tîxōq! (106) among the boys playing //

adadA'xdê — from around it (178) //

(**adad** = *iadhadh* = meandering (as a stream), circuitous route, stretching (as a bow)) See also iŷA'dawe , p263. +

(**A'x** – out, from) +

(**dê** – down, seawards, lakewards) //

Compare yAdanē'nutc (19) he [her husband] always went after // yā'doq!osî (26) her foot //

ade'awe — there it was (127) // See de / daq.

ak, ka, k, aġ — present action in some direction // *aig* = on, at, near, close by, on account of, in possession of, for // *ag* (sign of present participle, eg. *ag iasgachd* = fishing) //

A'q! (100) then // aq! (118) to it // Aq! (183) at it // Aq! (185) there //

(**q** – border, pioneer, frontier, in) //

aka' (99) at it

(**a'** – it-it) //

akā'q!awe (25) for it was // akā'q!awe (68) for it it was //

(**ā' q!** = *air son gu* = because that // *air ghràdh* = for the love of, on account of)

(**ā'** = *bha* = was, were // *tha* = am, art, is, are // *air son* = on account of, for, by reason of, instead of)

(**q!** – frontier, pioneer, in)

(**awe** – explaining)

akā'yan (4) on it

(**ak** – present action in some direction = *aig* = on, at, near, close by, on account of, in possession of, for) +

(**ā'ya** – when (after success, feeling smart or successful)) +

(**n** – focus, in, gathering together)

Compare nac / nacu.

akā'yan (4) on it // akā'dê (7, 10) on to it // aka'wanîk (31) she told it // akā'de (43) to it // kînā'q! (51) on top of // k!awê'łguha (54) they could see // ka'ołiga (59) they loaded it with // kAdudjē'ławe (73) when they brought all // Aqadê' (84) into it // uduwatsā'k (90) they put [it] // yū'yênkā'watAn (91) it bent // kAt (95) on // kAcū'sawedê (98) had suffered // aka' (99) at it // dukadê'q (103) on top of him (i.e. his house) // akA'ndagAnêawe' (109) when it was daylight // sAk^{u} (127) for (Context: For benefit, not for a person) // dokA't (131) on him // kāwadī'q! (175) she became ashamed //

A'q! See ak.

Atū'nAx from into it (80) // atū'nnAx (92) through them // atūtxī'nawe (23) from into it (clothing) // See aku, in Miscellaneous grammar particles and Link words..

ātxê'qdê down (6) //

(**ā** = *a* = at, to, in, about, in the act of) See above

(**ātxê'q** = *a steach* = in, to, within, into, in the house, into the house)

(**dê** – down, downwards, seawards, lakeward) See below

ax, Ax, ac, x, xAc out, out of, from // *a mach* = out, out of // *mach* = out / without // *as* = out of it, from it //

yāx (44) from it // ī'usinē'x (30) saved you //

(**y / ē'** = ŷê – sense of positioning, pull (operation of metaphysics))

ā'yux (73) out to them // yux (106) out // yux (147) outside // yūx (167) out //

(**ā'** – them-them) +

(**yu** – term of respect) //

ax (83) from it // ax (145) of it //

(**a** – it-he)

xA'ndî (124) to (Context: Stripping the canoe of copper plates / parts, and transporting them home)

(**nd** – outside // *nochd* = show, reveal, disclose, discover, present, offer, strip, make naked, peel // *mach* = out, outside) +

(**î** – taking time and care, possessive) //

XA'ni (147) to him

(A' – she-he) +
(**n** = nd – outside) +
(**i** – taking time and care, possessive) //
dax (21) from // kîtū'nAx (27) out from under // nacu' (27) was coming out of // qox (37, 62) back // dA'xawe (50) way for her // ā'caŷAndihēn (54) began to be so many [there] // qō'waAxtc (58) could hear // ā'yux (69) out to it // Atū'nAx (80) from into it // xA'nq! (90) to // xēL!qāx (91) slime from // atū'nnAx (92) through them // gā'nîyAx (98) outside // uduwaA'x (120) it was heard to say // caŷa'oĻixAc (121) were all cut off // t!aq!ā'nAxawe (141) from the hole // gudAxqā'x (150) from whence // gutxA'tsayu (153) from where it was // yū'yudowaAx (171) it was heard like // gā'nîqox (173) back outside // adadA'xdê (178) from around it // hē'nAxa (182) there //

a'ya — to (50) // See ya – when.

ā'yux — out to it (69) // yux (106, 134) out // yux (147) outside // yūx (167) out //
(**ā'** – refer to someone or something before they take action, or before something happens at – *a* = to, in, about, in the act of) +
(**yu** – term of respect) +
(**x** – out) //

d / da / de — acting on something, on, off, of // *dean* = do, make, work, act, perform, suppose, imagine, think // *dar* = by, through // *dàn* = fate, destiny, decree, predestination // *da* (= *do e*) = to him, to it // *de* = of, off // akā'dê (7, 10) on to it // dAx (21) from // ciaŷidē'kdaġā'x (39) she began to cry for life (i.e. a good life) // "AtġAxā' dê Axsī'k![u]" (81) "Let eat something, my daughter" (imperative tense, so dê means 'act on it' // da (86) when // gū'dawe (89) when she went // wudjA'łtc (93) [her hands] would go // kAcū'sawedê (98) had suffered // de (133) of // ctā'de (138) himself // yuānyê'dê (140) the rich man's daughter //

dāk — out // See dAx.

dAx — from (21) // dāk (40) out //
(**d** / **da** / de – acting on something, on) +
(**ax** – out = *a mach* = out, out of)
(**k** – present action in some direction) //
Compare Gàidhlig *o* = from, because, seeing that, for, ((OG) ear) // *do* = to.
wucdA'x (52) they chopped her // ŷī'dAx (162) from inside //

de & daq — OPPOSITES: down, seaward, lakeward, onto > < up, homeward, inlandward, toward the forest

de: down, seaward or lakeward; Slender vowel (e) generally is used for downward: *sìos* = down, down (towards oneself), resting below, any direction that is downward with the water drainage flow in the area (even if the immediate land area goes upward) [But: **nìos* = from below, up (towards the speaker)] // *deas* = south, easily accomplished // *deiseal* = towards south, southwards, ready, prepared, finished // *traigh* = seashore, shore of a lake or river, beach exposed at low-water, sand-beach, strand, reflux of the tide //

daq: homeward, up, inlandward, toward the forest; Broad vowel (a / o) generally is used for upward: *suas* = up, upward (away from oneself), westwards, any direction that is upward against the water drainage flow in the area (even if the immediate land area goes downward) [But: **nuas* = down, downward (towards the speaker), bottom, ground] // *darach* = oak tree (quercus rober), oak-wood, oak timber. The oak was lord of the forest and most revered of the Celtic trees and its groves were sacred meeting places for druidhs, the oak is similarly widespread in North America, where many varieties of oak trees exist; so oak has become 'woods' in // *traigh* = seashore, shore of a lake or river, beach exposed at low-water, sand-beach, strand, reflux of the tide // *dachaidh* = homeward, home, (adverbs), home, residence, domicile, dwelling-place //

*Note: The ‘n’ is a special sound, often disappearing or appearing during evolution of Hlīngit words; See p302

qonā’xdaq (31) right (moral connotation, eg. upright, ‘straight up’, speak up) //

Compare *deachd* = make completely certain, assure yourself positively //

ŷidê’(5) down to // ātxê’qdê (6) down // dē’ (9) right now // de (10) at once // dAq (13) up // dāq (66, 73, 78) up // daq datcū’n (13) up toward the woods // akā’de hīnt (43) to it into the water // ŷêdê’(26) under // duî’tdê (37) behind her (she is going inlandward, in the direction away from the salmon place) // hā’nde (42) this way // aŷîde’ (60) inside it // āeġayā’t (64) below it // da (74) there (on shore) // dukadê’q (103) on top of him (i.e. his house) // dugudē’awe (117) when he had gone // dê (124) to (Context: from lakeshore down to mother’s place) // Axhî’tîŷīdê’ (147) down to my house // yuî’qtê (151) to the beach // ġêna’t (158) below here // nēłdê’ (174) home, down into the house // adadA’xdê (178) from around it //

There is also a border level of up, the downside of up, and a border level of down, the upside of down:

dekī’t (45) far up (so far that it’s below the sun) // dA’kde (70) ashore // dāq (116) out (on the inland edge of the lake shore) //

Note to dekī’t (45): Compare the Celtic custom of perambulation. It was a custom to walk around a thing or person to give honor. They made sure to go in a sunwise direction.

ade’awe (127) there it was //

(**a** – it-it)

(**awe** – explaining)

a dāq (76) up

(**a** – on = *air* = on, upon, of, concerning, by, with)

ā’daq (112) inland to it

(**ā’** – he-it) //

dekī’ (116) seaward // de is opposite to daq, so dekī’ is opposite to *dachaidh* = homeward, home //

(**kī’** = *a dh’ionnsuidh / a dh’ionsaigh* = toward, to; (*do m’ionnsuidh* = to me)) See dh/gh on page xviii.

(**kī’** = k – present action in some direction // *aig* = on, at, near, close by, on account of, in possession of, for)

dī, dji, tî, dja, dz precipitant, immoderate, ahead // *dia* = (emphatic particle), god, divinity, false god // *dian* = precipitant, headlong, eager, keen, nimble, brisk, hasty, vehement, strong, sad, violent, furious // *diail* = quick, soon, immoderate // *ti* = intention, design, purpose, pursuit, venture //

dudjiŷî’s (7) for her // dudjîde’ (136) to her // dudjî’ (152) before her //

(**du** –her-them (7), her-they (136), her-it (152)) +

(**ŷî’** – to, (many connotations possible)) +

(**s** = as / ax – to someone’s self, I, me, my) //

(**s** – problem, vulnerability) //

(**de’** – acting on something, on, off, of) //

tîn (3) with // dudjiŷî’s (7) for her // tuwā’ŷatî (14) looked to // yuānŷê’dî (17) the high caste girl // yua’xk!Anya-ka’oĻîgAdî (17) what angrily had spoken to // naAdî’ (18) going // naA’dî (19) when they had gone // Acu-kā’wadjA (32) she gave her advice // wudjixī’x (34, 43) she ran // udjixī’x (40) she ran // wudzîxA’q (45) it came to go // sadjA’qx (48) they always killed [them] // a’odîca (49) they started to marry // Akū’dadjītc (62) it would suddenly turn // u’tiyāngahē’n (63) when they would get hungry // kātuwā(ŷ)ati (72) there is // yū’siaodudziqa (74) what he said to them // ŷatî’ (75) there is // ŷiA’dî (76) to come // ŷa’odudzîqa (77) they came to tell them // wudułîcā’dî (91) caught // wudjA’łtc (93) [her hands] would go // ŷaqsatī’yawe (111) when he was // yēk"dīwuq! (122) in it were wide // yē’At (96) for this // kaodîgA’naŷî’ (151) shining in // ka’odigAn (161) it started to shine //

dju'deAt (167) started to rush // łatî' (113) was // qâ'djî gA'łaat (116) it puts up on land // ŷatī'ŷī (128) were // yē'djîwudîne (138) dressed up // dustî'ndjîayu' (145) having ever seen // ū'wadjî (150) he came // sateŷî' (151) it was // qo'xodjîqAq (160) backed // wugudī'awe (165) when he came // kāwadī'q! (175) she became ashamed // wu'diqêL! (173) started to go // ta'oditAn (180) did it purposely // qo'dzîtī'yī-Atx (185) living thing //

dîgī'yīga — in the middle of (long town) (1) //
(**dî** – design) +
(**gī'yī** = *cridhe* = center, heart, courage, presumption, nerve, understanding) +
(**ga** – describes extent, for) //
gīyīġē't (41) in the middle (big lake) //

dokA't — on him (131) //
(**do** – he-it) +
(**kA** – present action in some direction) +
(**t** – to a full extent) //

doxA'nt — to her (10) // dunA'q (92) from her // See pronoun section.

gīyīġē't — in the middle (Context: big lake) (41) //
(**gī'yī** = *cridhe* = center, heart, courage, presumption, nerve, understanding) +
(**ġē'** = *gnè* = outward sensible sign, appearance, slight degree or nature of anything, form, countenance, natural temper or disposition, manner, tinge, kind, sort, species, nature, quality) +
(**t** – to a full extent) //
dîgī'yīga (1) in the middle of (Context: long town) //

k, ka, ak- — See ak

kAnA'x — across (37) // *crasg* = across place, cross, crutch, club (cards) (nouns) // *crasgach* = lying cross-way, a-kimbo, clumsy, slow, thwart, going on crutches, crawling / walking (as, person feeling torturing pain) Compare kAt.

kAt — on (95) // *crasg* = across place, cross, crutch, club (cards) (nouns) // *crasgach* = lying cross-way, a-kimbo, clumsy, slow, thwart, going on crutches, crawling / walking (as, person feeling torturing pain)
(**kA** – present action in some direction) See ak. +
(**t** – to a full extent) //

kāxkî'nde — off (21) (Context: Take their bear coats off) //
(**k / ka** – present action or time coming) +
(**āx** – out, out of) +
(**kî'** = *cinn* = spring from, grow taller, result from, happen, agree to, vegetate, increase, grow, multiply // *glinne* = habit, coat // *cinnteagan* = coarse cloak) //
(**kî' = tî'** – precipitant, immoderate) //
(**kî** – in a peaceable manner) +
(**nd / ndî / nt** – outside = *nochd* = show, reveal, disclose, discover, present, offer, strip, make naked, peel) +
(**e** – beginning and end) //

kē — up (21) // ke (35) up // See ABC Dictionary section, K.

ke, kês — out (83) // kês (80) out // *measg* (*am measg*) = among, amongst, in the midst, (substantive); mingle, mix, stir about, move (verbs) //

kîtū'nAx — out from under (27) //
(**kî** – in a peaceable manner)+
(**tū'** = *turus* = course, occasion, travel, journey, expedition, voyage // *tùinich* = resort to, sojourn, inhabit,

colonize, frequent, settle in a place, dwell, gather (as matter in suppuration), settle or fix in place (as a movable tumor) // *tuirling* = alight, come off a horse, descend, descend rapidly or with a noise, come down, fall upon)
(**tū'** = *tuit* = happen, befall, chance, subside, sink, set (as, sun), benight, be seduced by, fail, damp (verbs))
(**n** – focus, in gathering together) +
(**Ax** – out)

ł, ła, łî — over to that side // *slaoic* = inverted, lying, uneven, unmatched, slouching to one side, crooked // k!awê'łguha (54) they could see // duła't (70) were coming in their things // kAdudjē'ławe (73) when they brought all // yū'AtłaAt (73) their things (Context: to shore) // wudułîcā'dî (91) caught // aq!a'wułt (169) to his door // ġetła'a (170) inside // awu'łîcāt (89) caught // wudjA'łtc (93) [her hands] would go // caŷaqā'wadjAł (153) stood all around // yū'ckAłnīk (166) he said // caoduĻîġê'tc (178) they threw away from //
łatî' (113) was (Context: inside the canoe's mouth was red)
(**tî'** – immoderate, precipitant) //

n — focus, gathered together, with, in, focus in time / when // *ann* = in, within, therein, there, in existence, alive // *naisgte* = bound, made fast // '*nuair* (*an uair*) = when, at the time, seeing that //
an (1) town // ānqā'wo (1) a (town) chief // akucîtA'n (2) liked to pick // tîn (3, 97) with // akā'yan (4) on it // nełixA'nq!awe (8) into his house it was // a'na (9) she was putting in // acakA'nAł̱ŷên (9) was whirling in his hand // a'na (10) she was̱ putting in // doxA'nt (10) to her // Acī'n (12) with her // datcū'n (13) toward the woods // taŷinA'x (13) under // yua'xk!Anya-ka'oĻîgAdî (17) what angrily had spoken to // naAdî' (18) going // naA'dî (19) when they had gone // atūtxī'nawe (23) from into it (the clothing // akuġā'ntc (23) would burn // Anaā'dawe (26) when they were going // aositī'n (26) saw // kîtū'nAx (27) out from under // nacu' (27) was coming out of // awuĻîgê'n (37) she looked //

A'ġacān (47) when they married // ā'caŷAndihēn (54) began to be so many [there] // wuġaxî'xîn (55) when gets // dAnē't (60) grease box // wududzî'nê (60) they came to put it // yā'nagu'tîawe (62) after it had walked on // dugu'ġun (79) lay in streaks // Atū'nAx (80) from into it // qî'naŷî (83) its quill // wA'nq!es (87) for // Acdjī'n (89) her hand // awA'n (89) close by // dudjī'n (90) her hand // atū'nnAx (92) through them // dunA'q (92) from her // wudustī'n (94) saw [them] // nAġana'n (96) when he dies // q!AnAskîdē'tc (96) poverty // nAġanā'n (97) when he dies // gā'nîyAx (98) outside // ān (99) with it // nAłgē'n (101) large // L!agā'yan (102) he was getting // akA'ndagAnê'awe (108) when it was daylight // ānagu'ttc (108) he always went // anAsnī'awe (109) when she had made them // akA'ndagAnêawe' (109) when it was daylight // ānagu'ttc (109) he always went // dAxdanī'n (113) twice // q!ānA'x (113) it was around mouth // nacî'qtc (134) would run // yē'djîwudîne (138) dressed up // łīngî't-ānē'q! (145) in the world // xā'naAde (147) go with me // ŷā'naAt (151) was going // cū'djîxîn (152) it flew // ġêna't (158) below here // doxA'nt (159) for her // yuq!wA'nskāniłnîq (164) tell that // Acnā'ŷe (177) on him // doxA'nt (177) to him // wuniŷī'tc (183) happened // ckA'teAtsinen (184) used to cost

nt, ndî, nde, n — go outside, appear outside // *nochd* = show, reveal, disclose, discover, present, offer, strip, make naked, peel // *mach* = out, outside //
(**n** – frontier, pioneer, in) +
(**t** - at or to a full extent) //
gā'nq!a (146) outside
(**q!** – to a full extent)
(**a** –refer to someone or something before they take action, or before something happens // *a* = at, to, in, about, in the act of)

doxA'nt (10) to her // kāxkî'nde (21) off // hīnt (41) into the water // gānt (67) outside // wA'ngA'ndî (92) to go outside // xA'ndî (124) to // XA'ni (147) to him // ġā'nî (160) outside // gā'nîqox (173) back outside //

o — from, for // *o* = from (preposition); from that time, since, (adverbs); because, seeing that, for // *oir* = for, because // *oirre* = matter with her, over her, on her, upon her, owed by her // See also p561.
doxA'nt (10, 159) to her // hAsduq!oe's (82) for them // qo'xodjîqAq (160) backed //

q, q!, q!ᵘ — frontier, pioneer, border, in // *criach* = frontier, march, border, country // *comhair* = direction / tendency (forward, backward, sideways, etc.), presence, view, opposite, against, before, over against // *gu'm* = that, in order that //
yudā'qq! (4) way up in the woods // qa'q!osi (5) feet // itī'q!awe (19) when they had gone // xōq!ᵘ (23) among // yuānyêtq!ᵘ (25) to the high caste woman // yāq! (36) at this place // wuduwaŷē'q (44) they pulled her in // wudzîxA'q (45) it came to go // kînā'q! (51) on top of // neɫixA'nq!awe (8) into his house it was // akust!ē'q!Atc (63) would break up always // dudjā'q (68) beat him // hAsduq!oe's (82) for them // kā'waqa (86) she sent // xēL!qāx (91) slime from // ŷāqġadjā'q (96) would kill him // A'q! (100) then // ŷaqsatī'yawe (111) when he was // aq! (117) to it // yēkᵘdīwuq! (122) in it were wide // yutcā'ctaŷīq! (127) under the branches // nacî'qtc (134) would run // ducā'q!awe' (137) when they tried to marry // ɫīngî't-ānē'q! (145) in the world // gā'nq!a (146) outside // îq-gwâte' (149) you are going to stay // yuî'qtê (151) to the beach // duhî'tîq! (154) in his house // qo'xodjîqAq (160) backed // kīnigī'q (163) tell it // yuq!wA'nskāniɫnîq (164) tell that // ɫū'waguq (169) rushed // yuhî'tŷīanA'q (173) from the house door //

qo — front and back, opposite, thoroughly, a sufficient extent (moral sense) // *cùl* = back of anything, to the back, aftertime, completely, guard, care, anxiety, matter for thought // *coir* = justice, equity, probity, integrity, authority, share, franchise, possession, right, claim, title, charter, business, interest, custom, usage, (*comhair* = presence, view, tendency or direction (forward, backward, headlong, sideways etc.)), (nouns); decent, kind, civil, proper, near, pious, benevolent, easy-minded, affable, just, honest, virtuous, good //

qox (37, 62) back

(**x** = ax – out, from) //

qot (88) entirely

(**t** – to a full extent)

qoŷa'odū'waci (15) searched // yu'qodūciawa (16) having searched // qonā'xdaq (31) right // wusko' (125) knew it // yū'duīqonī'k (151) the man they used to call [dirty] // uġa'qoduciŷa' (157) while they were hunting // yū'q!oyaqa (168) said // gā'nîqox (173) back outside // qo'dzîtī'yī-ᴀtx (185) living thing //

s, x — problem or vulnerability, out of, from // *ceisd* = problem, dispute, controversy, question, anxiety, regard, puzzle, darling // *a mach* = out, out of // *mach* = out / without // *as* = out of it, from it) //

ts!ᴀs (5) always, (20) only // duītē'x (15, 35) for her // sadjᴀ'qx (48) they always killed [them] // āŷî's (59) for it // ckᴀstā'xwâ (82) was a young man // hᴀsduq!oe's (82) for them // tc!uʟē'xdê (87) ever since then // qahā's!tc (96) filth // u'x (105) at him // uduwaᴀ'x (120) it was heard to say // gudᴀxqā'x (150) from whence //

Compare xa,sa, in Manner particles section. See also ax in Prepositions section.

sayu' — See xa / sa.

t — at or to a full extent, extent // *tarruing* = act of drawing or pulling, act of dragging or hauling along, draught / pull / drag, act of attracting, alluring or enticing, distilling, act of drawing liquor from a cask, act of drawing / painting / delineating, drawing near, any weight or bulk that is drawn, demand, season of time, while, turn, extracting paster, peak halyard-sheets, carriage-trace, (nouns); draw, pull, attract, allure, lead, take the liquor from a cask, haul, pull along, draw near, approach, advance, extract or distil (as, strong drink), aim, teaze //

ū'at (3) she went // ū'wagut (10) came // uwaA't (12) he went // ŷā'waAt (13) her went // yucawA't (15) the woman // yū'antqenītc (15) the people // itī'q!awe (19) when they had gone // yuānyêtq![u] (25) to the high caste woman // wuā't (26) went // yucā'wAttc (26) the woman // aositī'n (26) saw // yūt (34) away // ts!utā't (34) in the morning // duî'tdê (37) behind her (she looks back at the bears chasing behind her) // gīyīġē't (41) in the middle // hīnt (41) into the water // tūt (45) into (context: into the sun) // hAsdutcukA'tawe (57) at the end of them (i.e. the town) // dAnē't (60) grease box // yā'nagu'tîawe (62) after it had walked on // āeġayā't (64) below it // duła't (70) were coming in their things // yū'AtłaAt (73) their things // awu'łîcāt (89) caught // dju'deAt (167) started to rush // ānagu'ttc (109) he always went // Aŷahê'taqguttc (111) he always went up close by // Łīngî'ttc (125) Hlingit (Tlingit) // dokA't (131) on him // At!aq!A't (133) he was pounding // dułcu'ġtawe' (134) when they laughed // ctā'de (138) himself // wugū't (147) she went // gutxA'tsayu (153) from where it was // ġêna't (158) below here // aq!a'wułt (169) to his door //

tc / ts

intensifier or catcher in the way of a spiral, always, exact spot // *taisg* = anything laid by, deposit, reconnoitering, spying, saving, pledge, stake, treasure (nouns); deposit, lay up, hoard, treasure, bury // *seadh* = furthermore, truly, indeed, yes // *tathaich* = frequenting, act of frequenting or often visiting, resort, craving, claim, investing, supernatural knowledge of the absent // *ath* = next, again //

ts!As (5) always // guxq!ū'tcawe (7) slaves it was (all the slaves) // ts!u (8, 26) again // tc!uLe' (9, 12, 32, 45, 79, 80, 90, 93, 115, 120, 126, 131, 136, 145, 152, 153, 160, 167, 169, 174) then // tc!a (9) now // wae'tc (9) you (you by yourself) // tc!a (10, 26) right // datcū'n (13) towards the woods // xAtc (14) these // yū'antqenītc (15) the people // xAtc (16) these, (17) this // naA'ttc (18) always went //

akuġā'ntc (23) would burn // kułkī'stc (24) always went out (as, fire) // yucā'wAttc (26) the woman // ts!u (26) again // tc!u (34) then // Ts!ūtsxA'n (51) Tsimshian // tc!aŷē'guskî (52) very small // Ts!ū'tsxAn (54) Tsimshian // dosqê'tc (55) they always said // hAsdutcukA'tawe (57) at the end of them (i.e. the town) // Akū'dadjītc (62) it would suddenly turn // akust!ē'q!Atc (63) would break up always // duī'k!tcawe (67) her brother it was // duĻā'k!Atc (68) his sister // kaodAnigītc (68) he claimed to see with // tsa (80) then // yē'ġawetsa (86) they examined // tc!uLē'xdê' (87) ever since then // uduwatsā'k (90) they put [it] // tc!uyū' (91) the time // ts!uhē't!aawe (93) this one and then the other // aġacA'ttc (93) when she would catch // wudjA'łtc (93) [her hands] would go // kAt (95) on // qahā's!tc (96) filth // wudjā'qtc (97) always is killed of // q!AnAskîdē'tc (97) poverty // desgwA'tc (102) now // doġê'tcnutc (103) they would always throw // ānagu'ttc (109) he always went // łdakA't (110) all // aŷahê'taqguttc (111) he always went up close by // gū'tsawe (112) after he had gone // Łīngî'ttc (125) Hlīngit (Tlingit) // qA'tcu (127) or // ku-doxē'tc (131) they always threw // nacî'qtc (134) would run // hūtc (138) he // gutxA'tsayu (153) from where it was // xoxtc (162) husband // Q!a-ī'tîcuye-qātc (164) Garbage-Man // Q!a-ī'îcuye-qātc (166) Garbage-Man // awucā'ŷetc (177) because he married // caoduĻîġê'tc (178) they threw away from // q!anAckîdē'x (181) poor // tc!uya' (184) even // ts!u (184) too // wuniŷī'tc (183) happened //

tcA — right in (119) // See Miscellaneous grammar particles & Link words section.

ti — See di.

tîn — with (3, 98) //
(**tî** – immoderate, precipitant) +
(**n** – focus, with)

ts — See tc.

tsa	See tc / ts.

tu, atu	would, used to, past continuing (see aku); from inside it; compared to aku, atu has more a sense of happening in your direction, and excitement // *tuit* = happen, befall, chance, subside, sink, set (as, sun), benight, be seduced by, fail, damp (verbs)
	Atū'nAx (80) from into it // atū'nnAx (92) through them
	(**n** – focus, in, gathering together) +
	(**nn** = n + n – focus and focus > through)
	(**Ax** – out) //
	atūtxī'nawe (23) from into it (the clothing) // kîtū'nAx (27) out from under //

tūt	into (45) (into the sun) // *tuathal* = contrary to the course of the sun (and consequently regarded as unlucky, to the left, wrong, cross, athwart, ominous, awkward, brave, backward, (*tuathach* = northerly) // *tuath* = north, northern // (**tū** = *trù* = (OG) face, fall) (**t** – to a full extent) See page //
tuwA'nq!	alongside (79) // See aku.
u, wu	about, links two things (especially in cause & effect) // *mu* = about, around, of, concerning, on account of, for // *uiread* = have as much, have so much (eg. *Cha'n 'eil uiread sin agam.* = I have not as much as that.) u'xanAx (134) at him // u'x (105) at him // (**x** – out (out to the end of town)) (**x** – vulnerability, problem) (**a** – he-they) (**nax** – inhospitable action) See nac.

tc!uLe' (9) then // wuduwatA'n (19) the people were called // awułîsu' (51) they chopped her // ā'wa-ū (56) had (a baby) // ts!uhē't!aawe (93) first one and then the other // qA'tcu (127) or // udułcu'qnutc (105) they would laugh // uġa'qoduciŷa' (157) while they were hunting // uwaca' (164, 166) married her // wunū'gu (174) was // qawu (181) a man //

u'xanAx — See u.

wa — appear, describes something or someone appearing in their next position or role // *fàs* = increase, become great or little, become good or bad, grow, rise, vegetate // *cuairt* = cycle, zone, pilgrimage, expedition, whirl, eddy, circle // *nuadh* = new, fresh, recent, modern, unfamiliar // *nuadhaich* = renew, renovate // *a* = that, which, what, who, whom // *ma* = if // *ua* = from, out of //
See also wa in the Pronouns section //
Compare Gàidhlig *uatha* = retirement from them, wanted by them, from them.

wâsa' (25) what (something) // wA'sâ (79) how // wA'sa (80) as if // *mar seo* = in this manner, thus, in this direction, towards this place //
(**s / sA / sâ** – awesome and unknown, possibly a bit suspicious) See xA.+
(**a** = *a* = that, which, what, who, whom) //

yū'duwasa (107) what they called him
(**yū'** – term of respect) +
(**du** – they-him) //

wA'nq!es (88) for
(**n** – focus, gathering together, in)
(**q!** – frontier, pioneer, border)
(**e** – beginning and end, back and forth)

(**s** – vulnerability, problem)
(**q!es / q!e'** = *sgàth* = sake, account, nearness, pretence, shadow, fright, disgust, shelter, veil, protection, covering // *air sgàth* = for the sake of)
(**es** = *oirbheart* = good deed or action, exploit)
Compare hAsduq!oe's (82) for them // hA'sduq!oē'dê (87) for them //

wâ'yu (98) when

(**yu** – term of respect)
ŷā'waAt (13) her went // qoŷa'odū'waci (15) searched // yu'qodūciawa (16) having searched // wuduwatA'n (19) the people were called // qoya'oduwacî (35) they searched // uwaL!A'k (36) had rotted // wuduwaŷē'q (44) they pulled her in // ā'waca (46) married // ā'wadjAq (50,51) killed // ā'wa-ū (56) had (a baby) // wānanī'sawe (56) very soon // kātuwā(ŷ)ati (72) there is // wA'ngA'ndî (92) to go outside // desgwA'tc (102) now // yā't!ayauwaqā' (104) this man living here // wānanī'sawe (106) as soon as // yū'duwasa (107) what they called him // q!ē'waxix (112) came quickly // q!ē'wat!āx (117) it opened its mouth // kā'wawAL! (123) broke up // kū'wacî (159) hunted // kāwadī'q! (175) she became ashamed // łū'waguq (169) rushed //

wu, u

describes extent // *ruig* = reach, extend to, arrive at, attain to, hold, stretch out, border, needs, must //

wūne' (121) it was

(**n** – focus, gathering together, in) +
(**e** – beginning and end, (one use of this particle is for repetitive tasks or activities that involve coming or going))

wuniŷī'tc (183) happened

(**n** – focus, gathering together, in, with) +
(**i** – taking time and care) +

(**ŷī’** = *fin-foinneach* = completely, from edge to edge) See yi.
(**tc** – intensifier and catcher in the way of a spiral, exact) //
Compare Gàidhlig *tuit* = happen, befall, chance, subside, sink, set (as, sun), benight, be seduced by, fail, damp, (verbs).
ū’at (3) she went // wudjix̣ī’x̹ (34, 43) she ran // ŷawucîx̣ī’awe (37) when she had run // udjix̣ī’x̹ (40) she ran // wuduwaŷē’q (44) they pulled her in // wudzîxA’q (45) it came to go // awułîsū’ (51) they chopped her // wuġax̣î’x̣în (55) when gets // wududzî’nê (60) they came to put it // awu’łîcāt (89) caught // wudjA’łtc (93) [her hands] would go // wudjā’qtc (97) always is killed of // q!aowut!ā’xe (116) it opens its mouth // awut!ū’guawe (120) when he had shot it // yēk[u]dīwuq! (122) in it were wide // wugū’t (147) she went // ŷawusaŷe’awe (160) when he looked // wugudī’awe (165) when he came // aq!a’wułt (169) to his door // wu’diqêL! (173) started to go // wunū’gu (174) was //

wu — links two things (especially in cause & effect), about // See u.

x, s — vulnerability, problem // See s.

x / xawe / t!ā’ — into the house // *a staigh* = in, within, in the house //
hî’txawe (126) into house it was // nēłt!ā’ (67) into the house //

xa, sa — to; shows a new situation; sa is about something awesome and unknown, possibly a disloyal manner, while xa’ shows a loyal manner or something steady or familiar // *sàbhail* = spare, preserve, use frugally, protect, defend, rescue // *seo* = ‘here!’, this, these // *ma* = if // *mar* = in this or that manner, in the same manner, even as, like, like as, as // *a* = at, to, in, about, in the act of //
doxA’nt (10) to her // nełixA’nq!awe (8) into his house it was //
(**do** – it-her)
(**nt** – go outside, appear outside)

(**neł** – into the house) +
(**i** – taking time and care) +
(**awe** – explaining) //
xA'ndî (60) to
(**dî** – precipitant)
wâsa' (25) what (something) // wA'sâ (79) how // wA'sa (80) as if // sAk^{u} (127) for (Context: A good production of copper items) // *mar seo* = in this manner, thus, in this direction, towards this place // *samhlach* = likening, comparing, emblematical, typical, ghostly, allegorical, (adjectives) //
(**a** = *a* = that, which, what, who, whom) //
sayu' (150) it was // gutxA'tsayu (153) from where it was //
(**yu** – term of respect) //
sateŷî' (151) it was
(**te** – new situation and emotion) //
tc!uya' ŷîdAt xA'ṅġāt (184) even lately // *a chionn ghairid* = lately // See also yi.
(**n** – focus, gathering togther, with, in) +
(**ġā** – for, subjective action = *gabh* = (all subjective moods of action that can be expressed in a sense of 'taking on' or fulfilling a role) take, accept, receive, contain, hold, sing, say, deliver, (express emotions), put on (disguise), catch (fire, infection, ferment), undertake, endeavor, be concerned with, arrange, must, compelled to, enlist, engage as a servant, make secure, entertain, treat, acknowledge, worry, conceive, become pregnant, beat, belabor, betake, repair, proceed to, go, (motion), rest
(**t** – to a full extent) //
yū'duwasa (107) what they called him // qāx (111) getting to be a man // ŷaqsatī'yawe (111) when he

was // cā'ŷadîhēn (133) there were plenty // gudAxqā'x (150) from whence // qāx (151) come to be the man // nA'xsAtīn (181) is // qo'dzîtī'yī-Atx (185) living thing //

xA'nġāt — See xa.

xA'nq! — to (90) //
(**xA'** – out) See ax +
(**n** – focus, gathering together, in) +
(**q!** – border, frontier, pioneer) //
xA'ndî (124) to
(**nd** – outside // *nochd* = show, reveal, disclose, discover, present, offer, strip, make naked, peel // *mach* = out, outside) +
(**î** – taking time and care, possessive) //

xōq![u] — among (23) // xō (134) among // *mu* = about, around // *moc* = move, yield, give way // *gu'm* = that, in order that //
Ackułŷê'tîxōq! (106) among the boys playing //

ŷa'o — went back, turned back // *raon* = (OG) turn, change, tear, break) +
qoŷa'odū'waci (15) searched // ŷa'odudzîqa (77) they came to tell them //

ŷê — sense of positioning, pull (operation of metaphysics), blame or redemption // *réidh* = ordered, arranged, disposed, ready, prepared, harmonious, reconciled, at peace, conciliated, free, exempt, straight, uninterrupted, clear of obstruction, allied, safe, not dangerous, appeased, regular, unraveled, disentangled // *seo* = this, these, 'here' //
yē'tî (123) was
(**tî** – precipitant, immoderate) //

doayē' (24) hers // ŷêdê' (26) under // wuduwaŷē'q (44) they pulled her in // ġonaye' (61) started // āeġayā't (64) below it // yē'At (96) for this // axAniŷe' (149) with me (Context: Live with me) // ye'awusku (150) she knew // Acnā'ŷe (177) on him // awucā'ŷetc (177) because he married //

yên — place or thing with a sense of mystery // there (55, 80, 85, 86, 115, 137, 164) // yên (16) (every)where // yên (85) it // yên (133) when // yū'yênkā'watAn (91) it bent // *reann* = (OG) land, country, soil, star // *meannad* = place, room //

yê'nAx (80) from there
(**Ax** – out) //

hē'nAxa (182) there
(**hē'n** = yên)
(**Ax** – of, from, out of, out) +
(**a** – it-it) //

yētx — from (137) // See yAx / yêx.

ŷi, ŷî, y — to (many connotations possible) // *ri* = to, towards, in the direction of, unto, to (implying similarity of likeness / implying adhesion / implying exposure), to / to be (implying possibility), to (denoting equality of one object with another, denoting attention or earnestness), at, near to, against, in opposition to, in contact with, in (denoting employment or occupation), for (implying expectation or hope), of, concerning, with, as, like as, during, whilst, up, upwards // *fior-iochdrach* = lowest // *fior-iochdar* = basis, the very bottom, lowest part // *fin-foinneach* = completely, from edge to edge //
Note: The Gàidhlig word *ri* means to, and also can mean upward, but in Hlīngit the slender vowel (e / i) is for downward. See de & daq in the Prepositions section.

ŷîk (101) inside

(**k** – present action continuing) See ak.

ŷînAx (112) toward // ŷinA'x (124) throughout //

(**n** – focus, gathering together, in) +

(**Ax** – out) //

ŷī'ya (130) inside

(**ya** – when (after success, feeling smart or successful))

ŷī'dAx (161) from inside

(dAx – from) //

ŷīŷî (178) did //

(**ŷī** = ni – sense of readiness, do // *ni* = deed, circumstance, business, affair, fact, thing, substance, (nouns); shall do, will do)

ŷiŷidA'de (181) even now // tc!uya' ŷîdAt xA'ngāt (182) even lately //

(**ŷi** = *bith-* – (prepositive article) ever-, always-)

(**ŷiŷid** / **ŷiŷi** = *rìreadh* = truly, indeed, actually, seriously, certainly, verily, of a truth // *riamh* = ever, at any time before // *bitheantas* = commonness, common occurrence, frequently happening, frequency // *am bitheantas* = generally, frequently)

(**ŷiŷi** = ŷi doubled – even) +

(**dA'de / dAt / dA** = *dràsda* (= *an tràth seo*) = now, at this time, the present time)

(**t** – to a full extent) //

yī'gîŷî (35) at midday // ŷidê'(5) down to // yāq! (36) at this place // ŷīdA'tî (49) now (rhetorical 'now') // ŷiatA'n (57) stood // āŷî's (59) for it // aŷîde' (60) inside it // ŷi (75) down // ŷiA'dî (76) to come // yutcā'ctaŷīq! (127) under the branches // aŷî's (137) for her // Axhî'tîŷīdê' (147) down to my house // kaodîgA'naŷî' (152) shining in // yuhî'tŷīanA'q (173) from the house door // wuniŷī'tc (183) happened //

ŷîk — inside (101) // See ŷî

ŷī'ya — inside (130) // See ŷi.

yūt — away (34) // yut (179) out //
(**yu** – term of respect) +
(**t** – to a full extent) //

yux — See a'yux. See also ax.

Miscellaneous grammar particles & Link words

A — the, it, dual pronoun // *a* = (particle used in adverbs or phrases or with numbers when not followed by a noun; eg. *a bhos* = on this side, *a dhà* – two) // *a* = that, whom, which, what, who // *a* = his, her, its // *am* = their, my, the // See pronoun section.

A, a — what // *a* = that, whom, which, what, who //
ayu' (122, 151) that
(**yu** – term of respect) //
Atc (141) that
(**tc** – intensifier and catcher in the way of a spiral) //
aġa' (144) what (for it)

(**ġa'** – for, subjective action) //
yu'qodūciawa (16) having searched // kucîgAnē'x (30) what saved you // duyê'tayu (172) her face it was

a, A — refer to someone or something before they take action, or before something happens // *a* = at, to, in, about, in the act of //

ā (123) did // Longer a because contains two a's in one.
(**ā** = *bha* = was, were)
(**ā** = *a* = at, to, in, about, in the act of

At (159) then
(t – to a full extent) //
ātxê'qdê (6) down // A'ġacān (47) when they married // awuĻîgê'n (37) she looked // ā'nēł (159) into the house // ciaŷidē' kdaġā'x (39) she began to cry for life (i.e. a good life) // ġonaye' (61) started // ā'yux (69) out to it // ānagu'ttc (109) he always went // nacî'qtc (134) would run // gā'nq!a (146) outside // aq!a'wułt (169) to his door // yuġā'ayu (181) for him //

a — is // *tha* = is //
ā'q!aołitsīn (182) is expensive

a, A — was // *bha* = was, were //
cā'ayu (14) mountains were // ā'ŷî (49) it was // tc!aŷē'guskî (52) very small // kātuwā(ŷ)ati (72) there is // ckAstā'xwâ (82) was a young man // dustî'ndjîayu' (145) having ever seen // ŷā'naAt (151) was going / there it was (127)

ade'awe — there it was (127) // See de / daq in Prepositions section.

A'dî — of it (41) (Context: in the middle of it there is a boat that will rescue her) //
(**A'** – refer to someone or something before they take action, or before something happens)
(**A'** – it-it)

(**dî**= de' = of or off his or its // *di* = to her, to it // *dinn* = of us, from us, concerning us, from amongst us)
(**dî** = *dideanach* = ready to shelter or protect, affording protection or shelter, protecting)

Aġa' for her (157) // See ga.

aġa' what (for it) (144) // See ga.

aku, atu, ku, tu would, used to, past continuing // compared to aku, atu has more a sense of happening in your direction, and excitement // *agus* = and // *gu* = until, till, (adverbs); that, to the end that, (conjunctions); to, towards, (prepositions) // *buan* = long, tedious, lasting, durable, hardy, tough // *cuimse* = moderation, sufficiency, mediocrity, moderate portion, aim, mark, hit, any measuring instrument, measure (as for a suit of clothes) (nouns) // *cuimseach* = moderate, in a state of mediocrity, mean, little, indifferent, befitting, suitable to one's case, adjusted, unerring, sure of aim //
(**ak** = *ag* (sign of part participle, used with a modified verb, eg. *ag iasgachd* = fishing (*iasgaich* = fish (verb); *ag iarraidh gu bealach* = moving toward the pass (*ag iarraidh* = part participle of *iarr*; *iarr* = probe, seek, search, invite, purge (as medicine), demand)) +
(**u** = o = from)
(**tu** = *tuit* = happen, befall, chance, subside, sink, set (as, sun), benight, be seduced by, fail, damp (verbs))
(**gu** = *gu* = that, to the end that, till, until, to, towards, ((OG) lie)) //
akuc îtA'n (2) liked to pick // atūtxī'nawe (23) from into it (clothing) // akuġā'ntc (23) would burn // kułkī'stc (24) always went out // Akū'dadjītc (62) it would suddenly turn // akust!ē'q!Atc (63) would break up always // kātuwā(ŷ)ati (72) was // dugu'ġun (79) lay in streaks // tuwA'nq! (79) alongside // Atū'nAx (80) from into it // atū'nnAx (92) through them // kū'wacî (159) hunted // Compare nac / nacu, below

aLe' See Le.

Aɫts!u’	also // See ts!u.

ᴀsiyu’	it was (13, 46), it was that (28) // ᴀsiyu’ (70) was so // ᴀ’sîyu (72) it was (emphasizes truly was) //
	(ᴀ = *bha* = was, were) +
	(**si** = *sin* = that, those) +
	(**yu’** – term of respect)
	ŷasiate’ (80) was
	(**ŷa** = *bha* = was, were)
	(**te’** = de – acting on something, on) //

At	then (159) // See a –refer to someone or something before they take action, or before something happens.
Atc	that (141) // See ᴀ – what.
atu, ᴀtu	See aku, tu.
ā’w, nġa	get, become // See nġa.

awe	explaining // awe’ (24) that thing, (30) it was, (82, 121) that, (180) that one // a’we (26) that thing // awe’ (63, 91) when, (117) it is, (166) it was // awē’ (92) it was // *nàile* = indeed, truly // *aoi* = (OG) possession, cause, controversy, place, region, law, rule, confederacy, compact, trade, swan, sheep, honor // *a réir* = according to // *ar feadh* = as long as, among, throughout, extent, length, fathom, amid, during, whilst)
	(**a** = *a* = (particle used in adverbs, phrases or before numerals when not followed by nouns) //
	(**a** = that, whom, which, what, who) +
	(**we** = *réidh* = disposed, arranged, ordered, in order, disentangled, unraveled, reconciled, polished, clear of obstruction, harmonious, clear, straight, smooth, regular, allied) //
	daā’dawe (6) wanting to go // guxq!ū’tcawe (7) slaves it was // neɫixᴀ’nq!awe (8) into his house it was // nᴀ’xawe (10) herself it was // itī’q!awe (19) when they had gone // aġaᴀ’dînawe (21) when

they came // atūtxī'nawe (23) from into it (the clothing // // Anaā'dawe (26) when they were going // iŷA'dawe (30) around you // ā'dawe (34) when they went // aā'dawe (35) when they came // ŷawucîxī'awe (37) when she had run // ġâ'awe (38) as if // qo'aawe (49) however // dA'xawe (50) way for her // Atcawe' (53) that is why // wānanī'sawe (56) very soon // hAsdutcukA'tawe (57) at the end of them (i.e. the town) // yā'nagu'tîawe (62) after it had walked on // duī'k!tcawe (67) her brother it was // kAdudjē'ławe (73) when they brought all // detc!a'a.awe' (75) that is they // ġagū'dawe (88) when went away // gū'dawe (89) when she went // awî'sīne'awe (90) when she brought it // ts!uhē't!aawe (93) first one and then the other // Atcawe' (97) this is why // tcukA'q!awe (99) at the other end of // qaq!aitē'awe (103) garbage // wānanī'sawe (106) as soon as // anAsnī'awe (109) when she had made them // akA'ndagAnêawe' (109) when it was daylight // A'dawe (110) things those // ŷaqsatī'yawe (111) when he was // gū'tsawe (112) after he had gone // awut!ū'guawe (120) when he had shot it // dułcu'ġtawe' (134) when they laughed // ducā'q!awe' (137) when they tried to marry // t!aq!ā'nAxawe (141) from the hole // cukAdawe' (152) in front of // ŷawusaŷe'awe (160) when he looked // wugudī'awe (165) when he came // awucā'ŷetc (177) because he married // Atcawe' (181, 182) this is why //

A'x — here // *an seo* = here // taŷinA'x (13) under //

ayA', ya — when, to // See ya – when.

a'ya — it was (1) // See ya – was.

āyA'x, ayA'xawe — See yax – like.

ayu' — it was (51) // See ya – was.

ā'ŷî — it was (49) (it was [they] were going to) // *a bhith* = to be //
(**ā'** = *bha* = was, were) +
(**ŷî** = *b'i* = it was // *bhitheas* = shall or will be)

Compare Asiyu' (13, 46) it was // Asiyu' (28) it was that //

āŷî's — for it (59) //
(**ā** – it-they (59), he-her (137), they-him (174)) +
(**ŷî'** = *ri* = in contact with, in (denoting employment or occupation), for (implying expectation or hope))
(**s** – vulnerability, problem) +
(**s** – extremely, supremely, very (applies to progress and quality of something)
aŷî's (137) for her // aŷî's (174) for him //
(**s** = x – to someone's self, my, I, me // *sàr* = apprehend (verb); matchless, noble, brave (adjectives); (*sàr-* = great degree of any quality, (prefix)); hero, worthy, excellent man, brave warrior (nouns))

ayu' — that (122, 151) // See A / a – what.

do — (before verb) // *do* = (placed before verbs) //
yū'yudowaAx (171) it was heard like //

e, we — beginning and end (one use of this particle is for repetitive tasks or activities that involve coming or going), the // *èairlinn* = end or limit of anything // *earas* = end, conclusion, consequence // *reamain* = beginning // *réidh* = ordered, arranged, disposed, ready, prepared, straight, uninterrupted, straight, clear of obstruction, reconciled, at peace, unraveled, regular, safe, plain, level, smooth, harmonious, clear, melodious, allied, polished //
ġone' (12) starting // kāxkî'nde (21) off // naadê' ġonaye' ā'dawe AdakA'dīnawe (34) when they were going started in exactly the opposite direction // ā'caŷAndihēn (54) began to be so many [there] // wududzî'nê (60) they came to put it // wē'yāk^{u} (63) the canoe // weAłdî's-q!os (75) moon shine // hAsduq!oe's (82) for them // yē'ġawetsa (86) they examined // ts!uhē't!aawe (93) first one and then the other // kAcū'sawedê (98) had suffered // at!ē'q! (129) he pounded // wehî't (133) the house // yē'djîwudîne

(138) dressed up // łīngî't-ānē'q! (145) in the world // xā'naAde (147) go with me // caoduȽ̦îġê'tc (178) they threw away from // ckA'teAtsinen (184) used to cost //
See also e in pronoun section // wae'tc (9) you //

gā, ga, g — for, subjective action // ġā (18, 88) for // xāt ġa (34) after salmon // *gabh* = (all subjective moods of action that can be expressed in a sense of 'taking on' or fulfilling a role) take, accept, receive, contain, hold, sing, say, deliver, (express emotions), put on (disguise), catch (fire, infection, ferment), undertake, endeavor, be concerned with, arrange, must, compelled to, enlist, engage as a servant, make secure, entertain, treat,acknowledge, worry, conceive, become pregnant, beat, belabor, betake, repair, proceed to, go, (motion), rest //

Aġa' (157) for her // aġa' (144) what (for it) // aġā' (176) for him //
(A – her-they, 157, he-him, 176) // (**a** – it-it) (144) //

duīġā' (180) for him
(**du** – he-him) +
(**ī** – taking time and care) //

yuġā'ayu (181) for him
(**yu** – term of respect)
(**a** – refer to someone or something before they take action, or before something happens) //

ġâ'awe (38) as if // wuġaxî'xîn (55) when gets // ka'ołiga (59) they loaded it with // āeġayā't (64) below it // gānt (67) outside // AtġAxā' (81) let eat something // ġagū'dawe (88) when went away // aġacA'ttc (93) when she would catch // ŷāqġadjā'q (96) would kill him // nAġanā'n (97) when he dies // L!agā'yan (102) he was getting // qâ'djî gA'łaat (116) it puts up on land // ġayē's! (128) iron // aġa' (144) what (for it) // du-īġā' (155) for her // uġa'qoduciŷa' (157) while they were hunting //

nAs!gaducu' (177) eight //

gwâyu' was (41) (context: the boat with a hat was magically there for her) //
(**gwâ** = qo – a sufficient extent (moral), opposite, back and front)
(**â** = *bha* = was, were // Note: qo is represented by a light a, there are two a's here.) +
(**yu'** – term of respect)
Compare Gàidhlig *falach-cuain* = marooning, outdistancing (when one boat outdistances another) // *falach* = hiding, concealment, secreting, place of concealment, emptying, veil, covering, case //

L, Lē, La natural order or development, this shows how small things add up to something bigger //
(**L / La** = *dlagh* = natural order, (*dlòth* = handful of corn, lock of hair) //
(**e** – article-pronoun = *meacan* = individual, birth, extraction, nativity, offspring (noun) // *èairlinn* = end or limit of anything // *reamain* = beginning) See also e in the pronoun section //
(**Le** = *le* = with, by means of, together with, in possession of, along with, down with the current, in form of, on one's side, in estimation of // *èairlinn* = end or limit of anything // *reamain* = beginning) //
tc!uLc' (9, 12, 32, 45, 79, 80, 90, 93, 115, 120, 126, 131, 136, 145, 152, 153, 160, 167, 169, 174) then // Lē' (10) by // Le (11) that // Le (23, 38, 43, 48, 66, 93, 123, 153, 163) then // uwaL!A'k (36) had rotted // Le (54, 130, 178) then (also gives the sense of descending) // Lē (92) then // L!agā'yan (102) he was getting // La (107, 165) then // Le (123) and // kā'wawAL! (123) broke up //
aLe' (109) then //
(**a** – refer to someone or something before they take action, or before something happens)

n focus, gathered together, with, in, focus in time / when // *ann* = in, within, therein, there, in existence, alive // *naisgte* = bound, made fast // '*nuair* (*an uair*) = when, at the time, seeing that //
an (1) town // ānqā'wo (1) a (town) chief // akucîtA'n (2) liked to pick // tîn (3, 97) with // akā'yan

(4) on it // nełixA’nq!awe (8) into his house it was // a’na (9) she was putting in // doxA’nt (9) to her // acakA’nAłŷên (9) was whirling in his hand // a’na (10) she was putting in // AcĪ’n (12) with her // datcū’n (13) toward the woods // taŷinA’x (13) under // yua’xk!Anya-ka’oĻîgAdî (17) what angrily had spoken to // naAdî’ (18) going // naA’dî (19) when they had gone // atūtxĪ’nawe (23) from into it (the clothing // akuġā’ntc (23) would burn // Anaā’dawe (26) when they were going // aositĪ’n (26) saw // kîtū’nAx (27) out from under // nacu’ (27) was coming out of // awuĻîgê’n (37) she looked // A’ġacān (47) when they married // ā’caŷAndihēn (54) began to be so many [there] // wuġaxî’xîn (55) when gets // dAnē’t (60) grease box // wududzî’nê (60) they came to put it // yā’nagu’tîawe (62) after it had walked on // dugu’ġun (79) lay in streaks // Atū’nAx (80) from into it // qî’naŷî (83) its quill // wA’nq!es (87) for // AcdjĪ’n (89) her hand // awA’n (89) close by // dudjĪ’n (90) her hand // atū’nnAx (92) through them // wudustĪ’n (94) saw [them] // nAġana’n (96) when he dies // q!AnAskîdē’tc (96) poverty // nAġanā’n (97) when he dies // gā’nîyAx (98) outside // ān (99) with it // nAłgē’n (101) large // L!agā’yan (102) he was getting // akA’ndagAnê’awe (108) when it was daylight // ānagu’ttc (108) he always went // anAsnĪ’awe (109) when she had made them // akA’ndagAnêawe’ (109) when it was daylight // ānagu’ttc (109) he always went // dAxdanĪ’n (113) twice // q!ānA’x (113) it was around mouth // nacî’qtc (134) would run // yē’djîwudîne (138) dressed up // łīngî’t-ānē’q! (145) in the world // xā’naAde (147) go with me // ŷā’naAt (151) was going // cū’djîxîn (152) it flew // ġêna’t (158) below here // yuq!wA’nskāniłnîq (164) tell that // Acnā’ŷe (177) on him // wuniŷĪ’tc (183) happened // ckA’teAtsinen (184) used to cost //

na — its // *na* = that which, what, those who, those which, (pronouns)
qî’naŷî (83) its quill // nA’xawe (10) herself it was //

nġa, ā’wa — get, become // *faigh* = get, acquire, obtain, find, reach //

ġA'nġa (26) for firewood // ā'waca (46) married // u'tiyānġahē'n (63) when they would get hungry // ā'watAn (83) he took // ā'wayA (87) carried // awî'sīne'awe (90) when she brought it // wA'nġA'ndî (92) to go outside (get out) // aosîte' (139) took //

nutc — tendency & intensifier or catcher in the way of a spiral //
(**nu** = *nuidheadh* = inclination, motion, movement // *nùidh* = acquiesce, move) +
(**tc** – intensifier or catcher in the way of a spiral // *seadh* = furthermore, truly, indeed, yes // *taisg* = anything laid by, deposit, reconnoitering, spying, saving, pledge, stake, treasure (nouns); deposit, lay up, hoard, treasure, bury)
du'qêtcnutc (21) they always threw // yAdanē'nutc (19) he [her husband] always went after // ALĪ'q!anutc (20) always got // du'qêtcnutc (21) they always threw // kAdukî'ksînutc (22) They always shook them. // doġê'tcnutc (103) they would always throw // daŷadoqā'nutc (104) they always called him // udułcu'qnutc (105) they would laugh // at!o'kt!înutc (110) he would shoot // ā't!Aq!anutc (127) he would pound //

o — from, for // *o* = from (preposition); from that time, since, (adverbs); because, seeing that, for // *oir* = for, because // *oirre* = matter with her, over her, on her, upon her, owed by her //
doxA'nt (10, 159) to her // hAsduq!oe's (82) for them // qo'xodjîqAq (160) backed //

qa — and (133) // *agus* = and, as //

qA'tcu — or (128) (Appears to signify neither, nor.) //
(**qA'** = *cha* = not)
(**q** – frontier, pioneer, in) See page +
(**A** = *na* = or, nor, neither, otherwise, else, if not) +
(**tc** – intensifier or catcher in the way of a spiral) +

(**u** – links two things, especially in cause & effect)
Compare Gàidhlig *ach* = but, except, besides // *cadad* = suppression or ellipsis of a letter, eclipse // *càch* = the rest, others //

qo'a — however (20, 24, 71, 138) // qo'a (164, 180) but // *coma* = however //
qo'aawe (49) however // qo'a awe' (95, 96) however //
(**awe** – explaining) //

s, sa, xa, x — progress (go, soon), extremely, supremely, very (applies to progress and quality of something) // *sàr-* = a great degree of any quantity (prefix) //
sAk^{u} (127) for (Context: for benefit, not for a person)
(**sA** – awesome and unknown, possibly disloyal) See xa.
(**sA** – himself it was = *-sa* / *-se* / *-san* = (emphatic syllable used in combination with personal pronouns))
(**k^{u}** = *meud* = as many as, magnitude, degree, extent, number, quantity, stature, size, bulk, dimension, degree of greatness or largeness, greatness, largeness // *meudaich* = increase, multiply, cause to increase, enlarge, add to, augment, improve, abound, grow in size // *meudaichte* = increased, augmented, enlarged, advanced)
(**k^{u}** = present action in some direction) See ak. //
wānanī'sawe (56) very soon // āŷî's (59) for it // ŷana-isAqa (76) you tell them (politely) // tc!aŷē'guskî (52) very small // asnī' (133) he finished // cā'ŷadîhēn (133) there were plenty // xā'naAde (147) go with me // q!anAckîdē'x (181) poor //
Compare ā'caŷAndihēn (53) began to be so many [there] //
Compare xa in Pronouns section.

sAk^{u} — for (127) // See sa, above. See also xa – to, new situation; in this section

si, ci — that, those // *sin* = that, those //

AsiyU' (13) it was // yū'Acia'osîqa (11) what he said to her // yuacia'osîqa (42) what it said to her // yū'siaodudziqa (74) what he said to them

Compare sayu' (150) it was //

sîtî' (185) it is

(**sî** = *is* = is) +

(**tî'** – precipitant, immoderate, ahead) +

(**tî'** = *tì* = any rational being, he, she, him, her, design, intention, purpose, pursuit) //

tc / ts

intensifier or catcher in the way of a spiral, always, exact spot // *taisg* = anything laid by, deposit, reconnoitering, spying, saving, pledge, stake, treasure (nouns); deposit, lay up, hoard, treasure, bury // *seadh* = furthermore, truly, indeed, yes // *tathaich* = frequenting, act of frequenting or often visiting, resort, craving, claim, investing, supernatural knowledge of the absent // *ath* = next, again //

ts!As (5) always // guxq!ū'tcawe (7) slaves it was (all the slaves) // ts!u (8, 26) again // tc!uLe' (9, 12, 32, 45, 79, 80, 90, 93, 115, 120, 126, 131, 136, 145, 152, 153, 160, 167, 169, 174) then // tc!a (9) now // wae'tc (9) you (you by yourself) // tc!a (10, 26) right // datcū'n (13) towards the woods // xAtc (14) these // yū'antqenītc (15) the people // xAtc (16) these, (17) this // naA'ttc (18) always went // akuġā'ntc (23) would burn // kułkī'stc (24) always went out (as, fire) // yucā'wAttc (26) the woman // ts!u (26) again // tc!u (34) then // Ts!ūtsxA'n (51) Tsimshian // tc!aŷē'guskî (52) very small // Ts!ū'tsxAn (54) Tsimshian // dosqê'tc (55) they always said // hAsdutcukA'tawe (57) at the end of them (i.e. the town) // Akū'dadjītc (62) it would suddenly turn // akust!ē'q!Atc (63) would break up always // duī'k!tcawe (67) her brother it was // duȽā'k!Atc (68) his sister // kaodAnigītc (68) he claimed to see with // tsa (80) then // yē'ġawetsa (86) they examined // tc!uLē'xdê' (87) ever since then // uduwatsā'k (90) they put [it] // tc!uyū' (91) the time // ts!uhē't!aawe (93) this one and then the other // aġacA'ttc (93) when she would catch // wudjA'łtc (93) [her hands] would go // kAt (95) on // qahā's!tc (96) filth // wudjā'qtc (97) always is killed of // q!AnAskîdē'tc (97) poverty // desgwA'tc (102) now // doġê'tcnutc (103) they would always throw // ānagu'ttc (109) he always went // łdakA't (110) all // aŷahê'taqguttc (111) he always went up close by // gū'tsawe (112) after he had gone // Łīngî'ttc (125) Hlīngit (Tlingit) // qA'tcu (127) or // ku-doxē'tc (131) they always threw // nacî'qtc (134) would run // hūtc (138) he // xoxtc (162) husband // Q!a-ī'tîcuye-qātc (164) Garbage-Man // Q!a-ī'îcuye-qātc (166) Garbage-Man // awucā'ŷetc (177) because he married // caoduĻîĝê'tc (178) they threw away from // q!anAckîdē'x (181) poor // tc!uya' (184) even // ts!u (184) too // wuniŷī'tc (183) happened //

tc!a

now (9), right (10, 26), just (152) // tcA (119) right in, (185) become // *seadh* = furthermore, truly, indeed, yes // *dràsda* (= *an tràth seo*) = now, at this time, the present time //

(**tc!** – intensifier or catcher in the way of a spiral)

tc!aye' (134) so

(**ye** – so)

tcA (185) become

(**tc** – intensifier or catcher in the way of a spiral, always, exact spot // *taisg* = anything laid by, deposit, reconnoitering, spying, saving, pledge, stake, treasure (nouns); deposit, lay up, hoard, treasure, bury // *seadh* = furthermore, truly, indeed, yes // *tathaich* = frequenting, act of frequenting or often visiting, resort, craving, claim, investing, supernatural knowledge of the absent)

(**A** - refer to someone or something before they take action, or before something happens = *a* = at, to, in, about, in the act of)

(**A** – what = *a* = that, whom, which, what, who)

detc!a'a.awe' (75) that is they (that's right, it really is) // tca-ī' (107, 135) oh (ooh!, Context: you dirty Garbage-Man) // tc!aye' (134) so //

tc!As — See ts!As.

tc!uLe' — then (9, 12, 32, 45, 79, 80, 90, 93, 115, 120, 126, 131, 136, 145, 152, 153, 160, 167, 169, 174) // *ciodar* = wherefore // *c'e 'sam bith* = however, whoever // *tiugh* = (OG) latter, last // tc!u (34) then //
(**tc!** – intensifier or catcher in the way of a spiral) +
(**u** – describes extent) See wu +
(L = *dlagh* = natural order) See La / Le +
(**e'** – beginning and end) //

tc!uLē'xdê (87) ever since then
(**tc!** – intensifier and catcher in the way of a spiral) +
(**uLe'** - *ùine* = time, a time, interval, leisure, lifetime, life) //
(**x** – problem, vulnerability) +
(**dê** = déidh = after) //

tc!uyū' (91) the time
(**uyū'** / **yū'** = *ùine* = time, a time, interval, leisure, lifetime, life) //

tc!ū'ya (109) just then
(**ya** – when (after success, feeling smart or successful))

tîn — with (3, 98) //
(**tî** – immoderate, precipitant) +
(**n** – focus, with)

ts — See tc.

tsa See tc / ts.

ts!AS always (5), only (20, 24, 151) // tc!AS (123) only //
(**ts!** – intensifier or catcher in the way of a spiral, always) See tc, p134. +
(**AS** / A = *gnàth* = always // *ath* = again, next (adjectives); (prefix, means repetition, as in English re-) // *ach* = but, except, besides // *mach* = except, but // *main* (*a mhàin*) = alone, merely) +
(**s** – problem or vulnerability) See p160. //
(**s** – to, shows a new situation, awesome and unknown, perhaps disloyal) See xa, p169. //
Compare Gàidhlig *tathaich* = frequenting / act of frequenting or often visiting, resort, supernatural knowledge of the absent // *daonnan* = always, continually, habitually, at all times // *dràsda* (= *an tràth seo*) = now, at this time, the present time.
sadjA'qx (48) they always killed [them]) See also tc / ts & tc!a.
(**s / sadj** = ts!AS. Compared to ts!AS, sadj shows greater force or seriousness.) //

ts!u again (8, 26), also (79, 129, 181), too (184) // *tiugh* = in quick succession (as drops of rain), frequent, the end, latter, last, clumsy, indistinctly // *tròth* = turn, occasion, attempt, trial (*tròth eile* = another time, try again)
(**ts!** – intensifier or catcher in the way of a spiral) See page +
(**ts!** = *ath* = again, next (adjectives); (prefix, means repetition, as in English re-))
(**u** –links two things (especially in cause & effect), about) See page //
Ałts!u' (79) also // *tròth eile* = another time, try again, make another attempt //
(**Ał / Ałt** = *as leth* = on behalf of, for the sake of (*leth* = half, one of a pair, interest, share, side, charge // *leth-* = duplicate, one of two, semi-, somewhat-, by-) //
ts!uhē't!aawe (93) first one and then the other
(**hē'** = èan = (OG) one, water) //

(**hē’** = e - beginning and end (one use of this particle is for repetitive tasks or activities that involve coming or going) +
(**t!** – to a full extent (emphasized by !)) +
(**a** = he-she)
(**awe** – explaining) See page //
ts!utā’t (34) in the morning //

u, wu — about, links two things (especially in cause & effect) // *mu* = about, around, of, concerning, on account of, for // *uiread* = have as much, have so much (eg. *Cha’n ‘eil uiread sin agam.* = I have not as much as that.)
u’xanAx (134) at him // u’x (105) at him //
(**x** – out (out to the end of town))
(**x** – vulnerability, problem)
(**a** – he-they)
(**nax** – inhospitable action) See nac.
wunū’gu (174) was
(**nū’gu** = *urram* = significance, signification, preference, precedence, dignity, worship, deference, honor, respect, reverence)
tc!uLe’ (9) then // wuduwatA’n (19) the people were called // awułîsū’ (51) they chopped her // ā’wa-ū (56) had (a baby) // ts!uhē’t!aawe (93) first one and then the other // qA’tcu (127) or // u’x (105) at him // udułcu’qnutc (105) they would laugh // uġa’qoduciŷa’ (157) while they were hunting // uwaca’ (164, 166) married her // qawu (181) a man //

u’xanAx — at him (134) // See u.

wu — links two things (especially in cause & effect), about // See u.

wūne' it was (121) // See wu.

xa, sa to; shows a new situation; sa is about something awesome and unknown, possibly a disloyal manner, while xa' shows a loyal manner or something steady or familiar // *sàbhail* = spare, preserve, use frugally, protect, defend, rescue // *seo* = 'here!', this, these // *ma* = if // *mar* = in this or that manner, in the same manner, even as, like, like as, as // *a* = at, to, in, about, in the act of //

doxA'nt (10) to her // nełixA'nq!awe (8) into his house it was //

(**do** – it-her)

(**nt** – go outside, appear outside)

(**neł** – into the house) +

(**i** – taking time and care) +

(**awe** – explaining) //

xA'ndî (60) to

(**dî** – precipitant)

wâsa' (25) what (something) // wA'sâ (79) how // wA'sa (80) as if // sAk^u (127) for (Context: A good production of copper items) // *mar seo* = in this manner, thus, in this direction, towards this place // *samhlach* = likening, comparing, emblematical, typical, ghostly, allegorical, (adjectives) //

(**a** = *a* = that, which, what, who, whom) //

sayu' (150) it was // gutxA'tsayu (153) from where it was //

(**yu** – term of respect) //

sateŷî' (151) it was

(**te** – new situation and emotion) //

tc!uya' ŷîdAt xA'nġāt (184) even lately // *a chionn ghairid* = lately // See also yi, p122.

(**n** – focus, gathering togther, with, in) +

(**ġā** – for, subjective action = *gabh* = (all subjective moods of action that can be expressed in a sense of 'taking on' or fulfilling a role) take, accept, receive, contain, hold, sing, say, deliver, (express emotions), put on (disguise), catch (fire, infection, ferment), undertake, endeavor, be concerned with, arrange, must, compelled to, enlist, engage as a servant, make secure, entertain, treat, acknowledge, worry, conceive, become pregnant, beat, belabor, betake, repair, proceed to, go, (motion), rest

(**t** – to a full extent) //

xAtc (17, 63, 72) this; (See also below.) // yū'duwasa (107) what they called him // qāx (111) getting to be a man // ŷaqsatī'yawe (111) when he was // cā'ŷadîhēn (133) there were plenty // gudAxqā'x (150) from whence // qāx (151) come to be the man // nA'xsAtīn (181) is // qo'dzîtī'yī-Atx (185) living thing //

xA'ngāt — See xa.

xAtc — this (17, 63, 72), these (14, 16) // that (70) // it was (122, 123) //

(**xA** = *seo* = this, these) +

(**tc** – intensifier and catcher in the way of a spiral) //

Compare Atc (141) that //

ya — was // *bha* = was, were //

a'ya (1) it was // ayu' (51) it was //

(**a'** – it-he (1), it-it (51)) //

(**yu'** – term of respect) //

ŷatî' (38) it was (rushing at her) // ŷatî' (79) were // ŷatī'ŷī (128) were //

(**tî'** – precipitant)

(**ŷī** – to (many connotations possible))

(ī – taking time and care) //

ŷasiate' (80) was

(**si** = *sin* = that, those) +

(**a** – it-it) +

(**te'** = de – acting on something, on) //

akā'yan (4) on it [past tense] // yā'duīc (8) was her father's // yua'xk!Anya-ka'oĻîgAdî (17) what angrily had spoken to // ā'caŷAndihēn (53) began to be so many [there] // yā'nagu'tîawe (62) after it had walked on // kātuwā(ŷ)ati (72) there is // cā'ŷadîhēn (133) there were plenty // yū'q!oyaqa (168) said //

ya, ayA' when (after success, feeling smart or successful) // ayA' (6) when // a'ya (50) to //

(**a** = (particle used in adverbs, phrases or before numerals when not followed by nouns // *adhart* = progress, forwardness, front, van, advance (usually: *air adhart*) // *bha* = was, were)

(**yA'** = *blà* = be it enacted (verb) // *blàth* = effect, consequence, form, manner, devotion, praise, mark, stain, flower, blossom, bloom, foliage, fruit, color, hue, green field, sea)

ŷatî' (75) there is (Context: the lovely moonlight there is them) // ŷatī'ŷī (128) were //

(**tî' / tī'ŷī** = tī'ŷīn – see, look, look and manage carefully and wisely, hard to manage) //

ŷaqsatī'yawe (111) when he was (Context: becoming a man)

(**q** – frontier, pioneer, border, in) +

(**sa** – unknown and awesome, disloyal manner) See xa. +

(**tî'y** – precipitant, immoderate) +

(**awe** – explaining) See page //

ŷawucîxī'awe (37) when she had run // ŷawaqa' (75) said // ā'wayA (87) carried // L!agā'yan (102) he was getting // yā't!ayauwaqā' (104) this man living here // daŷadoqā'nutc (104) they always called him // tc!ū'ya (109) just then // Aŷahê'taqguttc (111) he always went up close by // ŷā'nAłyAx (126) he was making from // ŷī'ya (130) inside // ŷawusaŷe'awe (160) when he looked // yAsē'k (181) comes and helps him out //

ya — about (163) // *m'a* (= *mu a*) = about his, about her // *m'* (=*mu*) = about // See also u.

ŷatî', ŷatī'ŷī, ŷaqsatī'awe — See ya, p141 above.

yAx, yêx — like, accordingly, from // yAx (14, 38, 39, 128, 129) like // yêx (23, 72, 75, 79) like // yA'x (120) like // *iomhaigh* = similitude, likeness // *réir* = like as, as, according to // *beachd* = distinct recollection, observation, judgment, opinion, behavior, intention, perception, vision, eyesight, surety, sense, feeling, conceit, aim, ambition, notice // *ionann* = similar, alike, the same, equal, 'ditto', just so, in like manner, in a suitable manner, all the same // *samhail* = like, as, such, (adjectives); likeness, image, copy, resemblance, match, representation // *mar* = like, like as, even as, as, in the same manner, in this or that manner //

Note: The difference between yAx and yêx is that yêx describes something that is hard to define, and gives a feeling of maybe, in my opinion, or as I recall, or it looked like. (Incan language, Quechua, has a similar particle: -mi = I know, -si = hearsay, -cha = probably. This is called evidentiality. The Amerindian languages are mannered languages; See 'Mannered languages' in the Bibliography & Notes.)

ayA'xawe (34) like it it was
(**a** – it-it)
(**awe** – explaining) //
yA'xawe (80) like that
(**awe** – explaining) //
āyA'x (118) so // ayê'x (121) as if // *a réir* = according to //

yeyA'x (121) like it
(**ye** – so, thus)
ayêxak!ā'wu (121) its seats // ayAxak!āw'o (122) seats //
(**a** – it-it) +
(**k!ā'wu / k!āw'o** = *clàr* = deck of a ship, any smooth surface or plane, table, desk, board, plank, lid, trough, (*clàrsach* = harp))
yētx (137) from
(**t** – to a full extent) //
ŷā'nAłyAx (126) he was making from // yū'yudowaAx (171) it was heard like //

yē — so (5, 9, 100, 164) // ye (55, 60, 75, 77, 108, 183) thus // yē (76) thus // ye (109, 114, 120, 180) so // ye' (158) thus // *réisde* = therefore, then // *rè* – during, duration, space of time, time, season, the moon, planet, life, existence, lifetime // *réidh* = ordered, arranged, disposed, ready, prepared, harmonious, reconciled, at peace, conciliated, free, exempt, straight, uninterrupted, clear of obstruction, allied, safe, not dangerous, appeased, regular, unraveled, disentangled //
tc!aye' (134) so //
(**tc!a** – now, right)
awucā'ŷetc (176) because he married // yeyA'x (121) like it //

yêx — See yAx.

ŷi, ŷî, y — to (many connotations possible) // *ri* = to, towards, in the direction of, unto, to (implying similarity of likeness / implying adhesion / implying exposure), to / to be (implying possibility), to (denoting equality of one object with another, denoting attention or earnestness), at, near to, against, in opposition to, in contact with, in (denoting employment or occupation), for (implying expectation or hope), of, concerning, with, as, like as, during, whilst, up, upwards // *fior-iochdrach* = lowest // *fior-iochdar* = basis, the very bottom, lowest part // *fin-foinneach* = completely, from edge to edge //

Note: The Gàidhlig word *ri* means to, and also can mean upward, but in Hlīngit the slender vowel (e / i) is for downward. See de & daq in the Prepositions section.

ŷīŷî (178) did //

(**ŷī** = ni – sense of readiness, do // *ni* = deed, circumstance, business, affair, fact, thing, substance, (nouns); shall do, will do) +

(**ŷî** – to) //

ŷiŷidA'de (181) even now // tc!uya' ŷîdAt xA'ngāt (182) even lately //

(**ŷi** = *bith-* = (prepositive article) ever-, always-)

(**ŷiŷid** / **ŷiŷi** = *rìreadh* = truly, indeed, actually, seriously, certainly, verily, of a truth // *riamh* = ever, at any time before // *bitheantas* = commonness, common occurrence, frequently happening, frequency // *am bitheantas* = generally, frequently)

(**ŷiŷi** = ŷi doubled – even) +

(**dA'de / dAt / dA** = *dràsda* (= *an tràth seo*) = now, at this time, the present time) //

(**t** – to a full extent) //

See also ŷi in the Prepositions section.

ŷî being (80) // *bi* = be // *a bhi* = to be //

Compare ā'ŷî (49) it was

yū if, the, term of respect (85) // *mu* = on account of, for, about, of, concerning // *ma* = if //

Note: The words using yu as term of respect are listed in Raven and Eagle Education System section, p343-348, and also appear in the ABC Dictionary section, Y.

yū'yênkā'watAn (91) it bent
(**yū'** = *mu* = on account of, for, about, of, concerning // *ma* = if) +
(**yên** – place or thing with a sense of mystery) See page //
(**k** – present action continuing) See page +
(**ā'wa** = *aom* = bend, droop, bow, incline, be seduced by, yield, lean, bulge, project, persuade, dispose, descend, pass by)
(**tAn** - get from somewhere, become (eg. shape)) //

yuġā' for that (16) //
(**yu** – term of respect) +
(**ġā'** = *gabh* = betake, proceed, undertake, (feel emotion), accept, receive, take, assume, must, compelled to, make secure, entertain, conceive, become pregnant

Manner particles

a, A — refer to someone or something before they take action, or before something happens // *a* = at, to, in, about, in the act of //

ā (123) did // Longer a because contains two a's in one.

(**ā** = *bha* = was, were)

(**ā** = *a* = at, to, in, about, in the act of) //

At (159) then

(t – to a full extent) //

ātxê'qdê (6) down // A'ġacān (47) when they married // awuĻîgê'n (37) she looked // ā'nēł (159) into the house // ciaŷidē' kdaġā'x (39) she began to cry for life (i.e. a good life) // ġonaye' (61) started // ā'yux (69) out to it // ānagu'ttc (109) he always went // nacî'qtc (134) would run // gā'nq!a (146) outside // aq!a'wułt (169) to his door // yuġā'ayu (181) for him //

a, yasah — carefully taking up with the hand, depositing // *leag* = lay, lay down, lay with (as paving), fell, put down (as a wrestler), demolish, throw down, cool // *baslach* = handful, the full of the two palms placed together, bunch, cluster // *bas* = the palm of the hand // *basardaich* = clapping of the hands for joy, acclamation, rejoicing // *basgaire* = applause, mourning // *basgair* / *basgaird* = applause // *bas-mhol* = applaud // amais = find, aim, mark, hit, chance // *fasgain* = winnow, sift // *fasgnadh* = winnowing, cleansing of grain out of doors // *fas-lomairt* = preparation of victuals in the fields or hills, expeditious method of cooking victuals in the stomach of an animal, temporary habitation, hasty meal //

ŷAsahē'x (7) were picking up and putting // a'na (10) she was putting in //

acu, Acu — 'went and' in a strategic sense, a karmic event or event of consequence // *siubhal* = moving, act of moving or walking, departing, dying, act or state of dying, traversing, act of traversing or traveling, motion, progress, turn, course, certain part of a tune (relates to bagpipe music), ruin, extinction, destruction, flight, travail, swiftness, searching, driving (as a cart), diarrhea, dysentery // *siubhail* = go, move, walk, stroll, set off, depart, fly, vanish, die, march, pass over, traverse, search //

Acū'waca (17) that married her // nacu' (27) was coming out // Acu-kā'wadjA (32) she gave her advice // Acuka'ołîtsAx (170) they kicked //

Ade — do or say in a humble sense // *a dh'aindeòin* = in spite of //

ade' (133) at them (at the job of making them, humble job, under the branches, kids laughing) // xā'naAde (147) go with me //

ak, ka, k, aġ — present action in some direction // *aig* = on, at, near, close by, on account of, in possession of, for // *ag* (sign of present participle, eg. *ag iasgachd* = fishing) //

A'q! (100) then // aq! (118) to it // Aq! (183) at it // Aq! (185) there //

(**q** – border, pioneer, frontier, in) //

aka' (99) at it

(**a'** – it-it) //

akā'q!awe (25) for it was // akā'q!awe (68) for it it was //

(**ā' q!** = *air son gu* = because that // *air ghràdh* = for the love of, on account of) //

(**ā'** = *bha* = was, were // *tha* = am, art, is, are // *air son* = on account of, for, by reason of, instead of) +

(**q!** – frontier, pioneer, in) +

(**awe** – explaining) //

akā'yan (4) on it

(**ak** – present action in some direction = *aig* = on, at, near, close by, on account of, in possession of, for) +

(**ā'ya** – when (after success, feeling smart or successful)) +
(**n** – focus, in, gathering together) //
Compare nac / nacu.
akā'yan (4) on it // akā'dê (7, 10) on to it // aka'wanîk (31) she told it // akā'de (43) to it // kînā'q! (51) on top of // k!awê'łguha (54) they could see // ka'ołiga (59) they loaded it with // kAdudjē'ławe (73) when they brought all // Aqadê' (84) into it // uduwatsā'k (90) they put [it] // yū'yênkā'watAn (91) it bent // kAt (95) on // kAcū'sawedê (98) had suffered // aka' (99) at it // dukadê'q (103) on top of him (i.e. his house) // akA'ndagAnêawe' (109) when it was daylight // sAk^{u} (127) for (Context: For benefit, not for a person) // dokA't (131) on him // kāwadī'q! (175) she became ashamed //

a'odî — beginning to do something together with energy // *aonda* = singular, particular // *aonta* = assent, acquiescence, consent, admission, license, vote, lease, bachelor, (nouns) // *aontach* = abet, take part or side with, admit, yield, acquiesce, agree, consent, accede //
(**a'** –refer to someone or something before they take action) +
(**o** – peak of energy) +
(**dî** – precipitant) //
a'odîca (49) they started to marry // aodîcî' (96) came to wish //

aosî, aołi — doing softly and secretly but heroically // *saor* = free, deliver, rescue, liberate, save, redeem, except, acquit, set at liberty, disentangle, cheapen, make cheaper, absolve, purge, free of calumny, 'ship' (as an oar) //
os ìosal = softly, privately, quietly, underhand, secretly, covertly //
See also cao, kAoLi, ta'o, yaoLi, awuĻî. Compare osi.
aositī'n (26) saw // aołîyA'x (99) she made // a'osînî (115) he prepared // aosîte' (139) took // aosîku' (140) he knew // aołicā't (142) caught it // aosî'ne (177) he put //

A'q! — See ak.

ā'w, nġa — get, become // See nġa.

awuĻî, awu' łî, awu, wu__ łî — beginning to do something rebellious, beginning to do something alone with energy // (**awu** = awe = explaining) // Note: The difference between awe and awu is that awu explains through action.)
(**awuĻ**= *àrrusg* = awkwardness, indecency // *arruiseachd* = (OG) obvious) +
(**î** – take time and care with something) //
awucā'ŷetc (177) because he married
(**awu** – beginning to do something rebellious, beginning to do something alone with energy) //
(**awu** = awe – because, explaining) +
(**cā'** – marry) See ā'waca, in this section. +
(**ŷe** – blame or redemption, sense of positioning, pull (operation of metaphysics) +
(**tc** – intensifier and catcher in the way of a spiral, exact) //
awuĻîgê'n (37) she looked // awu'łîcāt (89) caught // wudułîcā'dî (91) caught //
Compare a'odî.

cao — do something hurriedly and roughly // *sraon* = shove, scatter, turn, stray, make a false step, rush forward with violence, stumble, slide, fall sideways //
caoduĻîġê'tc (178) they threw away from //

d / da / de — acting on something, on, off, of // *dean* = do, make, work, act, perform, suppose, imagine, think // *dar* = by, through // *dàn* = fate, destiny, decree, predestination // *da* (= *do e*) = to him, to it // *de* = of, off // akā'dê (7, 10) on to it // dAx (21) from // ciaŷidē'kdaġā'x (39) she began to cry for life // "AtġAxā' dê Axsī'k![u]" (81) "Let eat something, my daughter" (imperative tense, so dê means 'act on it') // da (86) when // gū'dawe (89) when she went // wudjA'łtc (93) [her hands] would go // kAcū'sawedê (98) had suffered // de (133) of // ctā'de (138) himself // yuānyê'dê (140) the rich man's daughter //

dī, dji, tî, dja, dz precipitant, immoderate, ahead // *dia* = (emphatic particle), god, divinity, false god // *dian* = precipitant, headlong, eager, keen, nimble, brisk, hasty, vehement, strong, sad, violent, furious // *diail* = quick, soon, immoderate // *ti* = intention, design, purpose, pursuit, venture //

dudjiŷî's (7) for her // dudjîde' (136) to her // dudjî' (152) before her //

(**du** –her-them (7), her-they (136), her-it (152)) +

(**de'** – acting on something, on, off, of) //

(**ŷî'** – to, (many connotations possible)) +

(**s** = as / ax – to someone's self, I, me, my) //

(**s** – problem, vulnerability) //

tîn (3) with // dudjiŷî's (7) for her // tuwā'ŷatî (14) looked to // yuānŷê'dî (17) the high caste girl // yua'xk!Anya-ka'oĻîgAdî (17) what angrily had spoken to // naAdî' (18) going // naA'dî (19) when they had gone // Acu-kā'wadjA (32) she gave her advice // wudjixī'x (34, 43) she ran // udjixī'x (40) she ran // wudzîxA'q (45) it came to go // sadjA'qx (48) they always killed [them] // a'odîca (49) they started to marry // Akū'dadjītc (62) it would suddenly turn // u'tiyānġahē'n (63) when they would get hungry // kātuwā(ŷ)ati (72) there is // yū'siaodudziqa (74) what he said to them // ŷatî' (75) there is // ŷiA'dî (76) to come // ŷa'odudzîqa (77) they came to tell them // wudułîcā'dî (91) caught // wudjA'łtc (93) [her hands] would go // ŷaqsatī'yawe (111) when he was // yēk[u]dīwuq! (122) in it were wide // yē'At (96) for this // kaodîgA'naŷî' (151) shining in // ka'odigAn (161) it started to shine // dju'deAt (167) started to rush // łatî' (113) was // qâ'djî gA'łaat (116) it puts up on land // ŷatī'ŷī (128) were // yē'djîwudîne (138) dressed up // dustî'ndjîayu' (145) having ever seen // ū'wadjî (150) he came // sateŷî' (151) it was // qo'xodjîqAq (160) backed // wugudī'awe (165) when he came // kāwadī'q! (175) she became ashamed // wu'diqêL! (173) started to go // ta'oditAn (180) did it purposely // qo'dzîtī'yī-Atx (185) living thing //

djAł — looking impressive // *flathail* = showy, gay, noble, elegant, splendid, magnificent, heavenly, princely, stately, victorious, august // *dreachlagh* = change of appearance) //
AcA'kAnadjAł (130) he set them all down //

dje, de, dja, djā'q — wrangling type of movement or action // *dreag* = (OG) fight, wrangle, certify, signify, give notice // ā'wadjAq (50,51) killed // dudja'q (68) beat him // kAdudjē'ławe (73) when they brought all // wudjA'łtc (93) [her hands] would go // dustî'ndjîayu' (145) having ever seen // dju'deat (167) started to rush //

do — (before verb) // *do* = (placed before verbs) //
yū'yudowaAx (171) it was heard like //

e, we — beginning and end (one use of this particle is for repetitive tasks or activities that involve coming or going), the // *èairlinn* = end or limit of anything // *earas* = end, conclusion, consequence // *reamain* = beginning // *réidh* = ordered, arranged, disposed, ready, prepared, straight, uninterrupted, clear of obstruction, reconciled, at peace, unraveled, regular, safe, plain, level, smooth, harmonious, clear, melodious, allied, polished.
ġone' (12) starting // kāxkî'nde (21) off // naadê' ġonaye' ā'dawe AdakA'dīnawe (34) when they were going started in exactly the opposite direction // ā'caŷAndihēn (54) began to be so many [there] // wududzî'nê (60) they came to put it // wē'yāk^{u} (63) the canoe // weAłdî's-q!os (75) moon shine // hAsduq!oe's (82) for them // yē'ġawetsa (86) they examined // ts!uhē't!aawe (93) first one and then the other // kAcū'sawedê (98) had suffered // at!ē'q! (129) he pounded // wehî't (133) the house // yē'djîwudîne (138) dressed up // łīngî't-ānē'q! (145) in the world // xā'naAde (147) go with me // caoduĻîgê'tc (178) they threw away from // ckA'teAtsinen (184) used to cost // See also e in pronoun section.

gā, ga, g — for, subjective action // ġā (18, 88) for // xāt ġa (34) after salmon // *gabh* = (all subjective moods of action that can be expressed in a sense of 'taking on' or fulfilling a role) take, accept, receive, contain, hold, sing, say, deliver, (express emotions), put on (disguise), catch (fire, infection, ferment), undertake, endeavor, be concerned with, arrange, must, compelled to, enlist, engage as a servant, make secure, entertain, treat, acknowledge, worry, conceive, become pregnant, beat, belabor, betake, repair, proceed to, go, (motion), rest //
Aġa' (157) for her // aġa' (144) what (for it) // aġā' (176) for him //
(**A** – her-they, 157, he-him, 176) //
(**a** – it-it) (144) //
duīġā' (180) for him
(**du** – he-him) +
(**ī** – taking time and care) //
yuġā'ayu (181) for him
(**yu** – term of respect) +
(**a** – refer to someone or something before they take action, or before something happens) //
ġâ'awe (38) as if // wuġaxî'xîn (55) when gets // ka'ołiga (59) they loaded it with // āeġayā't (64) below it // gānt (67) outside // AtġAxā' (81) let eat something // ġagū'dawe (88) when went away // aġacA'ttc (93) when she would catch // ŷāqġadjā'q (96) would kill him // nAġanā'n (97) when he dies // L!agā'yan (102) he was getting // qâ'djî gA'łaat (116) it puts up on land // ġayē's! (128) iron // aġa' (144) what (for it) // du-īġā' (155) for her // uġa'qoduciŷa' (157) while they were hunting // nAs!gaducu' (177) eight //

ġê' — influence, good or bad effect // *ceann* = genius, extremity, limit, ingenuity, period, expiration, end, top, point, head, attention (for good or bad, eg. bi 'nad cheann mhath dha = be kind (good) to him; '*na dhroch cheann*

dhuit = very bad for you; *is dona an ceann sin dhuit* = that is against your health; *na cuir ceann 'na leithid sin* = do not attempt such a thing; *air cheann dha tighinn dhachaidh* = preparatory to his coming home)
awuĻîgê'n (37) she looked // qaġê't (38) it was dark //

i — take time and care to do something // *imnidh* = care, diligence, solicitude, sadness, anxiety // *ri* = to, towards, in the direction of, unto, to (implying similarity of likeness / implying adhesion / implying exposure), to / to be (implying possibility), to (denoting equality of one object with another, denoting attention or earnestness), at, near to, against, in opposition to, in contact with, in (denoting employment or occupation), for (implying expectation or hope), of, concerning, with, as, like as, during, whilst, up, upwards // *ial* = moment, intermission, time, season, age, generation, sunny interval between showers // *iarr* = probe, invite, seek, search, look for, ask, request, demand, pain / purge (as, medicine) // See also i in Pronouns section.
yū'Acia'osîqa (11) what he said to her // yua'xk!Anya-ka'oĻîgAdî (17) what angrily had spoken to // duītē'x (15, 35) for her // qoa'ni (30) people (Context: grizzly bears), (38) tribe // itī'q!awe (19) when they had gone // aositī'n (26) saw // qoa'ni (30) people // aka'wanîk (31) she told it // yā'nagu'tîawe (62) after it had walked on // wA'nġA'ndî (92) to go outside // at!o'kt!înutc (110) he would shoot // ŷatī'ŷī (128) were // XA'ni (147) to him // du-īġā' (155) for her // ġā'nî (160) outside // łîł (163) never (imperative) // duīġā' (180) for him // wuniŷī'tc (183) happened //

k, ka, ak- — See ak.

kaodi, kaodA — See kaoLi.

kaoLî, kaołi, — blissfully unaware then suddenly, paying no attention then suddenly; gently before a powerful action //
(**kao** = *caon* = (OG) refer, resemble, resemblance) +
(**Lî** = *slighe* = craft, manner, conduct, way, path, passage, approach, track, inlet, road) //
(**kaoL** = *claon* = go aside, go wrong, rebel, move aslant or obliquely)

kaodAnigītc (68) he claimed to see with // kaodîgA'naŷî' (151) shining in // ka'odigAn (161) it started to shine // kaodigA'n (172) it started to shine in //

(**dî / di** – precipitant) //

(**dA** – *precipitant) //

*The difference between di and dA is that dA is in the mind.

Compare ŷa'ołi-.

kaoĻîŷA's! (4) she stepped // yua'xk!Anya-ka'oĻîgAdî (17) what angrily had spoken to // ka'ołiga (59) they loaded it with // ka'oduĻî-u' (98) they let him go // Acuka'ołîtsAk (170) they kicked // ā'q!aołitsīn (182) is expensive //

k!ayax, q!AnAs, q!anAc fortunately, unfortunately // *crannchur* = fortune (whether good or evil), predestination, fate, destiny, lot, portion, share, casting of lots, ballot // *cràbhaich* = austere, devout, religious, pious, hypocritical (**q!An / q!an** = *crann* = lot, chance, risk, ballot, partiality, side, interest, membrum virile, measure for fresh herrings, tree, beam, shaft, plough, (nouns); shrivel, decay, wear off, (verbs) //

Ak!ayaxê' (40) on the edge of a lake // q!AnAskîdē'tc (97) poverty // q!anAckîdē'x (181) poor //

kî in a peaçeable manner // *ciùinich* = appease, calm, still, pacify, assuage // *ciùineas* = composure, meekness, gentleness, smoothness, mildness, calmness, quietness //

kāxkî'nde (21) off // kîtū'nAx (27) out from under //

L, Lē, La natural order or development, this shows how small things add up to something bigger //

(**L / La** = *dlagh* = natural order, (*dlòth* = handful of corn, lock of hair) //

(**e** – article-pronoun = *meacan* = individual, birth, extraction, nativity, offspring (noun) // *èairlinn* = end or limit of anything // *reamain* = beginning) See also e in the Pronouns section. //

(**Le** = *le* = with, by means of, together with, in possession of, along with, down with the current, in form of, on one's side, in estimation of // *èairlinn* = end or limit of anything // *reamain* = beginning) // tc!uLe' (9, 12, 32, 45, 79, 80, 90, 93, 115, 120, 126, 131, 136, 145, 152, 153, 160, 167, 169, 174) then // Lē' (10) by // Le (11) that // Le (23, 38, 43, 48, 66, 93, 123, 153, 163) then // uwaL!A'k (36) had rotted // Le (54, 130, 178) then (also gives the sense of descending) // Lē (92) then // L!agā'yan (102) he was getting // La (107, 165) then // Le (123) and // kā'wawAL! (123) broke up //

aLe' (109) then

(**a** – refer to someone or something before they take action, or before something happens) //

metākᵘn about quality of material // *tacsa* = substance, support, solidity, comfort, buttress // tākᵘcā'gê (19) wood focus, gathered together, with, in, focus in time / when // *ann* = in, within, therein, there, in existence, alive // *naisgte* = bound, made fast // '*nuair* (*an uair*) = when, at the time, seeing that //

an (1) town // ānqā'wo (1) a (town) chief // akucîtA'n (2) liked to pick // tîn (3, 97) with // akā'yan (4) on it // nełixA'nq!awe (8) into his house it was // a'na (9) she was putting in // doxA'nt (9) to her // acakA'nAłŷên (9) was whirling in his hand // a'na (10) she was putting in // Acī'n (12) with her // datcū'n (13) toward the woods // taŷinA'x (13) under // yua'xk!Anya-ka'oĻîgAdî (17) what angrily had spoken to // naAdî' (18) going // naA'dî (19) when they had gone // atūtxī'nawe (23) from into it (the clothing // akuġā'ntc (23) would burn // Anaā'dawe (26) when they were going // aositī'n (26) saw // kîtū'nAx (27) out from under // nacu' (27) was coming out of // awuĻîgê'n (37) she looked // A'ġacān (47) when they married // ā'caŷAndihēn (54) began to be so many [there] // wuġaxî'xîn (55) when gets // dAnē't (60) grease box // wududzî'nê (60) they came to put it // yā'nagu'tîawe (62) after it had walked on // dugu'ġun (79) lay in streaks // Atū'nAx (80) from into it // qî'naŷî (83) its quill // wA'nq!es (87) for // Acdjī'n (89) her hand // awA'n (89) close by // dudjī'n (90) her hand // atū'nnAx (92) through them // wudustī'n (94) saw [them] // nAġana'n (96) when he dies // q!AnAskîdē'tc (96) poverty // nAġanā'n (97) when he dies // gā'nîyAx (98) outside // ān (99) with it // nAłgē'n (101) large // L!agā'yan (102) he was getting // akA'ndagAnê'awe (108) when it was daylight // ānagu'ttc (108) he always went // anAsnī'awe (109) when she had made them // akA'ndagAnêawe' (109) when it was daylight // ānagu'ttc (109) he always went // dAxdanī'n (113) twice // q!ānA'x (113) it was around mouth // nacî'qtc (134) would run // yē'djîwudîne (138) dressed up // łîngî't-ānē'q! (145) in the world // xā'naAde (147) go with me // ŷā'naAt (151) was going // cū'djîxîn (152) it flew // ġêna't (158) below here // yuq!wA'nskāniłnîq (164) tell that // Acnā'ŷe (177) on him // wuniŷī'tc (183) happened // ckA'teAtsinen (184) used to cost //

nac, nacu — present action with a sense of duty or hospitality // *nàisinn* = deep and over-delicate sense of duty, excessive sense of gratitude (particularly in matters of hospitality that puts one to inconvenience, (*nàistinn* = vigilance, attention, circumspection, sense of duty (as in a servant towards his master's interests), modesty, care, wariness, nation, tribe, native)) // The difference between nAx and nac is that nAx is inhospitable. //
(**u'** = *urchair* = sudden sally or movement, cast, throw, push, shot, cartridge (nouns)) //
(**u'** = *ua* = out of) //
nA'xsAtīn (181) is
(**sA** –to; shows a new situation; sa is about something awesome and unknown, possibly a disloyal manner, while xa' shows a loyal manner or something steady or familiar) +
(**tīn** = sitī'n – doing something carefully and wisely, see, look // *steòrn* = manage prudently, govern, guide, direct, guide by the stars, regulate, strut, swagger in walking // *iongantas* = wonder, miracle, surprise, astonishment, phenomenon, marvellousness, curiosity; eg. *ghabh mi iongantas* = I wondered; *tha thu 'cur iongantas orm* = you surprise me // *sealltainn* = looking, act of looking, seeing, viewing, observation, view // *seall* = see, look, behold, show // *cìdh* = (OG) see, behold) //

Compare dutī'n (71) they saw // wudustī'n (94) saw [them] // qōstī'ŷīn (128) there was // dustî'ndjîayu' (145) having ever seen // ŷawusaŷe'awe (160) when he looked //
nacu' (27) coming out of // u'xanAx (134) at him //

nġa, ā'wa — get, become // *faigh* = get, acquire, obtain, find, reach //
ġA'nġa (26) for firewood // ā'waca (46) married // u'tiyānġahē'n (63) when they would get hungry // ā'watAn (83) he took // ā'wayA (87) carried // awî'sīne'awe (90) when she brought it // wA'nġA'ndî (92) to go outside (get out) // aosîte' (139) took //

ni — sense of readiness, do // *ni* = deed, circumstance, business, affair, fact, thing, substance, (nouns); shall do, will do //
niya' (30) easy // nAsnī' (114) it had done for // a'osînî (115) he prepared // asnī' (133) he finished // axAniŷe' (149) with me (Context: Live with me) // aosî'ne (177) he put // ŷīŷî (178) did //

nt, ndî, nde, n — go outside, appear outside // *nochd* = show, reveal, disclose, discover, present, offer, strip, make naked, peel // *mach* = out, outside //
(**n** – frontier, pioneer, in) +
(**t** - at or to a full extent) //
gā'nq!a (146) outside
(**q!** – to a full extent) +
(**a** – refer to someone or something before they take action, or before something happens // *a* = at, to, in, about, in the act of) //
doxA'nt (10) to her // kāxkî'nde (21) off // hīnt (41) into the water // gānt (67) outside // wA'nġA'ndî (92) to go outside // xA'ndî (124) to // XA'ni (147) to him // ġā'nî (160) outside // gā'nîqox (173) back outside //

nutc	tendency & intensifier or catcher in the way of a spiral // (**nu** = *nuidheadh* = inclination, motion, movement // *nùidh* = acquiesce, move) + (**tc** – intensifier or catcher in the way of a spiral // *seadh* = furthermore, truly, indeed, yes // *taisg* = anything laid by, deposit, reconnoitering, spying, saving, pledge, stake, treasure (nouns); deposit, lay up, hoard, treasure, bury) // du'qêtcnutc (21) they always threw // yAdanē'nutc (19) he [her husband] always went after // ALĪ'q!anutc (20) always got // du'qêtcnutc (21) they always threw // kAdukî'ksînutc (22) They always shook them. // doġê'tcnutc (103) they would always throw // daŷadoqā'nutc (104) they always called him // udułcu'qnutc (105) they would laugh // at!o'kt!înutc (110) he would shoot // ā't!Aq!anutc (127) he would pound //
o	crisis, peak of energy // *ro* = (intensive particle) // *obaig* = hurry, abruptness, flurry, confusion // *obann* = sudden, unexpected, quick, nimble, agile, rash, hasty, pert, meddling // *olc* = mischief, evil, hurt (nouns); untouched // See also ŷa'o // a'odî // cao // kaołi // yaoLi // aosi // odusniyî' (25) they did // qoŷa'odū'waci (15) searched // qoya'oduwacî (35) they searched //
osi	softly and secretly but heroically // *os ìosal* = softly, privately, quietly, underhand, secretly, covertly // Compare aosî, above. qa'q!osi (5) feet // aosîte' (138) took // aosîku' (139) he knew //
q, q!, q!ᵘ	frontier, pioneer, border, in // *criach* = frontier, march, border, country // *comhair* = direction / tendency (forward, backward, sideways, etc.), presence, view, opposite, against, before, over against // *gu'm* = that, in order that // yudā'qq! (4) way up in the woods // qa'q!osi (5) feet // itī'q!awe (19) when they had gone // xōq!ᵘ (23)

among // yuānyêtq![u] (25) to the high caste woman // yāq! (36) at this place // wuduwaŷē'q (44) they pulled her in // wudzîxA'q (45) it came to go // kînā'q! (51) on top of // neɫixA'nq!awe (8) into his house it was // akust!ē'q!Atc (63) would break up always // dudjā'q (68) beat him // hAsduq!oe's (82) for them // kā'waqa (86) she sent // xēL!qāx (91) slime from // ŷāqġadjā'q (96) would kill him // A'q! (100) then // ŷaqsatī'yawe (111) when he was // aq! (117) to it // yēk[u]dīwuq! (122) in it were wide // yutcā'ctaŷīq! (127) under the branches // nacî'qtc (134) would run // ducā'q!awe' (137) when they tried to marry // ɫīngî't-ānē'q! (145) in the world // gā'nq!a (146) outside // îq-gwâte' (149) you are going to stay // yuî'qtê (151) to the beach // duhî'tîq! (154) in his house // qo'xodjîqAq (160) backed // kīnigī'q (163) tell it // yuq!wA'nskāniɫnîq (164) tell that // ɫū'waguq (169) rushed // yuhî'tŷīanA'q (173) from the house door //

qo front and back, opposite, thoroughly, a sufficient extent (moral sense) // *cùl* = back of anything, to the back, aftertime, completely, guard, care, anxiety, matter for thought // *coir* = justice, equity, probity, integrity, authority, share, franchise, possession, right, claim, title, charter, business, interest, custom, usage, (*comhair* = presence, view, tendency or direction (forward, backward, headlong, sideways etc.)), (nouns); decent, kind, civil, proper, near, pious, benevolent, easy-minded, affable, just, honest, virtuous, good //

qox (37, 62) back

(**x** = ax – out, from) //

qot (88) entirely

(**t** – to a full extent)

qoŷa'odū'waci (15) searched // yu'qodūciawa (16) having searched // qonā'xdaq (31) right // wusko' (125) knew it // yū'duīqonī'k (151) the man they used to call [dirty] // uġa'qoduciŷa' (157) while they were hunting // yū'q!oyaqa (168) said // gā'nîqox (173) back outside // qo'dzîtī'yī-Atx (185) living thing //

s, x — problem or vulnerability, out of, from // *ceisd* = problem, dispute, controversy, question, anxiety, regard, puzzle, darling // *a mach* = out, out of // *mach* = out / without // *as* = out of it, from it) //
ts!ᴀs (5) always, (20) only // duītē'x (15, 35) for her // sadjᴀ'qx (48) they always killed [them] // āŷî's (59) for it // ckᴀstā'xwâ (82) was a young man // hᴀsduq!oe's (82) for them // tc!uʟē'xdê (87) ever since then // wᴀnq!es (88) for // qahā's!tc (96) filth // u'x (105) at him // uduwaᴀ'x (120) it was heard to say // u'xanᴀx (134) at him // gudᴀxqā'x (150) from whence //
Compare xa. See also ax in Prepositions section.

s, sa, xa, x — progress (go, soon), extremely, supremely, very (applies to progress and quality of something) // *sàr-* = a great degree of any quantity (prefix) // *sàbhail* = save, protect, spare, rescue, use frugally, preserve, defend //
sᴀk^{u} (127) for (Context: for benefit, not for a person)
(**sᴀ** – awesome and unknown, possibly disloyal) See xa.
(**sᴀ** – himself it was = *-sa* / *-se* / *-san* = (emphatic syllable used in combination with personal pronouns)
(**k^{u}** = *meud* = as many as, magnitude, degree, extent, number, quantity, stature, size, bulk, dimension, degree of greatness or largeness, greatness, largeness // *meudaich* = increase, multiply, cause to increase, enlarge, add to, augment, improve, abound, grow in size // *meudaichte* = increased, augmented, enlarged, advanced)
(**k^{u}** = present action in some direction) See ak. //
wānanī'sawe (56) very soon // āŷî's (59) for it // ŷana-isᴀqa (76) you tell them (politely) // tc!aŷē'guskî (52) very small // asnī' (133) he finished // cā'ŷadîhēn (133) there were plenty // xā'naᴀde (147) go with me // q!anᴀckîdē'x (181) poor //
Compare ā'caŷᴀndihēn (53) began to be so many [there] //
Compare xa in Pronouns section.

sAk^u — for (127) // See xa – to, new situation & sa – progress, very.

sayu' — See xa / sa.

stī'ŷīn, tī'ŷīn, tīn — look and do something carefully and wisely, see, look, hard to manage // *cìdh* = (OG) see, behold // *steòrn* = manage prudently, govern, guide, direct, guide by the stars, regulate, strut, swagger in walking // *iongantas* = wonder, miracle, surprise, astonishment, phenomenon, marvellousness, curiosity; eg. *ghabh mi iongantas* = I wondered; *tha thu 'cur iongantas orm* = you surprise // aositī'n (26) saw // dutī'n (71) they saw // qōstī'ŷīn (128) there was // dustî'ndjîayu' (145) having ever seen // nA'xsAtīn (181) is // ā'q!aołitsīn (182) is expensive // ckA'teAtsinen (184) used to cost //

t — at or to a full extent, extent // *tarruing* = act of drawing or pulling, act of dragging or hauling along, draught / pull / drag, act of attracting, alluring or enticing, distilling, act of drawing liquor from a cask, act of drawing / painting / delineating, drawing near, any weight or bulk that is drawn, demand, season of time, while, turn, extracting paster, peak halyard-sheets, carriage-trace, (nouns); draw, pull, attract, allure, lead, take the liquor from a cask, haul, pull along, draw near, approach, advance, extract or distil (as, strong drink), aim, teaze // ū'at (3) she went // ū'wagut (10) came // uwaA't (12) he went // ŷā'waAt (13) her went // yucawA't (15) the woman // yū'antqenītc (15) the people // itī'q!awe (19) when they had gone // yuānyêtq!^u (25) to the high caste woman // wuā't (26) went // yucā'wAttc (26) the woman // aositī'n (26) saw // yūt (34) away // ts!utā't (34) in the morning // duî'tdê (37) behind her (she looks back at the bears chasing behind her) // gīyīġē't (41) in the middle // hīnt (41) into the water // tūt (45) into (context: into the sun) // hAsdutcukA'tawe (57) at the end of them (i.e. the town) // dAnē't (60) grease box // yā'nagu'tîawe (62) after it had walked on // āeġayā't (64) below it // duła't (70) were coming in their things // yū'AtłaAt (73) their things // awu'łîcāt (89) caught // dju'deAt (167) started to rush // ānagu'ttc (109) he always went // aŷahê'taqguttc (111) he always went up close by // Łīngî'ttc (125)

Hlingit (Tlingit) // dokA't (131) on him // At!aq!A't (133) he was pounding // dułcu'ġtawe' (134) when they laughed // ctā'de (138) himself // wugū't (147) she went // gutxA'tsayu (153) from where it was // ġêna't (158) below here // aq!a'wułt (169) to his door //

tAn get from somewhere, become (eg. shape) //
(**tA** = *tàir* = get, obtain, acquire, be able, move off, go, come) +
(**n** – focus, from somewhere) //
akucîtA'n (2) liked to pick // wuduwatA'n (16) the people were called // akuġā'ntc (23) would burn // ŷiatA'n (57) stood // ā'watAn (82) he took // kā'watAn (85) bent over // a'watan (88) she took // yū'yênkā'watAn (90) it bent // yū'yênkā'watAn (91) it bent // ta'oditAn (180) did it purposely //

ta'o do something purposely, with heart // *taobh* = side with anyone, favor, be partial, come nigh to, approach, (verbs); support / cause / account, countenance, aid, patronage, liking, friendship, partiality, favor, injustice, course, way, direction, place, quarter / side / flank //
ta'oditAn (180) did it purposely //

tc / ts intensifier or catcher in the way of a spiral, always, exact spot // *taisg* = anything laid by, deposit, reconnoitering, spying, saving, pledge, stake, treasure (nouns); deposit, lay up, hoard, treasure, bury // *seadh* = furthermore, truly, indeed, yes // *tathaich* = frequenting, act of frequenting or often visiting, resort, craving, claim, investing, supernatural knowledge of the absent // *ath* = next, again //
ts!As (5) always // guxq!ū'tcawe (7) slaves it was (all the slaves) // ts!u (8, 26) again // tc!uLe' (9, 12, 32, 45, 79, 80, 90, 93, 115, 120, 126, 131, 136, 145, 152, 153, 160, 167, 169, 174) then // tc!a (9) now // wae'tc (9) you (you by yourself) // tc!a (10, 26) right // datcū'n (13) towards the woods // xAtc (14) these // yū'antqenītc (15) the people // xAtc (16) these, (17) this // naA'ttc (18) always went // akuġā'ntc (23) would burn // kułkī'stc (24) always went out (as, fire) // yucā'wAttc (26) the woman //

ts!u (26) again // tc!u (34) then // Ts!ūtsxAʼn (51) Tsimshian // tc!aŷēʼguskî (52) very small // Ts!ūʼtsxAn (54) Tsimshian // dosqêʼtc (55) they always said // hAsdutcukAʼtawe (57) at the end of them (i.e. the town) // Akūʼdadjītc (62) it would suddenly turn // akust!ēʼq!Atc (63) would break up always // duīʼk!tcawe (67) her brother it was // duĻāʼk!Atc (68) his sister // kaodAnigītc (68) he claimed to see with // tsa (80) then // yēʼġawetsa (86) they examined // tc!uLēʼxdêʼ (87) ever since then // uduwatsāʼk (90) they put [it] // tc!uyūʼ (91) the time // ts!uhēʼt!aawe (93) this one and then the other // aġacAʼttc (93) when she would catch // wudjAʼłtc (93) [her hands] would go // kAt (95) on // qahāʼs!tc (96) filth // wudjāʼqtc (97) always is killed of // q!AnAskîdēʼtc (97) poverty // desgwAʼtc (102) now // doġêʼtcnutc (103) they would always throw // ānaguʼttc (109) he always went // łdakAʼt (110) all // aŷahêʼtaqguttc (111) he always went up close by // gūʼtsawe (112) after he had gone // Łīngîʼttc (125) Hlīngit (Tlingit) // qAʼtcu (127) or // ku-doxēʼtc (131) they always threw // nacîʼqtc (134) would run // hūtc (138) he // xoxtc (162) husband // Q!a-īʼtîcuye-qātc (164) Garbage-Man // Q!a-īʼîcuye-qātc (166) Garbage-Man // awucāʼŷetc (177) because he married // caoduĻîġêʼtc (178) they threw away from // q!anAckîdēʼx (181) poor // tc!uyaʼ (184) even // ts!u (184) too // wuniŷīʼtc (183) happened //

te — new situation and emotion // *teirbeirt* = sending forth, scattering, distributing, bestowing // *téis* = diligence, sound, air to which any song or poem is sung, musical air // *teithneas* = haste //
duītēʼx (15, 35) for her (Context: search) // duiteʼq! (16) for her // sateŷîʼ (151) it was //

ti — See di.

ts — See tc.

tsa — See tc / ts.

tu, atu — would, used to, past continuing (see aku); from inside it; compared to aku, atu has more a sense of happening in your direction, and excitement // *tuit* = happen, befall, chance, subside, sink, set (as, sun), benight, be seduced by, fail, damp (verbs) //

Atū'nAx (80) from into it // atū'nnAx (92) through them //

(**n** – focus, in, gathering together)

(**nn** = n + n – focus and focus > through) +

(**Ax** – out) //

atūtxī'nawe (23) from into it (the clothing) // kîtū'nAx (27) out from under //

tūt — into (45) (into the sun) // *tuathal* = contrary to the course of the sun (and consequently regarded as unlucky, to the left, wrong, cross, athwart, ominous, awkward, brave, backward, (*tuathach* = northerly) // *tuath* = north, northern //

(**tū** = *trù* = (OG) face, fall) +

(**t** – to a full extent) See page //

u, wu — about, links two things (especially in cause & effect) // *mu* = about, around, of, concerning, on account of, for // *uiread* = have as much, have so much (eg. *Cha'n 'eil uiread sin agam.* = I have not as much as that.)

u'xanAx (134) at him // u'x (105) at him //

(**x** – out (out to the end of town)) //

(**x** – vulnerability, problem) +

(**a** – he-they) +

(**nax** – inhospitable action) See nac. //

wunū'gu (174) was

(**nū'gu** = *urram* = significance, signification, preference, precedence, dignity, worship, deference, honor, respect, reverence) //

tc!uLe' (9) then // wuduwatA'n (19) the people were called // awułîsu' (51) they chopped her // ā'wa-ū (56) had (a baby) // ts!uhē't!aawe (93) first one and then the other // qA'tcu (127) or // udułcu'qnutc (105) they would laugh // uġa'qoduciŷa' (157) while they were hunting // uwaca' (164, 166) married her // qawu (181) a man //

usinē', î'sīne' describes a useful, helpful action, manage to do something // *ùisineachadh* = treatment, using, act of using // *ùisealachd* = highest degree of hospitality, courtesy, usefulness, comfort, snugness // *uinnseachadh* = managing //
ī'usinē'x (30) saved you // awî'sīne'awe (90) when she brought it //

ut approach kindly // *uchd* = humanity, clemency, mercy, intercession //
(**u** – links two things (especially in cause & effect), about) +
(**t** – to a full extent) //
ū'wagut (10) came // ūwagu't (61) it walked away // ūwagu't (66) she came // uwagu't (67) came [and said] // ūwagu't (67) came // ā'wagut (73) [one] went // ānagu'ttc (109) he always went // gū'tsawe (112) after he had gone //

u'xanAx See u.

wa appear, describes something or someone appearing in their next position or role // *fàs* = increase, become great or little, become good or bad, grow, rise, vegetate // *cuairt* = cycle, zone, pilgrimage, expedition, whirl, eddy, circle // *nuadh* = new, fresh, recent, modern, unfamiliar // *nuadhaich* = renew, renovate // *a* = that, which, what, who, whom // *ma* = if // *ua* = from, out of //
See also wa in the pronoun section //
Compare Gàidhlig *uatha* = retirement from them, wanted by them, from them.

wâsa' (25) what (something) // wA'sâ (79) how // wA'sa (80) as if // *mar seo* = in this manner, thus, in this direction, towards this place //
(**s / sA / sâ** – awesome and unknown, possibly a bit suspicious) See xA. +
(**a** = a = that, which, what, who, whom) //

yū'duwasa (107) what they called him
(**yū'** – term of respect) +
(**du** – they-him) //

wA'nq!es (88) for
(**n** – focus, gathering together, in) +
(**q!** – frontier, pioneer, border) +
(**e** – beginning and end, back and forth) +
(**s** – vulnerability, problem) //
(**q!es / q!e'** = *sgàth* = sake, account, nearness, pretence, shadow, fright, disgust, shelter, veil, protection, covering // *air sgàth* = for the sake of)
(**es** = *oirbheart* = good deed or action, exploit) //
Compare hAsduq!oe's (82) for them // hA'sduq!oē'dê (87) for them //

wâ'yu (98) when
(**yu** – term of respect) //
ŷā'waAt (13) her went // qoŷa'odū'waci (15) searched // yu'qodūciawa (16) having searched // wuduwatA'n (19) the people were called // aka'wanîk (31) she told it // qoya'oduwacî (35) they searched // uwaL!A'k (36) had rotted // wuduwaŷē'q (44) they pulled her in // ā'waca (46) married // ā'wadjAq (50, 51) killed // ā'wa-ū (56) had (a baby) // wānanī'sawe (56) very soon // kātuwā(ŷ)ati (72)

there is // wA'ngA'ndî (92) to go outside // desgwA'tc (102) now // yā't!ayauwaqā' (104) this man living here // wānanī'sawe (106) as soon as // yū'duwasa (107) what they called him // q!ē'waxix (112) came quickly // q!ē'wat!āx (117) it opened its mouth // kā'wawAL! (123) broke up // kū'wacî (159) hunted // kāwadī'q! (175) she became ashamed // łū'waguq (169) rushed //

wu, u describes extent, come (so far) to do // *ruig* = reach, extend to, arrive at, attain to, hold, stretch out, border, needs, must //

wūne' (121) it was

(**n** – focus, gathering together, in) +

(**e** – beginning and end, (one use of this particle is for repetitive tasks or activities that involve coming or going))

wuniŷī'tc (183) happened

(**n** – focus, gathering together, in, with) +

(**i** – taking time and care) +

(**ŷī'** = *fin-foinneach* = completely, from edge to edge) See yi. +

(**tc** – intensifier and catcher in the way of a spiral, exact) //

Compare Gàidhlig *tuit* = happen, befall, chance, subside, sink, set (as, sun), benight, be seduced by, fail, damp, (verbs).

ū'at (3) she went // wudjixī'x (34, 43) she ran // ŷawucîxī'awe (37) when she had run // udjixī'x (40) she ran // wuduwaŷē'q (44) they pulled her in // wudzîxA'q (45) it came to go // awułîsū' (51) they chopped her // wuġaxî'xîn (55) when gets // wududzî'nê (60) they came to put it // awu'łîcāt (89) caught // wudjA'łtc (93) [her hands] would go // wudjā'qtc (97) always is killed of // q!aowut!ā'xe (116) it opens its mouth // awut!ū'guawe (120) when he had shot it // yēk[u]dīwuq! (122) in it were wide // wugū't (147) she went // ŷawusaŷe'awe (160) when he looked // wugudī'awe (165) when he came // aq!a'wułt (169) to his door // wu'diqêL! (173) started to go //

wu — links two things (especially in cause & effect), about // See u.

wudî, wudji — opposite to wudu below, wudu is different people getting together, and wudî is different people separating wudjixī'x (34, 43) she ran // udjixī'x (40) she ran // wudjîxī'x (82) was // wudîna'q (92) started to get up // wudjA'łtc (93) [her hands] would go // wu'diqêL! (173) started to go //

wudu, udu — combined effort, shows different people getting together; The difference of udu is that it is opposite to wudu, it shows one-way action or feeling, not mutual, maybe isolation //
(**wud** = *luchd* = people, folk, company // *iad* = they) +
(**u** = *ruig* = reach, extend to, arrive at, attain to, hold, stretch out, border, needs, must) //
wuduwatA'n (16) the people were called // wuduwaŷē'q (44) they pulled her in // wududzî'nê (60) they came to put it // uduwatsā'k (90) they put [it] // wudułîcā'dî (91) caught // wudustī'n (94) saw [them] // udułcu'qnutc (105) they would laugh // uduwaA'x (120) was heard to say //

wudzî — something came to happen (relates to coming and going) //
(**wu** = *ruig* = reach, extend to, arrive at, attain to, hold, stretch out, border, needs, must) +
(**dzî** = *triall* = go, set out, depart, stroll, walk, travel, march, journey, traverse, intend, purpose, imagine, devise, plot) //
(**dzî** = dji – precipitant) //
wudzîxA'q (45) it came to go // wududzî'nê(60) they came to put it // wudzîgī'tî (68) had come to be // wutî' (100) she stayed //

wūne' — it was (121) // See wu.

x, s — vulnerability, problem // See s.

x / xawe — into the house // *a staigh* = in, within, in the house //
hî'txawe (126) into house it was

xa, sa — to; shows a new situation; sa is about something awesome and unknown, possibly a disloyal manner, while xa' shows a loyal manner or something steady or familiar // *sàbhail* = spare, preserve, use frugally, protect, defend, rescue // *seo* = 'here!', this, these // *ma* = if // *mar* = in this or that manner, in the same manner, even as, like, like as, as // *a* = at, to, in, about, in the act of //
doxA'nt (10) to her // nełixA'nq!awe (8) into his house it was //
(**do** – it-her) +
(**nt** – go outside, appear outside) //
(**nełi** – into the house) See ABC Dictionary section, N. +
(**n** – focus, gathering together, in) +
(**q!** – frontier, border, with, pioneer) +
(**awe** – explaining) //
xA'ndî (60) to
(**dî** – precipitant)
wâsa' (25) what (something) // wA'sâ (79) how // wA'sa (80) as if // sAk[u] (127) for (Context: A good production of copper items) // *mar seo* = in this manner, thus, in this direction, towards this place // *samhlach* = likening, comparing, emblematical, typical, ghostly, allegorical, (adjectives) //
(**a** = *a* = that, which, what, who, whom) //
sayu' (150) it was // gutxA'tsayu (153) from where it was //
(**yu** – term of respect) //
sateŷî' (151) it was

(**te** – new situation and emotion) . //

tc!uya' ŷîdAt xA'nġāt (184) even lately // *a chionn ghairid* = lately // See also yi, p172.

(**n** – focus, gathering togther, with, in) +

(**ġā** – for, subjective action = *gabh* = (all subjective moods of action that can be expressed in a sense of 'taking on' or fulfilling a role) take, accept, receive, contain, hold, sing, say, deliver, (express emotions), put on enlist, engage as a servant, make secure, entertain, treat, acknowledge, worry, conceive, become pregnant, beat, belabor, (disguise), catch (fire, infection, ferment), undertake, endeavor, be concerned with, arrange, must, compelled to, betake, repair, proceed to, go, (motion), rest) +

(**t** – to a full extent) //

yū'duwasa (107) what they called him // qāx (111) getting to be a man // ŷaqsatī'yawe (111) when he was // cā'ŷadîhēn (133) there were plenty // gudAxqā'x (150) from whence // qāx (151) come to be the man // nA'xsAtīn (181) is // qo'dzîtī'yī-Atx (185) living thing //

xA'nġāt See xa.

ya, ayA' when (after success, feeling smart or successful) // ayA' (6) when // a'ya (50) to //

(**a** = (particle used in adverbs, phrases or before numerals when not followed by nouns) // *adhart* = progress, forwardness, front, van, advance (usually: *air adhart*) // *bha* = was, were) +

(**yA'** = *blà* = be it enacted (verb) // . *blàth* = effect, consequence, form, manner, devotion, praise, mark, stain, flower, blossom, bloom, foliage, fruit, color, hue, green field, sea)

ŷatî' (75) there is (Context: the lovely moonlight there is them)

(**tî'** – precipitant, immoderate) //

ŷaqsatī'yawe (111) when he was (Context: becoming a man)

(**q** – frontier, pioneer, border, in) +

(**sa** – unknown and awesome, disloyal manner) See xa +
(**tî'y** – precipitant, immoderate) +
(**awe** – explaining) See page //
ŷawucîx̣ī'awe (37) when she had run // ŷawaqa' (75) said // ā'wayA (87) carried // L!agā'yan (102) he was getting // yā't!ayauwaqā' (104) this man living here // daŷadoqā'nutc (104) they always called him // tc!ū'ya (109) just then // aŷahê'taqguttc (111) he always went up close by // ŷā'nAłyAx (126) he was making from // ŷī'ya (130) inside // ŷawusaŷe'awe (160) when he looked // yAsē'k (181) comes and helps him out //

ŷa'o went back, turned back // *raon* = (OG) turn, change, tear, break) +
qoŷa'odū'waci (15) searched // ŷa'odudzîqa (77) they came to tell them //

ŷa'ołi things are looking fine then suddenly //
(**ŷa'o** – *raon* = (OG) turn, change, tear, break) +
(**łi** = *slighe* = craft, manner, conduct, way, path, passage, approach, track, inlet, road) //
ŷa'ołik!ūts (6) broke down // caŷa'oĻix̣Ac (121) were all cut off //
Compare kaoLî, aołi.

ŷê sense of positioning, pull (operation of metaphysics), blame or redemption // *réidh* = ordered, arranged, disposed, ready, prepared, harmonious, reconciled, at peace, conciliated, free, exempt, straight, uninterrupted, clear of obstruction, allied, safe, not dangerous, appeased, regular, unraveled, disentangled // *seo* = this, these, 'here' //
yē'tî (123) was
(**tî** – precipitant, immoderate) //
doayē' (24) hers // ŷêdê' (26) under // wuduwaŷē'q (44) they pulled her in // ġonaye' (61) started //

āeġayā't (64) below it // yē'At (96) for this // axAniŷe' (149) with me (Context: Live with me) // ye'awusku (150) she knew // Acnā'ŷe (177) on him // awucā'ŷetc (177) because he married //

yên place or thing with a sense of mystery // there (55, 80, 85, 86, 115, 137, 164) // yên (16) (every)where // yên (85) it // yên (133) when // yū'yênkā'watAn (91) it bent // *reann* = (OG) land, country, soil, star // *meannad* = place, room //

yê'nAx (80) from there

(**Ax** – out) //

hē'nAxa (182) there

(**hē'n** = yên) +

(**Ax** – of, from, out of, out) +

(**a** – it-it) //

ŷi, ŷî, y to (many connotations possible) // *ri* = to, towards, in the direction of, unto, to (implying similarity of likeness / implying adhesion / implying exposure), to / to be (implying possibility), to (denoting equality of one object with another, denoting attention or earnestness), at, near to, against, in opposition to, in contact with, in (denoting employment or occupation), for (implying expectation or hope), of, concerning, with, as, like as, during, whilst, up, upwards // *fior-iochdrach* = lowest // *fior-iochdar* = basis, the very bottom, lowest part // *fin-foinneach* = completely, from edge to edge //

Note: The Gàidhlig word *ri* means to, and also can mean upward, but in Hlīngit the slender vowel (e / i) is for downward. See de & daq in the Prepositions section.

ŷîk (101) inside

(**k** – present action continuing) See ak. //

ŷînAx (112) toward // ŷinA'x (124) throughout //

(**n** – focus, gathering together, in) +
(**Ax** – out) //
ŷī'ya (130) inside
(**ya** – when (after success, feeling smart or successful)) //
ŷī'dAx (161) from inside
(dAx – from) //
ŷīŷî (178) did //
(**ŷī** = ni – sense of readiness, do // *ni* = deed, circumstance, business, affair, fact, thing, substance, (nouns); shall do, will do) //
ŷiŷidA'de (181) even now // tc!uya' ŷîdAt xA'ngāt (182) even lately //
(**ŷi** = *bith-* = (prepositive article) ever-, always-) //
(**ŷiŷid / ŷiŷi / ŷîdAt / ŷîd** = *rìreadh* = truly, indeed, actually, seriously, certainly, verily, of a truth // *riamh* = ever, at any time before // *bitheantas* = commonness, common occurrence, frequently happening, frequency // *am bitheantas* = generally, frequently) //
(**ŷiŷi** = ŷi doubled – even) +
(**dA'de / dAt / dA** = *dràsda* (= *an tràth seo*) = now, at this time, the present time) +
(**t** – to a full extent) //
yī'gîŷî (35) at midday // ŷidê'(5) down to // yāq! (36) at this place // ŷīdA'tî (49) now (rhetorical 'now') // ŷiatA'n (57) stood // āŷî's (59) for it // aŷîde' (60) inside it // ŷi (75) down // ŷiA'dî (76) to come // yutcā'ctaŷīq! (127) under the branches // aŷî's (137) for her // Axhî'tîŷīdê' (147) down to my house // kaodîgA'naŷî' (152) shining in // yuhî'tŷīanA'q (173) from the house door // wuniŷī'tc (183) happened //

Pronouns

a — refer to someone or something before they take action // *a* = at, to, in, about, in the act of // ātxê’qdê (6) down // naAdî’ (18) going // naA’dî (19) when they had gone // ALĪ’q!anutc (20) always got // aġaA’dînawe (21) when they came // a’odîca (49) they started to marry // duyê’tayu (173) her face it was //

a / a’ / ā — dual pronoun, they // *a* = his, her, its // *am* = their, my, the // *iad* = they //
Note: Generally, a is a dual pronoun that connects two pronouns in one, as detailed in some of the first examples below. For more detail, see Pronouns, in the section Learning Hlīngit with this book, page xviii.
ayu’ (51) it was
(**a** – it / it) +
(**yu’** – term of respect) //
a’ya (1) it = it / he // ū’at (3) she went // akā’yan (4) on it = it / he // aŷa’osîqa (5) she said to = she / it // akā’dê (7) on to it // aŷa’osîqa (9) he said to her // a’na (10) she was putting in // nA’xawe (10) herself it was // yAdanē’nutc (19) he [her husband] always went after // ALĪ’q!anutc (20) always got (20) // Anaā’dawe (26) when they were going // ġâ’awe (38) as if // Aca’ (41) on its head // sadjA’qx (48) they always killed [them] // kînā’q! (51) on top of // tc!aŷē’guskî (52) very small // k!awê’łguha (54) they could see // ŷiatA’n (57) stood // āŷî’s (59) for it // yā’nagu’tîawe (62) after it had walked on // akust!ē’q!Atc (63) would break up always āeġayā’t (64) below it // yū’AtłaAt (73) their things // ā’yux (73) out to them // ā’wagut (73) [one] went // da (74) there // detc!a’a.awe’ (75) that is they // ax (83) from it // ā’watAn (83) he took // qî’naŷî (83) its quill // awatsā’q (84) he put it // yē’ġawetsa (86) they examined // kā’waqa (86) she sent // awu’łîcāt (89)

caught // dunA'q (92) from her // aġacA'ttc (93) when she would catch // atū'nnAx (92) through them // nAġanā'n (97) when he dies // aka' (99) at it // ān (100) with it (her child) // anAsnī'awe (109) when she had made them // akA'ndagAnêawe' (109) when it was daylight // ānagu'ttc (109) he always went // at!o'kt! (109) shooting with them (109) // aŷahê'taqguttc (111) he always went up close by // awut!ū'guawe (120) when he had shot it // ē'qayu (123) copper it was // ŷā'nAłyAx (126) he was making from // asnī' (133) he finished // aŷî's (137) for her // ātē'xŷa (140) where she slept // XA'ni (147) to him // ye'awusku (150) she knew // ŷā'naAt (151) was going // kaodîgA'naŷî' (151) shining in // gutxA'tsayu (153) from where it was // ġêna't (158) below here // ka'odigAn (161) it started to shine // aka'wanêk (165) he told it // dju'deAt (167) started to rush // kāwadī'q! (175) she became ashamed // aġā' (176) for him // Acnā'ŷe (177) on him // hē'nAxa (182) there //

ac / Ac possessive, in, with, for, to, him // Ac (114) him // *anns* = in, in the // *sàr* = apprehend (verb); matchless, noble, brave (adjectives); (like a prefix, meaning great degree of any quality); hero, worthy, excellent man, brave warrior (nouns) // *aice* = with her

(**a / A** - *a* = at, to, in, about, in the act of) //

(**a** = double pronoun (including it)) +

(**c / cī'** = *si* = she) //

acigā' (28) for her

(**gā'** – for) //

Ackā' (39) on her

(**kā'** = *car* = near about (in reference to time), during, for, whilst, contact, neighborhood, meandering, direction, motion, movement, way, course, care, twist, bend, trick, turn, circular motion, fraud, revolution, throw, bar of music, (case in grammar), string of pearls or beads etc., plait, fold) //

Acī'n (12, 13, 45, 151) with her // Acī'n (31) to her //

(**n** – with, focus, gathered together) //

Acŷîs (112) for him (Context: Canoe is making for him, almost like an attack // *ris* = to him, with him, against him or it, equal to him or it //

(**ŷî** = *ri* = to (many connotations possible)) +

(**s** –problem or vulnerability // *sàbhail* = save, protect, spare, rescue, use frugally, preserve, defend) //

AcyA'x (118) for him

(**yA'x** – like, accordingly) //

Acnā'ŷe (177) on him (Context: Gave)

(**nā' / n** – focus, gathered together, with, in, focus in time / when // *ann* = in, within, therein, there, in existence, alive // *naisgte* = bound, made fast // '*nuair* (*an uair*) = when, at the time, seeing that) +

(**ā'** – he-him) +

(**ŷe** –sense of positioning, pull (operation of metaphysics), blame or redemption // *réidh* = ordered, arranged, disposed, ready, prepared, harmonious, reconciled, at peace, conciliated, free, exempt, straight, uninterrupted, clear of obstruction, allied, safe, not dangerous, appeased, regular, unraveled, disentangled // *seo* = this, these, 'here') //

Acī't (180) to him

(**t** – to a full extent) //

Compare āyA'x (118) so, (See yax / yex).

acakA'nAłyên (10) was whirling in his hand // yū'Acia'osîqa (11) what he said to her // Ac (14) (to) her // Acdjī'n (89) her hand //

ān with them (3), with it (her child) (100) // *aoin* = unite, join //
(**ā** = *iad* = they, them) +
(**n** – focus, with, in)

ā'w, nġa get, take (reach for) // *faigh* = get, obtain, find, acquire, reach) //
ġA'nġa (26) for firewood // u'tiyānġahē'n (63) when it would get hungry // ā'watAn (83) he took //

ax, xa, x, SA my / I, me / to someone's self // *sàr* = apprehend (verb); matchless, noble, brave (adjectives); (like a prefix, meaning great degree of any quality); hero, worthy, excellent man, brave warrior (nouns) // *-sa* / *-se* / *-san* = (emphatic syllable used in combination with personal pronouns) // *ceisd* = darling, regard, dispute //
AxĻā'k! (67) my sister
(**Ļā'k!** = *caileag* = little girl, lassie) //
xā'naAde (147) go with me
See also the particle sa.
Axsī'k!^{u} (81, 168) my daughter
(**sī'** – daughter) +
(**k!^{u}** = *beag* = little, short, diminutive, young, disagreeable, insignificant // *òg* = young, youthful) //
A'xdjîŷîs (108) for me
(**djî** – precipitant, immoderate) +
(**ŷî** – to (many connotations possible = *ri* = for (implying expectation or hope), in contact with, in (denoting employment or occupation)) See yi +
(**s** – problem, vulnerability) //
(**s** = sa - extremely, supremely, very (applies to progress and quality of something) See sa //

axAniŷe' (149) with me (Context: Live with me)
(**a / ax** = ac – with) +
(**ni** –sense of readiness, do // *ni* = deed, circumstance, business, affair, fact, thing, substance, (nouns); shall do, will do) +
(**ŷe'** –sense of positioning, pull (operation of metaphysics), blame or redemption // *réidh* = ordered, arranged, disposed, ready, prepared, harmonious, reconciled, at peace, conciliated, free, exempt, straight, uninterrupted, clear of obstruction, allied, safe, not dangerous, appeased, regular, unraveled, disentangled // *seo* = this, these, 'here') //
doxA'nt (10) to her // nA'xawe (10) herself it was // āŷî's (59) for it // Axsī'k!^{u} (81) my daughter // u'x (105) at him // sAk^{u} (127) for (Context: A good production of copper items) // aŷî's (137) for her // ctā'de (138) himself // Axhî'tîŷīdê' (147) down to my house //

ci, i — (possessive), she, her, it // *si* = she, her it //
Acī'n (12, 13, 45, 151) with her // yā'doq!osî (26) her foot // Acī'n (31) to her //
Compare dusī' (2) his daughter //

ctā'de — himself (138) //
(**c_ā'** = sa = my, I, me, to someone's self) See ax. +
(**t** – to a full extent) +
(**de** – acting on something, on) //

cunāŷê't — everyone (86) // *rud sam bith* = anyone //

da — there (74) // *d'a* (= *do e*) = to him, to it // *d'a* (= *do a*) = to his or its //
(**d** = *'d* (= *iad*) = they, them) +

(**a** – it-they) //
Compare Gàidhlig *d'a* = however (proverbial).

detc!a'a.awe' that is they (75) //
(**de / detc!** = *dearbh* = sure, certain, true, genuine, particular, peculiar, identical, (demonstrative in grammar), fixed, (adjectives); proof, demonstration, experiment, test, trial, (nouns); prove, confirm, affirm, ascertain, demonstrate, try, experience, put to the test, tempt // *deachd* = make completely certain, assure positively, interpret, teach, dictate, inspire, debate, indite // *dearc* = fix the mind on intensely, watch, look keenly or piercingly, examine, inspect, behold, look, observe) +
(**tc!a'** – right) +
(**a** – it-they) +
(**awe'** – explaining) //

doayē' hers (24) //
(**do** = *do* = to, thy, thine) //
(**d** = do / du – unity of people, he, she, they = *duine* = man, person, body, individual, oldest person in village) +
(**o** – to her = *oirre* = matter with her, over her, on her, upon her, owed by her) +
(**a** – her / it) +
(**yē'** = *réidh* = ordered, arranged, disposed, ready, prepared, harmonious, reconciled, at peace, conciliated, free, exempt, straight, uninterrupted, clear of obstruction, allied, safe, not dangerous, appeased, regular, unraveled, disentangled) //

doxA'nt to her (10), for her (159) (Context: Search) // to him (177) //
(**do** = *do* = to, thy, thine) +
(**xA'** – oneself, I, my) +

(**n** – focus, in, gathering together) +
(**t** – to a full extent) //
Compare dunA'q (92) from her.

du, do- his, her, (dual pronoun); unity of people = *duine* = man, person, body, individual, the oldest person in the village)
Compare Gàidhlig *dual* = due, hereditary right, natural, hereditary, due, usual, probable // *oirre* = matter with her, over her, on her, upon her, owed by her // *do* = to, thy, thine //
Note: The difference between do and du is that do is used when the unity is questionable.

duî't (38) to her (Context: chasing her)
(**î'** – take time and care) //
(**î'** = *imich* = advance, come, stir, budge, depart, walk, go) +
(**t** – to a full extent) //

dudjîde' (136) to her
(**djî** – precipitant, immoderate) +
(**de'** – acting on something, on, off, of) //

dusī (2) his daughter // duī'c (3) her father's // dukA'gu (6) basket // dudjiŷî's (7) for her // yā'duī'c (8) her father (continues 'her father his house') // duītē'x (15) for her // qoŷa'odū'waci (15) searched // du'qêtcnutc (21) they always threw // kAdukî'ksînutc. (22) they always shook them // odusniyî' (25) they did // yā'doq!osî (26) her foot // qoya'oduwacî (35) they searched // duL!ā'ke (36) her dress // wuduwaŷē'q (44) they pulled her in // dosqê'tc (55) they always said // hAsdutcukA'tawe (57) at the end of them (i.e. the town) // wududzî'nê(60) they came to put it // duī'k!tcawe (67) her brother it was // dudjā'q (68) beat him // duĻā'k!Atc (68) his sister // duła't (70) were coming in their things // kAdudjē'ławe (73) when they brought all // yū'siaodudziqa (74) what he said to them // ducA't

(75) his wife // ŷa'odudzîqa (77) they came to tell them // hAsduq!oe's (82) for them // wudułîcā'dî (91) caught // hAsdūŷī'dî (96) their son // ka'oduĻî-u' (98) they let him go // dukadê'q (103) on top of him (i.e. his house) // doġê'tcnutc (103) they would always throw // daŷadoqā'nutc (104) they always called him // yū'duwasa (107) what they called him // dugudē'awe (117) when he had gone // duhî'tî (124) his house // dokA't (131) on him // ku-doxē'tc (131) they always threw // ducā'q!awe' (137) when they tried to marry // dustî'ndjîayu' (145) having ever seen // yū'duīqonī'k (151) the man they used to call [dirty] // dudjî' (152) before her // duyê't (152) her face // du-īġā' (155) for her // wudū'dziha (156) they came to miss her // uġa'qoduciŷa' (157) while they were hunting // yū'yudowaAx (171) it was heard like // duyê'tayu (172) her face it was // caoduĻîġê'tc (178) they threw away from // duīġā' (180) for him //

ducA't — his wife (75) //
(**du** – his-she) +
(**cA't** = *càraid* = married couple, pair, couple, brace, twins // *cailleach* = old wife // *càirde* = relation, bosom friend, friendship //
Compare Gàidhlig *caraid* = male relation or friend, cousin.

dudjî' — before her (152) // dudjîde' (136) to her (136) // See dji in Prepositions section.

dudjiŷî's — for her (7) // See dji in Prepositions section, or Manner particles section.

duī'c — her father's (3, 55, 65), his father (97, 180), her father (158) // yā' duī'c (8) her father (Context: close to her father's house') //
(**du** – he / she) +
(**ī'c** – father = *righ* = king) //
Compare Gàidhlig *dùis* = chief, crow, gloom, mist, jewel, dust, dross.

yā'duīc (8) her father (Context: father's house) // hAsduī'c (57) their father's
(**ya** – was // *bha* = was, were) //
(**hAs** – they, their) //

du-īġā' for her (155), for him (180) //
(**du** – her-they, 155, he-him, 180) +
(**ī** – take time and care) +
(**ġā'** – for, subjective action = *gabh* = undertake, endeavor, be concerned with, arrange, must, compelled to, enlist, engage as a servant, make secure, entertain, treat, acknowledge, worry, conceive, betake, repair, proceed to, go, (motion)) //

duī'k!tcawe See ī'k!.

duî't See du.

duītē'x for her (15, 35) (Context: search) //
(**du** – they / her) ı
(**ī** – take time and care to do something // *iarr* = probe, invite, seek, search, look for, ask, request, demand, pain / purge (as, medicine)) +
(**tē'** – new situation and emotion = *teirbeirt* = sending forth, scattering, distributing, bestowing // *téis* = diligence, sound, air to which any song or poem is sung, musical air // *teithneas* = haste) +
(**x** – vulnerability, problem) //
duite'q! (16) for her
(**q!** – focus, gathered together, in, with) //

dunA'q from her (92) //
(**du** = *do* = to // *o* = from) +

(**n** – focus, gathering together, in, with) +
(**A'** – her-they) +
(**q** – frontier, border, pioneer) //
Compare doxA'nt (10) to her.

dusī' See sī'

duLā'tc See Lā.

duĻā'k!Atc See Ļā'k!A.

dūwu' then his father-in-law (64), his father-in-law (176) //
(**dū** = *duine* = man, person, body, individual, the oldest person in the village) //
(**dū** – his-he) +
(**wu'** = *fù* / *fo* = (OG) king, sovereign, honor, regard, esteem, decency, (nouns); good, unconcerned, easy, quiet, powerful // *fuilc* = family, kindred, tribe, blood, breeding, temper, nature // *fuath* = diminutive insignificant person, spirit, kelpie, spite, hateful object) //
hAsduwū' (60) their father-in-law //

duyê'tk!u her little child // See yê'tk!u.

e you, oneself alone, possessive // See i.

hAs they (5, 6, 26, 46, 47, 50, 51, 56, 63, 64, 70, 71, 80, 94, 96, 167, 169, 173, 176, 177) // *iad-san* = (emphatic form of *iad*), they themselves //
hAsduī'n (61) with them (Context: walked away with them)
(**du** = do – (before a verb)) See do, Miscellaneous grammar particles section. //
(**du** – he-they) +
(**ī'** – *imich* = depart, go, stir, budge, walk, advance, come) +

(**n** – gathering together, with, focus) //
Compare naA'dî (19) when they had gone //
hAsduq!oe's (82) for them // hA'sduq!oē'dê (87) for them //
(**du** – he-them)
(**q!** – border, frontier, pioneer) +
(**o** = *oir* = for, because) +
(**e'** – beginning and end, back and forth) +
(**s** – vulnerability, problem) //
(**q!oes / q!oe'** = *sgàth* = sake, account, nearness, pretence, shadow, fright, disgust, shelter, veil, protection, covering // *air sgàth* = for the sake of) //
(**oe / oes / e / es** = *oirbheart* = good deed or action, exploit) +
(**dê** – acting on something) //
hAsdutcukA'tawe (57) at the end of them (i.e. the town) // hAsduī'c (57) their father's // hAsduwū' (60) their father-in-law // hA'sduīk! (87) their brother // hAsdūŷī'dî (96) their son //
Compare qAx (85) on account of // wA'nq!es (88) for //

hAsduŷī't their son (79) // hAsdūŷī'dî (96) their son //
(**hAs** – they) +
(**du** – their-he) +
(**ŷī'** = *gille* = boy, lad, youth, bachelor, man-servant, ploughman // *iodhlan* = hero, leap, skip, hop // *ridir* = knight // *bìdein* = diminutive person or animal, chirper, peeper, young bird or fowl) +
(**t** – extent (as of descent, descendant)) //

ho' she (20) // *òigh* = young woman, maid, virgin // *òg-bheann* = young wife, newly-married woman //

hūtc he (138) // *uime* = about him // *fuasgaldair* = savior, redeemer, deliverer // *fuadan* = wanderer, friendless person // *fuil* = family, tribe, kindred, blood, breeding, temper, nature, wound // *fuidhir* = vassal, hireling, servitude, wages // *fuidse* = coward, conquered dispirited cock, challenge // *ursan* = he-bear, defender // *pulaidh* = champion, hero (especially in strength and boxing), turkey // *puirneach* = hunter //
(**hū** = *urra* = person, infant, good author, chieftain, defendant-at-law, body, urchin, power, strength, surety) +
(**tc** – intensifier and catcher in the way of a spiral, exact) //
Compare yu, in Raven and Eagle Education System section, page 343 .

i, e you, oneself alone, possessive // *sibh* = you (plural), ye (plural) // *ribh* = to you, against you, with you, molesting you, mastering you // e = *meacan* = individual, birth, extraction, nativity, offspring (noun) // *èairlinn* = end or limit of anything // *reamain* = beginning //
See also adverbial use of e.
îyA'x (116) for you
(**yA'** – when (after success, feeling smart or successful) +
(**x** – problem, vulnerability) //
wae'tc (9) you // Lē' (10) by (herself alone) // yā'doq!osî (26) her foot // qoa'ni (30) people // ī'usinē'x (30) saved you // qoa'nitc (35) all the tribe // icî'x (42) you run // ŷana-isAqa (76) you tell them (politely) // duhî'tî （124）his house // îq-gwâte' (149) you are going to stay // duhî'tîq! (154) in his house //

iī'c your father // See ŷīī'c.

ī'k! brother // *gille* = boy, lad, youth, bachelor, man-servant, ploughman //
duī'k!tcawe (67) her brother it was //
(**du** – her-he)

(**tc** – intensifier and catcher in the way of a spiral, exact) +
(**awe** – explaining) //
hA'sduīk! (87) their brother // duī'k! (86) her brother // duī'k! (88) his brother //
(**hAs** – they) +
(**du** – her-he) //

îyA'x — for you // See e / i.

Lā — mother // aLe' (114) mother (speaking directly to her) // *lathair* = presence, existence, company // *dlagh* = natural order, (*dlòth* = handful of corn, lock of hair) // *lachd* = (OG) family // *lac* = (OG) sweet milk // *làbanaiche* = painstaking person, plebeian, drudge //
Compare Gàidhlig *màthair* = mother, cause, source, dam of a beast.
duLā'tc (68) his mother // duLā' (69, 98, 108, 114, 124) his mother // duLa' (168) her mother //
(**du** – his-she)
(**tc** – exact, intensifier and catcher in the way of a spiral) //

Ļā'k!A — sister // *caileag* = little girl, lassie // *lachd* = family // *dlagh* = natural order, (*dlòth* = handful of corn, lock of hair)
duĻā'k!Atc (68) his sister
(**du** – his-her) +
(**tc** – exact, intensifier and catcher in the way of a spiral) //

na — its, person(s) who // *na* = that which, what, those who, those which, (pronouns)
nA'xawe (10) herself it was
(**n** – focus, with, in) +
(**A'** – her-it (it was herself)) See also ac. +

	(**x / xa** = *-sa* / *-se* / *-san* = (emphatic syllable used in combination with personal pronouns)) +
	(**awe** – explaining) //
	qî'naŷî (83) its quill //
nē'x	what // *neach* = person, someone, any person, one, apparition // *neachd* = (OG) pledge, tribe, family // *neachdachd* = neutrality //
	kucîgAnē'x (30) what saved you // ī'usinē'x (30) saved you //
nġa	get, take (reach for) // See ā'w.
odusniyî'	they did (25) //
	(**o** – peak energy) //
	(**o** - Compare Gàidhlig *oirre* = on her, upon her, matter with her, owed by her, over her // *olc* = mischief, evil, hurt (nouns); untouched) +
	(**du** – they) +
	(**sni / sniyî'** = *sniom* = distress (noun) // *snìom* = wrench, wring, twist, spin, wind yarn, wind, curl, twine (verbs); sadness, heaviness, great pain, wrench, sprain, twist in yarn, curl of hair, ringlet, twist / twine, spinning (nouns) // *snìomach* = sad, declivious) //
	(**yî'** – to) //
qā	man // *caraid* = any male friend or relation, cousin //
	ānqā'wo (1) town chief // yuqā' (10) a man //
qoa'ni	people (refers to grizzly bears) (30) // qoa'nî (38) tribe (refers to bears) // *cròileagan* = ring or circle of people (generally used of children) // *crò* = group of children, circle, sheep-cot / pen / fold, (*crodh* = cattle), hut, hovel, cottage, heart, witchcraft, crop, death, eye of a needle, (*cnò* = nut), saffron //
	(**qo** – to sufficient extent) +

(**a'** = *ac* = son // *ab* = father // *mna* = (of a) woman (= generative singular)) +
(**ni** = *ni* = (applied to flocks and herds of all kinds) // *nighe* = daughter // *ni* = circumstance, business, affair, thing, deed, fact, substance). //

Note: The circle encloses a gathering of family members as well as their animals, and defines them as belonging to the woman, in a matriarchal tradition.

(xūts!) qoa'nî (17) (grizzly bear) tribe // (yuxūts!) qoa'nî' (18) (the grizzly bear) tribe // (xūts!) qoa'nitc (35) all the (grizzly bear) tribe

sī' daughter //
(**sī** = *si* = she // *sithich* = fairy, elf // *sith* = spiritual, onset, dart, stride, long quick pace, peace, tranquility, rest // *isean* = term of endearment to an infant, chicken, gosling, the young of any bird or small quadruped, opprobrious term applied to an ill-mannered young person or dirty child or brat, puny person) // *nigh* = (OG) daughter, niece // *nighean* = daughter, damsel, maiden, unmarried woman) //

dusī' (2) his daughter
(**du** – he / she) +
Axsī'k![u] (81) my daughter // Axsī'k! (168) my daughter
(**Ax** – my)
(**k![u]** = *beag* = little, short, diminutive, young, disagreeable, insignificant // *òg* = young, youthful)
Asī' (177) his daughter
(A – he-she)

tcxAnk! grandchild (29) // *seanghain* = (OG) child near the time of its birth, conception // *san-ghin* = child begotten in old age //

wa appear, describes something or someone appearing in their next position or role // *cuairt* = cycle, zone,

pilgrimage, expedition, whirl, eddy, circle // *nuadh* = new, fresh, recent, modern, unfamiliar // *nuadhaich* = renew, renovate // *a* = that, which, what, who, whom //
wae'tc (9) you // ŷā'waAt (13) went // wâsa' (25) what (something) //

wae'tc — you (imperative) (9) //
(**wa** - appear, describes something or someone appearing in their next position or role) +
(**e** – particle-pronoun) +
(**tc** – intensifier or catcher in the way of a spiral) //

wucku'k — himself (85) //
(**wuc** = *urraichd* = dependence, reliance)
(**ku'k** = *cuspair* = subject, object, mark to aim at, lover, customer, (*cuspairiche* = opponent, adversary, marksman, archer))

xa — I, me, my, to someone's self // See ax.

xo'xq!^{u} — husbands // duxo'xq!^{u} (88, 90, 92) her husbands // *comhaim* = (OG) spouse, wife // *solaraiche* = provider, forager, caterer, purveyor // *sonn* = stout man, hero, champion, courier // *sònnrachair* = establisher, assigner // *so-chois* = learned man // *soighlear* = jailer // *so-chairdean* = intimate friends, friends //
xoxtc (162) husband
(**tc** – intensifier and catcher in the way of a spiral, exact) //

ŷê'tq!î — sons (46) (Context: Sons of the sun) // *naoidheachan* = young child, infant, babe // *eilthireach* = pilgrim, stranger, sojourner, foreigner, alien // *eidir* = hostage, captive // *eil-thir* = pilgrim, foreign land, coast, sea-coast, sequestered region or district, desert // *eoghunn* = (OG) youth
(**ŷê'** – sense of positioning, pull (operation of metaphysics) +

(**ŷê’** = **Bel* = name of sun god) +

(**t** – to a full extent) +

(**q!** – pioneer, frontier, border, in) //

(**q!î / î** = *iodhlan* = hero, *leap)

*Leaping has a connotation in Celtic culture. At *Bealltuinn*, May Day, fires were kindled on mountaintops, and cattle were driven between the fires. All hearth fires were extinguished and rekindled from this purifying flame. Young persons met on the moor, and whomever drew the blackened oatmeal cake had to leap over the fire three times. Celtic dance often has leaping movements. // *bel-ain* = the circle of Bel, or of the sun. //

duyê’tk!^{u} (98) her little child // duyê’tk!^{o} (100, 101) her little child //

(**du** – her-he) //

hᴀsduŷī’t (79) their son // hᴀsdūŷī’dî (96) their son //

(**hᴀs** – they) +

(**du** – they-he) +

(**ŷī’dî / ŷī’t** = *iodhlan* = hero, leap // *gille* = boy, lad, youth, bachelor, man-servant, ploughman // *ridir* = knight // *bìdein* = diminutive person or animal, chirper, peeper, young bird or fowl) //

ᴀtk!ᴀ’tsk!^{u} (97) a little boy’s

(**ᴀt** – thing) See ᴀt, Dictionary section A //

(**ᴀt** – *tàcharan* = child left by the fairies, orphan, weak helpless being, sprite, ghost // *tacharra* = changeling, pygmy) //

(**ᴀtk!ᴀ’** = ŷê’tk!î) +

(**k!ᴀ’tsk!^{u}** = *crileag* = small, trifling, diminutive // *caifeanach* = trifling, diminutive) // See p254.

(**k!ᴀ** = *beag* = little, diminutive, sordid, disagreeable) +

(**tsk!**[u] = *sgriothail* = lot of small items (as small potatoes), crowd of young creatures; eg. *chuir e sgriotal dheth* = he spoke a great many words with little substance in them // *sgrioth* = gravel // *sgriothal* = crowd of young creatures or small things) //

ŷīī'c — your father's (33) // iī'c (117) your father // *rìgh* = king // *gintear* = father, parent, ancestor // duī'c (3, 53, 65) her father's // yā'duī'c neɫixA'nq!awe (8) her father into his house it was //

yu — term of respect for things or people // See Raven and Eagle Education System section, page 353 .

yuānŷê'dî (17) the high caste girl // yuānyêtq![u] (25) to the high caste woman //
(**ān** = *ban-* = female- // *bean* = woman, female, wife) +
(**ŷê'** = *réimeil* = authoritative, bearing sway, even-tempered, constant, even-minded, progressive, persevering // *bean* = woman, female, wife) +
(**dî** – immoderate, precipitant) //
(**t** – to a full extent) +
(**q!**[u] – pioneer, frontier) //

yucawA't (15) the woman // yū'cāwat (24) the woman // yucā'wAt (36, 141) the woman // yū'cāwAt (79) the woman // yucā'wAttc (26) the woman //
(**cawA'** = *sàr-bhan* = excellent woman) +
(**t** – to a full extent) //
(**tc** – intensifier and catcher in the way of a spiral) //
Compare Gàidhlig *searbhanta* = maid-servant (indoor or outdoor), servant //

yuqā' 10) man, (85) the man
(**qā'** = *caraid* = male friend or relation, cousin) //
Compare qāx (111) getting to be a man //

ABC Dictionary

with etymology

The words in *italics* are Hlīngit word history from the ancient Celtic, Scottish Gàidhlig. (OG = obsolete Gàidhlig)

A, a, â, ā

ā — lake (94) // *amh* = water, ocean // *èan* = (OG) water, one // *àbh* = ((OG) water), instrument, hand-net, sock-net, hose-net, skill, dexterity //
yū'a (41) the lake // yū'āk! (111) the lake //
(**yu** – term of respect) See page 343 +
(**k!** = q! – border, pioneer, frontier, in) See p111. //
Compare Gàidhlig *linn* = lake.
Compare hīn = water.

Aca' — on its head (41) //
(**A** = *a* – his, her, its) See p174. +
(**A** = *air* = on, upon, of, concerning, by, with) See p100. +
(**ca'** = *ceann* = head, point, top, end, chief, commander, extremity, headland // *sam* = (OG) sun // *saidh* = prow of a ship, any upright beam, post // *saitse* = hatch of a ship // *samh* = the sun, the sea, pig, flock, herd, fish, savage or rustic or clownish person)

AcA'kAnadjAł — he set them all down (130) //

(A – deposit = *leag* = lay, lay down, throw down, lay with (as paving), put down (as a wrestler), demolish, fell, cool) +
(**cA'k / cA'kA** = *càirich* = place (put)) +
(**An** = *ann* = in, within, therein, there, in existence, alive) See p100. +
(**a** – he-them) See p174. +
(**djAł** = *flathail* = showy, gay, noble, elegant, splendid, magnificent, heavenly, princely, stately, victorious, august // *dreachlagh* = change of appearance)
Compare awatsā'q (84) he put it.

acakA'nAłyên was whirling in his hand (10) //
(**ac** – in) See p100. +
(**a** – it / it) See p174. +
(**kA'nA** = *crag* = (*cròg* = large clumsy hand, clutch, paw, palm of the hand, fist, claw)) +
(**łyên** = *fleadadh* = brandishing) //
Compare Gàidhlig *fleasgach* = young man, bachelor, handsome youth, best man at a wedding // *fleasg* = rod, wand, garland, wreath, fillet, crown, ring, chain, sheaf, bottle, flask, moisture //

ā'caŷAndihēn began to be so many [there] (53) //
(**ā'c** = *as* = out of it, from it) See ax, p102. +
(**a** – it-they) See p174. +
(**ŷA** – were = *bha* = was, were) See p140. //
(**ndihē / ndihēn**= *dirim* = plentiful, numerous // *meud* = as many as, magnitude, degree, extent, number, quantity, stature, size, bulk, dimension, degree of greatness or largeness, greatness, largeness // *meudaich* = increase, multiply, cause to increase, enlarge, add to, augment, improve, abound, grow in size // *meudaichte* =

increased, augmented, enlarged, advanced)
(**ŷAndih** = *iomadach* = too many, many, numerous, abundant) +
(**ē** – beginning and end) See p128. +
(**n** – focus, in, gathering together) See p130. //
Compare q!ū'na (112) many times // sAk^{u} (127) for (Context: A good production of copper items) // cā'ŷadîhēn (133) there were plenty // k!ū'nŷagīŷî (156) for many days //

Acdjī'n her hand (89) //
(**Ac** – her) See p175. +
(**djī'** / **djī'n** = *min-lamh* = soft hand, soft arm // *dèarnadh* = palm of the hand, palm-ful) // *trian* = *third part, ray, particle, district // *trianail* = handle or finger a stringed instrument // *pliut* = clumsy foot or paw, hand or foot (in derision))
*The body possesses three extremities, head, legs and feet. The head and legs could be two polarities, while the arms at the middle are the third of the extremities. While three is important in Celtic culture, two is important in Native American culture. (See Bibliography & Notes, 'Dichotomy', and about geographical polarity, see Bibliography & Notes, 'Aconcagua'.
Compare q!os, p285.
(**n** – focus, in, gathering together) See p130. //

Acī'n with her (12) (magically slipped past with her and got her away) //
(**A / Acī'** = *aice* = with her) See Ac, p175. +
(**cī'** = *si* = she, her, it) See p190. //
(**cī'** = *siab* = pass by with quick motion, breathe away dust, drift (as snow), snatch, snatch away, wipe, sweep along, blow away (as thatch off a house in a storm) // *siad* = sneak, skulk, go obliquely, sheer) +

(**n** – with, focus, gathered together) See p130. //
Compare dudjī'n (91) her hand //

Acuka'ołîtsAX they kicked (170) //
(**Acu** –'went and' in a strategic sense, a karmic event or event of consequence) See p146. + / See p153.
(**ka'ołî** – blissfully unaware then suddenly, paying no attention then suddenly; gently before a powerful action)
(**tsAx** = *stalc* = dash your foot against, thump, tap, walk with a halting gait, gaze, stare, become stiff, stiffen, make stiff, stalk (as in hunting deer), tie on, dress a fish-hook, starch // *stall* = dash violently against)

Ackułŷê'tîxōq! among the boys playing (106) //
(**Ack** = *am measg* = among, amongst, in the midst, (substantive); mingle, mix, stir about, move) See p100. +
(**ułŷê'tî** = *ùisealachd* = highest degree of hospitality, courtesy, usefulness, comfort, snugness // *ùisineachadh* = treatment, using, act of using // *uinnseachadh* = managing)
(**xōq!** – among = *mu* = about, around // *moc* = move, yield, give way // *gu'm* = that, in order that)
Compare xōq! (23) among // ī'usinē'x (30) saved you // awî'sīne'awe (90) when she brought it //

Acu-kā'wadjA she gave her advice (32) //
(**Acu** – 'went and' in a strategic sense, karmic event, event of consequence) See p146.
(**kā'wadjA / kā'wa** = *caoin-chronaich* = admonish // *car-fhaclach* = prevarication, double entendre, pun, quibble, antiphrasis // *càradh* = usage or treatment (whether good or bad), way, course, direction, mending, repairing, adjusting, condition, cheating, deceiving, abuse (nouns)
(**djA** – wrangling type of movement or action) See di, p151; See also di, p150. //

A'cutcnutc she always bathed (101) //
(**A'** – she-he) See p174.
(**A'cutc** = *failceadh* = bath, bathing, cleaning of the hair by bathing, lye of potash, (nouns) // *failc* = bath,

bathing, flood, flooding, gap, opening, hairlip // *sluaisreadh* = cleaning / shoveling / cleansing with a shovel, mixing together (as lime) with a shovel // *sloisir* = wash by working backwards and forwards in water, dash, beat against (as the sea against the shore), mix soft substances together, daub, daub over // *sloisreadh* = washing, daubing, dashing (as of waves against a rock)) +
(**nutc** –tendency & intensifier or catcher in the way of a spiral) See p131. //

Acū'waca that married her (17) //
(A – her / he) See p174. +
(A = *aoi* = (OG) compact, confederacy, law, rule, possession, honor, cause, region, place, trade, controversy // *aoin* = unite, join // *rann* = bond, tie, relationship, genealogy, ancestry, pedigree) +
(**cū'w** = *suidhich* = betrothe, settle terms of marriage, arrange, plan, settle, appoint, win, repose) +
(**aca** = *aisg* = love token, pledge, request, gift // *earras* = the person secured on the principal, provision, wealth, treasure, property, goods, portion, precaution; *Théid Eilidh 'sa h-earras dhachaidh* = Helen and her marriage portion shall go home.) //
Compare Gàidhlig *nuathar* = wedding // *nuachar* = bridegroom, bride, companion //
iqâca' (11) let me marry you // ā'waca (46) married // A'ġacān (47) when they married // a'odîca (49) they started to marry // ducā'q!awe' (137) when they tried to marry //

AdakA'dīnawe in exactly the opposite direction (34) // See aġaA'dînawe below.

A'dawe things those (110) // See At.

ā'dawe See Anaā'dawe.

āeġayā't below it (64) // āeġayā' (66) in front of [the house] // *aghaidhichte* = fronting, facing, confronted, opposed, opposing //
(**ā** – it-it) See p174. +

(**e** = ŷê – sense of positioning, pull (operation of metaphysics)) See p120. //
(**e** = de = downward, seaward, lakeward) See p104. +
(**ġa** – for, subjective mood of action = *gabh* = betake, repair, proceed to, go, (motion), rest) See p129. +
(**yā'** = *rach* = travel, go, move, proceed, walk) //
(**āeġayā'** – way (up front), way (down below), etc. = *fa seach* = apart, separate, distinctly, individually, alternately, (adverbs)) +
(**t** – to a full extent) See p112. //
Compare ġêna't (158) below here //

aġaA'dînawe when they came (21) //

(**aġ** = ak – present action in some direction) See p101. +
(**a** – they-it) See p174. +
(**A'd** = *a dol* = (part participle of *rach*) // *rach* = go, proceed, move, travel, walk) // *dol* = going, walking, proceeding, traveling)
(**d = dî / dîn** – precipitant) See p150. //
(**î / în** = *imich* = walk, go, stir, budge, depart, advance, come)
(**dî** = *triall* = go, depart, set out, stroll, march, walk, traverse, travel, intend, purpose, imagine, plot, devise
(**dî / dîn** = *dian-imeachd* = fast walking (noun)) //
(**n** – focus, gathering together, with, in) See p130. +
(**awe** – explain) See p126. //

AdakA'dīnawe (34) in exactly the opposite direction //

(**A** – *a* = at, to, in, about, in the act of) See p100. +
(**dak**: = daq – up, homeward, inlandward, toward the forest) Note: Opposite direction because the bears went

down toward the water; de is opposite of daq. See p104. //
Compare daā'dawe (6) wanting to go // naAdî' (18) going // naA'dî (19) when they had gone // itī'q!awe (19) when they had gone // Anaā'dawe (26) when they were going // ā'dawe (34) when they went // naadê', ġonaye' (34) when they were going, started // aā'dawe (35) when they came) // ŷāġāā'dawe (39) when they were gaining on her // wugudī'awe (165) when he came //

A'ġacān when they married (47) //
(**A'** – refer to someone or something before they take action) See p146. //
(**A'** = *rann* = bond, tie, relationship, genealogy, ancestry, pedigree // *aoin* = unite, join) +
(**ġa** = *gabh* = betake, proceed, undertake, (feel emotion), accept, receive, take, assume, must, compelled to, make secure, entertain, conceive, become pregnant) See p152. +
(**cā** = *aisg* = love token, pledge, request, gift // *earras* = the person secured on the principal, provision, wealth, treasure, property, goods, portion, precaution; *Théid Eilidh 'sa h-earras dhachaidh* = Helen and her marriage portion shall go home.) +
(**n** – focus, in, gathering together, with) See p155. //
Compare Acū'waca (17) that married her // ā'waca (46) married //

aġacA'ttc when she would catch (93) //
(**a** – she-them) See p174. +
(**ġa** –*gabh* = (all subjective moods of action that can be expressed in a sense of 'taking on' or fulfilling a role) take, accept, receive, contain, hold, sing, say, deliver, (express emotions), put on (disguise), catch (fire, infection, ferment), undertake, endeavor, be concerned with, arrange, must, compelled to, enlist, engage as a servant, make secure, entertain, treat, acknowledge, worry, conceive, become pregnant, beat, belabor, betake, repair, proceed to, go, (motion), rest) See p152. +

(**cA’t** = *sgrath* = pull, tug, rough handling, horror, dread, (nouns) // *glac* = catch, sieze, apprehend, feel, receive, accept, resume, (verbs); hollow of the hand, embrace, (nouns)) +
(**tc** – intensifier and catcher in the way of a spiral) See p134. //
Compare awu’łîcāt (89) caught // wudułcā’dî (91) was caught

akA’ndagAnêawe' when it was daylight (109) //
(**a** – it-it) See p174. +
(**kA’** – action in some direction) See ak, p147. +
(**n** – focus, time focus / when, gathering together, in) See p130. +
(**dagA / dagAnê** = *camhanach* = dawn, early morn, twilight) Compare dîgī’yīga.
(**nê** = *neul* = glimpse of light, nap or wink of sleep, sight, star, trance, swoon, cloud, hue, complexion, blemish, stigma) +
(**awe’** – explaining) See p126. //

aka’wanîk she told it (31) // aka’wanêk (165) he told it //
(**a** – she-she (31), he-they (165)) See p174. +
(**ka’wa** = *cuadh* = (OG) tell, relate // *cagair* = conspire, suggest, whisper, listen to a whisper) +
(**aka’** = *ag ràdh* = (part participle of *abair*) // *abair* = say, utter, affirm, express // *ràdh* = saying, act of saying, affirming, expressing, word, saying, adage, proverb, assertion, speech, noise)
(**wanik** = *rannaîch* = bring to a point, compose verses, versify, rhyme) //
(**wan** = *ran* (OG) clear, noble, evident, nimble) //
(**nîk / nêk** = *nàirich* = browbeat, insult, shame, affront, make ashamed) //
Compare yuq!wA’nskāniłnîq (164) tell that // yū’ckAłnīk (166) he said // kāwadī’q! (175) she became ashamed //

Ak!ayaxê' on the edge of a lake (40) //

(A = *amh* = (OG) water, ocean) +

(**k!ayax** – fortunately, unfortunately // *crannchur* = fortune (whether good or evil), predestination, fate, destiny, lot, portion, share, casting of lots, ballot // *cràbhaich* = austere, devout, religious, pious, hypocritical)

(**yaxê' /ê'** = *iadhadh* = circumference, surrounding, enclosing, meandering (as, stream), circuit)

(**ê'** = *eochair* = edge, brink, brim // *èarr* = limit, boundary, extremity, bottom, end, rock submerged on promontory, tail (as, salmon)) //

Compare q!AnAskîdē'tc (97) poverty // q!anAckîdē'x (181) poor.

akînā' on top of it (55) //

(**a** = *a* = at, to, in, about, in the act of) See p100. +

(**kîn** = *ceann* = top, head, point, end, extremity, headland, promontory, limit, attention) +

(**ā'** = *àrd* = high, lofty, eminent, supreme, great, noble, excellent, proud, loud (adjectives); (also acts as adverb as a prefix, so could become suffix in Hlingit; eg. *àrd-shona* = supremely happy) // *airde* = height, altitude, eminence, high place, promontory, highness, excellence // *àird* = quarter of the heavens / point of the compass, heaven, condition, state, preparation, improvement, device, expedient, order, happiness, comfort)

Compare kē (21) up // ke (35) up // kînā'q! (51) on top of.

akucîtA'n liked to pick (2) //

(**aku** – would, used to) See p125. +

(**cî** – pick = *sgiab* = pull or snatch at anything, skim, start or move suddenly, open widely (eg. legs of compass, straddle one's legs), gape, yawn // *spion* = pull, pluck up, snatch, tear, tear or take away by force or violence, drag, root, peel, eradicate // *spionadh* = motion, action, pull, pluck, tear, act of snatching or taking suddenly away, plucking, act of plucking or pulling, (nouns)) +

(**tA'n** –get from somewhere, become (eg. shape) See p162. //
Compare Gàidhlig *spionta* = currant, gooseberry.

Akū'dadjītc it would suddenly turn (62) //
(**Ak / Akū'** – would, used to, past continuing) See p125. +
(**ū'da** = *udail* = cause to totter or shake, remove, cause to remove, float, dangle, shake, toss, oscillate, flounder // *ag udail* = (part participle of *udail*) // *udal* = moving, wavering, tossing, dangling, floating, oscillating, fluctuating, moving to and fro (as a light substance in an eddy), state of being ejected, state of being tossed from place to place, state of being absent, pensioner on the bounty of others (who was once in good circumstances) // *uideal* = tossing about, moving to and fro, wavering, unsteadiness, tottering, jeopardy, flail // *udalan* = swivel, swivel of a tether, runner of a cart, hinge, wooden hinge of a door, (nouns))
(**djī** – precipitant) See di, p150. +
(**tc** – intensifier and catcher in the way of a spiral, always) See p134. //

akuġā'ntc would burn (23) //
(**aku** – would, used to) See p125. +
(**gā'** = *gàbhadh-bheil* = druidical trial by fire // *glan* = blaze, brighten, beam, clean, purify, cleanse, wash, wipe, free from scandal (verbs); bright, radiant, resplendent, sincere, clear, pure, righteous, clean (adjectives); wholly, thoroughly, purely) +
(**n** – focus, in) See p109. +
(**tc** – intensifier and catcher in the way of a spiral, always) See p134. //

akust!ē'q!Atc would break up always (63) //
(**aku** - would, used to, past continuing) See p125. +
(**st!ē'** = *steall* = cause to spout, gush, pour out irregularly, spout (as from a squirt or pipe), squirt, plash //

stear = knock, cudgel) +

(**q!** – frontier, pioneer, border, in) See p111. +

(A – it-it) See p174. +

(**tc** – intensifier and catcher in the way of a spiral, always) See p134. //

ā'Len big one (126) // See Le / Len.

Ałeq!ā' red (113) // *flann* = red, blood-red // *flann-dhearg* = purple, red, staynard color in heraldry (used to express some disgrace or blemish in a family) // *dearg* = red color, crimson, red deer, creature, wound, impression, red mark on sheep // *leac* = cheek, plate (as of metal), flag, slab, flat stone, tombstone, slate to write on, declivity, summit of a hill, ledge of rock jutting out from foot of cliff on foreshore and covered by the sea at flood tides, house //

Compare Gàidhlig *leaghta* = melt, smelt, cause to melt, fuse, thaw, dissolve, become liquid // *leaghta* = melted, molten, smelted, dissolved, become liquid // *lealg* = lick (verb) // *leòbach* = large-mouthed, having hanging lips // *leth-ruadh* = somewhat red, reddish, brown // *leathraich* = flatten, malleate //

dułēq!A' (119) its (mouth's) redness //

aLī'L! want (5) //

(**aLī'** = *àill* = desire, will, pleasure) +

(**Lī'L!** = *triall* = intend, purpose, imagine, devise, plot, journey, traverse, set out, go, stroll, depart, march, walk, travel) //

ALī'q!anutc always got (20) //

(A –refer to someone or something before they take action, or before something happens) See p146. +

(**Lī'q!** = *gléidh* = get, provide, retain, hold, keep, preserve, find, tend) +

(**a** – she / it) See p174. +

(**nutc** – tendency & intensifier or catcher in the way of a spiral, always) See p132. //

an town (1, 99) // ŷīī'c ānî' (33) your father's town // duī'c ā'nî (55) her father's town //
(**a / an** = *taim* = (OG) town // *ràth* = village, town, residence, plain, cleared spot, fortress) +
(**n** – focus) See p109. //
Compare Old Gàidhlig *an* = planet, element, principle, water, falsehood (nouns); still pleasant, noble, true, swift, pure //
Ts!ūtsxA'n ā'nî (51) Tsimshian town // Ts!ū'tsxAn ā'nî (54) Tsimshian town //
(**î** – take time and care, possession) See p173. //
ānqā'wo (1) town chief // łīngî't-ānē'q! (145) in the world //

a'na she was putting in (10) //
(**a'** – hands carefully taking up = *bas* = the palm of the hand // *baslach* = handful, the full of the two palms placed together, bunch, cluster // *basardaich* = clapping of the hands for joy, acclamation, rejoicing // *basgaire* = applause, mourning // *basgair* / *basgaird* = applause // *bas-mhol* = applaud // *amais* = find, aim, mark, hit, chance // *fasgain* = winnow, sift // *fasgnadh* = winnowing, cleansing of grain out of doors // *fas-lomairt* = preparation of victuals in the fields or hills, expeditious method of cooking victuals in the stomach of an animal, temporary habitation, hasty meal) //
(**a'** – deposit = *leag* = lay, lay down, throw down, lay with (as paving), put down (as a wrestler), demolish, fell, cool) +
(**n** – focus, in) See p109. +
(**a** – them / she) See p174. //
Compare ŷAsahē'x (7) were picking up and putting.

Anaā'dawe when they were going (26) // ā'dawe (34) when they went, (177) when came // aā'dawe (35) when they came) //

(**A** –refer to someone or something before they take action, or before something happens) See p165. +

(**n** – focus, time focus / when, in, gathered together) See p130. +

(**a** – they-it) See p174.

(**ā'd** = *a dol* = (part participle of rach); rach = go, proceed, move, travel, walk // *dol* = going, walking, traveling, proceeding, ways, space, distance, state, condition (nouns)) +

(**awe** – explaining) See p126. //

Compare daā'dawe (6) wanting to go // naAdî' (18) going // naA'dî (19) when they had gone // aġaA'dînawe (21) when they came // naadê', ġonaye' (34) when they were going, started //

ānagu'ttc he always went (109) //

(**ā** – he-it) See p174. +

(**n** – focus, time focus / when, gathering together, in) See p155. +

(**a** – refer to someone or something before they take action, or before something happens // *a* = at, to, in, about, in the act of) See p146. +

(**gu** = *gluais* = move, go, walk, advance, proceed, march, put in motion, bestir, make a motion, get up, afflict, agitate, provoke, afflict, touch pathetically) +

(**t** – to a full extent) See p112. +

(**tc** – intensifier and catcher in the way of a spiral) See p134. //

Compare ū'wagut (See u).

anAsnī'awe when she had made them (109) (Context: Bows and arrows) //

(**a** – she-them) See p174. +

(**anA / nA** = *artragh* = (OG) make. [I guess *artragh* is make, because *artragham* = (OG) I do make; *-am* = I] //

fàg = make, render, effect, relinquish, leave, abandon) +
(**snī'** = *snìomh* = wrench, wring, twist, twine, spin, wind, wind yarn, curl // *sneag* = notch, cut, nick, dent)
(**awe** – explaining) See p126. //
Compare manner of action in snī' to djā'q (any wrangling type of movement or action, as with the arms), p151, eg. dudjā'q (68) beat him.
aołîyA'x (99) she made // odusniyî' (25) they did // ŷā'nAłyAx (126) he was making from //

ā'nēł — into the house (159). See nełixA'nq!awe, in ABC Dictionary section, N.

ā'ni — place (21) // *ionad* = place, position, abode //
(**ā'** = *àite* = place, spot, part, region) +
(**ni** = *ionad* = place, position, abode) //

ānqā'wo — a (town) chief (1) //
(**ān** = *taim* = (OG) town // *ràth* = village, town, residence, plain, cleared spot, fortress) +
(**qā'** = *caraid* = male friend or relation, cousin) +
(**wo** = *mór* = renowned or famous person, mighty person, chivalrous person (nouns); chief, principal, important, of high rank, esteemed (adjectives)) //
(**qā'wo** = *gaoil* = (OG) kindred, family // *gaoine* = (OG) goodness, honesty // *gaoi* = (OG) wisdom, falsehood)
yuānqā'wo (81) the chief
(**yu** – term of respect) See page 343. //
Yā'dat!A'q!-anqā'wo (132) this pounding rich man //

a'odîca — they started to marry (49) //
(**a'odî** - beginning to do something together with energy) See p148. //

(**a'** –refer to someone or something before they take action) See p174. +

(**o** – peak of energy) See p132. //

(**a'o** = *aoi* = (OG) compact, confederacy, law, rule, possession, honor, cause, region, place, trade, controversy // *aoin* = unite, join) +

(**dî** – precipitant) See p150. +

(**ca** = *aisg* = love token, pledge, request, gift // *earras* = the person secured on the principal, provision, wealth, treasure, property, goods, portion, precaution; *Théid Eilidh 'sa h-earras dhachaidh* = Helen and her marriage portion shall go home.) //

iqâca' (11) let me marry you // ā'waca (46) married // A'ġacān (47) when they married //

aodîcî' came to wish (96) //

(**aodî** beginning to do something together with energy) See p148. +

(**cî'** = *spìd* = reproach, censure, contempt, shame, tyranny, infamy, speed, expedition, activity, quickness, preparation // *sir* = want, seek, search, demand, ask, request // *miannaich* = desire, long for, wish for, covet, fix one's heart on, lust after) //

aodzînî'q! she smelt it (143) //

(**aodzî** = aodî– beginning to do something together with energy) See p148. +

(**dzî** – precipitant, immoderate) See di, p150. +

(**nî'q! / ao_nî'q!** = *fairich* = smell, feel, perceive, observe, watch, awake, arouse, bestir // *snot* = smell, snuff the wind, turn up the nose in smelling, snuffle, suspect, have a suspicion) //

Compare Gàidhlig *minich* = interpret, expound, explain, illustrate, make small, pulverize, polish, smoothe // *minichte* = abstracted, expounded, interpreted, explained, smoothed, polished // *mionn* = atom, particle, jot // *mion-dearbhadh* = detailed proof or evidence // *mionach* = (OG) metal //

aołicā’t — caught it (142) //

(**aołi** – doing softly and secretly but heroically) See p148. +

(**łî / łîcā / łîcāt** = *sliobasta* = clumsy // *slìobach* = clumsy, awkward // *sgiab* = snatch at, start or move suddenly, pull or snatch at anything, skim, open widely (as the legs of a compass), straddle one’s legs // *sgiabag* = hasty touch or snatch, slap in play // *sgrath* = pull, tug, rough handling, horror, dread, (nouns) // *glac* = catch, sieze, apprehend, feel, receive, accept, resume, (verbs); hollow of the hand, embrace, (nouns)) //

(**łî** – over to that side) See p109. +

(**cā’t** = *sgrath* = pull, tug (nouns); pull, tug, handle roughly // *spac* = sudden exertion (as in wrestling) // *spachadh* = plucking up by the roots // *sàs* = lay hold of, seize upon, adhere to, grasp, grapple // *glac* = catch, sieze, apprehend, feel, receive, accept, resume, (verbs); hollow of the hand, embrace, (nouns)) //

Compare awu’łîcāt (89) caught // wudułcā’dî (91) was caught //

aołîyA’x — she made (99) //

(**aołîy** –doing softly and secretly but heroically) See p148. +

(**A’x** = *artragh* = (OG) make. Note: This is assumed from Gàidhlig *artragham* = (OG) I do make; *-am* = I // *fàg* = make, render, effect, relinquish, leave, abandon) //

aosîku’ — knew (139) //

(**aosî** – doing softly and secretly but heroically) See p148. +

(**ku’** = *cuimhnich* = recollect, remember, bear in mind, recall to memory // *cuig* = secret, mystery, advice, counsel // *cuilbheart* = wile, trick, cunning, craft, deceit) //

a’osînî — he prepared (115) //

(**a’osî** – doing softly and secretly but heroically) See p148. +

(**nî** = *ni* = deed, circumstance, business, affair, fact, thing, substance, (nouns); shall do, will do) See p157. //

aosî'ne — he put (177) //
(**aosî'** – doing softly and secretly but heroically) See p148. +
(**ne** = ni – sense of readiness, do = *ni* = deed, circumstance, business, affair, fact, thing, substance, (nouns); shall do, will do // Note: Difference between ne and ni is the particle e – beginning and end.) See p157, 151. //
(**ne** = *neas* = (OG) generous, noble, magnanimous // *neich* = good, noble, excellent // *neasta* = (OG) just, honest) //

aosîte' — took (139) //
(**ā'w** = *faigh* = get, obtain, find, acquire, reach) See nġa, p131. //
(**aosî** – doing softly and secretly but heroically) See p148. +
(**te'** – *teagair* = furnish, supply, provide, collect, cover, shelter, protect) //
ā'watAn (83) he took // a'watan (88) she took //

aositī'n — saw (26) //
(**aosi** – doing softly and secretly but heroically) See p148. +
(**t** – extent) See p112. +
(**tī'n / sitī'n** – doing something carefully and wisely, see, look, hard to manage // *sealltainn* = looking, act of looking, seeing, viewing, observation, view // *seall* = see, look, behold, show // *cìdh* = (OG) see, behold // *steòrn* = manage prudently, govern, guide, direct, guide by the stars, regulate, strut, swagger in walking // *iongantas* = wonder, miracle, surprise, astonishment, phenomenon, marvellousness, curiosity; eg. *ghabh mi iongantas* = I wondered; *tha thu 'cur iongantas orm* = you surprise me) See p161. //
Compare dutī'n (71) they saw // wudustī'n (94) saw [them] // qōstī'ŷīn (128) there was // dustî'ndjîayu' (145) having ever seen // ŷawusaŷe'awe (160) when he looked // nA'xsAtīn (181) is // ckA'teAtsinen (184) used to cost //

aq — make (50) // *fàg* = make, render, effect, relinquish, leave, abandon // *faigh* = get, obtain, find, acquire, reach //

ā'q!aołitsīn — is expensive (182) // *tionnsgradh* = dowry, reward, portion // *tionnsgrà* = wages, reward, dowry //
(**ā'** – is // *tha* = is) See p124. +
(**q!aołitsīn / q!aołi** = *cosgail* / *cosdail* = expensive, dear, costly, extravagant, profuse, prodigal) +
(**tsīn / sīn =** sitī'n – doing something carefully and wisely, hard to manage, see, look) See p161. //
(**ā'q!** = *abachd* = (OG) gain, lucre, exploits)
(**q!aołi** = kaołi – blissfully unaware then suddenly, paying no attention then suddenly; gently before a powerful action) See 154. //
(**kaoł** = *claon* = go aside, go wrong, rebel, move aslant or obliquely) //
Compare kaoĻîŷA's! (4) she stepped // yua'xk!Anya-ka'oĻîgAdî (17) what angrily had spoken to // aositī'n (26) saw // ka'ołiga (59) they loaded it with // dutī'n (71) they saw // ka'oduĻî-u' (98) they let him go // qōstī'ŷīn (128) there was // dustî'ndjîayu' (145) having ever seen // Acuka'ołîtsAk (170) they kicked // nA'xsAtīn (181) is // ckA'teAtsinen (184) used to cost //

aq!a'wułt — to his door (169) //
(**a** –at, to, in, about, in the act of) See p100 +
(**q!a'** = *cas* = gape, turn against, thwart, oppose, fire or cast (as a stone), approach, brandish, bend, twist, wreathe, climb, stop, hesitate, shoot) +
(**a' / a'wu** = *atuinn* = gate, wicket, palisade, rafter) +
(**wu** – describes extent) See p117. +
(**ł** – over to that side) See p109. +
(**t** – to a full extent) See p112. //

Compare q!axā't (151) door //

(**q!** – pioneer, border, frontier, in) See p111. //

(**q!ax** = *cas* = gape, turn against, thwart, oppose, fire or cast (as a stone), approach, brandish, bend, twist, wreathe, climb, stop, hesitate, shoot) +

(**ā' / ā't** = *atuinn* = gate, wicket, palisade, rafter) +

(**t** – extent, to a full extent) See p112. //

yuhî'tŷīanA'q (173) from the house door //

asnī' he finished (133) //

(**a** – he-it) See p174. +

(**s** – extremely, supremely, very (applies to progress and quality of something) See p133. +

(**nī'** – sense of readiness, do // *ni* = deed, affair, business, circumstance, fact, thing, substance, (nouns); shall do, will do) See p157. //

At things (10, 30, 59, 128, 183), something (23, 180, 181), [is] a thing (Context: anything) (74) // *math* = profit, prosperity, fruit, good, advantage, benefit, amelioration, purpose, end, kindness, inclination, wish // *dad* = anything, aught, whit, trifle, jot // *seud* = thing, nothing, reward, jewel, instrument, darling, hero, way, path, precious stone // *cnead* = anything // *taisg* = anything laid by, deposit, saving, pledge // *alt* = condition, state, order, method, joint / articulation, ((OG) eminence, hill, leap, exaltation) //

duła't (70) were coming in their things //

(**du** – their-them) See p80 +

(**ł / ła** – over to that side) See p109 +

(**t** – to a full extent) See p112. //

Atcawe' (53) that is why // Atcawe' (97, 181) this is why //

(**c / cawe'** = *seo* = this, these) +
(**awe'** – explaining) See p126. //
dē'tc!a (72) very thing
(**dē'** = *deachdta* = quite certain // *gu deachdta* = most certainly, most assuredly // *dearbh ni* = very thing)
(**tc!** – intensifier and catcher in the way of a spiral = *seadh* = furthermore, truly, indeed, yes) See p113. //
(**tc!a / a** = ᴀt) //
yū'ᴀtłaᴀt (73) their things
(**yū'** – term of respect) See page 343. +
(**ła** – over to that side) See p109. +
(**t** – to a full extent) See p112. //
ᴀtġᴀxā' (81) let eat something // *abhaisteach* – adhering to custom, usual, habitual, according to custom, customary //
(**ᴀt** – something) +
(**ġᴀ** –for, subjective action = *gabh* = (all subjective moods of action that can be expressed in a sense of 'taking on' or fulfilling a role) take, accept, receive, contain, hold, sing, say, deliver, (express emotions), put on (disguise), catch (fire, infection, ferment), undertake, endeavor, be concerned with, arrange, must, compelled to, enlist, engage as a servant, make secure, entertain, treat, acknowledge, worry, conceive, become pregnant, beat, belabor, betake, repair, proceed to, go, (motion), rest) See p129. //
(**ġᴀ** = *glàm* = eat greedily, gobble, seize voraciously (as, a dog), devour, glut // *glac* = take, accept, receive) +
(**xā'** = *màm* = handful (as much of grain or such substance as can be taken up by holding the two hands together // *maise* = (OG) food, victuals) //

yē’At (96) for this

(**yē’** = *seo* = this, these) //

Atk!A’tsk!ᵘ (97) a little boy’s // yuAtk!A’tsk!ᵒ (106) the little boy //

(**yu** – term of respect) See page 343. +

(**At** – thing) //

(**At** – *tàcharan* = child left by the fairies, orphan, weak helpless being, sprite, ghost // *tacharra* = changeling, pygmy) //

(**At** = ŷê’t) See ŷê’tq!î in Pronouns & people, p191, See also ABC Dictionary section, Y.

(**k!A’tsk!ᵘ** = *crileag* = small, trifling, diminutive // *caifeanach* = trifling, diminutive)

(**k!A** = *beag* = little, diminutive, sordid, disagreeable) +

(**tsk!ᵘ** = *sgriothail* = lot of small items (as small potatoes), crowd of young creatures; eg. *chuir e sgriotal dheth* = he spoke a great many words with little substance in them // *sgrioth* = gravel // *sgriothal* = crowd of young creatures or small things) //

A’dawe (110) things those

(**A’d** = At) //

(**awe** – explaining) See p126. //

qo’dzîtī’yī-Atx (185) living thing //

ā’t!Aq!anutc he would pound (127) //

(**ā’t!** = *òrd* = hammer, mallet, sledgehammer, stub, piece, fragment, junk, dog-head of a gun (the part of a gun-lock from which the flint strikes fire)) //

(**ā’t!Aq!a / Aq!a / At!aq!A’** = *aothachd* = (OG) ringing of bells, chime of bells // *claidean* = absurd hammering at anything, dangling, (nouns)) +

(**nutc** – tendency & intensifier or catcher in the way of a spiral) See p158. //

at!ē'q! (129) he pounded //

(**at!_q!** = = *aothachd* = (OG) ringing of bells, chime of bells // *claidean* = absurd hammering at anything, dangling, (nouns)) +

(**ē'** – beginning and end, (one use of this particle is for repetitive tasks or activities that involve coming or going)) See p128. //

At!aq!A't (133) he was pounding //

(**t** – to a full extent) See p112. //

ātē'xŷa where she slept (140) //

(**ā** – she-it) See p174. +

(**tē'xŷa** = *teirig* = repair to, wear out, be exhausted, be spent, spend, exhaust, fail) //

at!o'kt! shooting with them (109) // t!u'k (119) shoot it //

(**a** - refer to someone or something before they take action, or before something happens // *a* = at, to, in, about, in the act of) See p146. +

(**t!o'kt!** = *tilg* = shoot, fire (as a gun), throw off, fling, cast, throw, shoot with an elf-shot, produce, bring forth, yield, cast (as molten metal), shed, let fall, moult, vomit // *tulg* = toss, swing, jolt, push, wave, rolle, oscillate, fluctuate, make a hollow (as on the surface of a plate of metal) //

at!o'kt!înutc (110) he would shoot

(**î** – taking time and care) See p153. +

(**nutc** – tendency & intensifier or catcher in the way of a spiral) See p158. //

Compare awut!ū'guawe (120) when he had shot it // ku-doxē'tc (131) they always threw // caoduĻîġê'tc (178) they threw away from //

atū’nAx — through them (93) //
(**a** – them-she) See p174. +
(**tū’nAx** = *troimh* = through, from side to side, all over, along the whole extent, by, from, by means of) //
(**atū’** - would, used to, past continuing // compared to aku, atu has more a sense of happening in your direction, and excitement) See aku, p125. +
(**n** – focus, gathering together, in) See p109. +
(**Ax** – out) See p102 //

atūtxī’nawe — from into it (the clothing) (23) //
(**atu** – would, used to, (past continuing)) See aku, p125. +
(**txī’** = *crithre* = (OG) small particles of anything, small sparks from the collision of arms // *crithear* = spark of fire, drinking cup) +
(**n** – focus, in) See p109. +
(**awc** – cxplaining) See p126. //

ātxê’qdê — down (6) (Context: Back down to the house) //
(**ā** – refer to someone or something before they take action) See p100. +
(**txê’q** = *steach* = into the house, in, into, enter) See also p117. +
(**dê** – down) See p104. //

ā’waca — married (46), he married her (154) // *nuathar* = wedding // *nuachar* = bridegroom, bride, companion // *cubhas* = promise, word, *tree, block.
*Groves of trees, for the Celts, were sacred meeting-places. //
(**ā’w** = *aoi* = (OG) compact, confederacy, law, rule, possession, honor, cause, region, place, trade, controversy // *aoin* = unite, join // *rann* = bond, tie, relationship, genealogy, ancestry, pedigree) See also

ā'wa / nġa, p157. +

(**aca** = *aisg* = love token, pledge, request, gift // *earras* = the person secured on the principal, provision, wealth, treasure, property, goods, portion, precaution; *Théid Eilidh 'sa h-earras dhachaidh* = Helen and her marriage portion shall go home.) //

(**ā'** = he-her) See p174. +

(**wa** –appear, describes something or someone appearing in their next position or role) See p116. +

(**ca** = *aisg* = love token, pledge, request, gift // *earras* = the person secured on the principal, provision, wealth, treasure, property, goods, portion, precaution; *Théid Eilidh 'sa h-earras dhachaidh* = Helen and her marriage portion shall go home.) //

uwacạ' (164, 166) married her

(**u** – about, links two things (especially in cause & effect)) See p116. //

awucā'ŷetc (177) because he married

(**awu** – beginning to do something rebellious, beginning to do something alone with energy) See p149. //

(**awu** = awe – explaining; the difference between awe and awu is that awu explains through action) See p126.

(**cā'** – marry) See ā'wạca, above. +

(**ŷe** – blame or redemption, sense of positioning, pull (operation of metaphysics) See p171. +

(**tc** – intensifier and catcher in the way of a spiral, exact) See p134. //

iqâca' (11) let me marry you // ᴀcū'waca (17) that married her // ᴀ'ġacān (47) when they married //

ā'wadjᴀq killed (50, 51) //

(**ā'** = *marbh* = kill, murder, slay, assassinate, subdue, mortify, benumb, (verbs); dead, lifeless, (adjectives); repose, stillness, dead person) +

(**wa** –appear, describes something or someone appearing in their next position or role) See p165. +

(**djAq** – wrangling type of movement or action) See p151. +
(**q** – frontier, pioneer, border, in) See p158. //
Compare sadjA'qx (48) they always killed [them] // ŷāqġadjā'q (96) would kill him // wudjā'qtc (97) always is killed of.

ā'wagut — See u, in ABC Dictionary section, U.

awA'n — close by (90) // *am fagus* = near, at hand // *fagus* = near, nigh, nearly related //

ā'watAn — he took (83) // a'watan (88) she took //
(**ā'w** = *faigh* = get, obtain, find, acquire, reach) See nġa, p131.
(**a** = he-it) See p174. +
(**tAn** – get from somewhere, become (eg. shape)) See p162. //
Compare ġA'nġa (26) for firewood // u'tiyānġahē'n (63) when it would get hungry // aosîte' (139) took //

awatsā'q — he put it (84) //
(**a** – he-it) See p174. +
(**wa** = *cuir* = put, place, lay, send, invite, sow, act upon produce an effect, influence, tire) +
(**tsā'q** = *càirich* = place (put)) //

ā'wa-ū — had (56) (Context: had a baby) //
(**ā'** = *asait* = (OG) childbirth // *aiseid* = bear, be delivered, (verbs) // *àraich* = rear, bring up, educate, maintain, support) //
(**ā'** = *math* = profit, advantage, amelioration, inclination, wish, purpose, prosperity, fruit, kindness, hand) +
(**wa** – appear, describes something or someone appearing in their next position or role) See p165. +
(**ū** – *uiread* = have as much, have so much (eg. *Cha'n 'eil uiread sin agam.* = I have not as much as that.)) //
See also u, p309.

ā'waxox — he called her (146) (Context: Out at night) // *blaor* = cry (verb); cry, shout, (nouns) // *blaom* = flirt, start, boast, brag, blunder, (nouns) // *blaoghan* = the fawn's cry, the calf's cry // *blaodh-eun* = bird-call //
(**ā'w / ā'wa** = *bladh* = shout, blow, flattery, praise, meaning, essence, pith. substance, energy, juice, (nouns)) //
(**ā'** – he-her) See p174. +
(**xox** = *pòs* = marry, perform the marriage ceremony, become a married person) //
(xox = mach = out, without) Compare ax, p102. //

ā'wayA — carried (87) // ā'waya (124) he carried // *malc* = carry, bear // *mac* = (OG) bear, carry // *amar* = channel, trough, ditch, mill-dam, ((OG) chain, cable), (*amar-uisge* = aqueduct // *amar-mùin* = chamber-pot)) // *àlaich* = produce, bring forth, commence to, fall to, adopt, attack) //
(**ā'w / ā'wa** = *faigh* = get, obtain, acquire, find, reach) See nġa, p157. +
(**ayA** = *amar* = channel, trough, ditch, mill-dam, ((OG) chain, cable), (*amar-uisge* = aqueduct // *amar-mùin* = chamber-pot)) +
(**yA** – when (after success, feeling smart or successful)) See p170. //
Compare Gàidhlig *amh* = water, ocean // *àbh* = water.
awî'sīne'awe (90) when she brought it
(**î'sinē' / awî'sīne'**= *ùisineachadh* = treatment, using, act of using // *ùisealachd* = highest degree of hospitality, courtesy, usefulness, comfort, snugness // *uinnseachadh* = managing) +
(**awe** – explaining) See p126. //
Compare ā'watAn (83) he took // ī'usinē'x (30) saved you //

awu'lîcāt — caught (89) //
(**a** – he-she) See p174. + / See p167.
(**wu'** – describes extent = *ruig* = reach, extend to, arrive at, attain to, hold, stretch out, border, needs, must)

(**awu'łî** – doing something rebellious / beginning to do sth rebellious / alone with energy) See awuĻî, p149. +
(**łî / łîcā / łîcāt** = *sliobasta* = clumsy // *slìobach* = clumsy, awkward // *sgiab* = snatch at, start or move suddenly, pull or snatch at anything, skim, open widely (as the legs of a compass), straddle one's legs // *sgiabag* = hasty touch or snatch, slap in play // *sgrath* = pull, tug, rough handling, horror, dread, (nouns) // *glac* = catch, sieze, apprehend, feel, receive, accept, resume, (verbs); hollow of the hand, embrace, (nouns)) //
(**łî** – over to that side) See p109. +
(**cā / cāt** = *ceap* = catch, stop, intercept, obstruct, help // *glac* = catch, sieze, apprehend, feel, receive, accept, resume (verbs); hollow of the hand, embrace, (nouns)) // *sgrath* = pull, tug, rough handling, horror, (nouns)) //
Compare wudułcā'dî (91) was caught // aołicā't (142) caught it //

awuĻîgê'n she looked (37) //
(**a** – refer to someone or something before they take action, or before something happens) See p146. +
(**wuĻî** = *ruith* = look over, run over, retreat, speak fast, run, race, rush, flow (as a stream), chase) //
(**awuĻî** – doing something rebellious / alone with energy) See p149. +
(**gê'n** – influence, good or bad effect // *ceann* = genius, extremity, limit, ingenuity, period, expiration, end, top, point, head, attention (for good or bad, eg. *bi 'nad cheann mhath dha* = be kind (good) to him; '*na dhroch cheann dhuit* = very bad for you; *is dona an ceann sin dhuit* = that is against your health; *na cuir ceann 'na leithid sin* = do not attempt such a thing; *air cheann dha tighinn dhachaidh* = preparatory to his coming home) See ge, p152. //
(**gê'** = *cidh* = (OG) see, behold) +
(**n** – focus, gathering together, with, in) See p155. //

awułîsū' they chopped her (51) //
(**a** – she-they) See p174. +

(**wu** – describes extent) See p117. +
(**ĩîs** = *slis* = chip, slice, shave (as wood)) //
(**ū' / sū'** = *rùisg* = tear, rend, shave, disclose, reveal, clip, make bare) //

awusikū' she knew (65) //
(**a** – she-it) See p174. +
(**wusi** = *rus* = knowledge, skill, wood // *fios* = knowledge, information, notice / intelligence, understanding/ art, science, vision, word / message // *fiosrach* = well-informed, knowing expert, conscious, convinced, inquisitive, busy, prying // *fiosraich* = try / examine, ascertain, inquire, ask, investigate, inquire after, visit) +
(**ikū' / kū'** = *cùimhnich* = recollect, remember, recall to memory, bear in mind) //
wus-ha (143) it was [she knew]
(**h / ha** – was = *is* / *'s* = is // *tha* = is, are, am, art) +
(**a** – it-it) See p174. //
Compare aosîku' (139) knew //

awut!ū'guawe when he had shot it (120) //
(**a** – he-it) See p174. +
(**wu** – describes extent) See p117. +
(**t!ū'g** –*tilg* = shoot, fire (as a gun), throw off, fling, cast, throw, shoot with an elf-shot, produce, bring forth, yield, cast (as molten metal), shed, let fall, moult, vomit // *tulg* = toss, swing, jolt, push, wave, rolle, oscillate, fluctuate, make a hollow (as on the surface of a plate of metal) +
(**u / ua** = uwa – come, go, flee, run away // *ruag* = chase, put to flight) See uwa, p300.
(**awe** – explaining) See p126. //
Compare at!o'kt! (109) shooting with them //

Axhî'tîŷīdê' down to my house (147) // See hît.

AxḶā'k! my sister (67) //
(**Ax** – my) See p177. +
(**Ḷā'k!** = *caileag* = little girl, lassie) //
Compare Gàidhlig *adharadh* = (OG) diminutive person, sprite, dwarf // *dleasnas* = filial duty, affection, obligation, right //

aŷahê'taqguttc he always went up close by (111) //
(**a** – he-it) See p174. +
(**ŷa** – when (after success, feeling smart or successful) See p170. +
(**hê'** = *eisimh* = (OG) near, close at hand) +
(**taqgu** = *tarruing* = draw near, approach, advance, aim // *tarraich* = visit often, resort to, claim, crave, exact, (verbs); frequenting, resort, (nouns) // *tadhalach* = frequenting, fond of visiting, resorting to, calling for one, abounding in resorts, (adjectives) // *taig* = attachment of devotion to a person or place, habit, custom) +
(**t** – to a full extent) See p112. +
(**tc** – intensifier and catcher in the way of a spiral) See p113. //

aŷa'osîqa she said to (5), he said to her (9), said to (158), he said to him (164) // aya'osîqa (108) he asked //
(**a'** – she-it (5), he-her (9), he-her (108), he-him (158, 164)) See p174. +
(**ŷa'** = *radh* = saying) +
(**osî** / **osîqa** = *osgarra* = audible, distinct, emphatic) +
(**qa** = *cuadh* = (OG) tell, relate // *cagair* = conspire, suggest, whisper, listen to a whisper // *ag ràdh* = (present participle of *abair*) // *abair* = say, utter, affirm, express // *ràdh* = saying, act of saying, affirming, expressing, word, saying, adage, proverb, assertion, speech, noise) +

yū'aŷaosîqa (162) what said to him // yū'aŷaosîqa (163) he said to him //
(**yu** – term of respect) See page 343. //
Compare yū'ᴀcia'osîqa (11) what he said to her // yuacia'osîqa (42) what it said to her // yū'siaodudziqa (74) what he said to them // ŷawaqa' (75) said // ŷana-isᴀqa (76) you tell them (politely) // daŷadoqā'nutc (104) they always called him //

ayat!ᴀ'kq![u] in front of the bow (63) //
(**a** – on = *air* = on, upon, of, concerning, by, with) See p100. +
(**yat! / yat!ᴀ'** = *bàta* = boat) //
(**ayat!** = *aghaidh* = surface, brow, face, visage, countenance, reproach, (nouns); (*an aghaidh*) against, in opposition, (prepositions) // *saidh* = edge, prow of a boat or ship, treasury) +
(**ᴀ'kq![u] / kq![u]** = *cuairt-bheag* = brace stick of a boat (on front side edges of bow) // *braineach* = prow of a ship) //

ayêxak!ā'wu its seats (121) // ayᴀxak!āw'o (122) //
(**a** – it-it) See p174. +
(**yêx / yᴀx** – like, accordingly; Note: The difference between yᴀx and yêx is that yêx describes something that is hard to define, and gives a feeling of maybe, in my opinion, or as I recall, or it looked like.) See p142. +
(**ayêxa** = *uile* = all, altogether, quite, every, wholly, the whole) +
(**k!ā'wu / k!āw'o** = *clàr* = deck of a ship, any smooth surface or plane, table, desk, board, plank, lid, trough, (*clàrsach* = harp)) //

aŷîde' inside it (60) //
(**a** = *anns* = in, in the // *ann* = in him, in it) See p100. +
(**ŷî** – to (many connotations possible) = *ri* = to (denoting equality of one object with another, denoting attention

or earnestness), at, near to, against, in opposition to, in contact with, in (denoting employment or occupation), for (implying expectation or hope), of, concerning, with) See p121. +

(**de'** – down, seawards, lakewards) See p104. //

C

cā'ayu mountains were (14) // cā (37) mountain //

(**cā'a** = *stac* = conical hill, steep high cliff or hill, precipice, projecting rock, pillar, column, thick-set little man // *sliabh* = mountain of first magnitude, alpine plain, face of a hill) +

(**a** – was) See p124. +

(**yu** – term of respect) See page 343. //

cᴀdakū'q! a dance hat with high crown (41) //

(**cᴀda** = *danns* = dance, hop, skip) +

(**kū'q!** = *cuach* = cap, pail, drinking cup, bowl, goblet, hollow of a bird's nest, hollow or bosom of a hill) //

caoduĻîġê'tc they threw away from (178) //

(**cao** – do something hurriedly and roughly) See p149. +

(**du** – they-it) See p180. +

(**Ļî** = łî – over to that side) See p109. //

(**Ļîġ** = *tilg* = cast, throw, shed, let fall, fling, throw off, moult, fire / shoot (as a gun), produce, yield, bring forth, cast (as molten metal), reproach / cast up to, vomit) +

(**ġê'** = *leag* = throw down, demolish, lay down, lay, lay with (as paving), cool, fell, put down (as a wrestler))
(**ê'** – beginning and end, (also for repetitive tasks or activities that involve coming or going)) See p151. +
(**tc** – intensifier and catcher in the way of a spiral, exact, always) See p113. //
Compare doġê'tcnutc (103) they would always throw // at!o'kt! (109) shooting with them // ku-doxē'tc (131) they always threw //

cā'ŷadîhēn there were plenty (133) //
(**cā' / cā'ŷa** = *seo* = this, these, 'here') See xa, p139. //
(**cā'** = sa – extremely, supremely, very (applies to progress and quality of something) See sa, p133. +
(**ŷAdî** = *iomadach* = too many, many, numerous, abundant) //
(**ŷA** – were = *bha* = was, were) See p140. +
(**dîhēn** = *dirim* = plentiful, numerous // *meud* = as many as, magnitude, degree, extent, number, quantity, stature, size, bulk, dimension, degree of greatness or largeness, greatness, largeness // *meudaich* = increase, multiply, cause to increase, enlarge, add to, augment, improve, abound, grow in size // *meudaichte* = increased, augmented, enlarged, advanced) //
Compare ā'caŷAndihēn (53) began to be so many [there] //

caŷaqā'wadjAł stood all around (153) //
(**cā' / cā'ŷa** = *seo* = this, these, 'here') See xa, p139. //
(**cā' / cā'ŷa** = *stad* = stand, rest, wait for, stay, cease, stop // *stadhadh* = erect position, lurch, jogging, curve or backward bend in anything) +
(**ŷaqā'wadjA**= *iomad-druidhte* = circummured (walled round, encompassed with a wall) +
(**qā'wa** = *cuairt* = around, round, about) +
(**djAł** = looking impressive) See p151. +

(**ł** – over to that side) See p109. //

caŷa'oĻixAc were all cut off (121) //

(**ca** = *sàbh* = saw, cut with a saw, (verbs)) +

(**ŷa'oĻi** – things are looking fine then suddenly) See p171. +

(**xAc** – *mach* = out, outside) See ax, p102. //

ciaŷidē'kdaġā'x she began to cry for life (39) //

(**ci** = *ci* = lament, wail, weep (verbs); lamentation, noble animal, stag / the leader, hind, roe, animal, beast) +

(**a** – she-they) See p174. +

(**ŷidē'** / **ŷidē'k** = *inntreadh* = beginning, commencement) //

(**ŷi** = *inntrinn* = begin) +

(**dē'kda** = *deaghad* = living, diet, morals) See p149. +

(**ġā'** = for, (subjective action) // gabh = say, experience an emotion, deliver, pretend, enlist, acknowledge, endeavor, compelled to, must, be concerned with) See p152 +

(**x** – problem or vulnerability) |See p160. //

(**ġā'x** = *gailc* = sad predicament, agitation, flurry, excitement) //

cka' behaved (85) // *oileanaichte* = well-bred, polite, instructed, taught, nourished, reared, brought up) // *oir* = (OG) fit, becoming, proper //

ckAstā'xwâ was a young man (82) //

(**ck** = *òg* = young, youthful, (adjectives); youth, young man, young child) +

(**A** – was = *bha* = was, were) See p124. +

(**s** – problem, vulnerability) See p160. +

(**stā'xwâ** = *stràcair* = troublesome fellow, vagabond, wandering or gossiping fellow, thrasher, bruiser //

sgamhanach = feeble fellow whose breath shortens at a little exertion // *sgalag* = workman, farm servant, slave, rustic, ploughman // *sglàbh* = slave) +
(**tā'xwâ** = *tairgheag* = imp, brat // *tàcharan* = weak helpless person, orphan, child left by the fairies, cowardly feeble person, sprite, ghost) //

ckA'teAtsinen used to cost (184) //
(**ckA't** = *cosd* = cost, squander, spend, waste, wear, tear, (verbs)) +
(**eA / eAts** = *reachd* = due, right, authority, toll, law, statue, ordinance, command, power, authority, keen sorrow, (*reachdmhoireachd* = validity, stoutness, productiveness (as of corn), substantialness, sorrowfulness, pithiness) //
(**ckA'teAtsin** = *teachd-a-mach* = expenditure, product, increase, coming out, egress) +
(**tsinen / tsin** = sitī'n – doing something carefully and wisely, hard to manage, see, look) See page 161. +
(**e** – beginning and end, (also for repetitive tasks or activities that involve coming or going), the) See p151. +
(**n** – focus, gathering together, with, in) See p155. //
Compare aositī'n (26) saw // dutī'n (71) they saw // qōstī'ŷīn (128) there was // dustî'ndjîayu' (145) having ever seen // nA'xsAtīn (181) is // ā'q!aołitsīn (182) is expensive //

ctū'gas they liked [the one] (49) // *stuaigh*? / *stuaidh* = come near, approximate // *stuamag* = modest woman //
(**c_ū'g** = *sùg* = cheerfulness, happiness, mirth // *sùgair* = make merry, sport) Compare dułcu'gtawe, p234. +
(**t** – to a full extent) See p161 +
(**as / s** = sa – progress, very, supremely, extremely, (applies to progress and quality)) See p160. //

cū'djîxîn it flew (152) //
(**cū'djîxî** = *sgiathdachadh* = act of fluttering or plying of the wings) +
(**n** – focus, gathering together, in) See p109. //

cukAdawe' in front of (152) //
(**cuk / cukA** = *siùblach* = wandering, moving, traveling, flitting, transient, restless, (adjectives)) +
(kAd / kAdawe' = *aghaidh* = face, surface, (nouns); in opposition, against // *aghaidhichte* = fronting, facing, confronted, opposed, opposing) //
(**awe'** = *ream* (OG) = (*roimhe* = in front of him, before him or it, in preference to him) +
(**awe'** – explaining) See p126. //

d

da there (74) // *d'a* (= *do e*) = to him, to it // *d'a* (= *do a*) = to his or its //
(**da** = daq = there (without q, so doesn't have the up / homeward distance of q)) See p104. //

daā'dawe wanting to go (6) (Context: wanting to go back down) //
(**da** = *dallta* = in the very same way or manner, the very same case / way / method) +
(**ā'** = *àill* = desire, will, pleasure) +
(**d** = *dol* = going, walking, proceeding, traveling) +
(**awe** – explaining) See p142. //
Compare naAdî' (18) going // naA'dî (19) when they had gone // Anaā'dawe (26) when they were going // naadê', ġonaye' (34) when they were going, started // ā'dawe (34) when they went // aā'dawe (35) when they came) // ŷāġāā'dawe (39) when they were gaining on her // dA'xawe (50) way for her //

dAm (sound of door when kicked in).

dAnē't grease box (60, 63) //
(**dA** = *darach* = oak timber, oak wood, oak (quercus rober), ship (figurative)) +

(**n** – gathering together, focus, in = *naisgte* = sealed, secured, bound, made fast) See n, p109. +
(**ē'** = *ighe* = grease // *eolann* = preparation of fish oil etc. sprinkled on wool before carding, lamp oil) //
(**t** – full extent) See p112. //

dA'qde ashore (70) // *traigh* = seashore, shore of a lake or river, beach exposed at low-water, sand-beach, strand, reflux of the tide // *dachaidh* = homeward, home, (adverbs), home, residence, domicile, dwelling-place //
(**dA'q** – up, inlandward, toward the forest) See p117. +
(**dc** – down, seaward, lakeward) See p117. //

dā'sayu? what is that? (114) // *de tha seo*? = what is this? // *de tha an siod?* = what is that yonder? //

datcū'n towards the woods (13) //
(**da** / **datc**= *darach* = oak tree (quercus rober), oak wood, oak timber, ship, oak-wood, oak timber) +
(**tc** – intensifier or catcher in the way of a spiral) See p113. +
(**ū'** = *uaigh* = den, cave, cavern, grave, tomb, sepulcher) +
(**n** – focus, with, in) See p109. //
yudā'qq! (4) way up in the woods //

dAx from (21) //
(**d** / **da** – acting on something, on) See p103. +
(**ax** – out = *a mach* = out, out of) See 102. //
Compare Gàidhlig *o* = from, because, seeing that, for, ((OG) ear) // *do* = to //

dA'xawe way for her (50) //
(**d** – acting on something, on, off, of) See p103. +
(**A'** – they-her) See p174. +
(**x** / **xa** – to, a new situation, shows a loyal manner, steady and familiar) See p169. //

(**dA'x** = *fàrdach* = lodging, quarters, home, dwelling, house, hearth, mansion // *dachaidh* = residence, dwelling-place) See also daq, p104. +
(**awe** – explaining) See p126. //
Compare daā'dawe (6) wanting to go // ā'dawe (34) when they went //

dA'xda twice (89) //
(**dA'** = *dà* = two // *fa dhò* = (OG) twice // *a dhà* = twice)
(**x** – problem, vulnerability) See p160. +
(**da** – acting on something, on) See p149. //
dAxdanī'n (114) twice
(**nī'n** = *ùine* = time, a time, season, interval, leisure, life, lifetime) //
Compare dēx (13) two // dēx (157) two [days]

daŷadoqā'nutc they always called him (104) //
(**d** = *ràdh* = saying, act of saying, affirming, expressing, word, saying, adage, proverb, assertion, speech, noise)
(**aŷa** – when (after success, feeling smart or successful)) See ya, p170. +
(**do** – they-him) See p180. +
(**qā'** –*cuadh* = (OG) tell, relate // *cagair* = conspire, suggest, whisper, listen to a whisper // *ag ràdh* = (present participle of *abair*) // *abair* = say, utter, affirm, express // *ràdh* = saying, act of saying, affirming, expressing, word, saying, adage, proverb, assertion, speech, noise) +
(**nutc** –tendency & intensifier or catcher in the way of a spiral) See p158. //
Compare aŷa'osîqa (5) she said to // aŷa'osîqa (9) he said to her // yū'Acia'osîqa (11) what he said to her // yuacia'osîqa (42) what it said to her // yū'siaodudziqa (74) what he said to them // ŷawaqa' (75) said // ŷana-isAqa (76) you tell them (politely) //

de	now (37) // See desgwA'tc, below.

dekī't	far up (45) (Context: toward the sun) //
	(**de** – down, seaward, lakeward; & daq – homeward, inlandward, toward the forest, up. Usually de indicates down. However, this is so far up toward the sun, that it actually is beneath the sun.) See p104. //
	(**de** = *deisear* = having a southern exposure, sunny, conveniently situated, handy, applicable. // A custom of Gaels was '*deiseal air gach ni'*, the sunwise course is the best for everything; there was an old custom of making a sunwise circle, at a drinking fountain, a funeral or grave, making a circle with a burning brand round horse, cattle or corn to prevent their being burnt or affected by witchcraft, and a later custom of midwives making a circle to prevent faeries carrying away the child; the poor did it round their benefactor in blessing, seafarers or fishermen rowed sunwise before rowing their boat out to sea.) //
	(**de** = *deth* = from off, from among, from // *deachaid* = gone) +
	(**kī'** = *cian* = far-distant, remote, foreign, long, tedious, lasting, vast, causing regret or pain) +
	(**t** – to a full extent) See p112. //
	Compare Gàidhlig *deòrachadh* = banishing, banishment, act of banishing or exiling // *deòradh* = alien, stranger, helpless afflicted forlorn being, fugitive, outlaw // *crìonachadh* = blasting or scorching with heat, withering, decaying, fading) //

desgwA'tc	now (102) // desgwa'tc (111) now // *dràsda* (*an dràsda*) = now, the present time, at this time, (adverbs) // *deasaiachte* = prepared, made ready, adjusted, amended, corrected, dressed, cooked // *deachd* = assure positively, interpret, debate, teach, inspire, make completely certain, dictate, indite // (**desg** = *deasaich* = prepare, get ready, accomplish, dress, cook, bake, gird, correct, mend, attemper // (**wA'** – appear, describes something or someone appearing in their next position or role) See p165. + (**tc** – intensifier and catcher in the way of a spiral) See p134. //

de (37) now //
Compare Gàidhlig *deas-ghnàth* = ceremony, custom, usage.

dē'tc!a — very thing (72) //
(**dē'** = *deachdta* = quite certain // *gu deachdta* = most certainly, most assuredly // *dearbh ni* = very thing) +
(**tc!** – intensifier and catcher in the way of a spiral = *seadh* = furthermore, truly, indeed, yes) See p134. //
(**tc!a / a** = At - thing) See ABC Dictionary section, A. //

dēx — two (13, 184) // dēx (157) two [days] // *deise* = couple, pair, two persons, (*deisead* = symmetry of body, proportionable parts, neatness, elegance, appositeness, readiness, cleanness) //
Compare dA'xda (89) twice.

dîgī'yīga — in the middle of (long town) (1) //
(**dî** – design, ahead, immoderate, precipitant = *ti* = intention, design, purpose, pursuit, venture) See p106. +
(**gī'yī** = *cridhe* = center, heart, courage, presumption, nerve, understanding) +
(**ga** – describes an aspect of something, for) See p129. //
yī'gîŷî (35) at midday // gīyīġē't (41) in the middle (Context: something appears in the middle of a lake) //

dje, de, dja, djā'q — any wrangling type of movement or action, as with the arms // *dreag* = (OG) fight, wrangle, certify, signify, give notice //
dudja'q (68) beat him // kAdudjē'ławe (73) when they brought all // caŷaqā'wadjAł (153) all stood around // dju'deAt (167) started to rush //

dju'deAt — started to rush (167) //
(**dj** – precipitant, immoderate) See di, p106. //
(**dju' / u'** = *utagaich* = shove, push, jostle, raise a tumult // *driuch* = activity, energy, peevishness, fretfulness,

hair standing on end, (nouns); stand on end (as hair of the head), (verb); eg. *cuir driuch ort* = bestir yourself //
diùc = approach, present oneself, exclaim, cry out, (verbs / nouns) +
(**de / deAt** – any wrangling type of movement or action, as with the arms) See dje, above. //
(**A** – it-they) See p174. +
(**t** – to a fully extent) See p161. //

doġê'tcnutc they would always throw (103) //
(**do** – they-it (or him)) See p180. +
(**ġê'** = *leag* = throw down, demolish, lay down, lay, lay with (as paving), fell, put down (as a wrestler)) See p173.
(**tc** – intensifier and catcher in the way of a spiral) See p113. +
(**nutc** – tendency & intensifier or catcher in the way of a spiral) See p158. //
Compare ku-doxē'tc (131) they always threw // caoduĻîġê'tc (178) they threw away from //

dosqê'tc they always said (55) //
(**do** – they-she) See p180. +
(**s** = *arsa* = quoth, said) +
(**qê' / qê't** = *cnead* = sigh, moan, scoff, sudden sigh or moan (as when one gets a blow unexpectedly), (nouns); sigh, moan, scoff, groan) +
(**tc** – intensifier or catcher in the way of a spiral, always) See p134. //

ducā'q!awe' when they tried to marry (137) //
(**du** – they-she) See p180 +
(**cā' / cā'q!** = *aisg* = love token, pledge, request, gift // *earras* = the person secured on the principal, provision, wealth, treasure, property, goods, portion, precaution; *Théid Eilidh 'sa h-earras dhachaidh* = Helen and her marriage portion shall go home.)

(**q!** – frontier, pioneer, border, with) See p158. +

(**awe'** – explaining) See p126. //

iqâca' (11) let me marry you // Acū'waca (17) that married her // ā'waca (46) married // A'ġacān (47) when they married // a'odîca (49) they started to marry //

dudjā'q beat him (68) //

(**du** – he-she) See p180. +

(**djā'q** –any wrangling type of movement or action, as with the arms = *dreag* = (OG) fight, wrangle, certify, give notice) See dje, above.

(**q** – frontier, pioneer, border, in) See p158. //

dudjī'n her hand (91) //

(**du** – her-it) See p180. +

(**djī' / djī'n** = *min-lamh* = soft hand, soft arm // *dèarnadh* = palm of the hand, palm-ful // *trian* = *third part, ray, particle, district // *trianail* = handle or finger a stringed instrument // *pliut* = clumsy foot or paw, hand or foot (in derision)) Compare q!os, p285.

*The body possesses three extremities, head, legs and feet. The head and legs could be two polarities, while the arms at the middle are the third of the extremities. While three is important in Celtic culture, two is important in Native American culture. (See Bibliography & Notes, 'Dichotomy', and about geographical polarity, see Bibliography & Notes, 'Aconcagua' and 'Grandmother Mouse'.)

(**n** – focus, in, gathering together) See p123. //

Compare Acdjī'n (89) her hand //

dugudē'awe when he had gone (117) //

(**du** – he-it) See p180. +

(**gu** = *gluais* = move, go, walk, advance, proceed, march, put in motion, bestir, make a motion, get up, afflict, agitate, provoke, afflict, touch pathetically) +
(**dē'** – down, lakeward) See p104. +
(**awe** – explaining) See p126. //
Compare ū'wagut (10) came (See u).

dugu'ġun lay in streaks (79) //
(**du** = tu – would, used to, past continuing, sense of happening in your direction, and excitement) See aku, p125.
(**gu'ġu** = *geug* = sun's ray, man's arms, young superfine female, nymph, branch, sapling, sprig // *gath* = ray of light, sunbeam, ray, dart, arrow, javelin of any kind, sting, barb of an arrow, beard, snub, knot in wood, inner row of sheaves in a corn stack) +
(**n** – focus, gathering together, in) See p109. //
Compare q!os (72) shine (streaks).

duhî'tî his house // See hît.

duhî'tîq! in his house // See hît.

dukadê'q on top of him (i.e. his house) (103) //
(**du** – he-it) See p180. +
(**ka** – present action in some direction) See ak, p101. +
(**dê'q** – dachaidh = home, residence, dwelling-place) *Usually daq, see p104. +
(***ê'** – beginning and end, also for a repetitive task or action, the) See p161.
(**q** = *ceann* = top, end, extremity, limit, head, attention, point, hilt, headland, harvest-home, chief, ingenuity) +
Compare kē (21) up // kînā'q! (51) on top of // akînā' (55) on top of it

dukA'gu basket (6) //

(**du** – it / her) See p180. +

(**kA’gu** = *craidhleag* = basket, creel, skull // *càiteach* = basket, measure made of rushes, winnowing sheet, chaff, husks, refuse) //

duL!ā’ke her dress (36) //

(**du** – her-it) See p180. +

(**L!ā’ke** = *tlachd* = garment, beauty, pleasure, love, market, earth, liberality) //

duła’t See At.

dułcu’ġtawe’ when they laughed (134) //

(**duł** = *duisleannan* = ill-natured pretences, dissimulation, obstinacy, false complaints, freaks) +

(**cu’ġ** = *sùgair* = make merry, sport // *sùg* = hilarity, cheerfulness, mirth, cheerfulness, happiness) +

(**t** – to a full extent) See p161. +

(**awe’** – explaining) See p126. //

Compare udułcu’qnutc (105) they would laugh.

dułēq!A’ its (mouth’s) redness (119) // Ałeq!ā’ (113) red //

(**du** – it-it) See p180. +

(**łēq! / łēq!A’** = *flann* = red, blood-red // *flann-dhearg* = purple, red, staynard color in heraldry (used to express some disgrace or blemish in a family) // *dearg* = red color, crimson, red deer, creature, wound, impression, red mark on sheep // *leac* = cheek, plate (as of metal), flag, slab, flat stone, tombstone, slate to write on, declivity, summit of a hill, ledge of rock jutting out from foot of cliff on foreshore and covered by the sea at flood tides, house) //

(**q!A’** = *caibhe* = (OG) mouth, orifice // *clab* = open mouth, gaping garrulous mouth, thick-lipped mouth (ludicrous familiar term), lip, frog-fish, angler) //

du'qêtcnutc they always threw (21) //
(**du'** – they-them) See p180. +
(**qê / qêtc** = *leag* = throw down, demolish, throw down, put down // *creic* = dispose of, exchange, barter, sell) +
(**nutc** – tendency & intensifier or catcher in the way of a spiral, always) See p132. //
Compare doqê'tcnutc (103) they would always throw // ku-doqē'tc (131) they always threw.

dustî'ndjîayu' having ever seen (145) //
(**du** – they-it) See p180 +
(**stî'n / tī'n** –doing something carefully and wisely, see, look = *sealltainn* = looking, act of looking, seeing, viewing, observation, view // *seall* = see, look, behold, show // *cìdh* = (OG) see, behold // *chì mi* = I shall see (*chì* = future affinitive of *faic* // *steòrn* = manage prudently, govern, guide, direct, guide by the stars, regulate, strut, swagger in walking) See p161. +
(**djî** – precipitant, immoderate = definitely (not)) See p150. //
(**djî** – wrangling type of movement or action) See p151. +
(**a** = *bha* = was, were) See p124. +
(**yu'** – term of respect) See page 343. //
dutī'n (71) they saw
(**du** – they-they) See p180. +
Compare aositī'n (26) saw // wudustī'n (94) saw [them] // qōstī'ŷīn (128) there was // ŷawusaŷe'awe (160) when he looked //

dūwu' then his father-in-law (64) //
(**du** = *duine* = man, person, body, individual, the oldest person in the village) //
(**du** – his-he) See p180. +

(**wū'** = *fù* / *fo* = (OG) king, sovereign, honor, regard, esteem, decency, (nouns); good, unconcerned, easy, quiet, powerful // *fuilc* = family, kindred, tribe, blood, breeding, temper, nature // *fuath* = diminutive insignificant person, spirit, kelpie, spite, hateful object) //

duyê't her face (152), his face (161) //

(**du** – her-it (152), his-it (161)) See p180. +

(**yê't** = *beachd* = vision, eyesight, feeling, opinion, conception, edea, perception, observation, intention, behavior, conceit, carriage, surety, notice, attention, distinct recollection, covenant, circle, ring, multitude, embrace, compass, (verbs) // *aodann* = face, visage, forehead, surface, impudence) //

duyê'tayu (173) her face it was

(**a** = *a* = that, whom, which, what, who) See p174. +

(**yu** – term of respect) See page 353. //

e

ēq a copper (122, 128) // eq (139) copper // ēq (145, 182) copper // *mèinn* = ore, vein of metal, mine, desire, mind, inclination, disposition (good or bad), native quality or energy, love, fondness, discretion, clemency, expression, air, mercy, kindness, tenderness // *mèinnear* = mineral, miner, mineralogist // *mèinneil* = mineral, abounding in ores or mines, substantial, sappy (having sap), flexible, ductile, native, placid, well-disposed, discreet, prudent, tractable, tender, affectionate, merciful, pitiful, fond, valuable, desirable, productive / prolific (as a female) // *mèinnealachd* = flexibility, ductility (as of metal), softness (as of leather, grass, tallow), productive quality, kindness, goodness of disposition, amiableness, affableness, tractability, tenderness, fondness, discretion // See Bibliography & Notes, 'Alchemy of Copper'.

ē'qayu (123) copper it was

(**a** – it-it) See p174. +

(**yu** – term of respect) See page 343. //

yuī'q (126) the copper

(**yu** – term of respect) See page 343. //

yuē'q-kAtî'q!tc (141) the copper roll // yuē'q (144, 152) the copper // yū'ēq (179) the copper //

(**yu** – term of respect) See page 343. +

(**kA** = *cam* = crooked, awry, bent, distorted, curved, tricky, dishonest, ill-directed // *car* = twist, bend, winding / meandering (as of a stream), way, course, motion, movement, direction, throw, circular motion. direction, throw, care, plait, fold, bar of music) +

(**tî'q!** = *toinneamh* = twist, twine, arrangement, train, twisting, act of twisting, death) +

(**tc** – intensifier and catcher in the way of a spiral) See p134. //
There are other stories of the Hlīngit that have a salmon turn into copper. Compare Gàidhlig *ess* = (OG) ship, vessel, death // *eog* = (OG) salmon // *eitheach* = (OG) oak // *eo* = (OG) salmon, peg, thorn, pin, grave, good, worthy // *éiteag* = precious stone, white pebble, white quartz, fair maid. See also Bibliography & Notes, 'Celtic salmon culture', 'Celtic oak culture', 'Copper'.

ex — grease (23) // *ighe* = grease // *eolann* = preparation of fish oil etc. sprinkled on wool before carding, lamp oil //

g

ġā — ġā (caw) (120) // *gràg* = croaking of crows, cawing, shouting, (nouns); cry out, bawl, croak, caw, (verbs) //

ġâ'awe — as if (38) //
(**ġ / ġA'** – for = *gabh* = (all subjective moods of action that can be expressed in a sense of 'taking on' or fulfilling a role) pretend, assume, take, accept, receive, contain, hold, sing, say, deliver, (express emotions), put on (disguise), catch (fire, infection, ferment), undertake, endeavor, be concerned with, arrange, must, compelled to, enlist, engage as a servant, make secure, entertain, treat, acknowledge, worry, conceive, become pregnant, beat, belabor, betake, repair, proceed to, go (motion), rest) See p129. +
(**â'** – it-she) See p174. +
(**awe** – explaining) See p126. //

ġAgā'n sun (45, 79) // *grian* = the sun, light of the sun // *grianan* = sunny spot, summer-house, peak of a mountain, palace, any royal seat, court, hall, tent, green, sunny eminence, round turret, exposure, arched walk on a hill commanding an extensive prospect, any place suited for exposing to the heat of the sun, place where peats are dried //

The Gàidhlig word *grian* is split, half (*g_an*) goes to form ġAgā'n, sun, and half (*-ri-*) goes to form ŷî, day. The Gàidhlig word *là* (= day, space from evening to evening, daylight, on a certain day, one day) doesn't suit Hlīngit, because Hlīngit la has other uses. See also Phonology section, page 374 for other examples of word splitting.

ġagū'dawe when went away (88) //

(**ġa** –for, subjective action = *gabh* = (all subjective moods of action that can be expressed in a sense of 'taking on' or fulfilling a role), betake, repair, proceed to, go, (motion), rest) See ga, p152. +

(**gū'** – move, go, come = *gluais* = move, go, walk, advance, proceed, march, put in motion, bestir, make a motion, get up, afflict, agitate, provoke, afflict, touch pathetically) +

(**d** = *dol* = going, walking, proceeding, traveling) +

(**awe** – explaining) See p126. //

ġA'nġa for firewood (26) //

(**ġA'n** = *ganaid* = railing, fence, hedge, fold // *gannail* = lattices) //

(**ġA** = *gabh* = endeavor, undertake, betake, proceed to, go (motion), deliver, be concerned with, make secure, repair) See p152.

(**A'** = *arladh* = (OG) kindling) +

(**n** – focus, gathered together, in) See p175. //

(**A'n** = *aithinne* = firebrand, charcoal // *airis* = firebrand, charcoal, knowledge // *adhnadh* = kindling of fire, encouraging, recruiting, advocate (nouns) // *adhannadh* = (OG) kindling, inflaming (nouns) //

adhannta = (OG) kindled, inflamed, exasperated // *acfhuinn* = appendages of any kind, utensils, implements, tools, tackle, harness, equipage, rigging, salve, ointment) //

(**A'nġa** = *aingeal* = fire, angel, messenger, sunshine, light // *aingealag* = wood angelica… (Note: Angelica is a herb, also known as masterwort. "Angelica is one of the most elegant aromatics of European growth," said James Ewell) // *ainneamhag* = phoenix (also a bird of fire or south, see p524) // *adag* = shock of corn (consisting of 12 sheaves), 'shook' // *acaran* = lumber) In the icy land such as Neanderthal chose to remain in throughout the ice ages, fire was the angel. Hell is not fiery in Celtic culture, hell is *ifrinn*, it is a cold place.

(**nġa** = *faigh* = get, acquire, obtain, find, reach) See p131. //

Compare **cā** = *seaghas* = wood > tāk^{u}cā'gê (19) wood //

Compare x̣ūk (20) dry wood // yū'x̣ūk (24) the dry wood //

gā'nîyAx outside // See gānt.

gānt outside (67) //

(**gā** = *gabh* = betake, repair to, go (motion), proceed to) See p152. +

(**nt** – go outsidc, appear outside) See p110. +

(**n** –focus, gathering together in) See p109. +

(**t** - at or to a full extent) See p112. //

gā'nîyAx (98) outside

(**n** – focus, gathering together, in) See p109. +

(**îyAx** = *a mach* = out, without, (adverbs)) //

gā'nq!a (146) outside

(**nq!** = nt – go outside, appear outside) See p110.

(**q!** – pioneer, border, frontier) See p158. +

(**a** – refer to someone or something before they take action, or before something happens // *a* = at, to, in, about, in the act of) See p100. //

ġā'nî (160) outside // gā'nîqox (173) back outside //

(**n / nî** = nt) See p110.

(**î** – taking time and care) See p153. //

(**î** = *imich* = stir, budge, walk, advance, come, go, depart) //

(**qo** – back) See p111. +

(**x** – from, out) See ax, p102. //

ġayē's! iron (127) //

(**ġa** = *gàd* = iron bar, large thick piece of anything, stalk, inherent propensity (in a bad sense)) //

(**ġayē'** = *iarunn* = iron, iron tool of any kind, blade of a scythe // *iarnaidh* = of or like iron, iron-colored, hard like iron, having an iron taste, miserly) +

(**s!** – *stùth* = metal, any stuff / substance / matter / body, particle, strength, eatables, anything eatable, strong drink of any kind, some fabrics (serge, camlet, kind of fabric made of wool and goats' hair, kind of fabric used in olden times for petticoats and jackets for women) //

ġêna't below here (158) //

(ġ = ġa – for, (subjective action) // *gabh* = proceed to, repair, go, undertake, betake, (motion), rest). See p152. //

(**ġê** = de – down, lakewards, seaward) See de, p104. //

(**ġê_t** = *cridhe* = center, heart, kind of buckle, presumption, understanding, courage, nerve / cheek) +

(**n** – focus, gathering together, in) See p109. +

(**a** – it-it) See p174. +

(**t** – to a full extent) See p112. //

Compare gīyīġē't (41) in the middle // āeġayā't (64) below it // ġetła'a (170) inside //

ġetła'a — inside (170) //
(**ġet** = *cridhe* = center, heart, kind of buckle, presumption, understanding, courage, nerve / cheek) +
(**ła'** – over to that side) See p103. +
(**a** = *ann* = in it, in him // *anns* = in, in the) See p100. //

gīyīġē't — in the middle (41) (Context: A canoe with a dance hat appears, or is seen, in the middle of a big lake.) //
(**gī'yī** = *cridhe* = center, heart, courage, presumption, nerve, understanding) +
(**ġē'** = *gnè* = outward sensible sign, appearance, slight degree or nature of anything, form, countenance, natural temper or disposition, manner, tinge, kind, sort, species, nature, quality) +
(**t** – to a full extent) See p112. //
dîgī'yīga (1) in the middle of (long town) // yī'gîŷî (35) at midday //

ġone' — starting (12), (Context: describes a sudden hurry) //
(ġ = ġa – for, (subjective action) // *gabh* = proceed to, repair, go, undertake, betakc, (motion), rest, be concerned with, compelled to, entertain, worry). See p152. //
(**ġon** = *gnothach* = call of nature, errand, circumstance, business, matter, affair) +
(**o** – peak of energy) See p158. See also Phonology, page 392. //
(**o** = *obaig* = hurry, abruptness, flurry, confusion // *obann* = sudden, unexpected, quick, nimble, agile, rash, hasty, pert, meddling) +
(**e'** – beginning and end) See p151. //
ġonaye' (61) started
(**a** –refer to someone or something before they take action, or before something happens) See p146. +
(**ye'** – blame or redemption, sense of positioning, pull (operation of metaphysics)) See p120. //

gu move, go, come // gu (29) come (imperative) // gu' (162) come // *gluais* = move, go, walk, advance, proceed, march, put in motion, bestir, make a motion, get up, afflict, agitate, provoke, afflict, touch pathetically //

(**g** = *chugam* = to me, toward me) +

(**u** = *ruith* = running, act of running, race, rushing, chase, flowing, act of flowing (as a stream), in line with, parallel, pursuit / flight (as of an army), treatment, slight arrangement, fast talking or speaking, course, rate, speed, average, ratio, the diarrhea, dysentery) //

gū'dawe (89) when she went

(**d** – acting on something, on) See p149. +

(**awe** – explaining) See p126. //

gū'tsawe (112) after he had gone

(**ts** – intensifier and catcher in the way of a spiral) See p134. +

(**awe** – explaining) See p126. //

ū'wagut (10) came // ūwagu't (61) it walked away // ūwagu't (66) she came // uwagu't (67) came [and said] // ūwagu't (67) came // ġagū'dawe (88) when went away // gutxA'tsayu (153) from where it was // gūsū'? (174) where? // wunū'gu (174) was //

gudAxqā'x from whence (150) // *grunndachadh* = grounding, sounding, (nouns) //

(**gud** = *grunnd* = base, ground, bottom, thrift, sense, carefulness, economy, decision of character, the nether world, attention) +

(**Ax** – out, from) See p102. +

(**qā'x / qā'** = *c'àite*? / *c'à*? = where?, in what place?)

(**x** = xa – to, shows a new situation, a loyal manner or something steady or familiar) See p117. //

(**x** – problem, vulnerability) See s, p112 //

gūsū'? where? (174) (Context: Where was anger?) // *gu seo* = hitherto //

(**gus** = *gus* = ((OG) anger, inclination, desire, deed, death, weight, force, sharpness, smartness), to, unto, as far as, so that, in order that, (prepositions))

(**gu** = *gluais* = put in motion, bestir, make a motion, get up, afflict, agitate, provoke, afflict, touch pathetically, move, go, walk, advance, proceed, march)

(**ū'** = *uapa* = distant from them, wanted by them, away from them // (French Celtic) *où* = where)

Compare Gàidhlig *gu siorruidh*! = Well! Well!.

gutxA'tsayu from where it was (153) (Context: from the door, all around the whole house stood the coppers) //

(**gutx** = *gus* = to, unto, as far as) //

(**tx** = tc – exact, intensifier and catcher in the way of a spiral) See tc, p113.

(**A'** – it-it) See p174. //

(**xA** – out, from) See ax, p102. //

(**xA** – to, a new situation, shows a loyal manner, steady and familiar) See p169. +

(**t** – to a full extent) See p112. +

(**sayu** = seo = 'here', this, these) See also xa, p157; See yu p343. //

Compare Gàidhlig *grunndachadh* = grounding, sounding, (nouns) // *grunnd* = base, ground, bottom, thrift, sense, carefulness, economy, decision of character, the nether world, attention) //

guxq!(u) slaves (3) // gux (158) a slave, (184) slaves // *guailliche* = colleague //

guxq!ū'tcawe (7) slaves it was

(**tc** – intensifier and catcher in the way of a spiral, exact) See p134. +

(**awe** – explaining) See p126. //

yū'gux (159, 160) the slave
(**yū'** – term of respect) See page 343. //

h

hāgu	come (146) // *thig* = come, agree with, become, suit, befit, please, be acceptable to, recover, escape, get the better of, speak of, reflect upon, speculate about, disagree, quarrel // *thàinig* = came //

hāL!î	dung (4, 5) //
	(**hāL!** = *salachar* = dung, excrement, dirt, filth, filthiness, grossness, nastiness, impurity, corruption, dross // *sal* – filth, mud, impurity, spot, blemish, slimy dirt, scum, dross, refuse of anything) +
	(**L!î** = *ileach* = dung, ordure) //

hā'nde	this way (42) // (**hā'** = *seo* = this, these, 'Here.') See also xa, p139 (**nde** – go outside, appear outside) See nt, p110. // (**hā'n** = '*Thalla an seo.*' = Come (thou) here.) + (**de** – down, lakeward, seaward) See p104. //
hAsduŷī't	their son (79) // (**hAs** – they) See p185. + (**du** – their-he) See p180. +

(**ŷī’** = *gille* = boy, lad, youth, bachelor, man-servant, ploughman // *iodhlan* = hero, leap, skip, hop // *ridir* = knight // *bìdein* = diminutive person or animal, chirper, peeper, young bird or fowl) +

(**t** – extent (as in heir to the line)) See p161. //

hᴀsdutcukᴀ’tawe at the end of them (i.e. the town) (57) //

(**hᴀs** – they) See p185. +

(**du** – their-her) See p180. +

(**tc** – intensifier and catcher in the way of a spiral, exact spot, always) See p113. +

(**ukᴀ’** = *mu choinneamh* = opposite, over against (prepositional phrase); eg. *Bha dorus mu choinneamh a h’uile là anns a’ bhliadhna air an taigh.* = There was a door for every day of the year in the house.) +

(**t** – full extent) See p112. +

(**awe** – explaining) See p126. //

hᴀsduwū’ their father-in-law (60) //

(**hᴀs** – they) See p185. +

(**du** = *duine* = man, person, body, individual, the oldest person in the village) See p180. +

(**wū’** = *fù* / *fo* = (OG) king, sovereign, honor, regard, esteem, decency, (nouns); good, unconcerned, easy, quiet, powerful // *fuilc* = family, kindred, tribe, blood, breeding, temper, nature // *fuath* = diminutive insignificant person, spirit, kelpie, spite, hateful object) //

hᴀ’sduyā’gu their canoe (95) //

(**hᴀ’s** – they) See p185. +

(**du** – they-it) See p180. +

(**yā’gu** = *ràgh* = raft of wood // *curach* = canoe, skiff, boat made of wicker and covered with skins or hides, coracle // *biorrach* = boat, skiff, yawl) //

hē — here [is] (55) // *seo* = this, these, 'Here.' //

hē'nAxa — there (182) // See yên.

hīn — wet (19), water (87, 88, 90) // *linn* = wet // *linne* = pool, pond, lake, linn, gulf, sea, strait, sound, pool in a river, cataract, waterfall, mill-dam, channel, abyss, entrance to a gulf, part of the sea near the shore, bay // *èan* = (OG) water, one //

hīnt (42, 43) into the water //

(**t** – extent) See p112. //

(**nt** –go outside, appear outside) See p110. //

hī'nġa (82, 89) for water

(**ġa** – for) See p129. //

hît — house (99, 101, 170) // duī'c hî'tî (65) her father's house // *sith* = hill, mount // *sìthean* = fairy hill, little hill or knoll, big rounded hill. // *sgrin* = shrine // *taigh* = house // The Celts built carefully designed domed tombs (*sìthean*). They were entered along a passageway, similar to a pyramid, and were covered in turf, so looking like a hill. They may have served as religious or musical sites. See Bibliography and Notes, 'Pyramids', 'Dolmens' and 'Turtle Island'.

duhî'tî （124） his house // duhî'tîq! (154) in his house //

(**du** – he-it) See p180. +

(**î** – you, yourself alone, possessive) See p153. +

(**q!** – in, pioneer, border, frontier) See p111. //

hî'txawe (126) into house it was

(**x / xawe** = *a staigh* = in, within, in the house) See p117.

(**awe** – explaining) See p126. //

wehî't (133) the house

(**we** – the, beginning and end, (one use of this particle is for repetitive tasks or activities that involve coming or going)) See p128. //

Axhî'tîŷīdê' (147) down to my house // Axhî'tî (163) my house //

(**Ax** – my) See p177. +

(**ŷī** – to) See p121. +

(**dê'** – down, seawards, lakewards) See p104. //

yuhî't (161) the house

(**yu** – term of respect) See page 343. //

yū'tcac-hît (170) the branch house // yutcā'c-hît (178) the branch house //

(**yū'** – term of respect) See page 343. +

(**tcāc** = *gas* = bough, twig, broom brush, stalk, stem of a herb, bunch, copse, particle, young boy, military servant // *sracadh* = twig, shoot, sprout, tear, fissure, rent // *geug* = branch, sapling, sprig, man's arms, sun's rays, young superfine female, nymph // *crannlach* = branches, boughs, brushwood, large lank lean man Compare Gàidhlig *teach* = house, dwelling-place // *teagh* = (OG) house // *teaghas* = small room, closet // *peillic* = hut or booth made of earth and branches and roofed with sod, felt, any thick or coarse cloth, covering made of skins or coarse cloth, pit, basket of untanned hide)

yuhî'tŷīanA'q (173) from the house door

(**yu** – term of respect) See page 343. +

(**ŷī** – towards, in the direction of, to (many connotations possible)) See p121. +

(**anA'** = *atuinn* = gate, wicket, palisade, rafter) +

(**q** – border, frontier, pioneer, in) See p111. //

i

icî’x̧ — you run (42) // īcī’q (116) you run //
(**i** – you) See p187. +
(**cî’x̧** = *sith* = dart to, onset, stride, long quick pace, determined position in standing) //
Compare wudjix̧ī’x̧ (34, 43) she ran // udjix̧ī’x̧ (40) she ran //

iqâca’ — let me marry you (11) //
(**i** – you) See p187. +
(**q** – frontier, pioneer, border, in) See p158. +
(**âca’ / qâca’** = *aisg* = love token, pledge, request, gift // *earras* = the person secured on the principal, provision, wealth, treasure, property, goods, portion, precaution; *Théid Eilidh ‘sa h-earras dhachaidh* = Helen and her marriage portion shall go home.) //
Acū’waca (17) that married her // ā’waca (46) married // A’ġacān (47) when they married // a’odîca (49) they started to marry //

îq-gwâte’ — you are going to stay (147) //
(**î** – you) See p187. +
(**q** – frontier, pioneer, border, with) See p111. +
(**gwâte’** = *gramaichte* = laid hold of, fastened, clenched // *gramaich* = hold fast, cling to, tighten, clench, grasp, fasten, adhere // *gràdhaichte* = loved, beloved, admired // *gràdhaich* = love, esteem, admire //

treabhlachd = household, family // *gràdh* = lover, love, beloved object, fondness, charity, benevolence, virtue of universal love) //

Compare u (1) lived // yā't!ayauwaqā' (104) this man living here //

itī'q!awe — when they had gone (19) //

(**i** – take time or care to do something) See p153. +

(**t** – full extent) See p112. +

(**ī'** – *imich* = go, depart, walk, stir, budge, advance, come) +

(**q!** – pioneer, frontier, border) See p111. +

(**tī'q!** = *thig* = come, agree with, be acceptable to, recover, escape, reflect upon, speculate about // *tréig* = leave, quit, abandon, desert, depart, abdicate, betray, cease) +

(**awe** – explain) See p126. //

Compare naAdî' (18) going // naA'dî (19) when they had gone // aġaA'dînawe (21) when they came // ŷāġāā'dawe (39) when they were gaining on her //

ī'usinē'x — saved you (30) //

(**ī'** – you) See p185. +

(**usinē'x** = *ùisineachadh* = treatment, using, act of using // *ùisealachd* = highest degree of hospitality, courtesy, usefulness, comfort, snugness // *uinnseachadh* = managing)

(**x** – out) See ax, p102. //

(**nē'x** = *neach* = person, someone, any person, one, apparition // *neachd* = (OG) pledge, tribe, family // *neachdachd* = neutrality) //

Compare kucîganē'x (30) what saved you // awî'sīne'awe (90) when she brought it.

iŷA'dawe around you (30) //
(**iŷA'd** = *iadhadh* = surrounding, act of surrounding, enclosing, binding, overtaking, fluttering or hovering round, circuit, circumference, circuitous route, meandering) See also adadA'xdê, p100. +
(**awe** – explaining) See p126. //

kAcū'sawedê had suffered (98) //
(**kA** – present action continuing) See ak, p147. +
(**cū'sa** = *sgiùrsach* = inclined to whip or persecute, like a persecution, afflicting, scourging, whipping, like a scourge or lash, of a scourge / lash / persecution, chasing, driving away, scattering, (adjectives) // *sgiùrs* = afflict, persecute, scare or scatter suddenly, chase, drive away, pursue, scourge, whip)
(**we** = e – beginning and end, (one use of this particle is for repetitive tasks or activities that involve coming or going)) See p151. +
(**dê** – acting on something) See p149. //

kAdudjē'ławe when they brought all (73) //
(**kA** – present action in some direction) See ak, p147. //
(**kA / kAd** = *gach* = all, each, every) +
(**du** – they / them) See p180. +

(**djē'** – any wrangling type of action or movement) See dje, p151.

(**ł / ławe** –over to that side = *slaoic* = lying, inverted, uneven, slouched to one side) See p109. +

(**awe** – explaining) See p126. //

kAdukî'ksînutc they always shook them (22) //

(**kA** – present action in some direction) See ak, p101. +

(**du** – they / them) See p180. +

(**kî'ksî** = *crith* = tremble, shake, quiver // *critheach* = shaking, quaking, quivering (nouns) +

(**nutc** – tendency & intensifier or catcher in the way of a spiral, always) See p158. //

kAnA'x across (37) // kAx (79) across // *trasd* = across, aslope, athwart, crosswise, traverse, awkwardly-placed, (adverbs); cross, disappointment, thwart, (nouns) // *crasg* = across place, cross, crutch, club (cards) (nouns) // *crasgach* = lying cross-way, a-kimbo, clumsy, slow, thwart, going on crutches, crawling / walking (as, person feeling torturing pain) //

kAnaxsa' (157) after

(**sa'** = *seach* – past, gone by, (adverbs); past, beyond, further than, more than, rather than, (prepositions) // *seachad* = past, gone by, onward, forward, by, along, beyond, more, on, aside, out of the way, (adverbs); hoard, lay by, deliver, surrender, (verbs); 'away with you!' // *a cheana* = already //

Compare Gàidhlig *fad* = during, throughout, over, altogether, wholly, longitudinally, (prepositions); length, distance, tallness, (nouns) // *fada* = for a long time, of long continuance, distant, of great length, long, the opposite of short).

Compare q!ānA'x (113) it was around mouth.

k!ānt anger (174) // *cràidhteachd* = vexation, affliction, pain, misery, grief // *crainntidh / crainngidh* = quick-tempered, sour-tempered, piercing, shriveling, withering // *cràdh* = torment, pain, anguish, pang //

kaodAnigītc he claimed to see with (68) //

(**kaodA** = kaołi / kaoLi – blissfully unaware then suddenly, gently before powerful action) See p153. +

(**Anigītc** = *amharc* = look, see, behold, observe, regard)

(**n** – focus, gathering together, in) See p155. +

(**igī / nigī / igītc** = *fionn* = look, behold, see, know by investigation, examine // *fios* = vision, notice, intelligence, word, message, understanding / art, science // *fiosraich* = ascertain, visit, try / examine, inquire after, investigate, inquire, ask // *fiosachd* = fortune-telling, sorcery, divination, augury, foretelling) +

(**tc** – exact, intensifier and catcher in the way of a spiral) See p134. //

(**gitc** = *cìdh* = (OG) see, behold) //

Compare wus-ha (143) it was [she knew]..

kaodîgA'naŷî' shining in (152) // ka'odigAn (161) it started to shine, (179) started to shine // kaodigA'n (173) it started to shine in //

(**kaodî** = kaołi / kaoLi – blissfully unaware then suddenly, gently before powerful action. The difference between kaodî and kaołi is that kaodî is more speedy or energetic) See p153. +

(**di** – precipitant, immoderate) See p106. +

(**gA'na** = *clannar* = (OG) shining, sleek, hanging in locks or clusters) +

(**ŷî'** – to (many connotations possible) = *ri* = to (implying similarity of likeness / implying exposure), to (denoting equality of one object with another)) See p121. //

(**ŷî'** = *riochd* = likeness, form, appearance, hue, spirit, ghost, person of wan appearance, relative size or proportion, interpretation, exposition, air // *riomball* = halo, circle // *riomhach* = gaudy, fine, elegant, handsome, precious, valuable, costly, gorgeous, superb, regal, stately, fond of, conceited) //

ka'oduĻî-u' they let him go (98) // See u.

kaoĻîŷA's! she stepped (4) //
(**kaoĻî** – blissfully unaware then suddenly, paying no attention then suddenly) See p174. +
(**ŷA's!** = *rach* = move, proceed, walk, go) //

ka'ołiga they loaded it with (59) //
(**ka'ołi** – blissfully unaware then suddenly, paying no attention then suddenly) See p174. +
(**ga** – for = *gabh* = hold, contain, receive, undertake, endeavor, be concerned with, arrange, must, compelled to, enlist, engage as a servant, make secure, entertain, treat, acknowledge, worry, conceive, become pregnant, beat, belabor, betake, repair, proceed to, go, (motion), assume, burn, kindle. See ga, page // *glac* – take, receive, accept, seize, feel, catch, resume) See p129. //
(**k** – present action in a direction) See ak, p101. +
(**a'ołiga** = *uallaich* = load, burden, encumber (verbs)) //

kAtî'q! a twist of (139) // *camag* = curl, ringlet, anything crooked or curved, curve, comma (in writing) // *camalag* – curl, ringlet // *cleachd* = ringlet of hair, waving lock, tress, fillet of combed wool, plait, ray of the sun, habit, use, practice, exercise //
(**kA** = *cam* = crooked, awry, bent, distorted, curved, tricky, dishonest, ill-directed // *car* = twist, bend, winding / meandering (as of a stream), way, course, motion, movement, direction, throw, circular motion. direction, throw, care, plait, fold, bar of music) +
(**tî'q!** = *toinneamh* = twist, twine, arrangement, train, twisting, act of twisting, death) //

k!Atsk!^{u} little (79, 86) // k!A'tsk!^{u} (87) little // *crileag* = small, trifling, diminutive // *caifeanach* = trifling, diminutive //
(**k!A / k!ê** = *beag* = little, diminutive, sordid, disagreeable) +
(**tsk!^{u}** = *sgriothail* = lot of small items (as small potatoes), crowd of young creatures; eg. *chuir e sgriotal dheth* =

he spoke a great many words with little substance in them // *sgrioth* = gravel // *sgriothal* = crowd of young creatures or small things) //
tc!aŷē'guskî (52) very small // Atk!A'tsk![u] (97) a little boy's //
Compare k!êsā'nî (134) little boys.

kātuwā'(ŷ)ati there is (72) // *caithreamadh* = (OG) information //
(**kā** – present action continuing) See ak, p101. +
(**ātu / tu** - would, used to, past continuing // compared to aku, atu has more a sense of happening in your direction, and excitement) See p125. +
(**wā'** – appear, describes something or someone appearing in their next position or role) See p116. +
((**ŷ)a** – was // *bha* = was, were) See a, p124 & ya, p140. +
(**ti** – immoderate, precipitant) See di, p106. //

kāwadī'q! she became ashamed (175) //
(**kā** – action continuing in some direction) See ak, p101. //
(**ā** – she-it) See p174. +
(**wadī'q!** = *nàirichte* / *nàraichte* = ashamed, made ashamed, affronted // *diacharach* = sorrowful, sad, oppressed with grief) //
(**wa** –appear, describes something or someone appearing in their next position or role) See p165. +
(**dī'** – precipitant, immoderate) See p150. +
(**q!** – frontier, border, pioneer, with, in) See p158. //
Compare yuq!wA'nskāniłnîq (164) tell that // aka'wanêk (165) he told it // yū'ckAłnīk (166) he said //

kā'waqa she sent (86) //
(**kā'waq / kā'wa** = *tàr* = send, be able, get time, prepare, befall, descend, evoke, go, come // *càir* = send

away, persuade, make to believe, assert, aver, affirm, raise, repair, gird on, dig, bury) +
(**q** – frontier, border, pioneer) See p158. +
(**a** – she-he) See p174. //
qoqā'awaqa (176) he sent for
(**qo** – back and front, opposite, thoroughly, a sufficient extent (moral sense)) See p111. +
(**a** – he-they) See p174. //

kā'watAn bent over (85) //
(**k** – present action continuing) See ak, p101. +
(**ā'wa** = *aom* = bend, droop, bow, incline, be seduced by, yield, lean, bulge, project, persuade, dispose, descend, pass by) +
(**tAn** - get from somewhere, become (eg. shape)) See p162. //
yū'yênkā'watAn (91) it bent
(**yū'** = *mu* = on account of, for, about, of, concerning // *ma* = if) See p144. +
(**yên** –place or thing with a sense of mystery) See p172. //

kā'wawAL! broke up (123) //
(**kā'wa / kā'waw** = *sgar* = disjoin, separate, disunite, tear asunder, split, pull asunder, divorce, part, torment, afflict, harass, gall, wound, unfold for drying) +
(**wA** – appear, describes something or someone appearing in their next position or role) See p116. +
(**L!** – natural order) See p130. //

k!awê'łguha they could see (54) //
(**k!** – present action in some direction) See ak, p101. +
(**a** – it-they) See p174. +

(**k!a / k!awê'** = *chitheadh* = could see) +
(**ł / łguha** – over to that side = *slaoic* = lying, inverted, uneven, slouched to one side) See p109. //
(**guha** = *chunna* = saw // *chunnacadar* = they saw) //

k!ē good (158) // *ceillidh* = wise, prudent, discreet, sober, steady, sedate //

kē up (21) // ke (35, 112) up // *ceann* = top, point, head, promontory, headland, harvest-home, end, extremity, limit, period, genius, ingenuity, attention // *ceap* = top of a hill, sign set up as a rallying point in time of battle, catch, stop, intercept, keep
Compare kînā'q! (51) on top of // akînā' (55) on top of it // dukadê'q (103) on top of him (i.e. his house)

kês out (80) (Context: out of something like a fog) // ke (83) out // *measg* (*am measg*) = among, amongst, in the midst, (substantive); mingle, mix, stir about, move (verbs) //

k!êsā'nî little boys (134) //
(**k!ê** = *beag* = little, diminutive, sordid, disagreeable) +
(**sā'nî** = *saoidh* = warrior, righteous man, hero, learned man, man of letters, tutor, preceptor, nobleman, worthy, good / worthy / deserving person, generous / brave / magnanimous man // *sàr* = apprehend (verb); matchless, noble, brave (adjectives); (like a prefix, meaning great degree of any quality); hero, worthy, excellent man, brave warrior (nouns)) See also ax, page & ac / Ac, page //
Compare tc!aŷē'guskî (52) very small // k!Atsk!ᵘ (79, 86) little // k!A'tsk!ᵘ (87) little // Atk!A'tsk!ᵘ (97) a little boy's //

kîdjū'k a fish-hawk (83), fishhawk (90) // *gèadh-fiadhaich* = wild goose // *geabhroc* = sea swallow // *geòchair* = wryneck (yunx torqilla) // *gèadh táighe* = tame goose // *càirneach* = osprey, kingfisher, druidh, priest //
Compare Gàidhlig *gilm* = buzzard // *geis* = swan, custom, prohibition (*geas* = charm, sorcery, guess,

conjecture, enchantment, oath, vow, metamorphosis, religious vow) // *fasgadair* = Arctic gull.

kînā'q! on top of (51) (Context: above the town, overhead) //

(**kîn / kînā** = *ceann* = top, point, head, promontory, headland, harvest-home, end, extremity, limit, period, genius, ingenuity, attention //

(**k** – present action in some direction) See ak, p101. +

(**în** = *ingharach* = level, perpendicular // *inghar* = plumb, mason's line, level, perpendicular, anchor, chain or cord to measure with (nouns)) +

(**ā'** – it-it) See p174. //

(**ā'** – on // air = on, upon, of, concerning, by, with) See p100. +

(**q!** – frontier, border, pioneer, in) See p111. //

Compare akînā' (55) on top of it // kē (21) up.

kīnigī'q tell it (163) //

(**kīnigī'** = *gleadhar* / *gleadhair* = prating, clamorous talk, noisy blow, collision, clang of arms, rattling, noise, rude blow, strike // *gleadhraich* = loud noise, rattling, collision, clamour, clang of arms, rustling noise, child's rattle) +

(**q** – border, frontier, pioneer, with) See p111. //

kīs bracelets (127) // *crios* = belt, girdle, band, strap, zone, the waist, ((OG) sun) // *criosdad* = (OG) ring of thong or withe (withe is like a willow stem or other stem or twig for weaving etc.) // *crios-muineil* = necklace, neck-band // *crios-guailne* = shoulder-belt //

kîtū'nAx out from under (27) //

(**kî** – in a peaceable manner) See p154. +

(**tū'** = *turus* = course, occasion, travel, journey, expedition, voyage // *tùinich* = resort to, sojourn, inhabit,

colonize, frequent, settle in a place, dwell, gather (as matter in suppuration), settle or fix in place (as a movable tumor) // *tuirling* = alight, come off a horse, descend, descend rapidly or with a noise, come down, fall upon)
(**n** – focus, in gathering together) See p115. +
(**Ax** – out) See p102. //

k^u, ku, k!u long, wide, lasting // *rùdhrach* = long, straight, searching, groping, scrambling (adjectives) // *coilleanta* = tall, straight, slender // *camus* = the space between the thighs // *buan* = long, tedious, lasting, durable, hardy, tough // *cuimse* = moderation, sufficiency, mediocrity, moderate portion, aim, mark, hit, any measuring instrument, measure (as for a suit of clothes) (nouns) // *cuimseach* = moderate, in a state of mediocrity, mean, little, indifferent, befitting, suitable to one's case, adjusted, unerring, sure of aim //
yēk^udīwuq! (122) in it were wide //
(**yē** = *eu-* = (negative prefix)) +
(**k^u** = *cuimse* = moderation, sufficiency, mediocrity, moderate portion, aim, mark, hit, any measuring instrument, measure (as for a suit of clothes) (nouns) // *cuimseach* = moderate, in a state of mediocrity, mean, little, indifferent, befitting, suitable to one's case, adjusted, unerring, sure of aim //
k!ū'nŷagīŷî (156) for many days (i.e. lasted for many days)
(**k!ū' / nŷa / k!ū'nŷa** = *meud* = as many as, magnitude, degree, extent, number, quantity, stature, size, bulk, dimension, degree of greatness or largeness, greatness, largeness // *meudaich* = increase, multiply, cause to increase, enlarge, add to, augment, improve, abound, grow in size // *meudaichte* = increased, augmented, enlarged, advanced) +
(**gīŷî** –day = *grian* = the sun, light of the sun) //
Compare yī'gîŷî (35) at midday // ā'caŷAndihēn (53) began to be so many [there] // q!ū'na (112) many times //

kū'wacî (159) hunted (Context: hunted further, sufficiently)

(**kū'** = aku – past continuing, would, used to) See p125. +

(**wa** – appear, describes something or someone appearing in their next position or role) See p165. +

(**cî** = *sìneadh* = pursuit, pursuing, beginning, commencing, delaying, prolonging, prolongation, act of reaching anything to another, stretching, act of stretching or extending // *sìn* = pursue, chase, prolong, begin, commence, extend, lean / lounge on a bed, hand or reach anything to another, stretch, increase in length, stretch out, grow in stature) //

kułayA't! (1) was long // ułsā'k^{u} (47) lasted long // LA'k^{u} (185) an everlasting //

kucîgAnē'x what saved you (30) //

(**kucîg** = *cuidhich* = help, assist, relieve, countenance, favor) +

(A = *a* = that, whom, which, what, who) See p124 +

(**nē'x** = *neach* = person, someone, any person, one, apparition // *neachd* = (OG) pledge, tribe, family // *neachdachd* = neutrality) //

ku-doxē'tc they always threw (131) //

(**ku** = *tulg* = toss, swing, jolt, push, wave, rolle, oscillate, fluctuate, make a hollow (as on the surface of a plate of metal // *tilg* = throw off, fling, cast, throw, shoot, fire (as a gun), shoot with an elf-shot, produce, bring forth, yield, cast (as molten metal), shed, let fall, moult, vomit) +

(**do** – they-he) See p180. +

(**xē / xētc** = *leag* = throw down, demolish, lay down, lay, lay with (as paving), cool, fell, put down (as a wrestler))

(**tc** – intensifier and catcher in the way of a spiral, exact, always) See p113. //

Compare doġê'tcnutc (103) they would always throw // at!o'kt! (109) shooting with them // caoduĻîġê'tc

(178) they threw away from //

kułayA'tǃ was long (1) //
(**ku** – was) See aku, p125. //
(**ku** – long, wide, lasting) See ku, above on p271. +
(**łayA't!** – *slatarra* = tall, straight, upright // *slat* = yard in length, yard to measure with, rod or twig, switch, wand, stay of a plough, handlebar of a cycle, penis) // See also unała (24) was long, p300. //
Compare ułsā'k^{u} (47) lasted long // yēk^{u}dīwuq! (122) in it were wide // LA'k^{u} (184) an everlasting //

kułkī'stc always went out (as, fire) (24) //
(**ku** – would, used to, past continuing) See aku, p125. +
(**ł** – over to that side = *slaoic* = inverted, lying, uneven, unmatched, slouching to one side, crooked) See p109. +
(**kuł** = *cùl* = back of anything, hinder part, not the front, aftertime, guard, custody, anxiety, matter for thought, food for reflection, care, hair of the head) Compare qo, p111. +
(**kī's** = *chaidh e as* = it went out (as a flame)) +
(**łkī's** = *sgrid* = breathe your last in consequence of laughing or weeping, scrape, any small stunted living thing // *sgrìd* = the least breath of life or air, gasp, voice, breath // *slìomach* = cringing, flattering, mean, plausible, slim, sleek, deceitful, smooth, glossy, (*slìom* = inert, dull, inactive, insincere, lubricated, slippery) // *sleugach* = sly and slow, dilatory // *slanach* = (OG) defying, challenging, ready to defy or challenge, of a defiance or challenge (adjectives)) +
(**tc** – intensifier or catcher in the way of a spiral, always) See p151. //

k!ū'nŷagīŷî for many days (156) // See ku.

kū'wacî hunted (159) // See ku.

Ł / ł (hl), ʟ (tl), Ļ (dl)

ʟa — then (91) // *dlagh* – natural order // See also ʟa, p130.

ʟā — mother // *lathair* = presence, existence, company // *dlagh* = natural order, (*dlòth* = handful of corn, lock of hair) // *lachd* = (OG) family // *lac* = (OG) sweet milk // *làbanaiche* = painstaking person, plebeian, drudge)
Compare Gàidhlig *màthair* = mother, cause, source, dam of a beast. See also Phonology, p391.
duʟā'tc (68) his mother // duʟā' (69, 98, 108, 114, 124) his mother // duʟa' (168) her mother
(**du** – his-she, (168) her-she) See p180. +
(**tc** – exact, intensifier and catcher in the way of a spiral) See p113. //

ʟ!agā'yan — he was getting (102) //
(**ʟ!a / ʟ!ag** - natural order or development, this shows how small things add up to something bigger // *dlagh* = natural order) See p130.
(**gā'ya** – for, subjective action = *gabh* = (all subjective moods of action that can be expressed in a sense of 'taking on' or fulfilling a role) take, accept, receive, contain, hold, sing, say, deliver, (express emotions), put on (disguise), catch (fire, infection, ferment), undertake, endeavor, be concerned with, arrange, must, compelled to, enlist, engage as a servant, make secure, entertain, treat, acknowledge, worry, conceive, become pregnant, beat, belabor, betake, repair, proceed to, go, (motion), rest) See p145.
(**ya** – when (after success, feeling smart or successful)) See p160 +
(**n** – focus, gathering together, in) See p147. //

ʟāk — new (115) // *dlagh* = natural order // *taisgeal* = news, enchantment, finding of anything that was lost, reward for returning it // *lathailteach* = becoming, adequate, methodical, having a knack or right method of doing anything // *nuadh* = new, fresh, recent, modern, unfamiliar //

Ļā'k!A sister // *caileag* = little girl, lassie // *lachd* = family // *dlagh* = natural order, (*dlòth* = handful of corn, lock of hair)

duĻā'k!Atc (68) his sister

(**du** – his-her) See p180. +

(**tc** – exact, intensifier and catcher in the way of a spiral) See p134. //

LA'k^u an everlasting thing (185) //

(**LA'** –natural order or development, shows small things add up to sth bigger = *dlagh* = natural order) See p130.

(**k^u** = wide, long, lasting) See ABC Dictionary, K. //

Compare kułayA't! (1) was long // ułsā'k^u (47) lasted long // yēk^{u}dīwuq! (122) in it were wide // k!ū'nŷagīŷî (156) for many days (i.e. lasted for many days) // kū'wacî (159) hunted (Context: hunted further, sufficiently) //

Lāq spears (127) // *laighean* = spear // *laighe* = spade, shovel // *tàl* = cooper's adze // *tàlag* = little edge // *tàl-fhuinn* = hoe // *tall* = cut //

LAx very (82 98) // *glé*= very, sufficiently, enough, perfectly, ((OG) real, pure, clean, good, plain, open) // *dlagh* = natural order //

(**LA** = *dlagh* = natural order) See also p130. +

(**x** –extremely, supremely, very (applies to progress and quality of something) // *sàr* = (prefix, expressing a great degree of any quantity) See s, p133. //

ĻAxdê' very close to (8) // *lastaiṇ* = edge, hem, fringe //

łayA'x make (108) //

(**łay / łayA** = aołîy – doing softly and secretly but heroically) See aosi, p148. +

(**A'x** = *artragh* = (OG) make. [I guess *artragh* is make, because *artragham* = (OG) I do make; *-am* = I]) //
Compare aołîyA'x (99) she made.

łdakA't — all (110, 123) // łdakA't (137) all [places] //

(**ł / łdakA'** = *uile* = all, the whole, altogether, quite, every, wholly // *slàn* = whole, unbroken, uninjured, healthy, in good healthy, sound, unhurt, healed // *flaitheanas* = kingdom, dominion sovereignty // *flaitheachd* = government, aristocracy, supremacy) +

(**t** – to a full extent) See p112. //

Lē, Lēn — one (37) (one mountain; possibly one of the same two mountains mentioned earlier) // *leth* = one of a pair, half, side, share, interest / charge //

(**L** = *dlagh* = natural order) See p130. +

(**ē / ēn**= èan = (OG) one, water) //

Lēq! (37) one (one mountain; possibly one of the same two mountains mentioned earlier)

(**q!** – border, frontier, pioneer, in) See p111. //

ā'Len (126) big one // See also under Len, below.

(**ā'** = *farsuing* = large, wide, liberal, open // *pailt* = copious, capacious, abundant, plenty)

Lēł — not (25, 30, 71, 74, 85, 94, 125, 127, 136, 144, 145, 150) // *sgleò* = idle talk, falsehood, misapprehension, romancing of someone who sees imperfectly (and consequently misrepresents facts), high-puffing, rodomontage, verbiage, fustian, romance, amazement, dim glare about the eyes, shade, darkness, vapor, mist, struggle, misery, spectre, compassion //

Le'łsdjî (47) never

(**s** – vulnerability, problem) See p133. +

(**djî** – precipitant, immoderate) See p119. //

łîł (163) never (imperative)

(**î** – take time and care) See p153. //

Len — big (41) // *leathann* = broad, spacious //

ā'Len (126) big one

(**ā'** = *farsuing* = large, wide, liberal, open // *pailt* = copious, capacious, abundant, plenty)

(**Le / Len** = *leth* = one of a pair, half, side, share, interest / charge //

(**L** = *dlagh* = natural order) See p130. +

(**ēn** = èan = (OG) one, water) //

Compare Gàidhlig *glé* = very, sufficient, enough, ((OG)open, plain, clean, pure, real, good).

Łīngî'ttc — Hlingit (Tlingit) (125) //

(**Łīngî't** = *sliockd* = tribe, clan, multitude, progeny, descendants, posterity, offspring, seed, track, print, rut // *ginealach* = race, offspring, generation, single succession, genealogy, pedigree // *gintear* = father, ancestor, parent) +

(**t** – to a full extent) See p161. +

(**tc** – intensifier and catcher in the way of a spiral, exact) See p134. //

łīngî't-ānē'q! (145) in the world //

(**ānē'q!** = *saoghal* = the world, a world, age, generation, life, lifetime, means, substance, riches, wealth, business of life, occupation, pursuits, subsistence, living) //

(**ān** = *an* = (OG) planet, element, principle, water, falsehood (nouns); still pleasant, noble, true, swift, pure) //

(**ā / ān** = *taim* = (OG) town // *ràth* = village, town, residence, plain, cleared spot, fortress) +

(**n** – focus, gathering together, in) See p111. +

(**ē'** – beginning and end) See p129. +

(**q!** – frontier, pioneer, border, with) See p111. //

łix̢ā'c — was floating (41) //

(**łix̢** = *fleòdradh* = floating, buoyancy // *fliuch* = wet, moist, damp, oozy // *seòl* = float, navigate, sail, guide a vessel, direct, conduct, instruct, show) +

(**ā'c** – *aisig* = ferry over, restore, give back, deliver // *aiseag* = ferry, deliverance) //

(**ā'c** – out of, from) See ax, p102; See also ac & Ack, p100. //

łuqAnā' — cannibal (46) // łuqAna' (53) cannibals //

(**łuqA / łuqAnā'** = *slugair* = devourer, glutton, spendthrift, hard drinker // *slugadh* = devouring, act of devouring, swallowing, act of devouring or gulping, engulfing, act of engulfing or overwhelming, absorbing, act of absorbing // *sluganachd* = greediness, gluttony, bronchitis)

(**nā'** = *nàbhaidh* = neighbor) //

łū'waguq — rushed (169) // *sluaigheach* = expedition (noun) // *uisliginn* = disturbance, confusion, rage, fury //

(**łū'** = *sloisir* = dash / beat against (as the sea on the shore), daub, mix soft substances together, wash by working backwards and forwards in water // *uisliginn* = disturbance, confusion, rage, fury) +

(**wa** – appear, describes something or someone appearing in their next position or role) See p165. +

(**gu** = *gluais* = move, go, walk, advance, proceed, march, put in motion, bestir, make a motion, get up, afflict, agitate, provoke, afflict, touch pathetically) +

(**q** – frontier, border, pioneer, in) See p111. //

n

naAdî'

going (18) // naA'dî (19) when they had gone //
(**n** – focus, gathered together, with, in, when) See p109. +
(**a** – refer to someone or something before they take action, or before something happens) See p146. +
(A – they-it) See p174.
(**Ad / aAd** = *a dol* = (present participle of *rach*) // *rach* = go, proceed, move, travel, walk) // *dol* = going, walking, proceeding, traveling)
(**d = dî'** – precipitant) See p150. //
(**î'** = *imich* = walk, go, stir, budge, depart, advance, come) //
(**dî'** = *dian-imeachd* = fast walking (noun) // *triall* = go, depart, set out, stroll, march, walk, traverse, travel, intend, purpose, imagine, plot, devise) //

naadê', ġonaye' (34) when they were going, started
(**ê'** – beginning and end) See p151. //

xā'naAde (147) go with me
(**xā'** – me) See ax, p177. +
(**e** – beginning and end) See p151. //
(e – you, oneself, alone, (possessive)) See i, p185.

naā'dawe (176) when went
(**awe** – explaining) See p126. //

Compare daā'dawe (6) wanting to go // aġaA'dînawe (21) when they came // Anaā'dawe (26) when they were going // ā'dawe (34) when they went // aā'dawe (35) when they came) // hAsduī'n (61) with them // ŷā'naAt (151) was going //

naA'ttc — always went (18) //
(**na** = *a ghnàth* = always) +
(**A't** – go back and forth = *atharraich* = remove, flit, turn, budge, change, alter, translate) +
(**tc** – intensifier and catcher in the way of a spiral, always) See p134. //
Compare ū'at (3) she went //

nacî'qtc — would run (134) //
(**n** – focus, gathering together, in) See p109. +
(**a** – to, refers to someone or something before they take action, or before something happens // *a* = at, to, in, about, in the act of) See p146. +
(**cî'qtc / cî'** = *sith* = dart to, onset, stride, long quick pace, determined position in standing)
(**q** – pioneer, border, frontier, with) See p111. +
(**tc** – intensifier and catcher in the way of a spiral, always, exact) See p134. //
Compare wudjixī'x (34, 43) she ran // udjixī'x (40) she ran // icî'x (42) you run //

nacu' — was coming out of (27) //
(**n** – focus, gathering together, in) See p109. +
(**acu'** – 'went and' in a strategic sense, a karmic event or event of consequence) See p146. //
(**ac** – out) See ax, p102. +
(**u'** – describing extent = *ruig* = arrive at, reach, extend to, hold forth, stretch out, attain to, border, need, must, needs) See wu, p117. //
(**u'** = *urchair* = sudden sally or movement, cast, throw, push, shot, cartridge (nouns)) //

(**nac** – present action with a sense of duty or hospitality) See p156. +
(**u'** = *ua* = out of) //

nAġanā'n when he dies (97) //
(**n** – focus, gathering together, in) See p155. +
(**A** – he-it) See p174. +
(**ġa** – for, subjective action = *gabh* = (all subjective moods of action that can be expressed in a sense of 'taking on' or fulfilling a role) take, accept, receive, contain, hold, sing, say, deliver, (express emotions), put on (disguise), catch (fire, infection, ferment), undertake, endeavor, be concerned with, arrange, must, compelled to, enlist, engage as a servant, make secure, entertain, treat, acknowledge, worry, conceive, become pregnant, beat, belabor, betake, repair, proceed to, go, (motion), rest) See p152. +
(**nā'n** = *nas* = (OG) death) //

nAġasū't to help him out (180) //
(**nAġas / nAġasū't** = *nasgaidh* / *a nasgadh* = freely, as a pledge, as a deposit, as a gift, without price, (adverbs); treasure, gift) +
(**sū't** = *suidhich* = settle, arrange, plan, order, appoint, place, plant, set, betrothe, settle terms of marriage, win, repose, let for rent, pitch, lease, make an appointment, agree) //
Compare acū'waca (17) that married her.

nAłgē'n large (102) //
(**na_n** = *na… na* / *na's… na* = than; Eg. *tha Dòmhnall na's airde na Seumas* = Donald is taller than James) // *nas mò* = more (adverb)) +
(**ł** – *slatarra* = tall, straight, upright // *slat* = yard in length, yard to measure with, rod or twig, switch, wand, stay of a plough, handlebar of a cycle, penis) //

(**gē’** – influence, good and bad effect // ceann = limit, period, end, expiration, top, point, extremity) See p152 Compare Gàidlig *pailt* = copious, capacious, abundant, plenty // *farsuing* = large, wide, liberal, open) + Compare unała (25) was long // ułsā’kᵘ (47) lasted long // tc!ākᵘ (62) long time // ā’Len (126) big one.

nAs!gaducu’ eight (177) // Note: Eight is the sacred number in Hlingit culture.

(**nAs! / nAs!ga** = *fan* = continue, endure, remain, recognize, stay, wait, stop // *naisgte* = bound, fast) See n, p109.

(**ga** – for, subjective action = *gabh* = (all subjective moods of action that can be expressed in a sense of ‘taking on’ or fulfilling a role) take, accept, receive, contain, hold, sing, say, deliver, (express emotions), put on (disguise), catch (fire, infection, ferment), undertake, endeavor, be concerned with, arrange, must, compelled to, enlist, engage as a servant, make secure, entertain, treat, acknowledge, worry, conceive, become pregnant, beat, belabor, betake, repair, proceed to, go, (motion), rest) See p129. +

(**ducu’** = *ochd* = eight) //

nAsnī’ it had done for (114) //

(**nAs** = *fan* = continue, endure, remain, recognize, stay, wait, stop // *naisgte* = bound, fast) See n, p155. +

(**nī’** = *ni* = deed, circumstance, business, thing, affair, fact, substance, (nouns); will do, shall do) See p157. //

nA’xsAtīn is (181) (Context: a man is poor) //

(**nA’x** = *nàisinn* = deep and over-delicate sense of duty, excessive sense of gratitude (particularly in matters of hospitality that puts one to inconvenience, (*nàistinn* = vigilance, attention, circumspection, sense of duty (as in a servant towards his master’s interests), modesty, care, wariness, nation, tribe, native) // The difference between nAx and nac is that nAx expresses something inhospitable) See nac / nAx, p156. +

(**sA** –to; shows a new situation; sa is about something awesome and unknown, possibly a disloyal manner, while xa’ shows a loyal manner or something steady or familiar) See xa, p169. +

(**sAtīn** = sitī’n – doing something carefully and wisely, see, look // *steòrn* = manage prudently, govern, guide,

direct, guide by the stars, regulate, strut, swagger in walking // *iongantas* = wonder, miracle, surprise, astonishment, phenomenon, marvelousness, curiosity; eg. *ghabh mi iongantas* = I wondered; *tha thu 'cur iongantas orm* = you surprise me // *sealltainn* = looking, act of looking, seeing, viewing, observation, view // *seall* = see, look, behold, show // *cìdh* = (OG) see, behold) See p161. //
Compare nacu' (27) was coming out of // dutī'n (71) they saw // wudustī'n (94) saw [them] // qōstī'ŷīn (128) there was // dustî'ndjîayu' (145) having ever seen // ŷawusaŷe'awe (160) when he looked //

neɫixA'nq!awe into his house it was (8) // nēɫ (29, 79, 152, 162, 165) into the house // nēɫ (90, 130) in the house // nēɫ (170) into (Context: House) //
(**n** – in, focus, gathering together, with) See p109. +
(**ne** = *nead* = *nest, circular hollow // *neadaichte* = housed or lodged as in a nest, nestled // *neadaich* = nestle / house / lie as in a nest, build or make a nest, imbed, bed)
*It may be that Neandertal community was arranged like a nest, with women to the center and men around the outside. Another way, perhaps, in which they revered birds (See Bibliography & Notes, 'Dryopithecus: From sea to sky: bird inspiration') This arrangement was also found in Celtic duns, ancient stone buildings, that were round, with the fire in the center and the bedrooms around the wall like cells. Perhaps women and children in the center too. I think I found this nesting idea and evidence in the book 'The Neanderthal Enigma'.
(**ɫ / ɫixA'** – over to that side // *slaoic* = inverted, lying, uneven, unmatched, slouching to one side, crooked) See p109.
(**eɫ / eɫixA'n** = *ealachainn* = ward-room, armory, keeping-place, repository, fulcrum, hearth, furnace (particularly in a distillery), platform in a traveling crane)
(**xA'** - a loyal manner or something steady or familiar) See p169. +
(**n** – focus, gathering together, in) See p109. +

(**q!** – frontier, border, with, pioneer) See p111. //

(**ł / łixA'nq!** = *sligeanach* = *turtle, tortoise, chelonian // *slige* = shell, skin of a boat, bent timber in a boat, hull of a vessel, scale of a balance, coin (in ridicule), drinking-shell, scallop shell, splinter of earthenware, bomb) *North America is known to at least some Native Americans, such as the Sioux, as Turtle Island. I think one reason for this could be that North America gets covered with an ice shell periodically during ice ages; but Neandertal, Celts and Alaskans adapted their lifestyles to ice and faced the ice turtle. The igloo is even shaped like a turtle. See Bibliography & Notes, 'Turtle Island'.

(**awe** – explaining) See p126. //

ā'nēł (160) into the house

(**ā'** = *a* = at, to, in, about, in the act of) See p100 //

(**ā'** = *aig* = at, on, on account of, near, close by, in possession of, for) See ak, p101. //

Note: A long ā can mean two a's together.

<u>nēłŷī</u> caŷaqā'wadjał yū'tînna (153) <u>down inside the house</u> stood all around the coppers)

(**ŷī'** – to // *ri* = to, towards, in the direction of, unto, to (implying similarity of likeness / implying adhesion / implying exposure), to / to be (implying possibility), to (denoting equality of one object with another, denoting attention or earnestness), at, near to, against, in opposition to, in contact with, in (denoting employment or occupation), for (implying expectation or hope), of, concerning, with, as, like as, during, whilst, *up, upwards. *Although *ri* originally has an upward direction, in Hlingit the slender vowels represent downward.) See p121.

(**ŷī'** = *ris* = exposed to view, in the practice of, in the habit of, employed at, engaged in // *fior* = inside (noun) // *fior-iochdrach* = lowest // *fior-iochdar* = basis, the very bottom, lowest part // *fin-foinneach* = completely, from edge to edge // *fiadhaich* = invite, make welcome, give welcome to //

nēłdê' (176) home (Context: Once he had gone home, he went into action) (**dê'** – down) See p104. //

(**dê'** – act on something, on, off, of) See p103. //

nēłt!ā' (67) into the house

(**t!ā'** = *taigh* = house // *'staigh* (=*anns an taigh*) = in, within (adverb)) See also xawe, p133. //

(**t!** – to a full extent) See p112. +

(**ā'** = it-it) See p174. //

nēłq! (80) at the house

(**q!** – frontier, border, pioneer, with) See p111. //

(**q!** = k – present action in some direction = *aig* = on, at, near, close by, on account of, in possession of, for) See ak, p101. //

yū'niłq! (133) in that house

(**yū'** – term of respect) See page 343. +

Note: The difference of nił versus nēł is that nił refers more to the shell-like nature of a house. (In this case, it is the branch house, a mound covered in branches and garbage.) See ł / łixA'nq!, on p271 above.

nēł (29, 151, 161, 164) into the house // neł (79) in the house // nēł (130) in the house // (hît) nēł (169) into (the house) // neł (80) at the house //

niya' easy (30) //

(**ni** = *ni* = thing, circumstance, affair, business, deed, fact, substance, (nouns); shall do, will do) See p157. +

(**ya'** = *furasda* = easy, of easy accomplishment // *furas* = patience, leisure // *furan* = expression of kindly recognizance, hospitality, joy, entertainment, welcome, salutation, fondling) //

Compare also Gàidhlig *rath* = surety, character, advantage, good luck, prosperity, fortune, increase, profit, wages // *rathail* = astute, prosperous, fortunate, famed, well spoken of // *ran* = (OG) clear, evident, nimble, noble // *ràitse* = idle conversation, boasting, desultory prater // *ràideil* = inventive, sagacious, cunning, crafty, sly // *rag-bharalachd* = positiveness // *ràbhart* = fun, pleasantry.

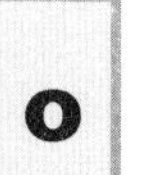

odusniyî' they did (25) (\Context: not long before they did something to her) //
(**o** – peak energy) // See p158. //
(**o** - Compare Gàidhlig *oirre* = on her, upon her, matter with her, owed by hear, over her // *olc* = mischief, evil, hurt (nouns); untouched) +
(**du** – they) See p180. +
(**sni / sniyî'** = *sniom* = distress (noun) // *snìomh* = wrench, wring, twist, spin, wind yarn, wind, curl, twine (verbs); sadness, heaviness, great pain, wrench, sprain, twist in yarn, curl of hair, ringlet, twist / twine, spinning (nouns) // *snìomhach* = sad, declivious) Compare action of djā'q, in ABC Dictionary section, D. //
(**yî'** – to) See p172. //
Compare dudjā'q (68) beat him // anᴀsnī'awe (109) when she had made them (Context: Bows and arrows)//

oxe' were passed (157) // *a cheana* = already // *seach* = past, gone by, (adverbs); past, beyond, further than, more than, rather than, (prepositions) // *seachad* = past, gone by, onward, forward, by, along, beyond, more, on, aside, out of the way, (adverbs); hoard, lay by, deliver, surrender, (verbs); 'away with you!' //

More about O in Bibliography & Notes, 'Vowel O'

q

qā a man (89) // *caraid* = male friend or relation, cousin // *càr* = friend, relation //

yuqā' (10) a man // yuqā' (85) the man //

(**yu** – term of respect) See page 343. +

qāx (151) come to be the man

(**x** – to; shows a new situation; sa is about something awesome and unknown, a loyal manner or something steady or familiar) See p139. //

qawu (181) a man

(**wu** – about) See u, p138. //

qâ'djî gA'łaat it puts up on land (116) //

(**qâ'** = ga – for, subjective action = *gabh* = (all subjective moods of action that can be expressed in a sense of 'taking on' or fulfilling a role) take, accept, receive, contain, hold, sing, say, deliver, (express emotions), put on (disguise), catch (fire, infection, ferment), undertake, endeavor, be concerned with, arrange, must, compelled to, enlist, engage as a servant, make secure, entertain, treat, acknowledge, worry, conceive, become pregnant, beat, belabor, betake, repair, proceed to, go, (motion), rest) See ga, p152. +

(**djî** – precipitant, immoderate) See di, p150. +

(**gA'łaat** = *talamh* = the earth, earth, land, soil, country) //

qAġA'qqocā-nAk! a grandmother mouse (27) //

(**qAġA'qqocā** = *cailleach* = old woman, old wife, woman without offspring, supernatural or malign influence dwelling in dark caves or woods or corries, single woman, woman // *cailleachag* = little old woman //

cailleachag-cheann-dubh = cole titmouse, cole-tit // *cailleachag-cheann-ghorm* = blue tit-mouse) +
(**nAk!** = *naing* = mother // *naing-mhór* = grandmother // *neanaidh* = fond name for grandmother) //
Note: *Cailleach Mheur* is the grandmother mouse goddess. I believe her form is the mouse, based on my intuition as a druidh. There is a chant and dance, '*Chailleach an Dùdain, dùdain, dùdain, Chailleach an Dùdain, cum do dheireadh rium.*' = Cailleach of the milldust, milldust, milldust, Cailleach of the milldust, uphold me to the end / compose your will through me. See Bibliography & Notes, 'Grandmother Mouse'.

qaġê't it was dark (38) //
(**qa** = *cąl* = darkness, grief, condition of body, (*ceal* = death, heaven, use) // *calg* = hair or fur of animals (especially the pile of black cattle and bristles of pigs), arrow, sting, prickle, (*colg* = fierce look, cheerful aspect, manly hue) +
(**ġê'** = *ceann* = genius, extremity, limit, ingenuity, period, expiration, end, top, point, head, attention (for good or bad, eg. *bi 'nad cheann mhath dha* = be kind (good) to him; '*na dhroch cheann dhuit* = very bad for you; *is dona an ceann sin dhuit* = that is against your health; *na cuir ceann 'na leithid sin* = do not attempt such a thing; *air cheann dha tighinn dhachaidh* = preparatory to his coming home) +
(**t** – to a full extent) See p112. //

qahā's!tc filth (96) //
(**qahā'** = *càrr* = scabbiness, leprosy, scurvy, itch, mange, any crustaceous roughness on the skin, coarse flesh, bog, fen, morass) +
(**s!** – problem, vulnerability) See p160. +
(**tc** – intensifier and catcher in the way of a spiral) See p134. //

Q!aī'tî-cūye'-qā Garbage-Man (107) // q!aīte' (131) garbage // Q!a-īte'-cū'-ye-qā (135) //
(**Q!aitî / q!aīte' = ***càiteach* = refuse, husks, chaff) +

(**cūye'** = *sguileach* / *sgruibleach* = rubbish, refuse // *smuig* = filth, snot, dirt, phlegm, snout, face (in ridicule)) +

(**qā** – man = *caraid* = male friend or relation, cousin) //

Q!a-ī'tîcuye-qātc (164) Garbage-Man // Q!a-ī'îcuye-qātc (166) Garbage-Man //

(**Q!a-ī'î** – (166) *Compare how the children said it. Here, the slave has toned it down a bit when reporting the news, by using no 't') +

(**tc** – intensifier and catcher in the way of a spiral, exact) See p134. //

Compare qaq!aitē'awe (103) garbage //

qAk^u wide (5) //

(**qA** = *clàr-* = broad (of body, body part), eg. *clàr-aodannach* = broad-faced, broad-browed; *clàr-chas* = splay-foot; *clàraineach* = flat-nosed; *clàrach* = woman of clumsy figure ("broad-built"), floor, small boat; *clàrag* = broad woman, square-sterned boat, fore-tooth; *clàr* = table, desk, any smooth surface or plane, deck of a ship, tablet, lid, trough) +

(**k^u** = *camus* = the space between the thighs, stern seat of a boat, bay, creek, harbor) //

(**q** – frontier, pioneer, in) See p111. +

(**ak^u** = *ana-cuimse* = vast, immense; *cuimse* = moderation, sufficiency, mediocrity, moderate portion, aim, mark, hit, any measuring instrument, measure (as for a suit of clothes) (nouns)) //

Compare yēk^udīwuq! (122) in it were wide (seats) //

qāk!udA's! their coats (21) // *gairbheadach* = coarse garment // *caidhliche* = thick fur // *gairgin* = pilgrim's dress // *cinnteagan* = coarse cloak // *sgrath* = outer skin or rind of anything, husk, peel, scale, bark of a tree, horror, turf, green sod (as used for covering roofs of houses) (nouns); pull, tug (verbs) //

(**qāk!** = *gach* = each, every, all // *gairbheadach* = coarse garment // *caidhliche* = thick fur // *gairgin* =

pilgrim's dress // *cinnteagan* = coarse cloak) //
(**q** = *glinne* = (OG) habit, coat) +
(**āk!** = *achd* = body, claw, nail, peril) +
(**u** / **ud** = *uidheam* = dress, clothes, habiliments, uniform)
(**d A's! / d A'** = *dreach* = fashion, appearance, beauty, seemliness, figure, shape, image, form, aspect, color, vision, hue of the complexion // *dreachadaireachd* = dressing, ornamenting, polishing (nouns)
(**s!** – new situation, something awesome and unknown, possibly disloyal) See xa, p169. //

q!aowut!ā'xe it opens its mouth (116) //
(**q!ao** = *clab* = open mouth, gaping garrulous mouth, thick-lipped mouth (ludicrous familiar term), lip, frog-fish, angler // *caibhe* = (OG) mouth, orifice) +
(**wu** – describes extent) See p117. +
(**t!ā'xe** = *taibhsich* = reveal, appear, seem // *fosgailte* = opened, that has been opened, disclosed, public, unlocked // *fosgail* = open, disclose, unlock, introduce a discussion) //
Compare q!ē'wat!āx (117) it opened its mouth //

q!AnAskîdē'tc poverty (97) // q!anAckîdē'x (181) poor // *daibhreach* = poor, destitute, needy, uncomfortable, adverse // *crann-fàisneachd* = sorcery //
(**q!An / q!an** = *crann* = lot, chance, risk, ballot, partiality, side, interest, membrum virile, measure for fresh herrings, tree, beam, shaft, plough, (nouns); shrivel, decay, wear off, (verbs) //
(**q!AnAs / q!anAc** – unfortunately, fortunately = *crannchur* = fate, destiny, fortune (whether good or evil // *cràbhaich* = austere, devout, religious, pious, hypocritical) +
(**kî** = in a peaceable manner) See p154. +
(**dē'tc / dē'x** = *deatamas* = requisite, family necessity or want // *dearralachd* = wretchedness, want, defeat)

(**tc** – intensifier and catcher in the way of a spiral, exact, always) See p134. +
(**x** – problem, vulnerability) See s, p160. //

q!ānA'x it was around mouth (113) //
(**q!ā** = *clab* = open mouth, gaping garrulous mouth, thick-lipped mouth (ludicrous familiar term), lip, frog-fish, angler // *caibhe* = (OG) mouth, orifice) +
(**n** – focus, gathering together, in) See p109.
(**nA'x** = *measg* = among, amidst, in the midst) See also Ack, p100. //
(**nA'x / q!ānA'x** = *trasd* = across, aslope, athwart, crosswise, traverse, awkwardly-placed, (adverbs); cross, disappointment, thwart, (nouns) // *crasg* = across place, cross, crutch, club (cards) (nouns) // *crasgach* = lying cross-way, a-kimbo, clumsy, slow, thwart, contrariwise, going on crutches, crawling / walking (as, person feeling torturing pain) //
Compare kAnA'x (37) across // kAx (79) across //

qaq!aitē'awe garbage (103) //
(**qaq!** = *cac* = ordure, filth, dirt, mire, dung, excrement, (nouns); filthy, dirty, foul, vile, nasty)
(**q!aitē'awe** = *càiteach* = refuse, husks, chaff)
(**aitē'awe** = *airteagal* = article)
(**awe** – explaining) See p126. //
Compare Q!aī'tî-cūye'-qā (107) Garbage-Man.

qa'q!osi feet (5) //
(**qa'** = **q** – frontier) See p111. +
(**qa'q!osi / q!os / q!** = *cas* / *cos* = foot, leg, irritable turn against, approach, be angry with) +
(**osi** = *os ìosal* = softly, privately, quietly, underhand, secretly, covertly) See p158. //

qA'tcu — or (127) (Context: neither, nor.) //
(**qA'** = *cha* = not)
(**A'** = *na* = or, nor, neither, otherwise, else, if not) +
(**tc** – intensifier or catcher in the way of a spiral) See p134. +
(**u** – links two things, especially in cause and effect) See p138 //
Compare Gàidhlig *ach* = but, except, besides // *cadad* = suppression or ellipsis of a letter, eclipse //
càch = the rest, others //

qAx — on account of (85) // *sgàth* = sake, account, nearness, pretence, shadow, fright, disgust, shelter, veil, protection, covering // *air sgàth* = for the sake of //
Compare hAsduq!oe's (82) for them.

qāx — getting to be a man (111) //
(**qā** – man = *caraid* – male friend or relation, cousin) +
(**x** – to, shows a loyal manner, steady and familiar // *mar* = in this or that manner, in the same manner, even as, like, like as, as // *sàbhail* = spare, preserve, use frugally, protect, defend, rescue // *seo* = 'here!', this, these // *a* = at, to, in, about, in the act of) See xa, p139. //
Compare yuqā' (10) a man // yuqā' (85) the man //

q!axā't — door (152) //
(**q!** – pioneer, border, frontier, in) See p111. //
(**q!ax** = *cas* = gape, turn against, thwart, oppose, fire or cast (as a stone), approach, brandish, bend, twist, wreathe, climb, stop, hesitate, shoot) +
(**ā't** = *atuinn* = gate, wicket, palisade, rafter) //

qē'awe — being seated (80) //

(**qē' / qē'awe** = *céilidh* = visit (verb); visit, visiting, sojourning, pilgrimage, gossiping, (nouns) // *ceann-uidhe* = end of a journey, destination, hospitable landlord, terminus, dwelling-place, stage)
(**awe** – explaining) See p126. //

qe'cî — hunt (158) //
(**qe'** = *coimhead* = watch, look, observe, keep, preserve, reserve, show) +
(**cî** = *sìneadh* = pursuit, pursuing, beginning, commencing, delaying, prolonging, prolongation, act of reaching anything to another, stretching, act of stretching or extending // *sìn* = pursue, chase, prolong, begin, commence, extend, lean / lounge on a bed, hand or reach anything to another, stretch, increase in length, stretch out, grow in stature) //
Compare qoŷa'odū'waci (15) searched // yu'qodūciawa (16) having searched // qoya'oduwacî (35) they searched qodicī' (155) they started to hunt // uġa'qoduciŷa' (157) while they hunted // kū'wacî (159) hunted //

q!ē'ġa — truly (70) // *creid* = believe, feel convinced, confide, trust, rely // *gu deachdta* = most certainly, most assuredly //

q!ēq! — near (by the) (89) //
(**q!ē** = *geàrr* = not reaching the intended part, transient / of short continuance, laconic, deficient, short / not long, (adjectives); describe (as a circle), taunt, satirize, shear (as grass), emasculate an animal / geld, cut, bite, gnaw)
(**q!** – border, frontier, pioneer, with) See p111. //

q!ē'wat!āx — it opened its mouth (118) //
(**q!ē'** – *geur-bhile* = foul mouth, sour leaf / blade // *giall* = jaw, cheek, gill of a fish, cheek or jaw of a boat (*géile* = one jaw, etc.) // *caibhe* = (OG) mouth, orifice // *clab* = open mouth, gaping garrulous mouth, thick-lipped mouth (ludicrous familiar term), lip, frog-fish, angler) +

(**wa** – appear, describes something or someone appearing in their next position or role) See p116. +
(**t!āx** = *taibhsich* = reveal, appear, seem // *fosgailte* = opened, that has been opened, disclosed, public, unlocked // *fosgail* = open, disclose, unlock, introduce a discussion) //
Compare q!aowut!ā'xe (116) it opens its mouth //

q!ē'wawūs! he asked (114) // *ceasnaich* = question, examine, catechize, search // *ceisdich* = question, examine, interrogate
(**wū** – describes extent) See p167. +
(**s!** – problem or vulnerability) See p160. //

q!ē'wax̣ix̣ came quickly (112) //
(**q!ē'** = *cleasaich* – perform feats of activity, gambol, vault, play, sport, tumble (as a rope dancer) // *cleas* = warlike exercise, deeds, movements, stratagem, feat in legerdemain, gambol, trick, craft, play, feat, (nouns)) +
(**wa** – appear, describes something or someone appearing in their next position or role) See p165. //
(**wa** = *rach* = go, proceed, move, walk, travel) +
(**x̣ix̣** = *sith* = dart to, onset, stride, long quick pace, determined position in standing) //
Compare wudjix̣ī'x̣ (34, 43) she ran // udjix̣ī'x̣ (40) she ran // wudjîx̣ī'x̣ (82) was (Context: run or go to fetch water) // wudjix̣ī'x̣ (95) ran up (canoe on lake) // wudjix̣ī'x̣ (106) he ran //

q!īca' bucket (88) // *cuinneag* = bucket to carry water in, small pail, milk-pail, cask, barrel, churn // *gingein* = cask, barrel // *cliabh* = cheese chest, creel (kind of hamper / basket slung on each side of a horse //

qî'naŷî its quill (83) // q!î'nayî (90) its quill // *cuillsean* = quill // *gèadhach* = goose quill //
(**qî'_ŷî** = *cleit* = quill, feather, down, covering of feathers, flake (as of snow), ridge or reef of sunken rocks, rocky eminence, eaves, backbone, land surrounded by the sea at high water // *iteag* = feather, little feather, plume, quill, fin, flight of a bird // *ite* = feather, quill, fin of a fish, artificial fishing fly, blade of an oar, adze, down, wing) +

(**na** = *na* = that which, what, those who, those which, (pronouns)) //
(**n** – focus, in) See p109. +
(**a** – it-it) See p174. //

qoa'ni — people (refers to grizzly bears) (30) // qoa'nî (38) tribe // *cròileagan* = ring or circle of people (generally used of children) // This Hlīngit word is like a circle that encloses a gathering of family members and animals, in a matriarchal tradition.
(**qo / qoa'n** = *cròileagan* = ring or circle of people (generally used of children)) //
(**i** – take time and care, possess) See Pronouns section, p185; See also Manner particles, p153. //
(**qo / qo'a** = *crò* = group of children, circle, sheep-cot / pen / fold, (*crodh* = cattle), hut, hovel, cottage, heart, witchcraft, crop, death, eye of a needle, (*cnò* = nut), saffron) //
(**qo** – to a sufficient extent) See p159. +
(**a'** = *ac* = son (See p199.) // *ab* = father // *mna* = (of a) woman (= generative singular)) +
(**ni / n** = *ni* = (applied to *flocks and herds of all kinds) // *nighe* = daughter // *ni* = circumstance, business, affair, thing, deed, fact, substance). // *Celtic culture placed a high value on cattle. See also Bibliography & Notes, 'Neandertal language'.
(**i** – take time and care, possess) See Pronouns section, p187; See also Manner particles, p153. //
(x̣ūts!) qoa'nî (17) (grizzly bear) tribe // (yux̣ūts!) qoa'nî' (18) (the grizzly bear) tribe // (x̣ūts!) qoa'nitc (35) all the (grizzly bear) tribe //

qodicī' — they started to hunt (155) // *coimhead* = watch, look, observe, keep, preserve, reserve, show //
(**qo** –front and back, opposite, thoroughly, a sufficient extent (moral sense)) See p159. //
(**qo_cī'** = lorgaich = trace, track, follow by scent or footprints, search, pursue, forage, investigate) +
(**di** – precipitant, immoderate, ahead) See p150. +

(**cī'** = *sìneadh* = pursuit, pursuing, beginning, commencing, delaying, prolonging, prolongation, act of reaching anything to another, stretching, act of stretching or extending // *sìn* = pursue, chase, prolong, begin, commence, extend, lean / lounge on a bed, hand or reach anything to another, stretch, increase in length, stretch out, grow in stature) //

Compare qoŷa'odū'waci (15) searched // yu'qodūciawa (16) having searched // qoya'oduwacî (35) they searched // uġa'qoduciŷa' (157) while they hunted // kū'wacî (159) hunted //

qo'dzîtī'yī-Atx   living thing (185) //

(**qo'** – front and back, opposite, thoroughly, a sufficient extent (moral sense)) See p159. +

(**dzî** – precipitant, immoderate) See di, p150. +

(**tī'yī** – *tì* = any rational being, he, she, him, her, design, intention, purpose, pursuit // *tighearn* = lord, chief, ruler, master, superior, title of respect, proprietor of an estate, name given to any proprietor) +

(**At** – thing = *math* = profit, prosperity, fruit, good, advantage, benefit, amelioration, purpose, end, kindness, inclination, wish // *dad* = anything, aught, whit, trifle, jot // *seud* = thing, nothing, reward, jewel, instrument, darling, hero, way, path, precious stone) See At, ABC Dictionary section, A. +

(**x** – new situation, perhaps a loyal manner, something steady or familiar) See xa, p169. //

Compare sîtî' (185) it is.

qok!ī't!   berries (2) //

(**qo** = *conall* = fruit, fruitfulness, Celtic Cupid, guardian spirit of childhood // *caor* = any red berries (or red bodies of a globular form), berry of rowan or mountain ash // *craobh* = tree, bush, ear of oats, foam or globules on the surface of liquids (nouns); branch out, sprout, bud, shoot forth, gush out, propagate (verbs)) +

(**k!ī't!** = *criathrach* = wilderness, marshy ground, swamp) //

Compare Gàidhlig *cnò* = nut; (*cnò-caltuinn* = hazelnut…the nut of wisdom that the salmon would eat, in Celtic tradition, which grows along a river) // *cnò-bhachaill* = species of nut, sometimes called Mary's nut, found cast up on the seashore; it was strung ona string and worn by young women round their necks as a charm)

qok!ī't!ê (4) while berrying

(**ê** – beginning and end) See p151. //

qonā'xdaq right (31) //

(**qo** – to a sufficient extent (moral sense)) See p159. +

(**nā'x** = *nàbachail* = neighborly) +

(**daq** – up, up (moral sense, as upright), homeward, inlandward) See p104. //

qoqā'awaqa he sent for (176) // See kā'waqa.

q!os shine (streaks) (72) // q!ōs (79) shine // weAłdî's-q!os (75) that moonshine // *crios* = sun, waist, belt, girdle, strap, zone, band, (nouns); envelop, bend round, gird, belt, border (verbs) // *criosach* = striped, succinct, girdled, belted, like or belonging to a belt or girdle, tight // *geug* = sun's ray, man's arms, young superfine female, nymph, branch, sapling, sprig // *gath* = ray of light, sunbeam, ray, dart, arrow, javelin of any kind, sting, barb of an arrow, beard, snub, knot in wood, inner row of sheaves in a corn stack //

Compare Gàidhlig *gnùis* = ((OG) jeopardy, hazard), face, surface, countenance, appearance, aspect, love, favor.

Compare dugu'ġun (79) lay in streaks //

qōstī'ŷīn there was (128) (Context: There was no iron or copper, it was there in the ground but unseen.) //

(**qō** – front and back, opposite, thoroughly, a sufficient extent (moral sense)) See p159. +

(**stī'ŷīn** – doing something carefully and wisely // *cìdh* = (OG) see, behold // *steòrn* = manage prudently, govern, guide, direct, guide by the stars, regulate, strut, swagger in walking // *iongantas* = wonder, miracle, surprise, astonishment, phenomenon, marvellousness, curiosity; eg. *ghabh mi iongantas* = I wondered; *tha thu 'cur iongantas orm* = you surprise me) See p161. //

Compare aositī'n (26) saw // dutī'n (71) they saw // dustî'ndjîayu' (145) having ever seen // ŷawusaŷe'awe (160) when he looked //

qot entirely (88) //
(**qo** – thoroughly, back and front, a sufficient extent (moral sense)) See p180. +
(**t** – to a full extent) See p182. //

qō'waAxtc could hear (58) //
(**qō'wa** = *clois* = (OG) hear // *cluinn* = hear, hearken, listen, attend to // *cuala?* = (cluinn in form of question) // *cluinnte* = heard, attended to) +
(A – they-it) See p174. +
(**x** – vulnerability, problem) See s, p181. //
(**x** – to, new situation, shows a loyal manner, steady and familiar // *sàbhail* = spare, preserve, use frugally, protect, defend, rescue // *seo* = 'here!', this, these // *ma* = if // *mar* = in this or that manner, in the same manner, even as, like, like as, as // *a* = at, to, in, about, in the act of) See xa, p191. //
(**x / Ax** – from, out of) See p114. +
(**tc** – intensifier and catcher in the way of a spiral, exact) See p127. //
Compare yū'yudowaAx (171) it was heard like //

qot lost (68) //
(**qo** –front and back, opposite, thoroughly, a sufficient extent (moral sense)) See p180. +
(**t** – to a full extent) See p182. //
Compare Gàidhlig *coisg* = stop, extinguish, restrain, staunch, pacify, quell, wean, subside, put an end to, quiet // *coisgte* = extinguished, restrained, quenched, stilled, appeased, tranquilized, pacified, calmed, settled)

qox back (37, 62) //

(**qo** - front and back, opposite, thoroughly, a sufficient extent (moral sense)) See p111. +
(**x** = ax – out, from) See ax, p102. //
qo'xodjîqAq (160) backed
(**o** – from) See p111. +
(**djî** – precipitant, immoderate, ahead) See p150. +
(**qAq** = frontier, border, pioneer, with = *criach* = frontier, march, border, country) See q, p111. //
(**qA** = *chaidh* = (past affirmative of *rach*) went // *rach* = go, proceed, move, travel, walk) +
(**q** – frontier, border, pioneer, with) See p111. //

qoŷa'odū'waci searched (15) // qoya'oduwacî (35) they searched //
(**qo** – a sufficient extent (moral sense), front and back, thoroughly, opposite) See p159. //
(**qo / qoŷa'od** = *coimhead* = watch, look, observe, keep, preserve, reserve, show)
(**qo_cī'** = lorgaich = trace, track, follow by scent or footprints, search, pursue, forage, investigate) +
(**ŷa'o** – went back, turned back) See p171.
(**o** – peak of energy) See p158. +
(**du** – her-they) See p180. //
(**wa** – appear, describes something or someone appearing in their next position or role // *cuairt* = cycle, zone, pilgrimage, expedition, whirl, eddy, circle) See p165. +
(**ci** = *sìn* = pursue, chase, prolong, begin, commence, extend, lean / lounge on a bed, hand or reach anything to another, stretch, increase in length, stretch out, grow in stature) //
Compare Gàidhlig *rùdhraich* = search for, grope // *dusachd* = watchfulness.
Compare yu'qodūciawa (16) having searched // qodicī' (155) they started to hunt // uġa'qoduciŷa' (157) while they hunted // kū'wacî (159) hunted //

q!ū'na — many times (112) //
(**q!ū'n** = *meud* = as many as, magnitude, degree, extent, number, quantity, stature, size, bulk, dimension, degree of greatness or largeness, greatness, largeness // *meudaich* = increase, multiply, cause to increase, enlarge, add to, augment, improve, abound, grow in size // *meudaichte* = increased, augmented, enlarged, advanced) //
(**ū'na** = *ùine* = time, a time, season, interval, leisure, life, lifetime) //
Compare ā'caŷAndihēn (53) began to be so many [there] // sAk^{u} (127) for (See sa, p133).

q!wAn — now (116) // *coma* = however // *ciodar* = (OG) wherefore //
(**q!w** = qo – to a sufficient extent (moral sense)) See qo, p111. +
(**An** = *ann* = in it, in him) See ac, p100. //
Compare qo'a (20, 24, 71, 138) however // qo'a (164, 180) but //

q!wAseŷê' — in front of them (79) // *aghaidhichte* = facing, fronting, contronted, opposed, opposing //
(**q!wA** = *aghaidhichte* = facing, fronting, contronted, opposed, opposing)
(**wAseŷê'** - way (up front), way (down below), etc. (away from us, but close to it) = *fa seach* = apart, separate, distinctly, individually, alternately, (adverbs)) //
Compare āeġayā't (64) below it // āeġayā' (66) in front of [the house] //

S

sadjA'qx they always killed [them] (48) //
(**s / sa / sadj** = ts!As = always) See p137. +
(**a** – them-she) See p174. +
(**djA / djA'q** – wrangling type of movement or action) See p151. +
(**A' / A'qx / dj A'qx** = *marbh* = kill, murder, slay, assassinate, subdue, mortify, benumb, (verbs); dead, lifeless, (adjectives); repose, stillness, dead person)
(**q** – frontier, pioneer, border, in) See p158. +
(**x** – problem, vulnerability) See s, p160. //
Compare ā'wadjAq (50) killed // ŷāqġadjā'q (96) would kill him // wudjā'qtc (97) always is killed of //

SAks bows and arrows (108) // *saighead* = arrow, dart, stitch // *stac* = thorn, stake or post driven into the ground, pillar, stack, halt / hobbling step / false step, little eminence // *bogha saighde* = archer's bow //

s!ēq smoke (26) // *sgleò* = vapor, mist, darkness, shade, spectre, dimness of the eyes, disease of the eyes, amazement, misapprehension, romancing of one who sees imperfectly (and consequently misrepresents facts) Compare Gàidhlig *deatach* = smoke, vapor, steam, exhalation, fume, smoke on the point of breaking into flame, gas.

t

tāk^{u}cā'gê wood (19) //
(**tāk^{u}** – about quality of material = *tacsa* = substance, support, solidity, comfort, buttress) +
(**cā'gê** = *seaghas* = wood) //

ta'oditAn did it purposely (180) //
(**ta'o** – do something purposely = *taobh* = side with anyone, favor, be partial, come nigh to, approach, (verbs); support / cause / account, countenance, aid, patronage, liking, friendship, partiality, favor, injustice, course, way, direction, place, quarter / side / flank) See p162. +
(**di** – precipitant, immoderate) See p150. +
(**tAn** –get from somewhere, become (eg. shape)) See p162. //

t!aq!ā'nAxawe from the hole (141) // *faoisgneadh* = emerging (as a heavenly body from behind clouds), bursting from the husk (as a nut), appearing on the horizon (as the sun) //
(**t!aq!** = *trachd* = treat, traffic, handle, negotiate, propose) +
(**ā'nAx** = *faoisg* = chink, gape, leak (as a dish), unhusk / take the husk off / hull (as nuts), (verbs) // *fròg* = hole, chink, nook, cranny, dark dismal hole, ugly place, retired habitation, marsh, den) //
(**n** – in, focus, gathered together, with, when) See p109. //
(**nAx / Ax** – out = *mach* = out, without) See ax, p102. //
(**awe** – explaining) See p126. //

tāt night (124) // *oidhche* = night, evening, darkness // *tràth* = time, day, hour, season, prayer-time, (nouns); early in season, timeous, betimes, speedy, quick, early, soon, in due time, seasonably, (adverbs)) // *tàmh* =

sleep, state of dwelling, abode, dwelling, rest, quiet, ease, quietness, delay, idleness, staying, inactivity, (nouns); settle, dwell, inhabit, rest, stay, remain, desist, repose, give over, cease // *tàmhachd* = abode, rest, repose, tranquility, settled state // *tàn* = (OG) time, season, country, region, territory, ground, land, earth //
tamull = space, distance, length of time, space of time // *taradh* = noise at night (premonitory) //
tā'dawe (138) at night // *aduigh* = at night //
(**awe** – explaining) See p126. //

taŷinA'x under (13) //
(**taŷ** = *tàr* = descend, go, befall, come, send, evoke) //
(**taŷi** = *tarruing* = draw near, approach, advance, lead, attract, draw, pull, pull along, allure, aim) See also t, p127
(**n** – in, with, focus, gathering together) See p109. +
(**A'x** = Ac – in // anns = in, in the) See Ac, p100. //

tc!a now (9), right (10, 26), just (152) // tcA (119) right in, (185) become // *seadh* = furthermore, truly, indeed, yes // *dràsda* (= *an tràth seo*) = now, at this time, the present time //
(**tc!** – intensifier or catcher in the way of a spiral) See p134. //

tca-ī' oh (107, 135) (ooh!, ewwh!, Context: you dirty Garbage-Man) //
(**tca** = *seadh* = truly, indeed, yes, furthermore) See tc!a, above. +
(**ī'** = *fich* / *'fich!'* = nasty, (expression of disgust or contempt)) //

tc!āk" long time (62), a long time (68) //
(**tc!** – intensifier and catcher in the way of a spiral) See p134. +
(**ā'** = *pailt* = abounding, plentiful, capacious, abundant, full, numerous, copious, [a lot of]) +
(**k** – present action continuing) See ak, p101. +
(**"** = *ùine* = time, a time, season, life, lifetime, interval, leisure) //

(**k^{u}** – long, wide, lasting // *rùdhrach* = long, straight, searching, groping, scrambling (adjectives) // *coilleanta* = tall, straight, slender // *camus* = the space between the thighs // *buan* = long, tedious, lasting, durable, hardy, tough // *cuimse* = moderation, sufficiency, mediocrity, moderate portion, aim, mark, hit, any measuring instrument, measure (as for a suit of clothes) (nouns) // *cuimseach* = moderate, in a state of mediocrity, mean, little, indifferent, befitting, suitable to one's case, adjusted, unerring, sure of aim) // See ku,.
Compare ułsā'k^{u} (47) lasted long.

tcāc branch (99) // *gas* = bough, twig, broom brush, stalk, stem of a herb, bunch, copse, particle, young boy, military servant // *sracadh* = twig, shoot, sprout, tear, fissure, rent // *geug* = branch, sapling, sprig, man's arms, sun's rays, young superfine female, nymph //
yutcā'c-hît (178) the branch house
(**yu** – term of respect) See page 343. +
(**hît** – house) See p259. //
Compare Gàidhlig *teach* = house, dwelling-place // *teagh* = (OG) house // *teaghas* = small room, closet // *peillic* = hut or booth made of earth and branches and roofed with sod, felt, any thick or coarse cloth, covering made of skins or coarse cloth, pit, basket of untanned hide //

tc!aŷē'guskî very small (52) //
(**tc!** – intensifier and catcher in the way of a spiral) See p134. +
(**tc!aŷē'** = *caifeanach* = trifling, diminutive)
(**aŷē'g** = *glé* = very) //
(**a** – she-it) See p174.
(**a** – was = *bha* = was, were) See p124. +
(**ŷē'g** = *beag* = little, dimunitive, sordid, disagreeable) +

(**uskî / g uskî** = *sgriothail* = lot of small items (as small potatoes), crowd of young creatures; eg. *chuir e sgriotal dheth* = he spoke a great many words with little substance in them // *sgrioth* = gravel // *sgriothal* = crowd of young creatures or small things)

(**kî / guskî** = *crileag* = small, trifling, diminutive) //

Compare LAx ckAstā'xwâ (82) very was a young man // hAsduīk! k!Atsk!"^{u} (87) her brother little //

tcukA'q!awe at the other end of (99) //

(**tcu** = *tiugh* = the end) See also tc!uLe', below & p136. +

(**kA'q!** = *càch* = the rest, the others) +

(**awe** – explaining) See p126. //

tc!uLe' then (9, 12, 32, 45, 79, 80, 90, 93, 115, 120, 126, 131, 136, 145, 152, 153, 160, 167, 169, 174) // *ciodar* = wherefore // *c'e 'sam bith* = however, whoever // *tiugh* = (OG) latter, last // tc!u (34) then //

(**tc!** – intensifier or catcher in the way of a spiral) See p134. +

(**u** – links two things, especially in cause & effect) See p138. +

(L = *dlagh* = natural order) See p130. +

(**e'** – beginning and end) See p128. //

See also tc!uLe', p136. // tc!uLē'xdê (87) ever since then // tc!ū'ya (109) just then //

tc!uyū' (91) the time

(**tc! / tc!** = *ciodar* = wherefore)

(**yū' / uyū'**= *ùine* = time, a time, interval, leisure, lifetime, life) //

(**yu** – term of respect) See page 343. //

Compare tc!uLe', above & p136.

tcxAnk! grandchild (29) // *seanghain* = (OG) child near the time of its birth, conception // *san-ghin* = child begotten in old age //

tîn with //

(**tî** – precipitant) See di, p150. +

(**n** – focus, with) See p155. //

tînna' copper plates (129), coppers (177), a copper (184) // *trinnsear* = plate, trencher // *tiompan* = timbrel, cymbal, tabor, drum, drum of the ear, nozzle of a bellows, harp, any musical instrument, one-sided knoll, narrow gully // *tinne* = link of a chain, chain, piece of a column, ((OG) disease) //

(**na'** = *abhron* = (OG) cauldron // *agan* = (OG) precious, dear // *aghann* = large shallow iron pan (generally had three small legs and iron lid, for boiling vegetables etc.), goblet, skillet, small kettle or boiler) //

yu'tînna (133) the copper plate, (153) the coppers

(**yu'** – term of respect) See page 343. //

toq anus (5) (Context: bear's anus) // *toch* = thigh or hough of an animal //

ts!As always (5), only (20, 24, 151) // tc!As (123) only //

(**ts!** – intensifier or catcher in the way of a spiral, always) See tc, p134. +

(**As** / A = *gnàth* = always // *ath* = again, next (adjectives); (prefix, means repetition, as in English re-) // *ach* = but, except, besides // *mach* = except, but // *main* (*a mhàin*) = alone, merely) +

(**s** – problem or vulnerability) See p160. //

(**s** – to, shows a new situation, awesome and unknown, perhaps disloyal) See xa, p169. //

Compare Gàidhlig *tathaich* = frequenting, act of frequenting or often
visiting, resort, craving, claim, investing, supernatural knowledge of the absent // *daonnan* = always, continually, habitually, at all times // *dràsda* (= *an tràth seo*) = now, at this time, the present time.

ts!u again (8) // *tiugh* = in quick succession (as drops of rain), frequent, the end, latter, last, clumsy, dull,

indistinctly //
(**ts!** – intensifier or catcher in the way of a spiral, always, exact) See p134. //
(**ts!** = *ath* = again, next (adjectives); (prefix, means repetition, as in English re-)) +
(**u** –links two things (especially in cause & effect), about) See p138. //
ts!utā't (34) in the morning // *tuiteam* = dawn, dusk, chance, falling, overturn //
(**t** – extent) See p112. //

ts!uhē't!aawe first one and then the other (93) //
(**ts!** = *ath* = again, next (adjectives); (prefix, means repetition, as in English re-)) +
(**u** – links two things (especially in cause & effect), about) See p138. +
(**hē'** = èan = (OG) one, water) //
(**hē'** = e - beginning and end (one use of this particle is for repetitive tasks or activities that involve coming or going) See p151. +
(**t!** – to a full extent (emphasized by !)) See p161. +
(**a** = he-she) See p174. +
(**awe** – explaining) See p126. //
Compare ts!u (8, 26) again // ts!u (79) also // Lē / Lēn (37) one //

Ts!ūtsxA'n Tsimshian (51) // Ts!ū'tsxAn (54) Tsimshian //
(**Ts!ūtsxA'** = *tuatha* = country people, tenantry, peasantry, husbandman, the land proprietors collectively)
(**n** – gathered together, in, focus) See p109. //
Compare Gàidhlig *tuatha-de-danaan* = an ancient magical people of Ireland.

t!u'k See at!o'kt!.

tuwA'nq! alongside (79) // *tuathal* = to the left, wrong, contrary to the course of the sun (and consequently regarded as

unlucky), cross, athwart, backward, awkward, ominous, brave, (*tuathach* = northerly)) //
(**tu / tuw** – would, used to, past continuing, a sense of happening in your direction, and excitement) See aku, p125. +
(**w A'nq! / A'nq!** = *an caraibh* = beside, near) //

tuwā'ŷatî looked to (14) //
(**tuwā'ŷa** = *tuaiream* = sense, judgment, guess, conjecture, random, venture, vicinity, direction, pursuit) +
(**tî** – precipitant) See di, p150. //

u

u, ū come with a sense of urgency, run or go after, run off, go from // *ruith* = running, act of running, race, rushing, chase, flowing,, in line with, parallel, pursuit / flight (as of an army), treatment, slight arrangement, fast talking or speaking, course, rate, speed, average, ratio, the diarrhea, dysentery // u also is a particle describing extent (See p117) *ruig* = reach, extend to, arrive at, attain to, hold, stretch out, border, needs, must //

ū'at (3) she went
(**ū'_t** = *ruith* = rushing, in line with, slight arrangement, course, speed, chase, race, treatment) //
(**a** – she-they) See p174. +
(**a** – *rach* = go, proceed, move, travel, walk) +

(**t** – extent, to there) See p161. //
Compare uwa.
gu (29) come (imperative) // *gluais* = move, go, walk, advance, proceed, march, put in motion, bestir, make a motion, get up, afflict, agitate, provoke, afflict, touch pathetically // *chugam* = to me, toward me //
udjixī'x (40) she ran
(**dji** – precipitant) See di, p150. +
(**xī'x** = *sith* = dart to, onset, stride, long quick pace, determined position in standing) //
Compare wudjixī'x (34, 43) she ran // icî'x (42) you run // nacî'qtc (134) would run //
ka'oduĻî-u' (98) they let him go
(**ka'o_Ļî** = ka'oĻî –blissfully unaware then suddenly, paying no attention then suddenly; gently before a powerful action) See p154. +
(**du** – they-he) See p180. //
See also u (1) lived.
Compare wugudī'awe (165) when he came.

u lived (1) // *fuirich* = dwell, abide, stay, wait, linger, delay, deliberate // *uair* = life, one's lifetime, on a time, opportunity, one time, occasion, season, rotation, any given space of time, time of day or night, a time //
ā'wa-ū (56) had (Context: had a baby) See also p216
(**ā'w** – get, take, reach for) See p177. +
(**a** – they-it (he)) See p174. +
ka'oduĻî-u' (98) they let him go //
Compare yā't!ayauwaqā' (104) this man living here // îq-gwâte' (149) you are going to stay //

ū'at, udjixī'x See u – come, go.

udułcu'qnutc they would laugh (105) //

(**udu** – similar to wudu (different people getting together, combined effort) but one-way action or feeling, not mutual, maybe isolation from) See wudu, p168. //

(**u** – links two things (especially in cause & effect), about) See p164. +

(**duł** = *duisleannan* = ill-natured pretences, dissimulation, obstinacy, false complaints, freaks) +

(**cu'q** = *sùgair* = make merry, sport // *sùg* = hilarity, cheerfulness, mirth, cheerfulness, happiness) +

(**nutc** – tendency & intensifier or catcher in the way of a spiral) See p158. //

Compare dułcu'ġtawe' (134) when they laughed //

uduwaᴀ'x it was heard to say (120) //

(**udu** – similar to wudu (different people getting together, combined effort) but one-way action or feeling, not mutual, maybe isolation from) See wudu, p168. //

(**waᴀ' / waᴀ'x** = *chuala* = heard) +

(**x** = xa – to, a new situation, shows a loyal manner, steady and familiar) See p169.

uduwatsā'k they put [it] (90) (Context: as a test) //

(**udu** = udu is opposite to wudu, it shows one-way action or feeling, not mutual, maybe isolation from) See wudu, p168. +

(**wa** = *cuir* = put, place, lay, produce an effect, influence, tire, act upon, send, invite, sow, snow) +

(**ts** – intensifier and catcher in the way of a spiral, exact) See p113. +

(**ā'** – into, in = *anns* = in, in the // *ann* = in it, in him) Note: Long ā is for two 'a' words. See p100. //

(**ā'k / k** – present action continuing) See ak, p101. //

Compare wududzî'nê (60) they came to put it (Context: grease box in canoe).

uġa'qoduciŷa' while they were hunting (157) // *coimhead* = watch, look, observe, keep, preserve, reserve, show //

(**u ġa'** – *gnìomhach* = active, busy, actual, operative, industrious, diligent, making good deeds, laborious) +
(**qo** –front and back, opposite, thoroughly, a sufficient extent (moral sense)) See p159. //
(**qo_ci** = *lorgaich* = track, trace, follow by scent or footprints, search, pursue, forage, investigate) +
(**du** – her-they) See p180. //
(**ci** = *sìn* = pursue, chase, prolong, begin, commence, extend, lean / lounge on a bed, hand or reach anything to another, stretch, increase in length, stretch out, grow in stature) +
(**ŷa'**- was, (past tense) // bha = was, were) See p140.
(**ŷa'** = *iarr* = seek, search, look for, ask, invite, request, probe, demand, pain / purge (as medicine)) //
Compare Gàidhlig *rùdhraich* = search for, grope // *dusachd* = watchfulness.
Compare qoŷa'odū'waci (15) searched // yu'qodūciawa (16) having searched // qoya'oduwacî (35) they searched // qodicī' (155) they started to hunt //

ułsā'k^{u} lasted long (47) (Context: cannibal danger) //
(**u** – describes extent) See p167. //
(**u** = *ùine* = time, a time, season, life, lifetime, interval, leisure) +
(**ł / łsā'**- long = *slatarra* = tall, straight, upright // *slat* = yard in length, yard to measure with, rod or twig, switch, wand, stay of a plough, handlebar of a cycle, penis) +
(**sā** – to, new situation, awesome, unknown, perhaps disloyal) See p169. +
(**k^{u}** – long, wide, lasting // *rùdhrach* = long, straight, searching, groping, scrambling (adjectives) // *coilleanta* = tall, straight, slender // *camus* = the space between the thighs // *buan* = long, tedious, lasting, durable, hardy, tough // *cuimse* = moderation, sufficiency, mediocrity, moderate portion, aim, mark, hit, any measuring instrument, measure (as for a suit of clothes) (nouns) // *cuimseach* = moderate, in a state of mediocrity, mean, little, indifferent, befitting, suitable to one's case, adjusted, unerring, sure of aim) // See ku.

(**u** = *ùine* = time, a time, season, life, lifetime, interval, leisure) //
Compare unała (25) was long // tc!āk[u] (62) long time //

unała — was long (25) (Context: not a long time) //
(**una** = *ùine* = time, a time, interval, leisure, season, life, lifetime) +
(**ła** – *slatarra* = tall, straight, upright // *slat* = yard in length, yard to measure with, rod or twig, switch, wand, stay of a plough, handlebar of a cycle, penis) //
Compare Gàidhlig *rùdhrach* = long, straight, searching, groping, scrambling (adjectives).

u'tiyāngahē'n — when they would get hungry (63) //
(**u'** = *uair* = occasion, on a time, one time, rotation, opportunity, at another time, once) +
(**ti** – precipitant) See di, p150. +
(**yānġa** = *acrasach* = hungry // *an-shanntach* = greedy, covetous, (adjectives); greedy person) //
(**tiyānġa** = *tiachair* = weary under a burden, ill-disposed, perverse, sickly, (adjectives); ill-disposed person)
(**nġa** = *faigh* = get, acquire, obtain, find, reach) See p157. //
(**hē'n** = *seang* = hungry, lean, hungry-looking, gaunt, slim, small-bellied // *sgeamhladh* = keen appetite) //

uwa — come, go, flee, run away // *ruag* = pursue, chase, put to flight // *ruaig* = pursuit, hunt, chase, flight, precipitate retreat, banishment // *ruith* = running, act of running, race, rushing, chase, flowing, act of flowing (as a stream), in line with, parallel, pursuit / flight (as of an army), treatment, slight arrangement, fast talking or speaking, course, rate, speed, average, ratio, the diarrhea, dysentery //
ū'wagut (10) came // ūwagu't (61) it walked away // ūwagu't (66) she came // uwagu't (67) came [and said] // ūwagu't (67) came //
(**uwa** = *ruag* = pursue, chase, put to flight // *ruaig* = pursuit, hunt, chase, flight, precipitate retreat, banishment) +

(**wa** –appear, describes something or someone appearing in their next position or role) See p165. +
(**gu** = *gluais* = move, go, walk, advance, proceed, march, put in motion, bestir, make a motion, get up, afflict, agitate, provoke, afflict, touch pathetically) +
(**t** – to a full extent) See p112. //
Compare gu (29) come (imperative).

uwaA't (12) he went // wuā't (26) went // uwaA't (78) they came //

(**uwa** = *ruag* = pursue, chase, put to flight // *ruaig* = pursuit, hunt, chase, flight, precipitate retreat, banishment) +
(**A'** – her / he) See p174. +
(**t** – at or to a full extent) See p112. //
Compare wuā't (26) went (refers to they) //

ū'waqox (64) went

(**uwa** = *ruag* = pursue, chase, put to flight // *ruaig* = pursuit, hunt, chase, flight, precipitate retreat, banishment) +
(**wa** –appear, describes something or someone appearing in their next position or role) See p165. +
(**qo** – front and back, opposite, thoroughly, a sufficient extent (moral sense)) See p111. +
(**x** – to, new situation, perhaps loyal, steady and familiar) See xa, p169. //

ā'wagut (73) [one] went

(**ā'** – he-they) See p174. //
(**wa** = *ruag* = pursue, chase, put to flight // *ruaig* = pursuit, hunt, chase, flight, precipitate retreat,banishment)
(**wa** –appear, describes something or someone appearing in their next position or role) See p165. +
(**gu** = *gluais* = move, go, walk, advance, proceed, march, put in motion, bestir, make a motion, get up, afflict,

agitate, provoke, afflict, touch pathetically) +
(**t** – to a full extent) See p112. //
ū'wadjî (150) he came
(**djî** – precipitant, immoderate) See di, p150. //
See also ū'at (3) went // wuā't (26) went // ānagu'ttc (109) he always went // gū'tsawe (112) after he had gone // dugudē'awe (117) when he had gone //

uwaca' married her (164) // See ā'waca.

uwaL!A'k had rotted (36) //
(**u** = *mùth* = begin to rot, decay, deteriorate, change, alter, kill, destroy, give in exchange, shift, turn, diversify) +
(**wa** = appear, describes something or someone appearing in their next position or role) See p165. +
(**L!A'k** = *dreògh* – (OG) rot, wear out) //
(**L!A'k / L / Lē / La** – natural order or development, this shows how small things add up to something bigger // *dlagh* = natural order) See La p130. //
Compare Gàidhlig *dealbhaidh* = web of cloth // *dealbhasach* = poor, miserable, causing poverty or misery // *tarlaidh* = tear or drag away // *tar-shoillseach* = transparent.

ū'wani he got ready (137) // *ullamh* = ready, prepared, finished, done, over, in readiness, ready, prone to, (adjectives) // *ullaich* = prepare, make ready, procure, provide, appoint, adjust, put in order //
(i – take time and care) See p 153.

ū'waqox See u.

u'x at him (105) (Context: laugh at) //
(**u'** – *mu* = about, concerning, of, on account of, for, around) See p156. +
(**x** – to someone's self, me, I, my) See ax, p177. //

(**x** – problem, vulnerability) See s, p160. //

wAq eyes (68) // *rosg* = the eye, eyesight, eyelid, eyelash, understanding, dawn, incitement to battle, prose, prose writing //
Compare Gàidhlig *faic* = see, look, behold //

wānanī'sawe very soon (56), as soon as (106), and then (158) // *gnìomhach* = active, busy, actual, operative, industrious, diligent, making good deeds, laborious, thrifty //
(**wā** – appear, describes something or someone appearing in their next position or role) See p165. //
(**wānanī'** = *ùine* = interval, time, a time, season, life, lifetime, leisure) //
(**wānanī's** = *ùinich* = hurry, bustle, confusion, disturbance, fumbling, contending)
(**nī's** = *nis* = therefore, now, at this time) +
(**s / sa** – progress (go, soon), extremely, supremely, very (applies to progress and quality of something)) See p133. +
(**awe** – explaining) See p126. //
Compare uġa'qoduciŷa' (157) while they were hunting.

wA'ngA'ndî to go outside (92) //

(**wA'** – appear, describes something or someone appearing in their next position or role // *cuairt* = cycle, zone, pilgrimage, expedition, whirl, eddy, circle // *nuadh* = new, fresh, recent, modern, unfamiliar // *nuadhaich* = renew, renovate // *a* = that, which, what, who, whom // *ma* = if // *ua* = from, out of // *uaipe* = from her, missing by her, wanted by her, off her) See p165. +

(**ngA'** – get, become) See p157. +

(**nd / nt** – out, outside) See p110. +

(**î** – take time and care, possession) See p153. //

wAs!-ya a stick (10) // *rallsa / ràcan* = rake, bandy or crooked stick, instrument for breaking clods and used as a harrow, mischief, evil, wickedness, riot, noise, crash //

weAłdî's-q!os that moonshine (75) //

(**we** = *rè* = the moon, planet, life, existence, lifetime, during, duration, space of time, time, season) //

(**we** = e – the, beginning and end, back and forth // *réidh* = ordered, arranged, disposed, ready, prepared, harmonious, reconciled, at peace, conciliated, free, exempt, straight, uninterrupted, clear of obstruction, allied, safe, not dangerous, appeased, regular, unraveled, disentangled) See p128. +

(**Ał** / **Ał_s** = *aos-liath* = grey-headed, old // *aois-liath* = hoary, aged // *solus* = the moon, heavenly body, phase of the moon, light, light (lamp, candle, etc.), knowledge, information, round ball thrown into the air, quoit // *slànach* = having a healing virtue, healing, curing, salubrious, salutary, convalescent // *slàn* = healthy, in good health, whole, unbroken, sound, uninjured, unhurt, healed // *àlainn* = bright, white, clear, glorious, beautiful, exceedingly fair, elegant, handsome, amiable // *aisling* = reverie, dream, vision // *aislingiche* = dreamer, visionary) //

(**Ałdî's** = *faslairt-Dis* = the encampment of Dis // *aos-liath* = grey-headed, old // *aois-liath* = hoary, aged)

(**dî's** = *teasgonn* = (OG) moon // *Dis* = Celtic god (adopted by Romans), maybe Celtic- Neandertal god) + (**q!os** = *crios* = sun, waist, belt, girdle, strap, zone, band, (nouns); envelop, bend round, gird, belt, border (verbs) // *criosach* = striped, succinct, girdled, belted, like or belonging to a belt or girdle, tight // *geug* = sun's ray, man's arms, young superfine female, nymph, branch, sapling, sprig) //
Compare yū'Ałdî's (72) the moon //

wē'yāk^{u} the canoe (63) //
(**we** = e –the, beginning and end (also for repetitive tasks or activities that involve coming or going) See p128.
(**yāk^{u}** = *ràgh* = raft of wood // *curach* = canoe, skiff, boat made of wicker and covered with skins or hides, coracle) //

wuā't went (26) // *chuadar* = they went // *ruith* = run over, look over, chase, run, race, rush flow (as, stream), retreat // *ruathair* = make sudden onset, fight, rummage, be infected in an epidemic, (*ruamhair* = delve, dig with a spade) // See u. See also uwa.
Compare ū'at (3) she went

wucdA'x they chopped her (52) //
(**wuc** = *rùisg* = tear, rend, shave, disclose, reveal, clip, make bare //
(**d** – acting on something, on, off, of) See p103. +
(**A'** – they-her) See p174. +
(**x** – problem, vulnerability, out of, from) See p160.
(**dA'x** = djAq – wrangling type of movement or action) See p151. //

wudîna'q started to get up (92) //
(**wudî** – different people separating (opposite of wudu, which means different people getting together) See p168.
(**na'q** = *nàireach* = bashful, modest, easily abashed, shameful, disgraceful, shamefaced, sheepish) //

(**dîna' / na' / na'q** = 'n àird = upward, up, aloft, from below, on high) +
(**q** – frontier, border, pioneer, with) See p111, //

wu'diqêL! started to go (173) (Context: retreat) //
(**wu'** – describes extent) See p117, +
(**di** – precipitant, immoderate, ahead) See p150. //
(**wu'di** – different people separating, similar to wudu which means different people getting together) See p168 +
(**qêL!** = *ceum* = move step by step, step, measure by steps, pace, (verbs); stride, pace, step (as of ladder or stair), footstep, path, degree, pedigree) //

wudjA'łtc [her hands] would go (93) //
(**wu** – describing extent = *ruig* = reach, extend to, arrive at, attain to, hold, stretch out, border, needs, must // *ruith* = run over, look over, chase, run, race, rush flow (as, stream), retreat // *ruathair* = make sudden onset, fight, rummage, be infected in an epidemic, (*ruamhair* = delve, dig with a spade)) See p117. //
(**wudjA** = wudji – different people separating) See wudi, p168. +
(**djA'** – wrangling type of movement or action) See p151. //
(**dj** – precipitant, immoderate) See di, p150. +
(**ł / Ał** – over to that side) See p109. +
(**tc** – intensifier and catcher in the way of a spiral, exact, always) See p113. //

wudjā'qtc always is killed of (97) //
(**wu** – describes extent) See p167. +
(**djā'q** = *marbh* = kill, murder, slay, assassinate, subdue, mortify, benumb, (verbs); dead, lifeless, (adjectives); repose, stillness, dead person) //
(**djā'q** – wrangling type of movement or action) See p151. +

(**tc** – intensifier and catcher in the way of a spiral, always) See p134. //

wudjix̦ī'x̦ she ran (34, 43), he ran (106) // udjix̦ī'x̦ (40) she ran // wudjîx̦ī'x̦ (82) was (Context: Run or go to fetch water) // wudjix̦ī'x̦ (95) ran up (canoe on lake) //

(**wu** – describing extent) See p117. //

(**wu** = *ruith* = run over, look over, chase, run, race, rush flow (as, stream), retreat // *ruathair* = make sudden onset, fight, rummage, be infected in an epidemic, (*ruamhair* = delve, dig with a spade)) +

(**wudji / wudjî / udji** – different people separating) See wudi, p168. +

(**dji** – precipitant) See di, p150. +

(**x̦ī'x̦** = *sith* = dart to, onset, stride, long quick pace, determined position in standing) //

Compare icî'x̦ (42) you run // q!ē'wax̦ix̦ (112) came quickly //

wudū'dziha they came to miss her (156) // *ionndruinn* = miss, long for, feel the want of //

(**wu_dzî** – something has come to happen) See wudzi, p168. +

(**du** – they-her) See p180. +

(**ha** = *fadal* = longing, weariness, anxiety, ennui, appetite, delay, tediousness, prolixity // *fàrdal* = longing, delay, hindrance, detention // *farran* = regret, disquietness, vexation, anger, pettishness, slight offence, force, (nouns) // *fàs* = empty, void, hollow, vacant, desolate, unoccupied, laid waste, false, uncultivated, addle-pated // *sanntaich* = desire, long for, lust after, incline, covet // *sàraichte* = oppressed, wearied, troubled, vexed, conquered, perplexed, exhausted, beaten, harassed, wronged, injured, rescued violently or illegally // *pàidh* = require, suffer for, atone, make amends, pay, remunerate)

wududzî'nê they came to put it (60) //

(**wu_dzî** – something has come to happen) See wudzî, p168. +

(**du** – they-it) See p180. //

(**wudu** – describes different people getting together, combined effort) See p168. //
(**dudzî' / dzî'** = *cuir* = put, place, lay, produce an effect, influence, tire, act upon, send, invite, sow, snow) + / See p151.
(**n** – in, focus, gathering together) See p109. +
(**ê** – beginning and end, (also for repetitive tasks or activities that involve coming or going))
Compare uduwatsā'k (90) they put [it].

wudułîcā'dî caught (91) //
(**wudu** – describes different people getting together, combined effort) See p168. +
(**wudułî_ā' / wu__łî** = awu'łî – doing something rebellious / beginning to do something rebellious / alone with energy) See awuĻî, p149. +
(**du** – he-she) See p180. +
(**łî / łîcā' / łîcā'd** = *sliobasta* = clumsy // *slìobach* = clumsy, awkward // *sgiab* = snatch at, start or move suddenly, pull or snatch at anything, skim, open widely (as the legs of a compass), straddle one's legs // *sgiabag* = hasty touch or snatch, slap in play)
(**łî** – over to that side) See p109. +
(**cā'** = *sgrath* = pull, tug, rough handling, horror, dread, (nouns) // *glac* = catch, sieze, apprehend, feel, receive, accept, resume, (verbs); hollow of the hand, embrace, (nouns)) //
(**cā' / cā'd** = *ceap* = catch, stop, intercept, obstruct, help // *sgrath* = pull, tug, rough handling, horror, dread, (nouns) // *glac* = catch, sieze, apprehend, feel, receive, accept, resume, (verbs); hollow of the hand, embrace, (nouns))
(**i** – taking time and care) See p153. //
(**dî** – precipitant, immoderate) See p150. //
Compare awu'łîcāt (89) caught //

wudustī'n saw [them] (94) //
(**wudu** – describes different people getting together, combined effort) See p168. +
(**stī' / stī'n** = *chìteadh* = might be seen // *chìtheadh* = would see, could see // *sealltainn* = looking, act of looking, seeing, viewing, (nouns) // *seall* = see, look, behold, show // *steòrn* = manage prudently, govern, guide, direct, guide by the stars, regulate, strut, swagger in walking // *iongantas* = wonder, miracle, surprise, astonishment, phenomenon, marvellousness, curiosity; eg. *ghabh mi iongantas* = I wondered; *tha thu 'cur iongantas orm* = you surprise me) See p161.
(**n** – focus, gathering together, in) See p109. //
Compare aositī'n (26) saw // dutī'n (71) they saw // qōstī'ŷīn (128) there was // dustî'ndjîayu' (145) having ever seen // ŷawusaŷe'awe (160) when he looked //

wuduwatA'n the people were called (16) //
(**wud** = *luchd* = people, folk, company // *iad* = they) +
(**u** = *mu* = concerning, for, on account of, of, about, around) See yu, p144. +
(**wudu** – shows different people getting together = *luchd* = people, folk, company // *iad* = they) See p168.
(**wa** - appear, describes something or someone appearing in their next position or role) See p165. +
(**tA'n** – get from somewhere, become (eg. shape)) See p162. //

wuduwaŷē'q they pulled her in (44) //
(**wudu** – describes different people getting together, combined effort) See p168. //
(**wu** – describes extent) See p117. +
(**du** – her-they) See p180. +
(**wa** –appear, describes something or someone appearing in their next position or role) See p165. +
(**ŷē'** – sense of positioning, pull (operation of metaphysics), blame or redemption) See p171. //

(**ŷē’** = *beir* = take hold of, carry, bear, get out of sight with, produce, give, bring forth) +
(**q** – pioneer, frontier, border, in) See p111. //

wudzîgī’tî — had come to be (68) //
(**wudzî** – something has come to happen) See wudzî, p168. +
(**gī’tî** = *gidheadh* = yet, nevertheless, though, although) //

wudzîxA’q — it camc to go (45) //
(**wudzî** – something has come to happen) See wudzî, p168. +
(**xA’** = *thalla* = come (thou) along // *thall* = beyond (preposition); on the other side, yonder, beyond, abroad, over against (adverbs) // *thalla! thalla!* = wcll! well!, ay! ay! //
(**q** – pioneer, frontier, border, in) See p111. //

wuġaxî’xîn — when gets (55) //
(**wu** – describes extent) See p117. +
(**ġa** – for, (subjective action) // *gabh* = betake, repair, proceed to, go, (motion)) See p152. +
(**xî’xî** = *siùbhlachas* = habit of traveling or wandering, fluency, nimbleness, pedestrianism, swiftness, speed, speediness) +
(**n** – gathering together, focus, in) See p109. //
Compare cukAdawe’ (152) in front of.

wugū’t — went (69), she went (147) //
(**wu** – describes extent) See p117. +
(**gū’** = *gluais* = move, go, walk, advance, proceed, march, put in motion, bestir, make a motion, get up, afflict, agitate, provoke, afflict, touch pathetically) +
(**t** – to a full extent) See p112. //

wugudī'awe (165) when he came
(**dī'** – precipitant, immoderate, ahead) See p150. //
(**dī'** = *triall* = go, depart, set out, stroll, march, walk, traverse, travel, intend, purpose, imagine, plot, devise)
(**ī'** = *imich* = stir, budge, walk, advance, come, go, depart) +
(**awe** – explaining) See p126. //
Compare ū'wagut (10) came // aġaA'dînawe (21) when they came // wuā't (26) went // AdakA'dīnawe (34) in exactly the opposite direction //
See also u, gu, uwa.

wuniŷī'tc happened (183) // / See p167.
(**wuni** = *uime* = about him or it, concerning him or it, respecting or regarding him or it, around him or it // *uimpe* = about her or it, concerning her or it, respecting or regarding her or it, around her or it)
(**ni** – sense of readiness, do // ni = circumstance, business, affair, fact, thing, substance, (nouns); shall do, will do) See p157. +
(**ŷī'** = *riar* = word of honor, decree, approbation, pleasure, will, judgment, dictate // *riochd* = interpretation, exposition, likeness, state, condition // *riochdaich* = represent, personate, portray) +
(**tc** – intensifier and catcher in the way of a spiral, exact) See p162. //
Compare Gàidhlig *tuit* = happen, befall, chance, subside, sink, set (as, sun), benight, be seduced by, fail, damp, (verbs).

wunū'gu was (174) (Context: where was the emotion) //
(**wun** = *uime* = about him or it, concerning him or it, respecting or regarding him or it, around him or it // *uimpe* = about her or it, concerning her or it, respecting or regarding her or it, around her or it)
(**ū'** = *ruith* = course, flowing, rushing, fast speaking or talking, rate, full speed, treatment, race, pursuit / flight (as

of an army), running, (nouns); retreat, flow, speak fast, distill, run, race, chase, melt, run over, look over) .//
(**wunū'** = *urram* = significance, signification, preference, precedence, dignity, worship, deference, honor, respect, reverence)
(**nū'gu** = *nuig* (*gu nuig*) = to, unto, as far as, until)
(**gu** = *gniomhal* = actual, active // *gnis* = (OG) effect, bring to pass // *gniomh* = deed, exploit, business, work, word, fear, office, avocation)

wus-ha — it was [she knew] (144) (Context: about copper) //
(**wus / wus-ha** = *rus* = (OG) knowledge, skill, wood // *fios* = knowledge, information, notice / intelligence, understandin/ art, science, vision, word / message // *fiosrach* = well-informed, knowing expert, conscious, convinced, inquisitive, busy, prying // *fiosraich* = try / examine, ascertain, inquire, ask, investigate, inquire after, visit)
(**ha** = sa – to; shows a new situation; something awesome and unknown, possibly disloyal) See xa, p169. //
wusko' (125) knew it (Context: about the secret)
(**wusk** = *rùisg* = discover, expose, reveal, disclose, stripped)
(**ko'** = qo –front and back, opposite, thoroughly, a sufficient extent (moral sense)) See qo, p159. //
(**o** – peak of energy, crisis) See p158.
Compare awusikū' (65) she knew // aosîku' (139) knew // ye'awusku (150) she knew //

wusu' — would help (28) //
(**wu** – describes extent) See p167. +
(**su'** = *suimeil* = considerate, respectful, attentive, regardful, momentous, important, considerable //
sùileach = knowing, having good eyes, sharp, quick-sighted // *sùil* = care, expectation, oversight, hope, superintendence, eye, look, regard, respect // *suidhich* = settle, appoint, order, plan, arrange // *suadh* =

prudent, discreet, ((OG) advice, counsel, learned man) // *sùrd* = alacrity, eager and willing exertion, industry, speed / 'cleverness', preparation or bestirring for business, successful train or mode, cheerfulness, hilarity; eg. *Cuir surd ort.* = Bestir yourself for business) //

wutî' she stayed (100) (Context: in the branch house she just made) //
(**wu** – links two things (especially in cause & effect), about) See p138. //
(**wu** – describes extent // *ruig* = reach, extend to, arrive at, attain to, hold, stretch out, border, needs, must) See p117. +
(**tî'** = *tirich* = settle, colonize, disembark, bring to land) //
See also wudzi, p168. //

X

xāk[u] claws (116) // *spàg* = paw, claw, limb of an animal, foot of a cloven-footed quadruped, ham, long flat foot, plain sole, (in derision) clumsy foot //

xā'naAde go with me (147) //
(**xā'** – me) See ax, p177. +
(**n** – gathering together, focus, in) See p109. //
(**naA** = *nall* = hither, to this side, towards us, from the other side) +
(**d / Ad / aAd** = *dol* = (*a dol* = present participle of *rach* = go, proceed, move, travel, walk), proceeding, going, travelling, walking, ways, space, distance, condition, state) +
(**e** – beginning and end) See p151. //
See also naAdî' (18) going.

xao logs (13, 14) // *sgonn* = short block of wood, shapeless hill, shapeless mass, base of a couple imbedded in the wall of a house, balk, huge unshapely person, blockhead, trifler, large slice (as of bread, meat) //
Compare Gàidhlig *saobhaidh* = the den of a wild bear, litter & den of a fox. See also Scone, p562.

xāt salmon (18, 21, 34) // *iach* = salmon, cat, scream, yell // *iasg* = fish // *sgat* = sgate (a fish) // *eithre* = salmon, tail of a fish, ox, bull, cow // *mat* = pig, monster // *math* = good, good to eat, pleasant to the taste, fine, excellent, ready, prepared, desirous, willing, moral, virtuous, in good health, charitable, valid, legal, powerful, influential (adjectives); fruit, prosperity, advantage; mathachadh = manuring, act of manuring land, improvement, cultivation, anything to enrich land //
yuxā't (19) the salmon

(**yu** – paired article-pronoun) See page 353. //

xAtc this (17, 63), these (14, 16) // that (70) //
(**xA** = seo = these) See p139. +
(**tc** – intensifier and catcher in the way of a spiral) See p134. //

xēL! slime (85) // *sal* = slimy dirt, mud, filth, scum, dross, refuse of anything, dust, wax of the ear, spot, blemish // *sleamhnan* = any slippery substance, mucus, saliva, piece of ice on which to slide, sneaking fellow // *sàl* / *saileas* = salt water, the sea // *saile* = (OG) saliva // *sailchead* = defilement, dirt, degree of dirtiness //
xēL!qāx (91) slime from //
(**q** – border, frontier, pioneer, with) See p111. +
(**āx** – out) See p102. //
(**qāx** = *sgàth* = sake, account, nearness, pretence, shadow, fright, disgust, shelter, veil, protection, covering // *air sgàth* = for the sake of) //

xōq!^{u} among (23) (Context: sparks amongst wet wood) // xō (134) among (Context: among the little boys) //
(**xō** = *mu* = about, around) See also u, p116. //
(**xōq** / **xōq!**^{u} = *(am) measg* = among, amongst, in the midst // *measg* = mingle, mix, stir about, move (verbs)) // *moc* = move, yield, give way //
(**q!**^{u} = *gu'm* = that, in order that) //

xūk dry wood (20) // *suacan* = basket containing wood, hung in the chimney to dry, awkward mixture, anything wrought together awkwardly (as clay), earthen pot, earthen furnace, crucible // *spruan* = brushwood, firewood, crumb // *spuing* = tinder, touchwood, sponge, niggard, fungus on trees (polyporus) // Compare Gàidhlig *spruacach* / *spuacach* = pettish, shy and awkward, diffident // *coid* = (OG) sticks, firewood, brushwood //

x̧ū'ts! the grizzly bear's (17), grizzly bear (30, 35) // x̧ūts! (38, 57) grizzly bear // *ùruisg* = bear, being supposed to haunt lonely sequestered places, water god, diviner, one who foretells future events, savage ugly-looking fellow, sloven, slut, brownie. In Scottish tradition, provision had to be made in case brownie might visit at any time; when neglected or mistreated brownie performs mischief; when shown kindness and understanding brownie performs some feats about that home; every family had a brownie; they seldom speak to people but speak frequently and affectionately with one another; they have general assemblies in rocky recesses of fast-water torrents. //

yux̧ū'ts! (14) the grizzly bear's // yūx̧ū'ts! hāL!î, the grizzly bear's dung (5) //

(**yu** – paired article-pronoun) See page 343. //

y, ŷ

yAdanē'nutc he [her husband] always went after (19) //

(**yAd** = *iadhadh* = meandering (as a stream), circuitous route, stretching (as a bow)) See adadA'xdê, p100. +

(**a** – he / it) See p174. +

(**nē'** – to make something happen = *neartaich* = actuate, strengthen, fortify, invigorate, confirm, establish, ratify) +

(**nutc** – tendency & intensifier or catcher in the way of a spiral) See p158. //

Compare yā'doq!osî (26) her foot // adadA'xdê (178) from around it //

Yā'dat!A'q!-anqā'wo this pounding rich man (132) // ānqā'wo (1) a chief //

(**Yā'd** = *rabhadh* = example, precedent, caution, advertisement, warning, hint, instruction, alarm, hue and cry, advice) +

(**at!A'q!** = *aothachd* = (OG) ringing of bells, chime of bells // *claidean* = absurd hammering at anything, dangling, (nouns) +

(**ān** = *taim* = (OG) town // *ràth* = village, town, residence, plain, cleared spot, fortress) +

(**qā'** = *caraid* = male friend or relation, cousin) +

(**wo** = *mór* = renowned or famous person, mighty person, chivalrous person (nouns); chief, principal, important, of high rank, esteemed (adjectives)) //

(**qā'wo** = *gaoil* = (OG) kindred, family // *gaoine* = (OG) goodness, honesty // *gaoi* = (OG) wisdom, falsehood) //

yā'doq!osî her foot (26) //

(**yā'** = yā'o – went back, turned back) See p171. //

(**yā'd** = *iadhadh* = hovering round, stretching, circuitous route, meandering, overtaking, fluttering) See adadA'xdê, p100.

(**do** – her-it) See p180. +

(**q!os** – *cas* = foot, leg, irritable, turn against, approach, be angry with) +

(**î** – possessive, you, oneself alone) See p187. //

Compare yAdanē'nutc (19) he [her husband] always went after.

ŷāġāā'dawe when they were gaining on her (39) //

(**ŷā** – when (after success, feeling smart or successful)) See p170. +

(**ġā** – for, subjective moods of action) See p152. //

(**ġā** = *gar* = proximity // *car* = near about (in reference to time), during, for whilst, contact, neighborhood,

meandering, direction, motion, movement, way, course, care, twist, bend, trick, turn, circular motion, fraud, revolution, throw, bar of music, (case in grammar), string of pearls or beads etc., plait, fold) +
(**ā'd** = *a dol* = (part participle of rach) // *rach* = go, proceed, move, travel, walk // *dol* = going, walking, proceeding, traveling) +
(**awe** – explaining) See p126. //
Compare daā'dawe (6) wanting to go // naAdî' (18) going // naA'dî (19) when they had gone // itī'q!awe (19) when they had gone // aġaA'dînawe (21) when they came // Anaā'dawe (26) when they were going // ā'dawe (34) when they went // naadê' (34) when they were going // aā'dawe (35) when they came)

yāk^u canoe (57) // yā'gu (57, 122) canoe // yāgu' (117) his canoe // *ràgh* = raft of wood // *curach* = canoe, skiff, boat made of wicker and covered with skins or hides, coracle // *biorrach* = boat, skiff, yawl
yū'yāk^u (41, 64) a canoe (the canoe wears a dance hat with high crown) // yū'yāk^u (58) canoe (father's grizzly bear canoe) // hA'sduyā'gu (95) their canoe //

ŷa'ołik!ūts broke down (6) // ŷa'olik!ūts (8) it broke //
(**ŷa'ołi** – paying no attention then suddenly) See p171. +
(**k! ūts** = *cuidhtich* / *cuitich* = quit, consign, abandon, requite) //
Compare Gàidhlig *cuir* = put, place, lay, send, invite, sow, act upon, produce an effect, influence, tire, snow.
Compare wuduzi'nê (60) they came to put it // uduwatsā'k (90) they put [it].

ŷā'naAt was going (151) //
(**ŷā'** = *bha* = was, were) See p140. +
(**ŷā'** –when (after success, feeling smart or successful)) See p170. +
(**n** – gathering together, focus, in) See p109. +

(**a** – she-he) See p174. //
(**aAt / At** = aAd = *a dol* = (present participle of *rach*) // *rach* = go, proceed, move, travel, walk) // *dol* = going, walking, proceeding, traveling)) //
Compare daā'dawe (6) wanting to go // naAdî' (18) going // aġaA'dînawe (21) when they came // naA'dî (19) when they had gone // Anaā'dawe (26) when they were going // ā'dawe (34) when they went // naadê' (34) when they were going // aā'dawe (35) when they came) // xā'naAde (147) go with me //

yā'nagu'tîawe after it had walked on (62) (Context: then it became hungry and turned about) //
(**yā'** – when (after success, feeling smart or successful)) See p170. //
(**yā'** = *rach* = go, proceed, move, walk, travel) //
(**yā'n** = *iar* = (OG) after, second in order // *bith-dheanamh* = continual acting) +
(**n** – focus, gathering together, in) See p109. +
(**a** – he-they) See p174. +
(**gu'** = *gluais* = move, go, walk, advance, proceed, march, put in motion, bestir, make a motion, get up, afflict, agitate, provoke, afflict, touch pathetically) +
(**t** – full extent) See p112. +
(**î** – take time and care) See p153. +
(**tî** = *déidh* = after (preposition)) +
(**awe** – explaining) See p126. //

ŷana-isAqa you tell them (76) (politely) //
(**ŷana** = *rannaich* = compose verses, versify, rhyme, bring to a point // *ionnrain* = count, reckon, calculate)
(**i** – you) See p185. +
(**s / sA** – progress (go, soon), extremely, supremely, very) See p160. +

(A – (you)-them) See p174. +

(**qa** = *cuadh* = tell, relate // *cagair* = conspire, suggest, whisper, listen to a whisper) //

(**Aqa** = *ag ràdh* = (present participle of *abair*) // *abair* = say, utter, affirm, express // *ràdh* = saying, act of saying, affirming, expressing, word, saying, adage, proverb, assertion, speech, noise) //

Compare yū'Acia'osîqa (11) what he said to her // yuacia'osîqa (42) what it said to her // ŷawaqa' (75) said //

ŷā'nAłyAx he was making from (126) //

(**ŷā'** – when (after success, feeling smart or successful)) See p170.

(**ā'** – he-them) See p174. +

(**nA** = *artragh* = (OG) make. I guess *artragh* is make because *artragham* = (OG) I do make; *-am* = I // *fàg* = make, render, effect, relinquish, leave, abandon) +

(**ł** = *slighe* = craft, manner, conduct, way, path, passage, approach, track, inlet, road, (nouns) // *sliachdair* = extend or spread any soft substance by trampling / plastering / daubing over) +

(**yAx** – from, accordingly, like) See p142. //

Compare aolîyA'x (99) she made // anAsnī'awe (109) when she had made them.

ŷa'odudzîqa they came to tell them (77) //

(**ŷa'o** – went back, turned back) See p171. +

(**du** – they-her) See p180. +

(**dzî** – precipitant) See di, p158. +

(**qa** = *cuadh* = tell, relate // *cagair* = conspire, suggest, whisper, listen to a whisper // *ag ràdh* = (present participle of *abair*) // *abair* = say, utter, affirm, express // *ràdh* = saying, act of saying, affirming, expressing, word, saying, adage, proverb, assertion, speech, noise) //

yāq! at this place (36) //

(**y** = yi – at) See p121. +
(**ā** = *àite* = place, spot, part, region // *aitreabh* = abode, dwelling, steading, houses, building) +
(**q!** – frontier, pioneer, border) See p111. //

ŷāqġadjā'q would kill him (96) //
(**ŷā** –when (after success, feeling smart or successful) See p170. +
(**q** – border, frontier, pioneer, with) See p111. +
(**ġa** – for, subjective action = *gabh* = catch (fire, infection, ferment), undertake, endeavor, be concerned with, arrange, must, compelled to, enlist, engage as a servant, make secure, entertain, treat, acknowledge, worry, conceive, become pregnant, beat, belabor, betake, repair, proceed to) See p152. +
(**djā'q / adjā'q** = *marbh* = kill, murder, slay, assassinate, subdue, mortify, benumb, (verbs); dead, lifeless,
(**djā'q** – wrangling type of movement or action) See p151.
Compare sadjA'qx (48) they always killed [them] // ā'wadjAq (50) killed // wudjā'qtc (97) always is killed of //

ŷAsaha pick it up (9), carefully take something up with the hands // *baslach* = handful, the full of the two palms placed together, bunch, cluster // *bas* = the palm of the hand // *basardaich* = clapping of the hands for joy, acclamation, rejoicing // *basgaire* = applause, mourning // *basgair* / *basgaird* = applause // *bas-mhol* = applaud // *amais* = find, aim, mark, hit, chance // *fasgain* = winnow, sift // *fasgnadh* = winnowing, cleansing of grain out of doors // *fas-lomairt* = preparation of victuals in the fields or hills, expeditious method of cooking victuals in the stomach of an animal, temporary habitation, hasty meal //
ŷAsahē'x (7) were picking up and putting
(**ē'x** = *feithis* = gather, assemble, keep, preserve // *feithil* = (OG) gather, keep) //

yAsē'k comes and helps him out (181) //

(**yA** –when (after success, feeling smart or successful) = *adhart* = progress, forwardness, front, van, advance (usually: *air adhart*) See p170. +

(**sē'k** = *sgeadaich* = accomplish, dress, garnish, adorn with dress, conjugate, prank, (verbs) // *seòlach* = guiding, directing, willing to guide, having many expedients, shifting, ingenious // *seòl* = guide, direct, show, point out, conduct, instruct, sail, guide a vessel, float, (verbs); method, opportunity, mode or way of doing a thing, instruction, direction, guidance, aim, expedient, (nouns) // *seunach* = having magical power or virtue, defending by or from enchantment, conjuring, forbearing) //

yā't!ayauwaqā' this man living here (104) // u (1) lived //

(**yā't!** = *ràth* = (OG) barrow or artificial mound, royal seat, residence, fortress, cleared spot, plain, village, town // *rathaich* = bless, make prosperous // *rathail* = prosperous, astute, fortunate, famed, well spoken of) +

(**aya** – when (after success, feeling smart or successful)) See ya, p170. +

(**u** – *fuirich* = dwell, abide, stay, wait, linger, delay, deliberate // *uair* = life, one's lifetime, opportunity, on a time, one time, once, occasion, season, rotation, any given space of time, time of day or night, a time) +

(**wa** –appear, describes something or someone appearing in their next position or role) See p165. +

(**qā'** – man = *caraid* = male friend or relation, cousin // *càr* = friend, relation) //

Compare ā'wa-ū (56) had (Context: had a baby).

ŷā'waAt her went (13) (Context: went with her under two logs) //

(**ŷā'** – was, (past tense) // *bha* = was, were) See p140. +

(**ā** – he / she. Long ā can have two word particles) See p174. +

(**wa** – appear, describes something or someone appearing in their next position or role) See p116. +

(**aAt / At** = aAd = *a dol* (present participle of *rach*) // *rach* = go, proceed, move, travel, walk // *dol* =

going, walking, proceeding, traveling) See also naAdî', p267. //

ŷawaqa' said (75) //
(ŷ / **ŷa** – when (after success, feeling smart or successful)) See p170. //
(**awaqa'** = *ag ràdh* = (present participle of *abair*) // *abair* = say, utter, affirm, express // *ràdh* = saying, act of saying, affirming, expressing, word, saying, adage, proverb, assertion, speech, noise)
(**qa** = *cuadh* = (OG) tell, relate // *cagair* = conspire, suggest, whisper, listen to a whisper) //
Compare aŷa'osîqa (5) she said to // aŷa'osîqa (9) he said to her // yū'Acia'osîqa (11) what he said to her // ŷana-isAqa (76) you tell them (politely)
yū'ŷawaqa (81) what said //
(**yū'** – term of respect) See page 343. //

ŷawucîxī'awe when she had run (37) //
(**ŷawu** = *ruaig* = flight, precipitate retreat, banishment, pursuit, hunt, chase) //
(**ŷa** – when (after success, feeling smart or successful)) See p170. +
(**wu** – describes extent) See p117. +
(**cî** = sin = pursue, chase, prolong, begin, extend, stretch) //
(**cîxī'** = *sith* = dart to, onset, stride, long quick pace, determined position in standing) +
(**awe** – explaining) See p126. //
Compare wudjixī'x (34) she ran.

ŷawusaŷe'awe when he looked (160) //
(**ŷa** = when (after success, feeling smart or successful)) See p170. +
(**wu** – describes extent) See p117. +
(**saŷe'** = *seall* = see, look, behold, show // *sealltainn* = looking, act of looking, seeing, viewing, observation,

view) See also stīyin, p161. +
(**awe** – explaining) See p126. //
Compare aositī'n (26) saw // dutī'n (71) they saw // wudustī'n (94) saw [them] // qōstī'ŷīn (128) there was // dustî'ndjîayu' (145) having ever seen //

yē'At — for this (96) //
(**yē'** –blame or redemption, sense of positioning, pull (operation of metaphysics)) See p171. +
(**At** – thing = *math* = profit, prosperity, fruit, good, advantage, benefit, amelioration, purpose, end, kindness, inclination, wish // *dad* = anything, aught, whit, trifle, jot // *seud* = thing, nothing, reward, jewel, instrument, darling, hero, way, path, precious stone // *cnead* = anything // *taisg* = anything laid by, deposit, saving, pledge // *alt* = condition, state, order, method, joint / articulation, ((OG) eminence, hill, leap, exaltation)) See ABC Dictionary section, A. //

ye'awusku — she knew (150) //
(**ye'** – blame or redemption, sense of positioning, pull (operation of metaphysics)) See p171. +
(**a** – she-it) See p174. +
(**wus** = *rus* = (OG) knowledge, skill, wood // *fios* = knowledge, information, notice / intelligence, understandin/ art, science, vision, word / message // *fiosrach* = well-informed, knowing expert, conscious, convinced, inquisitive, busy, prying // *fiosraich* = try / examine, ascertain, inquire, ask, investigate, inquire after, visit) +
(**ku** = *cuimhnich* = recollect, remember, bear in mind, recall to memory // *cuig* = secret, mystery, advice, counsel) //
See also awusikū' (65) she knew // wusko' (125) knew it // aosîku' (140) he knew // wus-ha (144) it was [she knew] (144) //

ŷêdê' under (26) //
(**ŷê** – positioning, pull (operation of metaphysics) See p121. +
(**dê'** – downward, seaward, lakeward, onto, acting on something) See p104. //

yē'djîwudîne dressed up (138) //
(**yē'd** = *réidh* = smooth, ordered, disentangled, arranged, disposed, in order, regular, ready, harmonious, prepared, polished, allied) //
(**yē'djîwu** = *reachdmhor* = luxuriant, handsome, fair, substantial, commanding, imperative, valid, full of substance, productive (as corn), strong, robust, stout, energetic, vexatious, tormenting) +
(**dîne** = *dean* = act, perform, do, make, work, suppose, imagine, think) //

yē'ġawetsa they examined (86) //
(**yē'ġa** = *beachdaich* = observe, perceive, consider, mark, meditate, review, criticize, attend to, stare, eye //
(**we** – beginning and end) See p128. +
(**ts** – intensifier and catcher in the way of a spiral) See p134. +
(**a** – they-it) See p174. //

yēk^{u}dīwuq! in it were wide (122) //
(**yē** = *reamhar* = big, great, fat, plump, fleshy, greasy, oily, thick, gross, coarse, of great circumference) +
(**k^{u}** = *camus* = stern seat of a boat, the space between the thighs, bay, creek, harbor) //
(**k^{u} / ku** – long, wide, lasting) See ABC Dictionary section, ku, p271. +
(**yēk^{u}** = **eu-* (negative prefix) & *cuimse* = moderation, sufficiency, mediocrity, moderate portion, aim, mark, hit, any measuring instrument, measure (as for a suit of clothes) // *cuimseach* = moderate, in a state of mediocrity, mean, little, indifferent, befitting, suitable to one's case, adjusted, unerring, sure of aim) +

(**dī** – precipitant, immoderate) See p106. +

(**wu** – describes extent) See p117. +

(**q!** – frontier, pioneer, in) See p111. //

Compare qAk[u] (5) wide (Context: butt-hole) //

*Double negative (eu- & cuimseach): A double negative is also found in Gàidhlig, eg. *cha chreid mi nach eil* = I think so (I don't think not).

yēł raven (120) // *eathra* / *neabhan* = raven, Royston crow // *reamhan* = raven, crow // *biadhtach* = raven, farmer, hospitable person or farmer, grazier, host, hostess, kitchen, glutton, order of Irish tenants who procured provisions for the nobles // *fitheach* = raven // *preachan* = raven, crow, kite, moor bittern, little fen, jackdaw, vulture or any ravenous bird //

yên (every)where (16) // *reann* = (OG) country, land, soil, star //

yē'qasado'ha would let anyone have (136) // *reachd-shaor* = licensed, authorized //

(**yē'qasad / yē'qas** = *reacht* = (OG) man, (*reachd* = right, due, law, statue, ordinance, command, power, authority, keen sorrow)

(**sado'ha** = *saor* = permitted, allowed, free, at liberty, familiar, unreserved, frank, liberal, not parsimonious, free from engagements of any kind, ransomed, absolute without obstructions or impediments, delivered, set at liberty, cheap, exempt / clear, easily split or broken (as wood or stone), (adjectives); free, deliver, liberate, rescue, set at liberty, disentangle, redeem, save, except, acquit, absolve, purge, cheapen, make cheaper, free of aspersion or calumny, 'ship' (as an oar), (verbs); carpenter, joiner, ((OG) noble), (nouns); except, save, (conjunctions))

(**do'ha** = *dromachd* = affirmation //

ŷêt baby (56) // *mèithealach* = fatling, nursling // **mèitheallach* = fat cattle // *meacan* = offspring, individual, birth / extraction, nativity, small rod, plant, bulb, carrot, turnip, parsnip, root of a tree or plant, hire, reward // *reasbait* = beggar's brat // *breith* = birth, descent, bearing, carrying // *peit* = musician // *peithir* = message-boy, forester, hunter, gamekeeper, thunderbolt) // *eoghunn* = (OG) youth // *eilthireach* = pilgrim, stranger, sojourner, foreigner, alien // *eidir* = hostage, captive // // *eil-thir* = pilgrim, foreign land, coast, sea-coast, sequestered region or district, desert

*Celts love cattle. The language reflects the most ancient stone-age animal taming skills of ancient Neandertal-Celts, in taming dogs and using them along with whistles for managing herds. See Bibliography & Notes, 'Ice ages' and 'Neandertal language'. Bone evidence has shown animals taken in peak condition, suggesting taming and management. The wolf is said to have been the first domesticated animal. For more information, see Bibliography & Notes.

yū'ġAgān ŷê'tq!î (46) sons of the sun //

(**q!** – pioneer, frontier, border, in) See p158. +

(**î** = *iodhlan* = hero, *leap // *eoghunn* = (OG) youth) // *bel-ain* = the circle of *Bel*, or of the sun. //

*Youth and leaping has a connotation in Celtic culture. At *Bealltuinn*, May Day, fires were kindled on mountaintops, and cattle were driven between the fires. All hearth fires were extinguished and rekindled from this purifying flame. Young persons met on the moor, and whomever drew the blackened oatmeal cake had to leap over the fire three times. //

ŷiA'dî to come (76) //

(**ŷi** – to (many connotations possible) See p121. +

(**A'** = *rach* = proceed, move, walk, go, travel) +

(**dî** – precipitant) See p106. //

ŷiatA'n stood (57) (Context: canoe is a bear, and also stood in a role as a totem of the father) // iomaltair = pasture, graze, feed, browse, feed in rough ground or in field after removal of crops; implies more scope of movement; if

the animal is in an enclosed field, the word means it is eating not lying down or standing still. //
(**ŷi** – *ri* = to (implying exposure), to / to be (implying possibility), to (denoting equality of one object with another, denoting attention or earnestness), at, near to, against, in opposition to, in contact with, in (denoting employment or occupation)) See p172. +
(**a** – it-it) See p174. +
(**tA** = *stad* = stand, wait for, rest, pause, cease to go forward, desist, cease, stop) +
(**n** – focus, gathering together, in) See p109. //
(**tA'n** –get from somewhere, become (as, magical form, food)) See p162. //
Compare caŷaqāwadjAł (153) stood all around.

ŷıdA'tî now (49) //
(**ŷī** = *ri* = to, to (denoting equality of one object with another, denoting attention or earnestness), to / to be (implying possibility), for (implying expectation or hope), in opposition to, in contact with, concerning, with) //
(**ŷīdA** = *rireadh* = truly, actually, indeed, seriously, verily, certainly, of a truth) See yi, p144. //
(**dA'tî** = *dràsda* = now, the present time, at this time)

ŷidê' down to (5) //
(**ŷi** = ri = to) See p121. +
(**dê'** – down) See p104. //

yī'gîŷî at midday (35) //
(**yī'** = *rinn* = acumen, acumination, apex, planet, promontory, point, barb, tail, point of a pin, edge, nib, (*roinn* = share, portion, division, distribution, proportion, class, sect, schism, section in writing) // *ial* = sunny interval between showers, moment, intermission, time, season, age, generation // *iudh* = (OG) day)

(**yī'** – *ri* = during, whilst, up, upwards, to, towards, in the direction of, unto, to (implying similarity of likeness / implying adhesion / implying exposure), to / to be (implying possibility), to (denoting equality of one object with another, denoting attention or earnestness), at, near to, against, in opposition to, in contact with, in (denoting employment or occupation), for (implying expectation or hope), of, concerning, with, as, like as) See yi, p121. //
(**gîŷî** – day = *grian* = the sun, light of the sun) See Phonology p374-375. +
(**gîŷî** = *cridhe* = center, heart, courage, presumption, nerve, understanding) +
Compare dîgī'yīga (1) in the middle of (long town) // gīyīġē't (41) in the middle (Context: something appears in the middle of a lake) // k!ū'nŷagīŷî (156) for many days // dēx (157) two [days] (days is implied only) //

ŷīī'c your father's (33) // *rìgh* = king // *gintear* = father, parent, ancestor // See also p191.

ŷīs spear (115) // *sleagh* = spear, lance, javelin // *rinn* = barb, point of a pin, nib, apex, tail, edge, promontory / point // *rinn-bhior* = sharp stake // *righ-shlat* = scepter // *riobhag* = barb (as of a hook) // *riasg* = sedge or dirk grass, coarse mountain grass, land that cannot be cultivated on account of the dirk grass it contains // *isneach* = rifled gun, rifle //

yū'a the lake (41) // ā (95) lake //
(**yū'** – article of respect) See page 343. +
(**a** = *amh* = water, ocean // *èan* = (OG) water, one // *àbh* = ((OG) water), instrument, hand-net, sock-net, hose-net, skill, dexterity) //

yū'ᴀcia'osîqa what he said to her (11) // yuacia'osîqa (42) what it said to her //
(**yū'** – term of respect) See page343. +
(**ᴀ / ᴀc** – to her) See p174. +
(**ci / si** = *sin* = that, those // *sìon* = something, anything, atom, element, air, climate, blast, drift // *sgiolta* =

eloquent, tidy, quick, neat, trim, active, nimble // *sgil* – loquacity, gabbling, learning, address, skill, knowledge, expertness, dexterity, (nouns)) See si, p133. //

(**i** – take time and care to do something) See p153, +

(**a'** = *abair* = say, utter, affirm, express // *ràdh* = saying, act of saying, affirming, expressing, word, saying, adage, proverb, assertion, speech, noise) +

(**osîqa** = *osgarra* = audible, distinctive, emphatic)

(**a'osî** – doing softly and secretly but heroically) See p148. +

(**qa** = *cuadh* = (OG) tell, relate // *cagair* = conspire, suggest, whisper, listen to a whisper) //

yū'siaodudziqa (74) what he said to them

(**du** – he-they) See p180. +

(**dz** – precipitant, immoderate; Compared to –osîqa, 'dziqa adds emphasis.) See di, p150. //

Compare aŷa'osîqa (5) she said to // aŷa'osîqa (9) he said to her // ŷana-isAqa (76) you tell them (politely) // daŷadoqā'nutc (104) they always called him //

yū'Ałdî's the moon (72) //

(**yū'** – term of respect) See page 343. +

(**Ał** = *aos-liath* = grey-headed, old // *aois-liath* = hoary, aged // *solus* = the moon, heavenly body, phase of the moon, light, light (lamp, candle, etc.), knowledge, information, round ball thrown into the air, quoit // *slànach* = having a healing virtue, healing, curing, salubrious, salutary, convalescent // *slàn* = healthy, in good health, whole, unbroken, sound, uninjured, unhurt, healed // *àlainn* = bright, white, clear, glorious, beautiful, exceedingly fair, elegant, handsome, amiable // *aisling* = reverie, dream, vision // *aislingiche* = dreamer, visionary) //

(**Ał_s** = *solus* = the moon, heavenly body, phase of the moon, light, light (lamp, candle, etc.), knowledge,

information, round ball thrown into the air, quoit) +
(**dî'** = *dia* / *Dia* = god, divinity, false god, (used as an emphatic particle))   //
(**dî's** = *teasgonn* = (OG) moon   //   *Dis* = ancient Celtic-Neanderthal god)
(**Ałdî's** = *faslairt-Dis* = the encampment of Dis   //   *aos-liath* = grey-headed, old   //   *aois-liath* = hoary, aged)
See also about Denali and the house of the moon; in Bibliography & Notes, 'Aconcagua';   Compare Gàidhlig *gil* = the moon, watercourse on a mountainside, rift.
Compare weAłdî's-q!os (75) that moonshine.

yuānqā'wo   See ānqā'wo.

yū'ans!atî'-si   a rich man's daughter (136)   //
(**yū'** – term of respect) See page 343.   +
(**a / an** = *taim* = (OG) town   //   *ràth* = village, town, residence, plain, cleared spot, fortress) See an, page +
(**n** – focus, gathering together, with) See p155.   //
(**s!atî'** = *saoidh* = warrior, righteous man, hero, learned man, man of letters, tutor, preceptor, nobleman, worthy, good / worthy / deserving person, generous / brave / magnanimous man)
(**si** – daughter) See p190.   //
Compare k!êsā'nî (134) little boys   //

yū'antqenītc   the people (15)   //
(**yū'** – term of respect) See page 353.   +
(**an / ant** = *an* = the, their, whom, which, that, (expletive particle before a verb)   //   *an t-* =   the (goes before certain nouns) +
(**t** – to a full extent) See p161.   +
(**qenītc** = *cinneadh* = clan, kin, tribe, kindred, relations, offspring, progeny, surname, happening, preparing) +

(**tc** – intensifier and catcher in the way of a spiral) See p162. //

yuānŷê'dî the high caste girl (17) // yuānyêtq![u] (25) to the high caste woman // yuānyê'dê (140) the rich man's daughter //

(**yu** – term of respect) See page 343. +

(**ān** = *ban-* = female- // *bean* = woman, female, wife) +

(**ŷê'dî / ŷê'dê** = yêtq![u] – child, son) See p189. //

(**ŷê'dî / ŷê'dê** = *réimeil* = authoritative, bearing sway, even-tempered, constant, even-minded, progressive, persevering) //

yu-Aqłî'Atsqk he was pushing with it (141) //

(**yu** – term of respect) See page 343. +

(**Aq** = *ag* (sign of present participle, eg. *ag iasgachd* = fishing) +

(**łî'Atsqk** = *sleamhnaich* = slip, slide, make slippery, glide, move imperceptibly, make smooth) //

yuAtk!A'tsk![o] the little boy // See At.

yū'AtłaAt See At.

yua'xk!Anya-ka'oĻîgAdî what angrily had spoken to (17) //

(**yu** – term of respect) See page 343. +

(**a'** = *aghaidh* = against, in opposition // *aghaidhich* = affront (verb)) +

(**xk!A / xk!An** = *sgràill* = rail at, revile, abuse with words, scold harshly, satirize) +

(**n** – focus, in, gathering in, with) See p155. +

(**ya** – past tense) See p140. +

(**ka'oĻî** – blissfully unaware then suddenly) See p154. +

(**gA / gAd** = *ag radh* = (part participle of *abair*; *abair* = say, utter, affirm, express; *radh* = saying, act of

saying, affirming, expressing, word, saying, adage, proverb, noise, assertion, speech) +
(**dî** – precipitant) See p150. //
(**i** – take time and care) See p153. //

yū'aŷaosîqa — See aŷa'osîqa.

yū'caq — wet wood (23) //
(**yu** – term of respect) See page 343. +
(**caq** = *seaghas* = wood) //
tāk^{u}cā'gê wood (19)

yucawʌ't — the woman (15) // yū'cāwat (24) the woman // yucā'wAt (36, 141) the woman // yū'cāwAt (79) the woman, (162) the woman's // yū'cawAt (155) that woman //
(**yu** – term of respect) See page 343. +
(**cawA'** = *sàr-bhan* = excellent woman) +
(**t** – to a full extent) See p161. //
Compare Gàidhlig *iursach* = girl // *iùbhrach* = stately woman, active female, female archer // *searbhanta* = maid-servant (indoor or outdoor), servant //
yucā'wAttc (26) the woman
(**tc** – intensifier and catcher in the way of a spiral) See p162. //

yū'ckAłnīk — he said (166) // See yuq!wA'nskāniłnîq.

yudā'qq! — way up in the woods (4) //
(**yu** – term of respect) See page 343. +
(**dā'q** = *darach* = oak tree (quercus rober), oak wood, oak timber, ship [made of oak, so figuratively] +
(**q!** – frontier) See p111. //

datcū'n (13) towards the woods //

yū'do — over there (33) //
(**yū'** – term of respect) See page 343. +
(**do** = *siod* = yon, that, there // *an siod* = yonder, there) //

yū'duīqonī'k — the man they used to call [dirty] (151) //
(**yū'** – term of respect) See page 343. +
(**du** – he-they) See p180. //
(**duī_n / duī** = *duine* = man, person, individual, the oldest man of a village, body) +
(**qo** – front and back, opposite, thoroughly, a sufficient extent (moral sense)) See p159. +
(**nī'k** = *nàirich* = shame, affront, make ashamed, browbeat, insult) //
Compare yuq!wA'nskāniłnîq (164) tell that // yū'ckAłnīk (166) he said //

yū'duwasa — what they called him (107) //
(**yū'** – term of respect) See page 343. +
(**duwasa** = *duarmanaich* = grumbling, murmuring, expression of discontent // *duarman* = murmur, murmuring, growl, (nouns) // *duanaireachd* = chanting, rhyming, poetry, versification // *duaireachadh* = slander // *duaireachas* = slander, squabble, commotion, sedition, sternness, fray)
(**du** – they-he) See p180 +
(**wasa** = *mar seo* = in this manner, thus, in this direction, towards this place) See wa, p165. //
(**wa** – appear, describes something or someone appearing in their next position or role) See p165. //
(**wa** = *ràdh* = saying, act of saying, affirming, expressing, word, saying, adage, proverb, assertion, speech, noise)
(**sa** – awesome and unknown, possibly a bit suspicious) See xA, p169. //

yuē'q — See ēq.

yū'ġAgān — the sun's (46, 55) // ġAgā'n (45, 79) sun // yū'ġAgan (79) the sun //
(**yū'** – term of respect) See page 353. +
(**ġAgān** = *grian* = the sun, light of the sun // *grianan* = sunny spot, summer-house, peak of a mountain, palace, any royal seat, court, hall, tent, green, sunny eminence, round turret, exposure, arched walk on a hill commanding an extensive prospect, any place suited for exposing to the heat of the sun, place where peats are dried) //
Note: The word grian splits into two Hlīngit words, ŷî and ġAgān. There is the Gàidhlig word *là* / *làthair* (= day, space from evening to evening, daylight, on a certain day, one day), but in Hlīngit La has other uses..
Compare yī'gîŷî (35) at midday //

yū'gutc — the little hill (mouse's hole was there, where she almost stepped) (27) //
(**yū'** – term of respect) See page 343. +
(**g / gu** = *gurna* = (OG) den, cave, place of concealment) +
(**utc** = *uchdan* = hillock, acclivity, instep of a foot or shoe, terrace, raised bank, embankment, short steep ascent)

yū'gux — the slave (159) // See gux.

yuī'q — See ēq.

yuî'qtê — to the beach (151) //
(**yu** – term of respect) See page 343. +
(**î'** = *riomba* = semi-circular bay or beach) +
(**q** – border, pioneer, frontier) See p111. +
(**tê** = de – seaward, lakeward, down) See de, p104. //

yū'łūqAna' — the cannibal (50) //
(**yū'** – term of respect) See page 343. +

(**łuqA / łuqAnā'** = *slugair* = devourer, glutton, spendthrift, hard drinker // *slugadh* = devouring, act of devouring, swallowing, act of devouring or gulping, engulfing, act of engulfing or overwhelming, absorbing, act of absorbing // *sluganachd* = greediness, gluttony, bronchitis)
(**nā'** = nàbhaidh = neighbor) //

yū'nîłq! in that house (133) // See nełixA'nq!awe.

yuqā' a man (10), the man (85) // qā' (89) a man //
(**yu** – term of respect) See page 343. +
(**qā'** = *caraid* = male friend or relation, cousin // *càr* = friend, relation)

yu'qodūciawa having searched (16) //
(**yu'** – term of respect) See page 343. +
(**qo** –front and back, opposite, thoroughly, a sufficient extent (moral sense)) See p111. //
(**qo / qo_ciawa / qodūciawa** = *coimhead* = watch, look, observe, keep, preserve, reserve, show) +
(**qo_ci** = *lorgach* = trace, track, follow by scent or footprints, search, pursue, forage, investigate) +
(**du** – her-they) See p180. //
(**ci** = *sìn* = pursue, chase, prolong, begin, commence, extend, lean / lounge on a bed, hand or reach anything to another, stretch, increase in length, stretch out, grow in stature) +
(**ia** = ya = was, (past tense) // *bha* = was, were) See p124. +
(**wa** = *cuairt* = cycle, zone, pilgrimage, expedition, whirl, eddy, circle) See p116.
(**iawa** = *iarr* = seek, search, look for, ask, invite, request, probe, demand, pain / purge (as medicine)) //
Compare Gàidhlig *rùdhraich* = search for, grope // *dusachd* = watchfulness.
Compare qoŷa'odū'waci (15) searched // qoya'oduwacî (35) they searched // qodicī' (155) they started to hunt // uġa'qoduciŷa' (157) while they hunted // kū'wacî (159) hunted //

yuqoġā's! the fog (80) //
(**yu** – term of respect) See page 343. +
(**qoġā's!** = *sgleò* = mist, vapor, shade, darkness, struggle // *coingeal* = whirlpool, vortex) // *cròich* = foam on the surface of spirituous liquors, skin, hide, deer's antler, difficulty, hardship, rage, hard task, venison feast // *ceò* = fog, mist, vapor, amazement, milk) //
(**qo** – back and front, opposite, thoroughly, a sufficient extent (moral sense)) See p111.
(**ġā's!** = *gaorsta* = (OG) whirlwind) //
Compare s!ēq (26) smoke.

yū'q!oyaqa said (167) //
(**yū'** – term of respect) See page 343. +
(**q!o** – a sufficient extent (moral sense), front and back, opposite, thoroughly) See p159. +
(**ya** –when (after success, feeling smart or successful)) See p170. +
(**qa** = *cagair* = conspire, suggest, whisper, listen to a whisper // *cuadh* = (OG) tell, relate) //

yuq!wᴀ'nskānitnîq tell that (164) //
(**yu** – term of respect) See page 343. +
(**q!** – pioneer, border, frontier, in) See p158. +
(**q!wᴀ' / wᴀ'** = *cuadh* = (OG) tell, relate // *ag ràdh* = (present participle of *abair*) // *abair* = say, utter, affirm, express // *ràdh* = saying, act of saying, affirming, expressing, word, saying, adage, proverb, assertion, speech, noise) +
(**nskā** = *osgarra* = audible, distinct, emphatic) +
(**nitnîq** = *nàirich* = browbeat, insult, shame, affront, make ashamed) //

aka'wanêk (165) he told it
(**a** – them-he) See p174. +
(**ka'wa** = *cuadh* = (OG) tell, relate // *cagair* = conspire, suggest, whisper, listen to a whisper) +
(**nêk** = *nàirich* = browbeat, insult, shame, affront, make ashamed) //

yū'ckAłnīk (166) he said
(**yū'** – term of respect) See page 343. +
(**ckA** = *osgarra* = audible, distinct, emphatic // *sgread* = shriek, cry, screech, scream, make a harsh sound, creak, clash, squall) +
(**ł** – over to that side) See p109. +
(**nīk** = *nàirich* = browbeat, insult, shame, affront, make ashamed) //
Compare wudîna'q (62) started to get up // kāwadī'q! (175) she became ashamed //

yūt — away (34) //
(**yu** – article of respect) See page 343. +
(**t** – to a full extent) See p161. //

yū'tcāc — the branch house (101) // tcāc (99) branch //
(**yū'** – term of respect) See page 343. +
(**tcāc** = *gas* = bough, twig, broom brush, stalk, stem of a herb, bunch, copse, particle, young boy, military servant // *sracadh* = twig, shoot, sprout, tear, fissure, rent // *geug* = branch, sapling, sprig, man's arms, sun's rays, young superfine female, nymph // *crannlach* = branches, boughs, brushwood, large lank lean man
Compare Gàidhlig *teach* = house, dwelling-place // *teagh* = (OG) house // *teaghas* = small room, closet // *peillic* = hut or booth made of earth and branches and roofed with sod, felt, any thick or coarse cloth, covering made of skins or coarse cloth, pit, basket of untanned hide) //

yutcā'ctaŷīq! (127) under the branches
(**taŷi** = tàr = descend, go, befall, come, send, evoke) +
(**q!** – border, frontier, pioneer, with) See p111. //
yū'tcac-hît (170) the branch house
(**yū'** – term of respect) See page 343. +
(**hît** = *sith* = hill, mount // *sìthean* = fairy hill, little hill or knoll, big rounded hill. // *sgrin* = shrine // *taigh* = house) //
Compare Gàidhlig *tàrmaich* = reside, dwell, lodge, settle, gather, collect, originate, produce, beget, begin // *tàmh* – dwell, reside, settle, inhabit, rest, stay, remain, desist, repose, give over, cease.
Compare taŷinA'x (13) under.

yu'tînna the copper plate (133) // See tînna.

yuxā't the salmon (19) //
(**yu** – term of respect) See page 343. +
(**xā't** = *iach* = salmon, cat, scream, yell // *iasg* = fish // *sgat* = sgate (a fish) // *eithre* = salmon, tail of a fish, ox, bull, cow)

yū'xūk the dry wood (24) //
(**yū'** – term of respect) See page 343. +
(**xūk** = *suacan* = basket containing wood, hung in the chimney to dry, awkward mixture, anything wrought together awkwardly (as clay), earthen pot, earthen furnace, crucible // *spruan* = brushwood, firewood, crumb // *spuing* = tinder, touchwood, sponge, niggard, fungus on trees (polyporus) //
Compare Gàidhlig *spruacach* / *spuacach* = pettish, shy and awkward, diffident.

yuxū'ts! the grizzly bear's (4) //

(**yu** –article of respect) See page 343. +

(**xū'ts!** = *ùruisg* = bear, being supposed to haunt lonely sequestered places, water god, diviner, one who foretells future events, savage ugly-looking fellow, sloven, slut, brownie. In Scottish tradition, provision must be made in case brownie might visit at any time; when neglected or mistreated brownie performs mischief; when shown kindness and understanding brownie performs some feats about that home; every family had a brownie; they seldom speak to people but speak frequently and affectionately with one another; they have general assemblies in rocky recesses of fast-water torrents) //

yūxū'ts! hāʟ!î, the grizzly bear's dung (5) // xū'ts! (17) grizzly bear // yuxūts! qoa'nî' (18) the grizzly bear tribe //

yū'yāk^u a canoe (41, 64) (it wears a *dance hat with high crown) // yū'yāk^u (58) canoe (father's grizzly bear canoe) // yū'yāk^u (123) the canoe // *biorrach* = boat, skiff, yawl //

(**yū'** – term of respect) See page 353. +

(**yāk^u** = *ràgh* = raft of wood // *curach* = canoe, skiff, boat made of wicker and covered with skins or hides, coracle) //

*Note: Perhaps the canoe's dance hat is suggested from the poetry of the word history. Some words that sound similar to *biorrach:-* *biorraid* = cap, hollow or besom of a hat or bird's nest // *ceanna-bhiorach* = conical, pointed at the top // *ceanna-bhrat* = headdress, canopy // *ceanna-bhàn* = headdress, hat, cap // See also Bibliography & Notes, 'Dance hat, clothes'.

yū'yênkā'watAn it bent (91) // kā'watAn (85) bent over //

(**yū'** = *mu* = on account of, for, about, of, concerning // *ma* = if) See p144. +

(**yên** – place or thing with a sense of mystery) See p172. +

(**k** – present action continuing) See ak, p101. +

(**ā'wa** = *aom* = bend, droop, bow, incline, be seduced by, yield, lean, bulge, project, persuade, dispose, descend, pass by) +

(**tʌn** - get from somewhere, become (eg. shape)) See p162. //

yū'yudowaʌx it was heard like (171) //

(**yū'** – term of respect) See page 343. +

(**yu** = *mu* = on account of, for, about, of, concerning // *ma* = if) //

(**do** – it-they) See p180. //

(**do** – (placed before verbs)) //

(**dowaʌx / waʌx** = *clois* = (OG) hear // *cluinn* = hear, hearken, listen, attend to // *cuala?* = (cluinn in form of question) // *cluinnte* = heard, attended to) Compare qō'waʌxtc (58) could hear //

(**owaʌx** = *òrais* = tumultuous noise)

(**waʌx** = *raoic* = belch, bellow, roar)

(**ʌx** = yʌx – like) See yʌx, p142. //

TRADITIONAL KNOWLEDGE

Every society has its way of organizing, to create the best environment for civilization. And there are many ways to organize. Maybe we take our modern education system for granted, it's a way of learning we know.

But when I experienced life in the remote plantations of Samoa as a child, I discovered that there are other ways of knowing. Many role-players in daily life. There are different ways of keeping good relations with people who hold and pass on knowledge. There are different ways of showing our accomplishments and proving ourselves.

For example, the ability to use your hands gracefully and efficiently while preparing food says something about what you have accomplished. The rhythm of simple tasks can say something. In a complex system that isn't run by a simple use of money, these things are of particular value.

Trust may be won with a fine turn of phrase on an important occasion. By a piece of wisdom at a good moment. Culture-bearers approve of knowledge gained in our personal learning, for example, a treatment that helps someone out of a health problem. Personal contributions lead to regular animated and educational chats. Time is rich with meaning.

Wit can open doors to history during conversation, in traditional learning. Through depending on each other, our morals become known, and this can create more opportunities for cooperation. Many things are linked together, and motivation comes from knowing that we are recognized, joined in the lives of others. In some ways it can be more sophisticated than schoolroom meetings, listening, reading and answering questions.

Eagle and Raven Education System

Eagle and Raven are two moieties, or clan divisions that work throughout the tribal houses of the Hlīngit. It's more than just clans. These moiety systems can be a further basis for First Nations peoples to formalize cross-national discussions. (See 'Moiety' in Bibliography & Notes.)

Like in Celtic society, clan life has an importance in Hlīngit tradition. The Hlīngit society is traditionally matriarchal, mothers pass on the inheritance. So was the Pictish society. Clans have a role in our inheritance, and also in our learning. This can be considered a basic education system belonging to a people. Poetry helps to show how these things are organized. Clans link us to land, history, ancestry and more. They are relevant to management.

Moieties are a more thorough organizational system than clans. For more on moieties, see the Bibliography & Notes, 'Moiety', and 'Dichotomy'. See also 'Aconcagua', and 'Grandmother Mouse' about the overall organization of societies in the Americas. Perhaps more elements of modern life can be incorporated in the moiety system to empower it for today?

The story is arranged in a kind of poetic meter that can be linked to moiety. The structure of Hlīngit prose deserves recognition in the fine arts as a mark of highest civilization. (Prose is like a cross between story and poetry.)

Refer to someone or something with respect

yu a term of respect (as a suffix, it appears to show special respect) // *urra* = person, good author, authority, chieftain, body, infant, defendant at law, surety, power, strength, urchin

Yu belongs to Eagle

VERSES & BRIDGES: A set of three yu calls divides the story into 11 regular verses. A third irregular dimension exists, four bridges to other worlds, that I've highlighted in grey. In the first movement, they come at the end of the verse, in the second movement they come at the start of the verse. The yu and cu calls both mark the end of the first movement in Sentence 79. The first bridge, 26-27-28, is the bridge to the northern Pictish otherworld of Cailleach Mheur, Grandmother Mouse. (See in Bibliography & Notes.) The second bridge, 46-46-50, is the bridge of travelers, (See Bibliography & Notes, 'Aconcagua', 'Seafarers', 'Tonal languages', and the magpie bridge pp502-503.) The third bridge, 80-81-81, is the eastern druidh bridge. The sun's sons come out of the fog. The final bridge, 151-151-152, is the western ceremonial bridge, the copper house that is the entrance to other worlds. See also Bibliography & Notes, 'Medicine wheel'.

--- I also highlighted the first and last calls in the last verse, which each possess two yu's.

Below is the pattern of 'yu' calls in the story:

yux̣ū'ts! (4) the grizzly bear's — yudā'qq! (4) way up in the woods — yūx̣ū'ts! (5) the grizzly bear's

yuqā' (10) a man.. yū'Acia'osîqa (11) what he said to her

Asiyu' (13) it was .... cā'ayu (14) mountains were

yucawA't (15) the woman.. yū'antqenītc (15) the people

yu'qodūciawa (16) the people.................................. yuġā' (16) for that

Asiyu' (17) it was — yua'xk!Anya-ka'oȽîgAdî (17) what angrily had spoken to — yuānŷê'dî (17) the high caste girl

yux̣ūts! (18) the grizzly bear.................................. yuxā't (19) the salmon

yū'caq (23) the soaked wood.................................. yū'x̣ūk (24) the dry wood

yū'cāwat (24) the woman.. yuānyêtq![u] (25) to the high caste woman

yucā'wAttc (26) the woman — yū'gutc (27) the little hill — Asiyu' (28) it was that

yū'do (33) over there — yūt (34) away — yucā'wAt (36) the woman's yū'a (41) the lake.. gwâyu' (41) was

yū'yāk^{u} (41) a canoe .... yuacia'osîqa (42) what it said to her

Asiyu' (46) it was | yūġagān (46) the sun's | yū'łūqAna' (50) the cannibal

yūġAgān (55) the sun | ā'wa-ū (56) had | yū'yāk^{u} (58) the canoe

yū'yāk^{u} (64) the canoe .... ā'yux (69) out to it

Asiyu' (70) it was // A'sîyu' (72) it was .... yū'Ałdî's (72) the moon

yū'AtłaAt (73) their things .... ā'yux (73) out to them

yūsiaodudziqa (74) what he said to them | yū'ġAgan (79) the sun | yū'cāwAt (79) the woman

yuqoġā's! (80) the fog | yū'ŷawaqa (81) what said | yuānqā'wo (81) the chief

yū (85) if.. yuqā' (85) a man

tc!uyū' (91) the time.. yū'yênkā'watAn (91) it bent

wâ'yu (98) when | yū'tcāc (101) the branch | yuawe' (104) was what

yux (106) out .... yuAtk!A'tsk!^{o} (106) the little boy

yū'duwasa (107) what they called him .... yū'āk! (111) the lake

'dā'sayu?' (114) 'what is that?' .... ayu' (122) that

ē'qayu (123) copper it was | yū'yāk^{u} (123) the canoe | yuī'q (126) the copper

yutcā'ctaŷīq! (127) under the branches .... yu'tînna (133) the copper plate

yū'nîłq! (133) in that house .... yux (134) out

yū'ans!atî'-si (136) a rich man's daughter .... yuānŷê'dê (140) the rich man's daughter

yu-Aqłî'tsAqk (141) he was pushing with it | yucā'wAt (141) the woman | yuē'q-kAtî'q!tc (141) the copper roll

yucawā'ttc (142) the woman .... yuē'q (144) the copper dustî'ndjîayu' (145) having ever seen .... yux (147) outside

yū'aŷaosîqa (149) what he said to her   sayu' (150) it was   yū'duī qonī'k (151) the man they used to call [dirty]

yuî'qtê (151) to the beach   ayu' (151) that   yuē'q (152) the copper

gutxA'tsayu (153) from where was it .... yū'tînna (153) the coppers

yū'cawAt (155) that woman .... yū'gux (159) the slave

yuhî't (162) the house   yū'aŷaosîqa (162) what said to him   yū'cāwAt (162) the woman's

yū'aŷaosîqa (163) he said to him .... yuq!wA'nskānīłnîk (164) tell that

yū'ckAłnīk (166) he said .... yūx (167) out

yū'q!oyaqa (168) said .... yū'tcac-hît (170) the branch house

yū'yudowaAx (171) it was heard like   duyê'tayu (172) her face it was   Yuhî'tŷīanA'q (173) from the house door

yutcā'c-hît (178) the branch house .... yut (179) out

yū'ēq (179) the copper .... yuġā'ayu (181) for him

Steady good humor

cu   about relations between people, roles, hospitality. // *suiridhe* = courting, wooing, address (spoken), making love // *suidhe* = beam or supporter of a house, level shelf on a hillside where one would naturally rest, seat, (*suithe* = balk / beam) // *siuchag* = small patch of smooth green ground amidst rough heathery ground // *suil mu'n* = ere, before // *snuadh* = aspect, appearance, color, complexion, beauty, hair of the head, blood, river, brook //

The yu and the cu remind me of the "yu – hun" in and out breathing sounds in Sufi yoga. Tc!uLe' forms a basis for the chant feel of the cu. Nostalgic Raven in the north connects more easily to the Old World than does Condor in the south.

Cu (shu) belongs to Raven

Here is the pattern of ‘cu’ calls:

Tc!uLe’ (9 / 12), (32 / 45), (79 / 80), (90 / 93), (115 / 120), (126 / 131), (136 / 145), (152 / 153), (160 / 167), (169 / 174) then

--- Tc!uLe (TC) divides other pairs/sets in chant form 1-TC-1-TC-3-TC-4-TC-TC-2-TC-2-TC-2-TC-1. Sets of three are the chorus.

ts!u (8) again	datcū’n (13) toward the woods		Acū’waca (17) that married her
Ts!u (26) again	nacu’ (27) was coming out		wusu’ (28) would help
tc!u (34) then		ts!utā’t (34) in the morning	
Ts!ūtsxA’n (51) Tsimshian		Ts!ū’tsxAn (54) Tsimshian	
Ts!u (79) also		Ałts!u’ (79) and also	
cunāŷê’t (86) everyone		Tc!uLē’xdê’ (87) Ever since then	
Tc!uyū’ (91) The time		Ts!uhē’t!aawe (93) This one and then the other	
kacu’sawede (98) had suffered	tcukA’q!awe (99) at the other end of		A’cutcnutc (101 she always bathed
udułcu’qnutc (105) they would laugh		Q!ai’tî-cūye’-qā (107) Garbage Man	
qA’tcu (127) or		ts!u (129) also	
dułcu’ġtawe’ (133) when they laughed		Q!aite’-cūye’-qa (135) Garbage Man	
cukAdawe’ (152) in front of (presented herself)		cū’djîxîn (152) it flew	
Q!aī’tî-cuye-qatc (164) Garbage-Man		Q!aī’tî-cuye-qatc (166) Garbage-Man	
łū’waguq (169) rushed		Acuka’ołîtsAx (170) they kicked	
gusū’ (174) help		nAġasū’t (179) to help him out	
ts!u (181) also	Tc!uya’ (183) (So)		ts!u (184) too

Raven and Eagle romance

There is a myth in Gàidhlig culture that speaks to Raven and Eagle moieties in Hlīngit culture. It is a romance. This romance might link the Old World and the New World. This is just one example of how flexible moieties can function.

The prayer of Eagle is to Niamh. Niamh is the woman of the lake, and she traditionally belongs to Tir na n'Og, the Gaels' Land of Perpetual Youth. Niamh is lovely and bewitching, she is Manannan's daughter. Manannan is the sea god, but my instinct is his medicine is the cow or bull. Cows are very important in Celtic culture. Bison, and caribou, are important in North America. When Niamh calls a man to the GRASSY KNOLLS of Tir na n'Og, he loses all sense of time.

I think Tir na n'Og also is the New World to the west of Celtic lands. They said it was in the west. And if we put the cow and the sea together we get the sea-cow, or manatee of the New World. Some say they are the mythical bewitching sirens, maybe because they symbolize gentleness. A man may be called to the New World. If he foolishly returns, he will find ages of time have passed. Oisin so followed Niamh's call, leaving a battle and leaving an aging father.

Raven prays Oisin back, he returned home. Once he got off his horse, he found all was ancient, covered in ivy. A navigator reads the language of birds. Moeities were useful for mediating with navigator peoples who arrived in the New World at times… the Celts and the Polynesians. So bird calls pull Niamh and Oisin. Moieties are for romance.

The Gàidhlig languages, like the Continental Celts (the French, Italian, Albanian and Spanish), are gendered languages. The poetic calls of Eagle and Raven recall this ancient ancestors' language. Even Valentine (who inspired Valentine's Day), a man who loved from a Spanish jail, was a Scot. Gender of 'romance languages' is comparable to noun classes. (See Bibliography & Notes, 'Mannered language'.) This points to the influence of Native America on world language. Eagle's verses become shorter, the call ever more intense. See also eagle and raven Old World sentries, p391-392.

Comparative Linguistics

Comparative linguistics is the science of comparing languages. I've made a table of different Native American languages from North, South and Central America, for comparison. I've fit them against the Gàidhlig model. I found vocabulary for each language mostly on a website called www.native-languages.org . This section is important, but it's a side-topic. Although I have a range of examples, I have included just one example here, a comparison of the word 'water' in many Native American languages. Watch my site, www.weintl.net .

I thought I might as well include some other cultures' words too, since there have been suggestions they might have had some role in early settlement of the Americas. Ainu, Ket (Siberian), Viking (Old Norse), Samoan (Polynesian). Then I thought to include the southern types of Old World languages for comparison or contrast – Swahili (Africa); Arabic; Turkish (Central Asia). And Hebrew, Israel is part of the known Neandertal territory. (See Bibliography & Notes, 'Ice ages'.)

To compare well, we need a system of rules for how the sounds change. So, following the comparison table there is a long section where words / word particles are indexed to show Hlīngit phonology rules, pp357-399. With experience of languages across Polynesia and the Pacific as part of my personal and family culture, I have seen variations in language since I was young, firsthand. (So I think the word 'water' is appropriate!) This led me to deeper explorations, to discover how other language evolution happened. Psycholinguistics is a part. We compare two languages, or we compare many.

I look at full-language changes, for more reliable evidence. Sounds are put together like a stew. Different peoples have different tastes, and ingredients vary. Sometimes meaning and sound split up into separate use, eg. Gàidhlig *abh* (water) becomes Hlīngit ā (lake). But Gàidhlig *linne* (pond) becomes Hlīngit hīn (water)!

Amerindian language families sampled

South America: Chibchan (Boruca, Rama, Teribe, Chimila) – northwest, Amazon;
Quechua (Cusco Quechua), – west, throughout much of South America; Aymara, Andes
Pano-Tacanan (Capanahua, Sharanhua, Huarayo, Tacana, Matis)– rainforests of the Andes (Peru, Bolivia, Brazil);

Central America: Ma'ya – Mexico, Guatemala; Nahuatl (modern 'Aztec', Uto-Aztecan) – Mexico;
Arawak (Maipurean) – Caribbean region;

North America: Athabascan (Gwich'in, Hlingit) – Alaska and the north, (Navajo) – Rockies;
Haida (Alaska)
Inukitut (Arctic, Alaska, Canada);
Sioux (Absaroka, Dakota, Lakota, Nakota, Quapaw, Osage) – Rockies, Midwest, South
Seminole, Micosuki, Timucua – Southeast;
Algonkian (Iroquois, Lenni Lenape, Cheyenne, Wampanoag, Powhatan, Ojibwe, Narragansett, Wendat, Beothuk, Abenaki, A'ananin = Gros Ventre, Blackfoot) east, central U.S., Canada;
Uto-Aztecan (Hopi, Yaqui, Paiute) – Southwest; Keres (Laguna Pueblo) – Southwest;
Kiowa-Tanoan (Kiowa) – Southern Plains, Southwest; Zuni – Pueblo, Southwest;
Caddoan (Arikara, Wichita) – Great Plains;
Hokan (Pai, Yuman, Chumash, Pomo, Havasupai, Karok) – southwest, north Mexico;
Gulf (Tunica, Natchez) – Louisiana, Florida and Texas;
Penutian (Wintu) – California, (Sm'algyak = Tsimshian) – Alaska

In the following chart we can explore sound patterns, and explore unity, with Gàidhlig (on the left) as a reference.

Water	American Indian languages in each table are compared to Gàidhlig source words for 'water' at the left.						
uisge; oifhiche (OG)	tstoóxu' Arikara	du Boruca Chibchan	kuuyi Hopi	suckquahan Powhatan ts'q'ali Georgia Caucasus	saundustee Wendat	su, suyu, sular Turkish	sii Rama Chibchan	kits'a Wichita tsits Laguna Pueblo
	gántl Haida	løgr Old Norse (Viking) wakka Ainu	ohne:kánus Oneida, Iroquois	ohneganohs Cayuga, Iroquois	o:ne:ka' Seneca, ohneka Mohawk	aohkíí(yi) Blackfoot o:ki Mikasuki	yaku Cusco Quechua	unpax Cashinawa Panoan
	ulij Ket Siberian	chuu Gwich'in (Athabascan)	ujë Albanian	jene Capanahua Panoan	ïndï Sharanahua Panoan	ndittake Chimila Chibchan	di Teribe Chibchan	mpi Lenape
	ebauthoo Beothuk	imiq Inuktitut	miní Lakota	mini Dakota	uma, umayaña Aymara, Quechua	uini Arawak Maipurean	mpi Lenape	

ean; tain (OG)	eena Huarayo Tacanan	jene Capanahua Panoan	neč A'aninin (men's speech)	nek A'aninin (women speech)	gántl Haida	uini Arawak Maipurean	hīn Hlingit	ni Quapaw	
	ïndï Sharanahua Panoan	ndittake Chimila Chibchan	di Teribe Chibchan						
	miní Lakota	mini Dakota	imiq Inuktitut	ma'im Hebrew	me·m Wintu	uma(yaña) Aymara			
	o:ne:ka' Seneca, ohneka Mohawk	ohneganohs Cayuga, Iroquois	ohne:kánus Oneida, Iroquois	aohkíí(yi) Blackfoot	kun Natchez Gulf	t'on Kiowa	tó Navajo	'o' Inezeno Chumash	eau French (Celtic)
	nibi Ojibwe	nebi Abenaki	nippe Wampanoag & Narragansett	bilé Absaroka	ebauthoo Beothuk				

abh; tain (OG)	a', ha' Ma'ya	aha Havasupai	áas Karok Hokan	paa Southern Paiute	ebauthoo Beothuk	mahpe Cheyenne		
	aohkíí(yi) Blackfoot	yaku Cusco Quechua	ky'awe Zuni	o:ki Mikasuki	o:ne:ka' Seneca	t'on Kiowa	tó Navajo	atl Nahuatl Mexico
	à:we Tuscarora	vai Samoan Polynesia	yávi Tacana	aks Sm'algyax	wakka Ainu, Japan	waka Matis Panoan	vaa'am Yaqui	vatn Old Norse (Viking)
	mahpe Cheyenne	maji Swahili, Africa	ma' Arabic	ma'im Hebrew	uma, umayaña Aymara, Quechua			

Each language has its way of spelling, too. And this is only a sample of the many American Indian languages. This table shows a general idea of Amerindian sound patterns. I believe they come from ancient Gàidhlig thousands of years ago, and have a shared heritage. Sign language worked to bridge the gap. It still needs careful study of each language to see phonology rules. To see how Hlīngit develops from Gàidhlig, see the section Phonology = Sound Systems, page 357. To see other word tables like this 'water' example, go to www.weintl.net .

Repetition and overlapping

Repetition exists in the parent language, so naturally it gets transferred; a matrix like H_2O molecules joining together.

Complex overlapping eg. aġaA'dînawe (21) when they came (Context: from salmon place, then take off coats)
(**aġ** = ak – present action in some direction) See p147. +
(**a** – they-it) See p174. +
(**A'd** = *a dol* = (part participle of *rach*) // *rach* = go, proceed, move, travel, walk) // *dol* = going, walking, proceeding, traveling)
(**d / dî / dîn** – precipitant // *dian* = precipitant, headlong, eager, keen, nimble, brisk, hasty, vehement, strong, sad, violent, furious // *dian-imeachd* = fast walking (noun)) See p150.
(**dî** = *triall* = go, depart, set out, stroll, march, walk, traverse, travel, intend, purpose, imagine, plot, devise) //
(**î / în** = *imich* = walk, go, stir, budge, depart, advance, come) //
(**n** – focus, gathering together, with, in) See p109. +
(**awe** – explaining) See p126. //

Simple overlapping eg. aLī'L! (5) want
(**aLī'** = *àill* = desire, will, pleasure) +
(**Lī'L!** = *triall* = intend, purpose, imagine, devise, plot, journey, traverse, set out, go, stroll, depart, march, walk, travel)

Simple repetition eg. ā'watAn (83) he took
(**ā'w** = *faigh* = get, obtain, find, acquire, reach) +
(**a** = he-it) See p174. +
(**tAn** – get from somewhere, become (eg. shape)) See p162. //

Phonology = Sound Systems

The idea of Native American languages coming from Gàidhlig is very new. As in any science, linguistics wants proof. So I have put the words of the story into an index, for clearer comparison.

This index groups Hlīngit words according to how they developed from the parent language. By cataloging all the words in this way, we can see the general principles of how the sound pattern changes from one language into another.

Although the basic idea of this is not really new, this is a more systematic step toward understanding the change of one language into another. Of course such a process of change has taken time to achieve.

The following Hlīngit rules can be observed:

Sounds that change a lot

Some sounds seem quite different. Not every word will stay the same. That's because the new language has some conflict in its use of sounds. The new language will take different meanings from certain sounds. They will have some different uses for sounds. The original word is often shortened.

A = *air* (Aca', 41)
A = *amh* (Ak!ayaxê', 40)
a = *ràth* (an, 1)
a' / ŷAsaha = *bas, baslach, basardaich, basgaire, basgair / basgaird, bas-mhol, amais, fasgain, fasgnadh, fas-lomairt* (ŷAsahē'x, 7) (ŷAsaha, 9), (a'na, 10)
a' = *ac, ab, mna* (qoa'nî', 17, 18), (qoa'ni, 30, 38)
ā = *iad* (ān, 3)
ā' = *a, aig* (particle, common)
ā' = *àrd* (akînā', 55)
ā' = *asait, asaidich?, àraich* (ā'wa-ū, 56)
ā' / nAł = *farsuing, pailt* (ā'Len, 126), (nAłgē'n, 102)
aca = *earras* (Acū'waca, 17)
Ack = *am measg* (Ackułŷê'tîxōq!, 106)
A'cutc = *failceadh* (A'cutcnutc, 101)
āeġayā' = *fa seach* (āeġayā', 64), (āeġayā't, 66)
āeġayā't = *aghaidhichte* (āeġayā', 64), (āeġayā't, 66)
ak^u = *ana-cuimse* (qAk^u', 5)
Ał_s = *solus* (yū'Ałdî's, 72), (weAłdî's-q!os, 75)
ān = *ban-, bean* (yuānŷê'dî, 17)
ā'nAx / q!ā'nAx = *faoisg* (t!aq!ā'nAxawe, 141)
ānē'q! = *saoghal* (łīngî't-ānē'q!, 145)
ā'ni / ni = *ionad* (ā'ni, 21)
Anigītc = *amharc* (kaodAnigītc, 68)
a'ołiga = *uallaich* (ka'ołiga, 59)
Aqa = *ag ràdh, abair* (ŷana-isAqa, 76)
ā'q!aołitsīn = *tionnsgradh, tionsgra* (ā'q!aołitsīn, 182)
As / A= *gnàth* (ts!As, 5, 20)
ā't!Aq!a / Aq!a = *aothachd, claidean* (ā't!Aq!anutc, 127)
ā'w = *faigh* (ā'watAn, 83), (aosîte', 139)
a' wan = *abair* (aka'wanîk, 31)
awA'n = *am fagus, fagus* (awA'n, 90)
ā'wayA = *malc, mac, amar, àlaich* (ā'wayA, 87)
a'wu / ā't / anA' = *atuinn* q!axā't (151), (aq!a'wułt, 169),

(yuhî'tŷīanA'q, 173)
A'x / nA = *artragh, fàg* (aołîyA'x, 99), (anAsnī'awe, 109), (ŷā'nAłyAx, 126)
ayêxa = *uile* (ayêxak!ā'wu, 121)
cā'd / cāt / cā' = *ceap, sgrath, glac* (awu'łîcāt, 89), (wudułîcā'dî, 91)
ck = *òg* (ckAstā'xwâ, 82)
ckA't = *cosd* (ckA'teAtsinen, 184)
cū'djîxî = *sgiathdachadh* (cū'djîxîn, 152)
cunāŷê't = *rud sam bith* (cunāŷê't, 86)
d = *dol* (daā'dawe, 6)
dA'qde = *traigh, dachaidh* (dA'qde, 70)
dA'x = *fàrdach* (dA'xawe, 50)
dê' – *deachd* (nēłdê'. 174)
desgwA'tc = *dràsda, deasaichte* (desgwA'tc, 102)
dī'q! = *nàirichte, nàraichte, diacharach* (kāwadī'q!, 175)
djAł = *flathail, dreachlagh* (AcA'kAnadjAł, 130)
dju' / u' = *utagaich, driuch, diùc* (dju'deAt, 167)
do = *siod, an siod* (yū'do, 33)
do'ha = *dromachd* (yē'qasado'ha, 136)
du = *do, o* (dunA'q, 92)
dūciawa = *rùdhraich* (yu'qodūciawa, 16)
ducu' = *ochd* (nAs!gaducu', 177)
eA / eAts = *reachd* (ckA'teAtsinen, 184)
ē'x = *feithis, feithil* (ŷAsahē'x, 7)
gA'łaat = *talamh* (qâ'djî gA'łaat, 116)
ġa / ġayē's! = *iarunn* (ġayē's!, 128)
ġê' = *leag* (doġê'tcnutc, 103)
ġêt = *cridhe* (ġêna't, 158), (ġetła'a, 170)
gwâte' = *gramaichte, gramaich, gràdhaichte, gràdhaich, treabhlachd, gràdh* (îq-gwâte', 147)
hāgu = *thig, thàinig* (hāgu, 146)
hAs = *iad-san* (hAs, 5, 6, 26, 46, 47, 50, 51, 56, 63, 64, 70), (hAsdutcukA'tawe, 57), (hAsduī'c, 57), (hAsduwū', 60), (hAsduī'n, 61), (hAsduŷī't, 79)
hê' = *eisimh* (Aŷahê'taqguttc, 111)
hīn = *linn, linne* (hīn, 19)
hît = *taigh, sith, sìthean, sgrin* (hî'tî, 65), (hît, 99, 101), (duhî'tî, 124, (hî'txawe, 126), (wehî't, 133), (Axhî'tîŷīdê', 147)
î' = *riomba* (yuî'qtê, 151)
i / e = *sibh, ribh, meacan* (common particle)
i = *imnidh, ri, ial, iarr* (common particle)
ī' = *fich / 'fich!'* (tca-ī', 107)

ī' / î'– *imich* (naAdî', 18), (itī'q!awe, 19), (naA'dî, 19) (aġaA'dînawe, 21), (duî't, 38)
k!A / k!ê / ŷē'g = *beag* (tc!aŷē'guskî, 52), (k!Atsk!^{u}, 79, 86), (k!A'tsk!^{u}, 87), (Atk!A'tsk!^{u}, 97), (k!êsā'nî, 134)
kA'gu = *craidhleag, càiteach* (dukA'gu, 6)
kAtî'q = *camag, camalag, cleachd* (kAtî'q, 139)
k!Atsk!^{u} = *crileag, sgriothail, sgrioth, sgriothal, caifeanach* (k!Atsk!^{u}, 79), (Atk!A'tsk!^{u}, 97)
kā'waq / kā'wa / qā'awa = *tàr, càir* (kā'waqa, 86), (qoqā'awaqa, 176)
kā'wa / kā'waw = *sgar* (kā'wawAL!, 123)
kês = *measg* (kês, 80)
kī' = *aig, a dh'ionnsuidh, a dh'ionsaigh* (dekī', 116)
kīnigī' = *gleadhar / gleadhair* (kīnigī'q, 163)
k^{u} = *camus* (qAk^{u}, 5)
ła' / ł = *slaoic* (particle)
Lā = *lathair, dlagh, lachd, lac, làbanaiche, màthair* (duLā'tc, 68), (duLā', 69)
łdakA' / ł = *uile, slàn* (łdakA't, 110)
Ḷā'k!A = *caileag* (duḶā'k!Atc, 68)
Lēq! = *leth* (Lēq!, 37)
łix = *fleòdradh* (łixā'c, 41)
na = *na… na / na's… na / na's mò* (nAłgē'n, 102)
nac, nacu = *nàisinn* (nacu', 27)
nAs / nAs! → *fan, naisgte* (nAsnī', 114), (nAs!gaducu', 177)
nA'x = *measg* (q!ānA'x, 113)
nā'x = *nàbachail* (qonā'xdaq, 31)
nd / ndî / nt = *nochd* (common particle)
ndihē / dihēn & q!ū'n / k^{u} = *dirim, meud, meudaich, meudaichte* (ā'caŷAndihēn, 53), (q!ū'na, 112), (sa k^{u}, 127), (cā'ŷadîhēn, 133)
nî'q! / dzînî'q! = *snot* (aodzînî'q!, 143)
nġa = *faigh* (ġA'nġa, 26), (u'tiyānġahē'n, 63)
ni / ā'ni = *ionad* (ā'ni, 21)
o = *ro* (particle)
oxe' = *a cheana, seach, seachad* (oxe', 157)
qāk! = *sgrath, gach* (qāk!udA's!, 21)
q!anAckîdē'x / q!anAc__dē'x / q!AnAskîdē'tc = *crann-fàisneachd, daibhreach* (q!AnAskîdē'tc. 97), (q!anAckîdē'x, 181)
q!AnAskî / q!anAckî / q!AnAs / q!anAc = *crannchur* (q!AnAskîdē'tc, 97), (q!anAckîdē'x, 181)
q!aołitsīn / q!aołi = *cosgail / cosdail* (ā'q!aołitsīn, 182)
q!ē'ġa = *creid, gu deachdta* (q!ē'ġa, 70)
q!ē'wawūs! = *ceasnaich, ceisdich* (q!ē'wawūs!, 114)

qî' / ŷî = *cleit, iteag, ite* (qî'naŷî, 83)
q!īca' = *cuinneag, gingein, cliabh* (q!īca', 88)
qî'naŷî = *cuillsean, gèadhach* (qî'naŷî, 83)
qo = *cùl, coir, comhair* (common particle)
qo / qoa'n / qoa'nî = *cròileagan, crò* (qoa'nî, 38)
qodicī' / qoŷa'od / qo_ciawa / qodūciawa / qo / qe' = *coimhead* (qoŷa'odū'waci, 15), (yu'qodūciawa, 16), (qoya'oduwacî, 35), (qodicī', 155), (qe'cî, 158)
qō'wa / yudo / yudowa = *clois, cluinn, 'cuala?', cluinnte* (qō'waAxtc, 58), (yū'yudowaAx, 171)
q!wA = *aghaidhichte* (q!wAseŷê', 79)
q!wAseŷê' = *fa seach* (āeġayā', 64), (āeġayā't, 66), (q!wAseŷê', 79)
sa' = *seach, seachad, a cheana, fad, fada* (kAnaxsa', 157)
su' = *suimeil, surd, sùileach, sùil, suidhich, suadh* (wusu', 28)
tA = *stad* (ŷiatA'n, 57)
t!a = *ath* (ts!uhē't!aawe, 93)
tāk^{u} = *tacsa* (tāk^{u}cā'gê, 19)
tāt = *oidhche* (tāt, 124)
t!ā'xe / t!āx = *taibhsich, fosgailte, fosgail* (q!aowut!ā'xe, 116)
tc!aŷē' = *caifean* (tc!aŷē'guskî, 52)
tc!uLe' = *ciodar, c'e 'sam bith* (tc!uLe', 9, 12, 32, 45, 79, 80, 90, 93, 115, 120, 126, 131, 136, 145, 152, 153, 160, 167, 169, 174), (tc!u, 34)
tī' = cìdh (dutī'n, 71)
ts! = *ath* (ts!u, 8, 26), (ts!utā't, 34)
tsā'q / cA'k / cA'kA = *càirich* (awatsā'q, 84), (AcA'kAnadjAł, 130)
tsk!^{u} = *sgriothail, sgrioth, sgriothal* (k!Atsk!^{u}, 79)
tū'nAx = *troimh* (atū'nAx, 93)
txī' = *crithre, crithear* (atūtxī'nawe, 23)
u / wu = *mu, uiread* (wuduwatA'n, 16, common particle)
u = *mùth* (uwaL!A'k, 36)
u = *ruith* (ū'wagut, 10), (gu, 29)
u' = *ruig* (nacu', 27)
udzî' = *cuir* (wududzî'nê, 60)
wagu = *ruag, ruaig* (ū'wagut, 10), (ūwagu't, 61, 67), (ūwagu't, 66), (uwagu't, 67)
wAq = *rosg* (wAq, 68)
wAseŷê' = *fa seach* (q!wAseŷê', 79)
wu / u = *ruig* (common particle)
wū' = *fù, fo, fuilc, fuath* (dūwu', 64)
wuā't = *chuadar, ruathair, ruith* (wuā't, 26)
wud = *luchd* (wuduwatA'n, 16), (wuduwaŷē'q, 44), (wududzî'nê, 60)
wudū'dziha = *ionndruinn* (wudū'dziha, 156)

wus = *rus, fios* (awusikū', 65), (wus-ha, 143)
x = *-sa / -se / -san* (nA'xawe, 10)
xA'nġāt = *a chionn ghairid* (xA'nġāt, 183)
xî'xîn = *siùbhlachas* (wuġaxî'xîn, 55)
xox = *pòs* (ā'waxox, 146)
ya' = *furasda, furas, furan* (niya', 30)
ŷAndih = *iomadach* (ā'caŷAndihēn, 53)
yānġa = *acrasach, an-shanntach* (u'tiyānġahē'n, 63)
ŷawu = *ruaig* (ŷawucîxī'awe, 37)
yaxê' /ê' = *iadhadh* (Ak!ayaxê', 40)
ŷê' = *réimeil* (yuānŷê'dî, 17), (yuānyêtq!^{u},25)
ŷē' = *beag* (tc!aŷē'guskî, 52)
yēk^{u} = *eu- cuimseach, reamh-cheuman* (yēk^{u}dīwuq!, 122)
yēł = *eathra, neabhan, reamhan, biadhtach, fitheach, preachan* (yēł, 120)
yê't = *beachd, aodann* (duyê't, 152)
ŷê'tq!î = *naoidheachan, eilthireach, eidir, eil-thir, eoghunn* (ŷê'tq!î, 46)
ŷî / qî' = *cleit, iteag, ite* (qî'naŷî, 83)
ŷī' = *gille* (hAsduŷī't, 79)
ŷīī'c / ī'c = *rìgh, gintear* (duī'c,3, 55, 65), (yā' duī'c, 8), (ŷīī'c, 33), (hAsduī'c, 57)
yū = *mu, ma* (yū, 85)
yudo / yudowa = *iomradh* (yū'yudowaAx, 171)

Shortened sound patterns

Gàidhlig has a lot of suffixes added to the ends of words. These may be left off. Gàidhlig also has a lot of double consonants and double vowels (dipthongs). So the sounds may be simplified. Because Hlīngit is an agglutinative language – that makes up words by combining words and particles – making the Gàidhlig shorter makes sense.

A = *aoin, rann* (Acū'waca, 17)
A' = *arladh* (ġA'nġa, 26)
A' = *rach* (ŷiA'dî, 76)
a = *taim* (an, 1)
a = *rach* (ū'at, 3)
a' / a'xk! = *aghaidh, aghaidhich* (yua'xk!Anya-ka'oĻîgAdî, 17)

a’ = *ràdh, abair* (yū’Acia’osîqa, 11), (yuacia’osîqa, 42)

ā’ = *àite, aitreabh* (ā’ni, 21), (yāq!, 36)

ā’ = *àrd* (akînā’, 55)

ā’ = *pailt* (ułsā’k^{u}, 47), (tc!āk^{u}, 62, 68)

acu / Acu = *siubhal, siubhail* (common particle)

A’d = *a dol* (aġaA’dînawe, 21; common)

Ade = *a dh’aindeòin* (xā’naAde, 147, particle)

A’kq!^{u} / kq!^{u} = *cuairt-bheag, braineach* (ayat!A’kq!^{u}, 63)

A’n = *aithinne, airis, adhnadh, adhannadh, adhannta, acfhuinn* (ġA’nġa, 26)

ā’ q! = *air son gu, air ghràdh* (particle)

A‘t = *atharraich* (naA’ttc, 18)

ā’t = *atuinn* q!axā’t (152)

A’x = *an seo* (taŷinA’x, 13)

A’x, As = *artragh, fàg* (aołîyA’x, 99)

caq / cā’g = *seaghas* (tāk^{u}cā’gê, 19), (yū’caq, 23)

cū’w = *suidhich* (Acū’waca, 17)

du / d = *duine* (doayē’, 24), (du, common particle)

dA = *darach* (daq, 13), (dAnē’t, 60,63)

da = *dallta* (daā’dawe, 6)

de = *deisear* (dekī’t, 45)

dē’ = *deachdta, dearbh* (dē’tc!a, 72)

dē’tc = *deatamas, dearralachd* (q!AnAskîdē’tc, 97)

dī’ / dî = *triall* (naAdî’, 18), (naA’dî, 19), (aġaA’dînawe, 21), (AdakA’dīnawe, 34), (wugudī’awe, 165)

dî’s = *teasgonn, Dis* (yū’Ałdî’s, 72)

du / do = *duine, dual, oirre* (common, pronoun article)

duł = *duisleannan* (udułcu’qnutc, 105)

e = *èairlinn, remain, earas, réidh* (common particle)

ê’ = *eochair, earr* (Ak!ayaxê’, 40)

g = *aig, chugam* (g = ag, particle)

ġon = *gnothach* (ġone’, 12), (ġonaye’, 61)

gu / g = *gurna* (yū’gutc, 27)

î / în / ī’= *imich* (aġaA’dînawe, 21, common), (ġā’nî, 160), (wugudī’awe, 165)

ī’n = *iongantas* (aositī’n, 26)

în = *ingharach, inghar* (kînā’q!, 51)

k!ānt = *cràidhteachd, crainntidh, crainngidh, cràdh* (k!ānt 174)

kā’wadjA / kā’wa = *caoin-chronaich* (Acu-kā’wadjA, 32)

k!awê’ / k!a = *chitheadh* (k!awê’łguha, 54)

k!ē = *ceillidh* (k!ē, 158)

kî = *crileag* (tc!aŷē’guskî, 52)

kî = *ciùinich, ciùineas* (particle)

k!^{u} = *beag, òg* (Axsī'k!^{u}, 81)

ku' = *cuimhnich, cuig, cuilbheart* (awusikū', 65), (aosîku', 139), (ye'awusku, 150)

k! ūts = *cuidhtich* / *cuitich* (ŷa'ołik!ūts, 6, 8)

ł = *slighe, sliachdair* (ŷā'nAłyAx, 126)

ła' / ł / ał = *slaoic* (particle)

ła / łsā' / ł /= *slatarra. slat* (unała, 25), (ułsā'k^{u}, 47)

L = *dlagh* (particle, common)

Lā = *lathair, dlagh, lachd, lac, làbanaiche, màthair* (duLā'tc, 68), (duLā', 69)

Ļā'k! = *caileag* (AxĻā'k!, 67)

n = *naisgte, ann, 'nuair* (particle, common)

nac = *nàisinn, nàistinn* (nacu', 27)

nē' = *neartaich* (yAdanē'nutc, 19), (ckA'teAtsinen, 183)

ne = *neas, neic, neasta* (aosî'ne, 177)

nī'k = *nàirich* (yū'duīqonī'k, 151), (yuq!wA'nskāniłnîq, 164), (yū'ckAłnīk, 166)

o = *obaig, obann* (ġone', 12)

osi = *os ìosal* (qa'q!osi, 5, and in particle aosi)

q, q!, q!^{u} = *criach, comhair, gu'm* (common particle)

qA = *chaidh* (qo'xodjîqAq, 160)

qa = *ag ràdh, cuadh, cagair* (aŷa'osîqa, 5, 9, 158, 164), (yū'Acia'osîqa, 11), (yuacia'osîqa, 42), (ŷawaqa', 75), (ŷana-isAqa, 76), (daŷadoqā'nutc, 104), (aya'osîqa, 108), (yū'siaodudziqa, 74), (ŷa'odudzîqa, 77), (yū'q!oyaqa, 168)

qā' = *caraid* (ānqā'wo, 1), (yuqā', 10)

q!ē' – *geur-bhile, giall, géile, caibhe, clab* (q!ē'wat!āx, 117)

q!ē' = *cleasaich, cleas* (q!ē'waxix, 112)

qo = *conall, caor, craobh* (qok!ī't!, 2), (qok!ī't!ê, 4)

qo = *coimhead* (qo, particle, common)

s, x = *sàbhail* (common particle)

sē'k = *sgeadaich, seòlach, seòl, seunach* (yAsē'k, 181)

sū't = *suidhich* (nAġasū't, 180)

t = *tarruing* (common particle)

taŷi = *tarruing* (taŷinA'x, 13)

tc, ts = *seadh, taisg, tathaich* (common particle)

te' – *teagair* (aosîte', 139)

tē' = *teirbeirt, téis, teithneas* (duītē'x, 15, 35), (duite'q!, 16)

tî' = *tirich* (wutî', 100)

tū' = *turus, tùinich, tuirling* (kîtū'nAx, 27)

^{u} = *ùine* (tc!āk^{u}, 62, 68)

u = *fuirich, uair* (u, 1), (yā't!ayauwaqā', 104)
u' = *urchair* (nacu', 27)
ū – *uiread* (ā'wa-ū, 56)
ū' = *uaigh* (datcū'n, 13)
u / ud = *uidheam* (qāk!udA's!, 21)
ukA' = *mu choinneamh* (hAsdutcukA'tawe, 57)
utc = *uchdan* (yū'gutc, 27)
wu = *ruith, ruathair* (wudjix̦ī'x̦, 34, 43)
yēk[u] = *eu- cuimseach, reamh-cheuman* (yēk[u]dīwuq!, 122)
ŷī' = *riar, riochd, riochdaich* (wuniŷī'tc, 183)

Dipthongs

Gàidhlig sound patterns are rich in dipthongs – double vowels, two or more vowels together. These mostly disappear in Hlīngit. There will be only one vowel, or the two vowels will be separated by a consonant. Sometimes the word is rearranged a little in this process.

A = *aoi, aoin* (Acū'waca, 17)
a = *air* (common particle)
a' = *abair, ràdh* (yū'Acia'osîqa, 11), (yuacia'osîqa, 42)
a' / a'xk! = *aghaidh, aghaidhich* (yua'xk!Anya-ka'oL̦îgAdî, 17)
ā' = *a, aig* (particle, common)
ā' = *àill* (daā'dawe, 6)
ā' = *asait, asaidich?, àraich* (ā'wa-ū, 56)
ā' = *àite, aitreabh* (ā'ni, 21), (yāq!, 36)
ā' / ā = *àird, airde* (akînā', 55)
ā' = *pailt* (tc!āk[u], 62, 68)
Ac / Acī' = *aice* (Acī'n, 12)
Ack = *am measg* (Ackułŷê'tîxōq!, 106)
A'cutc = *failceadh* (A'cutcnutc, 101)
ak, ka, aġ = *aig* (common particle)
Ał = *aos-liath, aois-liath, slànach, slàn* (yū'Ałdî's, 72)
Ałdî's = *faslairt-Dis, aos-liath, aois-liath* (yū'Ałdî's, 72)
Ałeq!ā'/ łēq! / łēq!A' = *flann-dhearg, flann, dearg, leac* (Ałeq!ā', 113), (dułēq!A', 119)
ānē'q! = *saoghal* (łīngî't-ānē'q!, 145)
A'nġa = *aingeal, aingealag, ainneamhag, adag, acaran* (ġA'nġa, 26)
ā'ni / ni = *ionad* (ā'ni, 21)
a'ołiga = *uallaich* (ka'ołiga, 59)

aosî, aołi = *saor* (common particle)
aq = *faigh* (aq, 50)
ā't!Aq!a / Aq!a = *aothachd, claidean* (ā't!Aq!anutc, 127)
ā'wa = *aom* (kā'watAn, 85)
awe = *aoi, a réir, nàile, ar feadh* (common particle)
awe' = *ream* (cukAdawe', 152)
awuĻ / awuĻî / awu = *àrrusg, arruiseachd* (awuĻîgê'n, 37, particle)
A'x = *an seo* (taŷinA'x, 13)
ayêxa = *uile* (ayêxak!ā'wu, 121)
ca = *aisg, earras* (iqâca', 11), (Acū'waca, 17), (ā'waca, 46, 154), (A'ġacān, 47), (uwaca' 164, 166), awucā'ŷetc (177)
cā = *seaghas* (tāk^{u}cā'gê, 19)
cā'a = *stac, sliabh* (cā'ayu, 14)
cā'd / cā' = *ceap* (awu'łîcāt, 89), (wudułîcā'dî, 91)
caq / cā'g = *seaghas* (tāk^{u}cā'gê, 19), (yū'caq, 23)
cA't = *càraid, cailleach, càirde* (ducA't, 75)
cawA't = *searbhanta* (yucawA't,15), (yū'cāwat, 24), yucā'wAttc (26)
ci / si = *sgiolta, sgil* (yū'Acia'osîqa, 11), (yuacia'osîqa, 42), (yū'siaodudziqa, 74)
cukAd = *siùblachd* (cukAdawe', 152)
cū'sa = *sgiùrsach, sgiùrs* (kAcū'sawedê, 98)
da / d / de = *dean, dar, dàn, da* (= *do e*) (common particle)
dA'qde = *traigh, dachaidh* (dA'qde, 70)
dā'q / daq / dAq = *darach, dachaidh, suas* (common particle); But *a nios* breaks the rule of broad vowels.
daq = *darach, dachaidh, suas, deachd* (qonā'xdaq, 31)
d A's! / d A' = *dreach* (qāk!udA's!, 21)
de = *deas, deiseal, sios* (common particle); but *nuas* breaks the rule of slender vowels.
de = *deachd* (de, 37)
de / detc! = *dearbh, deachd, dearc* (detc!a'a.awe', 75)
dê' – *deachd* (nēłdê'. 174)
dē' = *deachdta, dearbh* (dē'tc!a, 72)
desgwA'tc = *dràsda, deasaichte, deas-ghnàth* (desgwA'tc, 102)
dē'tc / dē'x = *deatamas, dearralachd* (q!AnAskîdē'tc, 97)
dī, dji, tî, dja = *dian, diail, ti* (common particle)
dī' = *triall* (aġaA'dînawe, 21), (AdakA'dīnawe, 34), (wugudī'awe, 165)
dîne = *diongail* (yē'djîwudîne, 138)
dî's = *teasgonn, Dis* (yū'Ałdî's, 72), (weAłdî's-q!os, 75)
djA / djAq / djā'q = *dreag* (ā'wadjAq, 50, 51), (dudjā'q, 68)
dju' / u' = *utagaich, driuch, diùc* (dju'deAt, 167)
do = *siod, an siod* (yū'do, 33)

du / do = *duine, dual, oirre* (common, pronoun article)
dūciawa / duciŷa' / duc = *rùdhraich* (yu'qodūciawa, 16), (uġa'qoduciŷa', 157)
duł = *duisleannan* (udułcu'qnutc, 105)
dū'waci = *rùdhraich* (qoŷa'odū'waci, 15)
duwasa = *duarmanaich, duarman, duanaireachd, duaireachadh, duaireachas* (yū'duwasa, 107)
dzî = *triall* (in common particle wudzî)
e = *èairlinn, remain, earas, réidh* (common particle)
ē' = *eolann* (dAnē't, 60, 63)
ē / ēn / hē' = èan Lēq!, 37), (ts!uhē't!aawe, 93), (ā'Len, 126)
ēq / ī'q = *mèinn* (ēq, 122), (ē'qayu, 123), (yuī'q, 126)
ġAgā'n = *grian, grianan* (ġAgā'n, 45)
ġA'n = *ganaid, gannail* (ġA'nġa, 26)
ġayē' = *iarunn, iarnaidh* (ġayē's!, 128)
ġê' = *leag* (doġê'tcnutc, 103)
ġê' = *ceann* (qaġê't, 38)
ġêt = *cridhe* (ġêna't, 158), (ġetła'a, 170)
gī'tî = *gidheadh* (wudzîgī'tî, 68)
gu = *gluais* (gu, 29; also particle), (wugū't, 69)
hā' = *seo* (hā'nde, 42)
hā'n = '*Thalla an seo.*' (hā'nde, 42)
hAs = *iad-san* (hAs, 5, 6, 26, 46, 47, 50, 51, 56, 63, 64, 70), (hAsdutcukA'tawe, 57), (hAsduī'c, 57), (hAsduwū', 60), (hAsduī'n, 61)
hê' = *eisimh* (Aŷahê'taqguttc, 111)
hît = *taigh* (hî'tî, 65)
ho' = *òigh, òg-bheann* (ho', 20)
î' = *riomba* (yuî'qtê, 151)
i / e = *sibh, ribh, meacan* (common particle)
ikū' / kū' = *cùimhnich* (awusikū', 65), (aosîku', 139)
kA'gu = *craidhleag, càiteach* (dukA'gu, 6)
kao = *caon* (in common particle kaoLî, kaołi)
kaoL = *claon* (in common particle kaoLî, kaołi)
k!A = *beag* (k!Atsk!^{u}, 79)
k!ānt = *cràidhteachd, crainntidh, crainngidh, cràdh* (k!ānt 174)
kātuwā(ŷ)ati = *caithreamadh* (kātuwā(ŷ)ati, 72)
kā'wadjA / kā'wa = *caoin-chronaich* (Acu-kā'wadjA, 32)
k!awê' / k!a = *chitheadh* (k!awê'łguha, 54)
kdaġā'x = *caidheachd, caidh, caidheil, caidhlich, caidhliche, caidhni* (ciaŷidē'kdaġā'x, 39)
k!ē = *ceillidh* (k!ē, 158)
kês / ke = *measg* (kês, 80)

kē / kîn / kînā = *ceann, ceap* (kē, 21), (ke, 35), (kînā'q!, 51), (akînā', 55)
kîn = *ceann* (akînā', 55)
kīnigī' = *gleadhar, gleadhair, gleadhraich* (kīnigī'q, 163)
kī's = *chaidh e as* (kułkī'stc, 24)
k!^{u} = *beag, òg* (AxsĪ'k!^{u}, 81)
ku' = *cuimhnich, cuig, cuilbheart* (aosîku', 139)
kucîg = *cuidhich* (kucîgAnē'x, 30)
kū'q! = *cuach* (cAdakū'q!, 41)
k! ūts = *cuidhtich / cuitich* (ŷa'ołik!ūts, 6, 8)
ła' / ł / a ł = *slaoic* (particle)
Lā = *lathair, dlagh, lachd, lac, làbanaiche, màthair* (duLā'tc, 68), (duLā', 69)
L!A'k = *dreògh, dlagh, dealbhaidh, dealbhasach* (uwaL!A'k, 36)
Ḷā'k! = *caileag* (AxḶā'k!, 67)
Lāq = *laighean* (Lāq, 127)
łdakA' / ł = *uile, slàn* (łdakA't, 110)
Lēł = *sgleò* (Lēł, 25, 30), (Le'łsdjî, 47)
łguha / ł = *slaoic* (k!awê'łguha, 54)
L!î = *ileach* (hāL!î, 4,5)
Łīngî't = *sliochd, ginealach, gintear* (Łīngî'ttc, 125)
łix̹ = *fleòdradh* (łix̹ā'c, 41)
łū'waguq = *sluaigheach, uisliginn* (łū'waguq, 169)
n = *naisgte, ann, 'nuair* (particle, common)
nAġas / nAġasū't = *nasgaidh / a nasgadh* (nAġasū't, 180)
nAk! = *naing, naing-mhór, neanaidh* (qAġA'qqocā-nAk!, 27)
nā'x = *nàbachail* (qonā'xdaq, 31)
ne = *neas, neic, neasta* (aosî'ne, 177)
ne = *nead, neadaichte, neadaich* (nełixA'nq!awe, 8), (neł, 29), (ā'nēł, 159)
ndihē / dihēn & q!ū'n / k^{u} = *dirim, meud, meudaich, meudaichte* (ā'caŷAndihēn, 53), (q!ū'na, 112), (sa k^{u}, 127) , (cā'ŷadîhēn, 133)
nġa = *faigh* (ġA'nġa, 26), (u'tiyānġahē'n, 63)
niłnîq / nêk / nī'k / nīk = *nàirich* (yū'duīqonī'k, 151), (yuq!wA'nskāniłnîq, 164), (aka'wanêk, 165), (yū'ckAłnīk, 166)
nu = *nuidheadh, nùidh* (part of common particle nutc)
o = *oirre* (doxA'nt , 10), (doayē', 24), (in common particle do (a version of du))
osi = *os ìosal* (qa'q!osi, 5), (in particle aosi)
oxe' = *a cheana, seach, seachad* (oxe', 157)
qA = *chaidh* (qo'xodjîqAq, 160)
qa = *ag ràdh, cuadh, cagair* (aŷa'osîqa, 5, 9, 158, 164), (yū'Acia'osîqa,

11), (yuacia'osîqa, 42), (ŷawaqa', 75), (ŷana-isAqa, 76), (daŷadoqā'nutc, 104), (aya'osîqa, 108), (yū'siaodudziqa, 74), (ŷa'odudzîqa, 77), (yū'q!oyaqa, 168)

qā' = *caraid* (ānqā'wo, 1), (yuqā', 10)

qAġA'qqocā = *cailleach, cailleachag, cailleachag-cheann-dubh, cailleachag-cheann-ghorm* (qAġA'qqocā-nAk!, 27)

q!anAckîdē'x / q!anAc__dē'x / q!AnAskîdē'tc = *crann-fàisneachd, daibhreach* (q!AnAskîdē'tc. 97), (q!anAckîdē'x, 181)

qā'x / qā' = *c'àite? / c'à?* (gudAxqā'x, 150)

q!ē = *geàrr* (q!ēq!, 89)

q!ē' = *cleasaich, cleas* (q!ē'waxix, 112)

qē' / qē'awe = *céilidh, ceann-uidhe* (qē'awe, 80)

q!ē'ġa = *creid, gu deachdta* (q!ē'ġa, 70)

qêL! = *ceum* (wu'diqêL!, 173)

qenītc = *cinneadh* (yū'antqenītc, 15)

qêtc = *cleasaich, cleasachd, creic* (du'qêtcnutc, 21)

q!ē'wawūs! = *ceasnaich, ceisdich* (q!ē'wawūs!, 114)

qo = *cùl, coir, comhair* (common particle)

qo = *conall, caor, craobh* (qok!ī't!, 2), (qok!ī't!ê, 4)

qoa'ni = *cròileagan, crò* (qoa'ni, 30), (qoa'nî (38)

qodicī' / qoŷa'od / qo_ciawa / qodūciawa / qo / qe' = *coimhead* (qoŷa'odū'waci, 15), (yu'qodūciawa, 16), (qoya'oduwacî, 35), (qodicī', 155), (qe'cî, 158)

qoġā's! = *ceò, sgleò, coingeal, cròich* (yuqoġā's!, 80)

q!os = *crios, criosach, geug, gath* (q!os, 72)

qō'wa / yudo / yudowa = *clois, cluinn, 'cuala?', cluinnte* (qō'waAxtc, 58), (yū'yudowaAx, 171)

sA / xA' = *seo, sàbhail* (wâsa', 25, particles with opposite meanings)

sa' = *seach, seachad, a cheana, fad, fada* (kAnaxsa', 157)

sado'ha = *saor* (yē'qasado'ha, 136)

SAks = *saighead* (SAks, 108)

sā'nî = *saoidh* (k!êsā'nî, 134)

sē'k = *sgeadaich, seòlach, seòl, seunach* (yAsē'k, 181)

sni / sniyî' / snī' = *sniomh, snìomhach, sneag* (odusniyî' 25), (anAsnī'awe, 109)

stī' / stī'n / saŷe'= *sealltainn, steòrn, chìteadh, chìtheadh* (aositī'n, 26), (dutī'n (71), (wudustī'n, 94), (qōstī'ŷīn, 128), (dustî'ndjîayu', 145), (ŷawusaŷe'awe, 160)

su' = *surd, sùil, suidhich, suadh, suimeil, sùileach,* (wusu', 28)

sū' = *spùinn* (gūsū'?, 174)

sū't = *suidhich* (nAġasū't, 180)

t = *tarruing* (common particle)

taqgu = *tarruing, tarraich, tadhalach, taig* (Aŷahê'taqguttc, 111)
tāt = *oidhche, tràth* (tāt, 124)
t!ā'xe / t!āx = *taibhsich, fosgailte, fosgail* (q!aowut!ā'xe, 116)
tc, ts = *seadh, taisg, tathaich, ath* (common particle)
tc!a = *seadh* (tc!a, 9, 10, 26)
tcu = *tiugh* (tcukA'q!awe, 99)
tcxAnk! = *seanghain* (tcxAnk!, 29)
tē' = *teirbeirt, téis, teithneas* (duītē'x, 15, 35), (duite'q!, 16)
tî = déidh (yā'nagu'tîawe, 62)
tînna' = *trinnsear* (tînna', 129)
tī'yī / tî' – *tì, tighearn* (qo'dzîtī'yī-Atx, 185), (sîtî', 185)
ts!As / sadj = *tathaich, daonnan, dràsda* (ts!As, 5, 20, 24)
tsk![u] = *sgriothail, sgrioth, sgriothal* (k!Atsk![u], 79)
ts!u = *tiugh, tròth* (ts!u, 8, 26)
ts!utā't = *tuiteam* (ts!utā't, 34)
tu = *tuit* (in particle atu)
tūt = *tuathal* (tūt, 45)
[u] = *ùine* (tc!āk[u], 62, 68)
u = *uair, fuirich* (u, 1)
u / wu = *mu, uiread* (wuduwatA'n, 16, common particle)
u' = *uair* (u'tiyānġahē'n, 63)
u' = *ruig, ua* (nacu', 27)
ū' / sū' = *ruisg* (awułîsū', 50)
ū = *uiread* (ā'wa-ū, 56)
ū' = *uaigh* (datcū'n, 13)
u / ud = *uidheam* (qāk!udA's!, 21)
ukA' = *mu choinneamh* (hAsdutcukA'tawe, 57)
ū'na = *ùine* (q!ū'na, 112)
usinē'x / î'sinē' = *ùisineachadh, ùisealachd, uinnseachadh* (ī'usinē'x, 31), (awî'sīne'awe, 90)
wa = *cuairt, nuadh, nuadhaich, a, ma, ua* (common particle)
waAx = *chuala, raoic* (uduwaA'x, 120), (yū'yudowaAx, 171)
wānanī' = *ùine* (wānanī'sawe, 56)
wānanī's = *ùinich* (wānanī'sawe, 56)
wA'sâ = *mar seo, samhlach* (wâsa', 25), (wA'sâ, 79), (wA'sa, 80)
wu / u = *ruig* (common particle)
wu = *ruith, ruathair* (wudjixī'x, 34, 43)
wū' = *fù, fo, fuilc, fuath* (dūwu', 64)
wudū'dziha = *ionndruinn* (wudū'dziha, 156)
wuĻî = *ruith* (awuĻîgê'n, 37)
wuc = *urraichd* (wucku'k, 85)
wusi = *rus, fios, fiosrach, fiosraich* (awusikū', 65)

xA' = *thall, thalla* (wudzîxA'q, 45)
xa = *mar, samhail* (ayA'xawe, 34)
xA = *seo* (xAtc, 14, 16, 17, 63, 70)
xā't = *iach, iasg, eithre* (yuxā't, 19)
xēL! = *sal, sleamhnan, sàl, saileas, saile, sailchead* (xēL!, 85)
x̜ūk = *suacan, spruan, spuing* (yū'x̜ūk, 24)
x̜ū'ts! = *uruisg* (yux̜ū'ts!, 4), (yūx̜ū'ts! hāL!î, 5), (x̜ū'ts!, 17), (yux̜ūts! qoa'nî', 18)
ŷana = *rannaich, ionnrain* (ŷana-isAqa, 76)
ŷa'o – *raon* (in particle ŷa'ołi)
ŷawu = *ruaig* (ŷawucîx̜ī'awe, 37)
yē = *seo* (yē'At, 96)
yē' = *réidh* (doayē', 24, possessive)
ŷē' = *beag* (tc!aŷē'guskî, 52)
yē'ġa = *beachdaich* (yē'ġawetsa, 86)
yēk^{u} = *eu- cuimseach, reamh-cheuman* (yēk^{u}dīwuq!, 122)
yē'qasad / yē'qas = *reacht, reachd* (yē'qasado'ha, 136)
yē'qasado'ha = *reachd-shaor* (yē'qasado'ha, 136)
yê't = *beachd* (duyê't, 152)
ŷêt = *mèithealach, mèitheallach, meacan* (ŷêt, 56)
ŷê'tq!î = *naoidheachan, eilthireach, eidir, eil-thir, eoghunn* (ŷê'tq!î, 46)
ŷî' = *riochd* (kaodîgA'naŷî', 151)
ŷī' = *riar, riochd, riochdaich* (wuniŷī'tc, 183)
yī' & ġAgā'n = *grian* (yī'gîŷî, 35), (yū'ġAgān, 46, 55), (dēx, 157 (yī' is implied))
ŷī'dî = *iodhlan, ridir, gille, bìdein* (hAsdūŷī'dî, 96)
ŷīī'c / ī'c = *rìgh, gintear* (duī'c,3, 55, 65), (yā' duī'c, 8), (ŷīī'c, 33), (hAsduī'c, 57)
yū'yāk^{u} = *biorrach, biorraid* (yū'yāk^{u} 41, 64), (yū'yāk^{u}, 58)
ŷiŷid / ŷiŷi = *rìreadh, riamh, bitheantas* (ŷiŷidA'de, 181)

Ao is a special dipthong

The sound ao in Hlīngit receives special use. It is used in manner particles to show the feeling that goes with an action. This dipthong is almost unique in Hlīngit, as Hlīngit tends to have only single vowels.

a'odî = *aonda, aonta, aontach* (particle)
a'ołiga = *uallaich* (ka'ołiga, 59)
ao_nî'q! = *fairich* (aodzînî'q!, 143)
aosî, aołi = *saor* (common particle)

ā'wa = *aom* (kā'watAn, 85)
ā'waxox = *blaor, blaom, blaoghan, blaodh-eun* (ā'waxox, 146)
awe = *aoi, a réir, nàile, ar feadh* (common particle)
cao = *sraon* (caoduĻîġê'tc, 178) (particle)
q!aołi = *cosgail / cosdail* (ckA'teAtsinen, 184)
qā'wo = *gaoil, gaoine, gaoi* (anqā'wo, 1), (Yā'dat!A'q!-anqā'wo, 132)
kao = *caon* (in common particle kaoLî, kaołi)
kaoL = *claon* (in common particle kaoLî, kaołi)
q!oes / q!oe' / q!es / q!e' = *sgàth* (hAsduq!oe's, 82), (hA'sduq!oē'dê, 87), (wA'nq!es, 88)
ta'o = *taobh* (ta'oditAn, 180)
waAx = *raoic* (yū'yudowaAx, 171)
ŷa'o – *raon* (in particle ŷa'ołi), (ŷa'odudzîqa, 77), (caŷa'oĻixAc, 121)

Broad to broad, slender to slender

Palatal consonants like d, t, s, k, g etc. are ancient sounds in the evolution of human language. There is a Gàidhlig principle of matching palatal consonants (made on the roof of the mouth) to the two types of vowels. The slender vowels e and i go with soft palatal sounds. The broad vowels a, o and u go with hard palatal sounds. To understand this in more detail, see the Bibliography & Notes section.

A / Acī' = *aice* (Acī'n, 12)
Ałdî's = *faslairt-Dis* (yū'Ałdî's, 72)
ca' = *ceann* (Aca', 41)
cā = *seaghas* (tāk^{u}cā'gê, 19)
cā'a = *stac, sliabh* (cā'ayu, 14)
cawA't = *searbhanta* (yucawA't,15), (yū'cāwat, 24), yucā'wAttc (26)
cî = *sgiab, spion, spionadh* (akucîtA'n, 2)
ci = *ci* (ciaŷidē'kdaġā'x, 39)
cī' = *si* (Acī'n, 12)
dā'q / daq / dAq = *darach, dachaidh, suas* (common particle); But *a nios* breaks the rule of broad vowels.
d A's! / d A' = *dreach, dreachadaireachd* (qāk!udA's!, 21)
de = *deas, deiseal, sios* (common particle); but *nuas* breaks the rule of slender vowels.
dî = *de', di, dinn* (in common particle adî)
dī, dji, tî, dja = *dian, diail, ti* (common particle)

dju' / u' = *driuch, diùc, utagaich* (dju'deAt, 167)
ê' = *eochair, earr* (Ak!ayaxê', 40)
gī'tî = *gidheadh* (wudzîgī'tî, 68)
k!a / k!awê' = *chitheadh* (k!awê'łguha, 54)
kucîg = *cuidhich* (kucîgAnē'x, 30)
k!ūts = *cuidhtich / cuitich* (ŷa'ołik!ūts, 6, 8)
q!ē'ġa = *creid, gu deachdta* (q!ē'ġa, 70)
st!ē' = *steall, stear* (akust!ē'q!Atc, 63)
tc!a = *seadh* (tc!a, 9)
tcxAnk! = *seanghain, san-ghin* (tcxAnk!, 29)
txê'q = *steach* (ātxê'qdê, 6)
txī' = *crithre, crithear* (atūtxī'nawe, 23)
wus / wusi = *rus, fios, fiosrach, fiosraich* (awusikū', 65), (wus-ha, 143)
x̨ī'x̨ = *sith* (wudjix̨ī'x̨, 34, 43), (udjix̨ī'x̨, 40), (icî'x̨, 42)
yī' & ġAgā'n = *grian* (yī'gîŷî, 35), (yū'ġAgān, 46, 55), (dēx, 157 (yī' is implied))
ŷīī'c / ī'c = *rìgh, gintear* (duī'c,3, 55, 65), (yā' duī'c, 8), (ŷīī'c, 33), (hAsduī'c, 57)

A word splits or creates several different words

The Gàidhlig word for sun interestingly splits into sun and day in Hlīngit. Other words morph into several different forms, often with different meanings. Using one word for several new words, especially when it originally contained those meanings, means less complexity in the etymology. It means it's a little easier to hold onto the language's history and roots. This is part of the poetry and elegance of the language.

A'x & nA = *artragh, fàg* (aołîyA'x, 99), (anAsnī'awe, 109), (ŷā'nAłyAx, 126)
ġê' / xē & A = *leag* (doġê'tcnutc, 103), (AcA'kAnadjAł, 130)
k!ā'wu & qA = *clàr* (qAk[u], 5), (ayêxak!ā'wu, 121)
k!ayax & q!AnAs / q!anAc = *crannchur, cràbhaich* (Ak!ayaxê', 40), (q!AnAskîdē'tc, 97), (q!anAckîdē'x, 181), (particle)
ł / łdakA' & ayêxa = *uile* (łdakA't, 110, 123), (ayêxak!ā'wu, 121)
Ļîġ & t!ū'g / t!o'kt! / ku = *tilg* (at!o'kt!, 109), (at!o'kt!înutc, 110), (t!u'k, 119), (awut!ū'guawe, 120), (ku-doxē'tc, 131), (caoduĻîġê'tc, 178)
ndihē / dihēn & q!ū'n / k[u] = *dirim, meud, meudaich, meudaichte*

(ā'caŷAndihēn, 53), (q!ū'na, 112), (sa k^{u}, 127) , (cā'ŷadîhēn, 133)
q!os & kīs = *crios* (q!os, 72), (q!ōs, 79), (weAłdî's-q!os, 75), (kīs, 127)
t!ā' / xawe / x = *taigh, 'staigh* (=*anns an taigh*) (nēłt!ā', 67), (hî'txawe (126)
yī' / gîyī' & ġAgā'n = *grian* (yī'gîŷî, 35), (yū'ġAgān, 46, 55), (k!ū'nŷagīŷî, 156), (dēx, 157 (yī' is implied))

Roughly the same sound

In fact, the relation between Hlīngit sound pattern and Gàidhlig is fairly close. These words show that most clearly. The main change is that softer sounds from Gàidhlig may disappear in Hlīngit.

A = *a* (common particle = Gàidhlig meaning: that, whom, which, what, who)
a, A – *a* (common particle = Gàidhlig meaning: his, her, its > dual pronouns (including 'it'))
a, A = *a* (common particle = Gàidhlig meaning: at, to, in, about, in the act of)
a, A = *bha* (common particle)
a = *tha* (ā'q!aołitsīn, 182; particle)
a = *adhart* (*air adhart*), *bha* (in common particle, ya / ayA')
a = *air* (common particle)
a = *amh* (yū'a, 41)
a = *ràth* (an, 1)
a / a' / ā = *a, am, iad* (common particle, Gàidhlig meaning: his, her, its, their, my, the, they)
a' / a'xk! = *aghaidh, aghaidhich* (yua'xk!Anya-ka'oĻîgAdî, 17)
a' = *ràdh, abair* (yū'Acia'osîqa, 11), (yuacia'osîqa, 42)
ā = *amh, èan, àbh* (yū'a, 41), (ā, 94)
ā' = *àill.* (daā'dawe, 6)
ā' = *math* (ā'wa-ū, 56)
ā' = *marbh* (ā'wadjAq, 50)
A' / A'qx / dj A'qx = *marbh* (sadjA'qx, 48), (ā'wadjAq, 50), (ŷāqġadjā'q, 96)
ā'c = *as* (particle, See ax)
aca ≠ *aisg* (Acū'waca, 17)
ak, k = ag (in common particle aku, ku)
ak, ka, aġ = *aig* (common particle)

aka' / aka' wan = *ag ràdh* (aka'wanîk, 31)
Ałdî's = *faslairt-Dis, aos-liath, aois-liath* (yū'Ałdî's, 72)
Ałeq!ā'= *flann-dhearg, flann, dearg, leac* (Ałeq!ā', 113)
aLī' = *àill* (aLī'L!, 5)
ān = *ban-, bean* (yuānŷê'dî, 17)
an / ant = *an, an t-* (yū'antqenītc, 15)
an… na = *na… na / na's… na* (L!agā'yan nAłgē'n, 102)
a'odî = *aonda, aonta, aontach* (particle)
a'ołiga = *uallaich* (ka'ołiga, 59)
aq = *fàg* (aq, 50)
ātxê'q = *a steach* (ātxê'qdê, 6, particle)
ā'wa = *aom* (kā'watAn, 85)
ā'wa = *bladh* (ā'waxox, 146)
a' wan = *abair* (aka'wanîk, 31)
awe = *aoi, a réir, nàile, ar feadh* (common particle)
ax, A'x = *a mach, mach* (particle, common)
ax / xa = *sàr* (particle)
ayA = *amar* (ā'wayA, 87)
ayat! = *saidh* (ayat!A'kq!ᵘ, 63)
ā'ŷî = *a bhith* (ā'ŷî, 49)
ca = *sàbh* (caŷa'oĻixAc, 121)
cā = *seaghas* (tākᵘcā'gê, 19)
cao = *sraon* (caoduĻîġê'tc, 178) (particle)
caq / cā'g = *seaghas* (tākᵘcā'gê, 19), (yū'caq, 23)
cā't = *sgrath* (awu'łîcāt, 89), (wudułcā'dî, 91), (aġacA'ttc, 93), (aosłicā't, 141)
cawA' = *sàr-bhan* (yucawA't, 15), yū'cāwat, 24), (yucā'wAttc, 26) (yucā'wAt, 36)
ci / cī' = *si* (Acī'n, 12, particle)
cî' = *spìd, sir, mionnaich* (aodîcî', 96)
cī' / cî = *sìn* (qodicī', 155), (qe'cî, 158), (kū'wacî, 159)
cî'x = *sith* (wudjixī'x, 34, 43), (ŷawucîxī'awe, 37), (udjixī'x , 40), (icî'x, 42),
ctū'gas = *stuaigh?, stuaidh, stuamach, stuama, stuamag* (ctū'gas, 49)
cukAd = *siùblachd* (cukAdawe', 152)
cu'q = *sùg, sùgair* (udułcu'qnutc, 105)
cū'sa = *sgiùrsach, sgiùrs* (kAcū'sawedê, 98)
cū'w = *suidhich* (Acū'waca, 17)
cūye' = *sguileach, sgruibleach, smuig* (Q!aī'tî-cūye'-qā, 107)
d = *'d* (da, 74)
da = *d'a, da* (da, 74)
dA'de = *dràsda (= an tràth seo)* (ŷiŷidA'de, 181)

dā'q = *darach* (yudā'qq!, 4), (datcū'n, 13)
dā'q / daq / dAq = *darach, dachaidh, suas* (common particle); But *a nios* breaks the rule of broad vowels.
d A's! / d A' = *dreach* (qāk!udA's!, 21)
'dā'sayu?' = '*de tha seo*?', '*de tha an siod?*' (dā'sayu, 114)
datc = *darach* (datcū'n, 13)
dA'tî / dA = *dràsda* (ŷīdA'tî, 49)
de = *deachd* (de, 37)
de / detc! = *dearbh, deachd, dearc* (detc!a'a.awe', 75)
desgwA'tc = *deas-ghnàth* (desgwA'tc, 102)
dēx = *deise* (dēx, 157)
dî = *de', di, dinn* (in common particle adî)
dī, dji, tî, dja = *dian, diail, ti* (common particle)
dî' = *dia / Dia* (yū'Ałdî's, 72), (weAłdî's-q!os, 75)
dî's = *Dis, teasgonn* (yū'Ałdî's, 72), (weAłdî's-q!os, 75)
djA' / djA'ttc / djā'q = *dreag* (dudjā'q, 68), (wudjA'ttc, 93)
dju' / u' = *driuch, diùc, utagaich* (dju'deAt, 167)
do = *do* (doxA'nt, 10)
du = *do, o* (dunA'q, 92)
dū'waci = *rùdhraich* (qoŷa'odū'waci, 15)
dzî = *triall* (in common particle wudzî)
ē' = *ighe* (dAnē't, 60, 63)
ē / ēn / hē' = èan Lēq!, 37), (ts!uhē't!aawe, 93), (ā'Len, 126)
ġa = *gabh* (ġā, 18), (āeġayā't, 64, common particle)
gê'n = *ceann* (awuĻîgê'n, 37)
ġet = *cridhe* (ġetła'a, 170)
gī'yī = *cridhe* (dîgī'yīga, 1), (yī'gîŷî, 35), (gīyīġē't, 41)
g / gA' = *gath* (kaodîgA'naŷî', 151)
ġa = *gabh* (wuġaxį'xîn, 55; common particle)
ġa = *gàd* (ġayē's!, 128)
ġā = *gràg* (ġā, 120)
gA'na = *clannar* (kaodîgA'naŷî', 152)
gā'ya = *gabh* (L!agā'yan, 102)
ġā = *gar, car* (ŷāġāā'dawe, 39)
ġē' = *gnè* (gīyīġē't, 41)
gē'n = *geinneach* (nAłgē'n, 102)
gîŷî = *cridhe, grian* (yī'gîŷî, 35)
gī'tî = *gidheadh* (wudzîgī'tî, 68)
gud / gut = *grunnd* (gudAxqā'x, 150), (gutxA'tsayu, 153)
gudAxqā'x = *grunndachadh* (gudAxqā'x, 150), (gutxA'tsayu, 153)
gus = *gus* (tc!aŷē'guskî, 52)
gūsū'? = *gus, gu seo, gu siorruidh*! (gūsū'?. 174)

guxq!ᵘ = *guailliche* (guxq!ᵘ, 3)
hāgu = *thig, thàinig* (hāgu, 146)
hāL! = *salachar, sal* (hāL!î, 4,5)
hē'n = *seang, sgeamhladh* (u'tiyānġahē'n, 63)
hît = *sith, sìthean* (hî'tî, 65)
ho' = *òigh, òg-bheann* (ho', 20)
î = *i* (yā'doq!osî, 26)
i / e = *sibh, ribh, meacan* (common particle)
iawa = *iarr* (yu'qodūciawa, 16)
ī'k! = *gille* (duī'k!tcawe, 67)
iŷA'd = *iadhadh* (iŷA'dawe, 30)
kA = *cam* (kAtî'q, 139)
kaoL = *claon* (in common particle kaoLî, kaołi)
kA'q! = *càch* (tcukA'q!awe, 99)
kAnA'x / kAx = *trasd, crasg crasgach* (kAnA'x, 37), kAx (79), (kAnaxsa', 157)
kātuwā(ŷ)ati = *caithreamadh* (kātuwā(ŷ)ati, 72)
kā'wa / kā'waw = *sgar* (kā'wawAL!, 123)
k!ā'wu = *clàr* (ayêxak!ā'wu, 121)
kdaġā'x = *caidheachd* (ciaŷidē'kdaġā'x, 39)
kî = *clì* (q!AnAskîdē'tc, 97), (q!anAckîdē'x, 181)
kî = *gilm, geis, gèadh, càirneach* (kîdjū'k, 83)
kî'ksî = *crith, critheach* (kAdukî'ksînutc, 22)
kucîg = *cuidhich* (kucîgAnē'x, 30)
kuł = *cùl* (kułkī'stc, 24)
kū'q! = *cuach* (cAdakū'q!, 41)
k!ūts = *cuidhtich / cuitich* (ŷa'ołik!ūts, 6, 8)
L!A'k = *dreògh, dlagh,* (uwaL!A'k, 36)
L!A'k / L / La = *dlagh* (particle)
Ḷā'k!A = *dlagh, lachd, caileag* (duḶā'k!Atc, 68)
L!ā'ke = *tlachd* (duL!ā'ke, 36)
Lāq = *laighean* (Lāq, 127)
LAx = *glé, dlagh* (LAx, 82)
ḶAxdê' = *lastain* (ḶAxdê', 8)
łayA't! – *slatarra, slat* (kułayA't!, 1)
Le / L = *le, èairlinn, reamain* (common particle)
Lē / L / La = *dlagh* (particle) , (La, 91)
Len = *leathann* (Len, 41)
łi = *slighe* (in particle ŷa'ołi)
Ḷîġ = *tilg* (caoduḶîġê'tc, 178)
Łīngî't = *sliochd, ginealach, gintear* (Łīngî'ttc, 125)
Lī'q! = *gléidh* (ALī'q!anutc, 20)

łixA'nq! / ł = *sligeanach* (nełixA'nq!awe, 8), (neł, 29), (ā'nēł, 159)
łkī's = *sgrid, sgrìd* (kułkī'stc, 24)
łuqAnā' / łuqA = *slugair, slugadh, sluganachd* (łuqAnā', 46), (yū'łūqAna', 50), (łuqAna', 53)
łū'waguq = *sluaigheach, uisliginn* (łū'waguq, 169)
na = *na* (qî'naŷî , 83)
nā' = *nàbhaidh* (łuqAnā', 46), (łuqAna', 53)
naA = *nall* (xā'naAde, 147)
nAġas / nAġasū't = *nasgaidh / a nasgadh* (nAġasū't, 180)
nAk! = *naing, naing-mhór, neanaidh* (qAġA'qqocā-nAk!, 27)
nā'n = *nas* (nAġanā'n, 97)
nē'x = *neach, neachd* (kucîgAnē'x, 30), (ī'usinē'x, 31)
nī' / nî / ne = *ni* (nAsnī', 114), (a'osînî , 115), (aosî'ne, 177), (common particle)
nī' / nī's = *nidhe, nis* (wānanī'sawe, 56)
niłnîq / nêk / nī'k / nīk = *nàirich* (yū'duīqonī'k, 151), (yuq!wA'nskāniłnîq, 164), (aka'wanêk, 165), (yū'ckAłnīk, 166)
nu = *nuidh, nùidheadh* (part of common particle nutc)
o = *o, oir, oirre* doxA'nt (10, 159), (doayē', 24), (hAsduq!oe's, 82), (qo'xodjîqAq, 160), (in common particle do (a version of du))
o = *ro, obaig, obann* (particle), (part of particle a'odî)
osi = *os ìosal* (qa'q!osi, 5), (in particle aosi)
osîqa / ckA / skā = *osgarra* (aŷa'osîqa, 5), (yū'Acia'osîqa, 11), (yuacia'osîqa, 42), (yuq!wA'nskāniłnîq, 164), (yū'ckAłnīk, 166)
owaAx = *òrais* (yū'yudowaAx, 171)
qA' = *cha* (qA'tcu, 127)
qa = *cal* (qaġê't, 38)
q!ā / q!ao = *clab, caibhe* (q!ānA'x, 113), (q!aowut!ā'xe, 116)
qahā' = *càrr* (qahā's!tc, 96)
qāk!udA's! = *gairbheadach, caidhliche, gairgin, cinnteagan* (qāk!udA's!, 21)
qAġA'qqocā = *cailleach, cailleachag, cailleachag-cheann-dubh, cailleachag-cheann-ghorm* (qAġA'qqocā-nAk!, 27)
q!aitē'awe / Q!aitî = *càiteach* (qaq!aitē'awe, 103)
q!An = *crann* (q!AnAskîdē'tc. 97)
q!AnAskîdē'tc = *crann-fàisneachd* (q!AnAskîdē'tc. 97)
qAq = *criach* (qo'xodjîqAq, 160)
qaq! = *cac* (qaq!aitē'awe, 103)
qa'q!os / q!os / q! = *cas, cos* (qa'q!osi, 5), (yā'doq!osî, 26)
qAx = *sgàth* (qAx, 85), (xēL!qāx, 91)
q!a'x / q!a' = *cas* (q!axā't, 152), (aq!a'wułt, 169)
q!ē = *geàrr* (q!ēq!, 89)

qenītc = *cinneadh* (yū'antqenītc, 15)
q!īca' = *gingein, cliabh, cuinneag* (q!īca', 88)
qo = *cùl, coir, comhair* (common particle)
qo = *conall, caor, craobh* (qok!ī't!, 2), (qok!ī't!ê, 4)
qo'a = *coma* (qo'a, 20, 24), qo'aawe (49)
q!os = *crios, criosach, geug, gath* (q!os, 72)
qō'wa / yudo / yudowa = *clois, cluinn, 'cuala?', cluinnte* (qō'waAxtc, 58), (yū'yudowaAx, 171)
q!wA' / wA' / ka'wa = *cuadh, cagair* (yuq!wA'nskāniłnîq, 164), (aka'wanêk, 165),
sa, s, xa = *sàr* (wānanī'sawe, 56), (xā'naAde, 147)
s!ēq = *sgleò, deatach* (s!ēq, 26)
si = *sin* (particle)
sī = *si, sithich, sith, isean, nighean* (dusī', 2), (yā'duīc, 8)
sni / sniyî' / snī' = *sniomh, snìomhach, sneag* (odusniyî' 25), (anAsnī'awe, 109)
st!ē' = *steall, stear* (akust!ē'q!Atc, 63)
stī' / stī'n / tīn / tsīn / sīn / saŷe'= *seall, sealltainn, steòrn, chìteadh, chìtheadh* (aositī'n, 26), (dutī'n (71), (wudustī'n, 94), (qōstī'ŷīn, 128), (dustî'ndjîayu', 145), (ŷawusaŷe'awe, 160), (ā'q!aołitsīn, 182)
su' = *surd, sùil, suidhich, suadh, suimeil, sùileach,* (wusu', 28)
sū't = *suidhich* (nAġasū't, 180)
tA = *tàir* (part of common particle tAn)
tā'dawe = *aduigh* (tā'dawe, 138)
taqgu = *tarruing, tarraich, tadhalach, taig* (Aŷahê'taqguttc, 111)
tāk^{u} = *tacsa* (tāk^{u}cā'gê, 19)
tāt = *tràth* (tāt, 124)
tc!a = *seadh* (tc!a, 9)
tcāc = *crannlach, sracadh, teagh, teach, teaghas, gas, geug* (tcāc, 99), (yū'tcāc, 101), yutcā'ctaŷīq! (127)
tcu = *tiugh* (tcukA'q!awe, 99)
tcxAnk! = *seanghain, san-ghin* (tcxAnk!, 29)
tī'q! = *thig* (itī'q!awe, 19)
t!o'kt! = *tilg, tulg* (at!o'kt!, 109), (t!u'k, 119), (awut!ū'guawe, 120)
toq = *toch* (toq, 5)
tc!a = *seadh* (tc!a, 9, 10, 26)
tcāc = *gas, sracadh, geug* (tcāc, 99)
tînna' = *trinnsear* (tînna', 129)
tsAx = *stalc, stall* (Acuka'ołîtsAx, 170)
ts!As / sadj = *tathaich, daonnan, dràsda* (ts!As, 5, 20, 24)
ts!u = *tiugh* (ts!u, 8)
ts!utā't = *tuiteam* (ts!utā't, 34)

Ts!ūtsxA' = *tuatha, Tuatha-de-Danaan* (Ts!ūtsxA'n, 51), (Ts!ū'tsxAn, 54)
tu = *tuit* (in particle atu)
tūt = *tuathal* (tūt, 45)
tuwā'ŷa = *tuaiream* (tuwā'ŷatî, 14)
txê'q = *steach* (ātxê'qdê, 6)
txī' = *crithre, crithear* (atūtxī'nawe, 23)
u / wu = *mu, uiread* (wuduwatA'n, 16, common particle)
u' = *ua* (nacu', 27)
tī'n = *cìdh* (aositī'n, 26)
ū'da = *udail* (Akū'dadjītc, 62)
ū'na = *ùine* (q!ū'na, 112)
usinē'x / î'sinē' = *ùisineachadh, ùisealachd, uinnseachadh* (ī'usinē'x, 31), (awî'sīne'awe, 90)
ut = *uchd* (ū'wagut, 10)
uwa = *ruag* (uwaA't, 12),
wa = *a, ma, cuairt, nuadh, nuadhaich, ua* (common particle)
wā = *uair* (wānanī'sawe, 56)
waAx = *raoic* (yū'yudowaAx, 171)
waAa' / waAa'x = *chuala* (uduwaAa'x, 120)
wānanī' = *ùine* (wānanī'sawe, 56)
wānanī's = *ùinich* (wānanī'sawe, 56)
wanik = *rannaîch* (aka'wanîk, 31)
wA'nq! = *an caraibh* (tuwA'nq!, 79)
wAs!-ya = *rallsa* (wAs!-ya, 10)
we = *réidh* (in common particle awe)
we = *rè, réidh* (weAłdî's-q!os, 75)
wê' / wê'ł = *reil, réidh* (k!awê'łguha, 54)
wo = *mór* (ānqā'wo, 1)
wuā't = *ruag* (wuā't, 26)
wuc = *rùisg* (wucdA'x, 52)
wuc = *urraichd* (wucku'k, 85)
wud / wudu / wudî / wudji / wudjî / udji = *luchd, iad* (wuduwatA'n, 16), (wudjixī'x, 34, 43), (udjixī'x, 40), (wudjîxī'x, 82) (wudułîcā'dî, 91), (wudîna'q, 92)
wuĻî = *ruith* (awuĻîgê'n, 37)
wus / wusi / wusko' = *rus, fios, fiosrach, fiosraich* (awusikū', 65), (wusko', 125), (wus-ha, 143), (ye'awusku, 150)
wusk = *rùisg* (wusko', 125)
xa / ax = *sàr* (particle)
xēL! = *sal, sleamhnan, sàl, saileas, saile, sailchead* (xēL!, 85)
xī'x / cî'x / cî'qtc = *sith* (wudjixī'x, 34, 43), (udjixī'x, 40), (icî'x, 42),

(q!ē'waxix, 112), (nacî'qtc, 134)

xk!A / xk!An = *sgràill* (yua'xk!Anya-ka'oĻîgAdî, 17)

xo'xq!^{u} = *solaraiche* (duxo'xq!^{u}, 88)

xū'ts! = *uruisg* (yuxū'ts!, 4), (yūxū'ts! hāL!î, 5), (xū'ts!, 17), (yuxūts! qoa'nî', 18)

yAd / adad = *iadhadh* (yAdanē'nutc, 19), (yā'doq!osî, 26), (adadA'xdê, 178)

yāk^{u} = *ràgh, curach* (yū'yāk^{u}, 41, 64), (wē'yāk^{u}, 63)

ŷana = *rannaich, ionnrain* (ŷana-isAqa, 76)

ŷAndih = *iomadach* (ā'caŷAndihēn, 53)

Yā'd = *rabhadh* (Yā'dat!A'q!-anqā'wo, 132)

yā't! = *ràth, rathaich, rathail* (yā't!ayauwaqā', 104)

yAx / yêx = *iomhaigh, réir* (common particles)

ŷê = *réidh* (common particle)

yē / ye = *rè, réidh, réisde* (yē / ye, 5, 9, 55, 60), (awucā'ŷetc, 176)

yē = *seo* (yē'At, 96)

yē' = *réidh* (doayē', 24, possessive)

yên = *reann, meannad* (yên, 16, 55, 85)

yê't = *beachd* (duyê't, 152)

ŷî = *b'i, bhitheas* (ā'ŷî, 49)

ŷî / ŷi = *ri* (aŷîde', 60, common particle)

yī' = *rinn, ial* (yī'gîŷî, 35)

ŷī'dî = *iodhlan, ridir, gille, bìdein* (hAsdūŷī'dî, 96)

ŷīī'c / ī'c = *rìgh, gintear* (duī'c,3, 55, 65), (yā' duī'c, 8), (ŷīī'c, 33), (hAsduī'c, 57)

yū = *mu, ma* (yū, 85)

yū' = *ùine* (tc!uyū', 91)

yū'yāk^{u} = *biorrach, biorraid* (yū'yāk^{u} 41, 64), (yū'yāk^{u}, 58)

N can be lost

In ancient human language, the n was an early development in the process of learning to speak with the front of the mouth instead of mainly the back of the mouth. The sound n is made toward the front of the palate. Also, n is a sound that teaches us to control our breathing more. To know more on this, see 'Neandertal language', in the Bibliography & Notes.

acū'waca = *nuachar, nuathar* (Acū'waca, 17)

A = *aoi, aoin* (Acū'waca, 17)

A' = *na* (qA'tcu, 127)
a = *anns, ann* (aŷîde', 60, common particle)
ā = *amh, èan, àbh* (yū'a, 41), (ā, 94)
As / A= *gnàth* (ts!As, 5, 20, 24)
awe = *nàile, aoi, a réir, ar feadh* (common particle)
ca' = *ceann* (Aca', 41)
cAda = *danns* (cAdakū'q!, 41)
cao = *sraon* (caoduĻîġê'tc, 178) (particle)
cawA' = *sàr-bhan* (yucawA't, 15), yū'cāwat, 24), (yucā'wAttc, 26) (yucā'wAt, 36)
cî = *sgiab, spion, spionadh* (akucîtA'n, 2)
ci / si = *sin, sìon* (yū'Acia'osîqa, 11), (yuacia'osîqa, 42), (yū'siaodudziqa, 74)
cī' / cî = *sìn* (qodicī', 155), (qe'cî, 158), (kū'wacî, 159)
kao = *caon* (in common particle kaoLî, kaołi)
da / d / de = *dean, dar, dàn, da* (= *do e*) (common particle)
dā'q / daq / dAq = *darach, dachaidh, suas* (common particle); But *a nios* breaks the rule of broad vowels.
de = *deas, deiseal, sios* (common particle); but *nuas* breaks the rule of slender vowels.
dî = *de', di, dinn* (in common particle adî)
dī, dji, tî, dja = *dian, diail, ti* (common particle)
dī'q! = *nàirichte, nàraichte, diacharach* (kāwadī'q!, 175)
du / do = *duine, dual* (common, pronoun article)
ē' = *eolann* (dAnē't, 60, 63)
ē / ēn / hē' = èan Lēq!, 37), (ts!uhē't!aawe, 93), (ā'Len, 126)
ēq / ī'q = *mèinn* (ēq, 122), (ē'qayu, 123), (yuī'q, 126)
gā' = *glan* (akuġā'ntc, 23)
gAd = *gadan, ag radh* (yua'xk!Anya-ka'oĻîgAdî, 17)
ġê' = *ceann* (qaġê't, 38)
ġē' = *gnè* (gīyīġē't, 41)
i = *imnidh, ri, ial, iarr* (common particle)
igī / nigī / igītc = *fionn* (kaodAnigītc, 68)
kā'wadjA / kā'wa = *caoin-chronaich* (Acu-kā'wadjA, 32)
k!ayax = *crannchur* (Ak!ayaxê', 40)
kē = *cean, ceap* (kē, 21), (ke, 35), (kînā'q!, 51), (akînā', 55)
kî' = *cinn, glinne, cinnteagan* (kāxkî'nde, 21)
kī' = *cian* (dekī't, 45)
kîdjū'k = *càirneach* (kîdjū'k, 83)
Lāq = *laighean* (Lāq, 127)
Le / L = *le, èairlinn, reamain* (common particle)
łū' = *sloisir, uisliginn* (łū'waguq, 169)

łuqAnā' / łuqA = *slugair, slugadh, sluganachd* (yū'łūqAna', 50)
łū'waguq = *sluaigheach, uisliginn* (łū'waguq, 169)
nū / nū'gu = *nunn* (wunū'gu, 174)
q = *glinne* (qāk!udA's!, 21)
qē' / qē'awe = *céilidh, ceann-uidhe* (qē'awe, 80)
sū' = *spùinn* (gūsū'?, 174)
tî'q! = *toinneamh* (katî'q!, 139)
tī'yī / tî' – *tì, tighearn* (qo'dzîtī'yī-Atx, 185), (sîtî', 185)
si = *sin* (particle)
ts!As = *tathaich, daonnan* (ts!As, 5, 20, 24)
u = *ùine* (tc!āk[u], 62, 68)
u = *ùine* (ułsā'k[u], 47)
wa = *a, ma, cuairt, nuadh, nuadhaich* (common particle)
wudū'dziha = *ionndruinn* (wudū'dziha, 156)
xūk = *suacan, spruan, spuing* (yū'xūk, 24)
ŷi = *inntrinn* (ciaŷidē'kdaġā'x, 39)
yī' = *rinn, ial* (yī'gîŷî, 35)
ŷê'tq!î = *naoidheachan, eilthireach, eidir, eil-thir, eoghunn* (ŷê'tq!î, 46)
ŷidē' = *inntreadh* (ciaŷidē'kdaġā'x, 39)
ŷī'dî = *iodhlan, ridir, gille, bìdein* (hAsdūŷī'dî, 96)
yū' = *ùine* (tc!uyū', 91)

N can be gained

Just as it can be lost, n can be gained. It is a kind of mediator sound that helps to solve various problems in changing the sound pattern.

a / an = *taim* (an, 1)
a' / a'na = *bas, baslach, basardaich, basgaire, basgair / basgaird, bas-mhol, amais, fasgain, fasgnadh, fas-lomairt* (a'na, 10)
ā' / nAł = *farsuing, pailt* (ā'Len, 126), (nAłgē'n, 102)
ā'nAx / q!ā'nAx = *faoisg* (t!aq!ā'nAxawe, 141)
ānē'q! = *saoghal* (łīngî't-ānē'q!, 145)
awA'n = *am fagus, fagus* (awA'n, 90)
djī'n = *min-lamh, pliut* (Acdjī'n, 89)
î / în / ī' = *imich* (aġaA'dînawe, 21, common), (ġā'nî, 160), (wugudī'awe, 165)
kA'nA = *crag* (acakA'nAłyên, 10)
kAnA'x = *crasg, crasgach* (kAnA'x, 37)
k!ānt = *cràidhteachd, crainntidh, crainngidh, cràdh* (k!ānt 174)

k!ayax & q!AnAs / q!anAc = *crannchur, cràbhaich* (Ak!ayaxê', 40), (q!AnAskîdē'tc, 97), (q!anAckîdē'x, 181), (particle)
kīnigī' = *gleadhar, gleadhair, gleadhraich* (kīnigī'q, 163)
łyên = *fleadadh* (acakA'nAłyên, 10)
nā'n = *nas* (nAġanā'n, 97)
niłnîq / nêk / nī'k / nīk = *nàirich* (yū'duīqonī'k, 151), (yuq!wA'nskāniłnîq, 164), (aka'wanêk, 165), (yū'ckAłnīk, 166)
nî'q! – fairich (aodzînî'q!, 143)
nt, ndî, nde = *mach, nochd* (doxA'nt (10), (kāxkî'nde, 21), (hīnt, 41), (gānt, 67), (wA'nġA'ndî, 92)
ndihē / q!ū'n = *meud, meudaich, meudaichte* (ā'caŷAndihēn, 53), (q!ū'na, 112)
nġa = *faigh* (ġA'nġa, 26), (u'tiyānġahē'n, 63)
nī'n = *ùine* (dAxdanī'n, 114)
nū'gu = *urram* (wunū'gu, 174)
q!anAckîdē'x / q!anAc__dē'x / q!AnAskîdē'tc = *daibhreach, crann-fàisneachd* (q!AnAskîdē'tc. 97), (q!anAckîdē'x, 181)
sā'nî = *saoidh* (k!êsā'nî, 134)
tiyānġa = *tiachair* (u'tiyānġahē'n, 63)
tū'nAx = *troimh* (atū'nAx, 93)
ū'wani = *ullamh, ullaich* (ū'wani, 137)
wānanī' = *ùine* (wānanī'sawe, 56)
wānanī's = *ùinich* (wānanī'sawe, 56)
xk!A / xk!An = *sgràill* (yua'xk!Anya-ka'oĻîgAdî, 17)
ŷAndih = *iomadach* (ā'caŷAndihēn, 53)
yā'n = *iar, bith-dheanamh* (yā'nagu'tîawe, 62)
yānġa = *acrasach* (u'tiyānġahē'n, 63)

F becomes silent, or more silent

The f doesn't exist in Hlīngit, and it often follows the common process in Hlīngit of leaving out the softer sounds. The same thing happens to the other labial sound m. (Labial means the sound is made with the lips.) Sometimes they become w or y.

In Polynesia, the v of Savai'i (in Samoa) changes to w in later cultures of Māori and Hawai'i. Perhaps the fact there is less use of labial sounds in Hlīngit compared to the parent Gàidhlig is because the Native American languages branched off from Neandertal before the labial sounds had developed fully. Or it could just be a different sound pattern.

Ałdî's = *faslairt-Dis* (yū'Ałdî's, 72)
ā'nAx / q!ā'nAx = *faoisg* (t!aq!ā'nAxawe, 141)
dA'x = *fàrdach* (dA'xawe, 50)
ē'x = *feithis, feithil* (ŷAsahē'x, 7)
ha = *fadal, fàrdal* (wudū'dziha, 156)
î / în / ī' = *imich* (aġaA'dînawe, 21), (AdakA'dīnawe, 34), (ġā'nî, 160), (wugudī'awe, 165)
kā'wadjA / kā'wa = *car-fhaclach* (Acu-kā'wadjA, 32)
łix = *fleòdradh* (łixā'c, 41)
nġa = *faigh* (ġA'nġa, 26), (u'tiyānġahē'n, 63)
wū' = *fù, fo, fuilc, fuath* (dūwu', 64)
wus = *rus, fios* (awusikū', 65), (wus-ha, 143)
ya' = *furasda, furas, furan* (niya', 30)
ya = *m'a, m'* (ya, 163)
yudo / yudowa = *iomradh* (yū'yudowaAx, 171)

U develops into wa

The sounds u and w are quite similar. U also is like a kind of in-between vowel, standing closer to the slender vowels e and i than a or o. That's why I gave it a middle position in the Hlīngit magic square (on page 99). But it's still a broad vowel, and the Hlīngit practice places it squarely as a broad vowel, with a: u > wa. Although Hlīngit doesn't really have labials (sounds made with the lips), w is almost a labial. Wa stands in for labials in Hlīngit phonology. So this sound has a special influence in the sound and feel of the spoken language.

ā'waca = *nuathar, nuachar, cubhas* (ā'waca, 46)
gwâyu' = (*falach-cuain, falach* (gwâyu', 41)
q!wA' / wA' / ka'wa = *cuadh, cagair* (yuq!wA'nskāniłnîq, 164), (aka'wanêk, 165),
uwa / wa = *ruag, ruaig* (ū'wagut, 10), (ūwagu't, 61, 66, 67), (ū'waqox, 64), (uwagu't, 67), (ā'wagut, 73), (ū'wadjî, 150)
wa = *cuir* (awatsā'q, 84), (uduwatsā'k, 90)
wa = *cuairt, nuadh, nuadhaich, a, ma, ua* (common particle)
waA' / waA'x = *chuala* (uduwaA'x, 120)
wuā't = *chuadar, ruathair, ruith* (wuā't, 26)
wud / wudu = *luchd, iad* (wuduwatA'n, 16), (wuduwaŷē'q, 44), (wududzî'nê, 60)
ŷaqā'wadjA= *iomad-druidhte* (caŷaqā'wadjAł, 153)

Extra consonants are eliminated

Two or three Gàidhlig consonants grouped together are too many for Hlīngit style, so it's usually the second, or second and third, that are dropped, and the first consonant is kept.

ā'q! = *abachd* (ā'q!aołitsīn, 182)
A'x, As = *artragh* (aołîyA'x, 99)
aŷē'g = glé (tc!aŷē'guskî, 52)
ca = *aisg, earras* (iqâca', 11), (Acū'waca, 17), (ā'waca, 46, 154), (A'ġacān, 47), (uwaca' 164, 166), awucā'ŷetc (177)
cā'a = *stac, sliabh* (cā'ayu, 14)
cao = *sraon* (caoduL̦îġê'tc, 178) (particle)
cā't = *sgrath* (aosłicā't, 141)
cî = *sgiab, spion, spionadh* (akucîtA'n, 2)
ci / si = *sgiolta, sgil* (yū'Acia'osîqa, 11), (yuacia'osîqa, 42), (yū'siaodudziqa, 74)
cū'djîxî = *sgiathdachadh* (cū'djîxîn, 152)
cūye' = *sguileach, sgruibleach, smuig* (Q!aī'tî-cūye'-qā, 107)
dA'de / dAt / dA = *dràsda* (= *an tràth seo*) (ŷiŷidA'de, 181), (tc!uya' ŷîdAt xA'nġāt, 182)
desgwA'tc = *dràsda, deasaichte* (desgwA'tc, 102)
dī' = *triall* (aġaA'dînawe, 21), (AdakA'dīnawe, 34), (wugudī'awe, 165)
ġA = *glam, glac* (AtġAxā', 81)
ġā = *gràg* (ġā, 120)
gā' = *glan* (akuġā'ntc, 23)
ġAgān & ŷî = *grian, grianan* (yū'ġAgān, 46, 55)
q!An / q!an = *crann* (q!AnAskîdē'tc, 97), (q!anAckîdē'x, 181)
gA'na = *clannar* (kaodîgA'naŷî', 152)
ġêt = *cridhe* (ġêna't, 158), (ġetła'a, 170)
gu / g = *gurna* (yū'gutc, 27)
ġet = *cridhe* (ġetła'a, 170)
gu = *gluais* (gu, 29; also particle), (wugū't, 69)
gud / gut = *grunnd* (gudAxqā'x, 150), (gutxA'tsayu, 153)
gudAxqā'x = *grunndachadh* (gudAxqā'x, 150), (gutxA'tsayu, 153)
kAnA'x / kAx = *trasd, crasg crasgach* (kAnA'x, 37), kAx (79), (kAnaxsa', 157)
k!ānt = *cràidhteachd, crainntidh, crainngidh, cràdh* (k!ānt 174)
k!ā'wu = *clàr* (ayêxak!ā'wu, 121)
k!ayax = *crannchur* (Ak!ayaxê', 40)
kî = *clì* (q!AnAskîdē'tc, 97), (q!anAckîdē'x, 181)
kî = *crileag* (tc!aŷē'guskî, 52)
kīnigī' = *gleadhar, gleadhair, gleadhraich* (kīnigī'q, 163)

q = *glinne* (qāk!udA's!, 21)
q, q!, q!ᵘ = *criach, comhair, gu'm* (common particle)
q!ā / q!ao = *clab, caibhe* (q!ānA'x, 113), (q!aowut!ā'xe, 116)
q!An = *crann* (q!AnAskîdē'tc. 97)
q!anAckîdē'x / q!anAc__dē'x / q!AnAskîdē'tc = *crann-fàisneachd, daibhreach* (q!AnAskîdē'tc. 97), (q!anAckîdē'x, 181)
q!AnAskî / q!anAckî / q!AnAs / q!anAc = *crannchur* (q!AnAskîdē'tc, 97), (q!anAckîdē'x, 181)
qAx = *sgàth* (qAx, 85)
q!ē' = *cleasaich, cleas* (q!ē'waxix, 112)
q!ē'ġa = *creid, gu deachdta* (q!ē'ġa, 70)
qê't / qê' = *cnead*
qoa'ni = *cròileagan, crò* (qoa'ni, 30), (qoa'nî (38)
q!os = *crios, criosach, geug, gath* (q!os, 72)
s! – *stùth* (ġayē's!, 128)
saŷe'/ stī' / stī'n = *seall, sealltainn, steòrn, chìteadh, chìtheadh* (aositī'n, 26), (dutī'n (71), (wudustī'n, 94), (qōstī'ŷīn, 128), (dustî'ndjîayu', 145), (ŷawusaŷe'awe, 160)
s!ēq = *sgleò, deatach* (s!ēq, 26)
stā'xwâ = *stràcair, sgamhanach, sgalag, sglàbh* (ckAstā'xwâ, 82)
sū' = *spùinn* (gūsū'?, 174)
t!ā' = *'staigh* (nēłt!ā', 67)
t!aq! = *trachd* (t!aq!ā'nAxawe, 141)
tā'xwâ = *tairgheag, tàcharan* (ckAstā'xwâ, 82)
tînna' = *trinnsear* (tînna', 129)
ts!As / sadj = *dràsda* (ts!As, 5, 20, 24)
tū = *trù* (tūt, 45)
wa = *cuairt, nuadh, nuadhaich, a, ma* (common particle)
xākᵘ = *spàg* (xākᵘ, 116)
xk!A / xk!An = *sgràill* (yua'xk!Anya-ka'oĻîgAdî, 17)
xūk = *suacan, spruan, spuing* (yū'xūk, 24)

Y develops out of r and b

R is not a popular sound in every language. In Polynesia, the r is absent in Samoan, the father language of Polynesia. But it appears in Māori and Cook Islands Māori later. R sounds like a growl. In Samoa, the l is found instead. In some languages r and l sound similar. Hlīngit has two y's, one is a kind of y that sounds like an r, spelt ŷ. As Hlīngit doesn't tend to use labials (sounds made with the lips), b is replaced with y.

awe’ = *ream* (cukAdawe’, 152)
ā’ŷî = *a bhith* (ā’ŷî, 49)
ġayē’ = *iarunn* (ġayē’s!, 128)
gī’yī = *cridhe* (dîgī’yīga, 1), (yī’gîŷî, 35), (gīyīġē’t, 41)
gwA’ / gwA’tc = *gradh* (desgwA’tc, 102)
k!ayax = *crannchur* (Ak!ayaxê’, 40)
łayA’t! – *slatarra, slat* (kułayA’t!, 1)
qA = *clàr* (qAk^{u}, 5)
taŷ = *tàr* (taŷinA’x, 13)
taŷi = *tarruing* (taŷinA’x, 13)
tē’xŷa = *teirig* (ātē’xŷa, 140)
yA’ = *blà, blàth* (in common particle ya / ayA’)
ya = *bha* (common particle)
yā’ = *rach* (yā’doq!osî, 26), (āeġayā’t, 64),
ŷa’ = *radh* (aŷa’osîqa, 5)
Yā’d = *rabhadh* (Yā’dat!A’q!-anqā’wo, 132)
yā’t! = *ràth, rathaich, rathail* (yā’t!ayauwaqā’, 104)
yāk^{u} = *ràgh, curach* (yū’yāk^{u}, 41, 64), (wē’yāk^{u}, 63)
ŷana = *rannaich, ionnrain* (ŷana-isAqa, 76)
yānġa = *acrasach, an-shanntach* (u’tiyānġahē’n, 63)
ŷa’o = *raon* (in particle ŷa’ołi), (ŷa’odudzîqa, 77)
ŷa’odū’waci / yu’_dūciawa / dūciawa = *rùdhraich* (qoŷa’odū’waci, 15), (yu’qodūciawa, 16), (qoya’oduwacî, 35)
ŷA’s! = *rach* (kaoĻîŷA’s!, 4)
yat! / yat!A’ = *bàta* (ayat!A’kq!^{u}, 63)
ŷawaqa’ / waqa’ = *ag ràdh, abair* (ŷawaqa’, 75)
ŷawu = *ruaig* (ŷawucîx̣ī’awe, 37)
yAx / yêx = *iomhaigh, réir* (common particles)
ŷê = *réidh* (common particle)
ŷê’ = *réimeil* (yuānŷê’dî, 17), (yuānyêtq!^{u},25)
ŷê’ = *Bel* (ŷê’tq!î, 46)
yē / ye = *rè, réidh, réisde* (yē / ye, 5, 9, 55, 60), (awucā’ŷetc, 176)
yē’ = *réidh* (doayē’, 24, possessive)
yē’d = *réidh* (yē’djîwudîne, 138)
yē’djîwu = *reachdmhor* (yē’djîwudîne, 138)
ŷē’g / k!A / k!ê = *beag* (tc!aŷē’guskî, 52), (k!Atsk!^{u}, 79, 86), (k!A’tsk!^{u}, 87), (Atk!A’tsk!^{u}, 97), (k!êsā’nî, 134)
yē’ġa = *beachdaich* (yē’ġawetsa, 86)
yēł = *eathra, neabhan, reamhan, biadhtach, fitheach, preachan* (yēł, 120)
yên / hē’n = *reann, meannad* (yên, 16, 55, 85), (hē’nAxa, 182)
yē’qasado’ha = *reachd-shaor* (yē’qasado’ha, 136)

ŷî = *b'i, bhitheas, bi* (ā'ŷî, 49), (ŷî, 80)
ŷî / ŷi = *ri* (aŷîde', 60, common particle)
ŷi = *bith-* (ŷiŷidA'de, 181)
ŷī' = *riar, riochd, riochdaich* (wuniŷī'tc, 183)
yī' & ġAgā'n = *grian* (yī'gîŷî, 35), (yū'ġAgān, 46, 55), (dēx, 157 (yī' is implied))
ŷī'dî = *bìdein, iodhlan, ridir, gille* (hAsdūŷī'dî, 96)
ŷīī'c / ī'c = *rìgh, gintear* (duī'c,3, 55, 65), (yā' duī'c, 8), (ŷīī'c, 33), (hAsduī'c, 57)
ŷî's = *rithis* (dudjiŷî's, 7)
ŷīs = *sleagh, rinn, rinn-bhior, righ-shlat, riobhag, riasg, isneach* (ŷīs, 115)
ŷiŷid / ŷiŷi = *rìreadh, riamh, bitheantas* (ŷiŷidA'de, 181)
yu = *urra* (poetic particle)
yū'yāk^u = *biorrach, biorraid* (yū'yāk^u 41, 64), (yū'yāk^u, 58)

L+ comes from a double consonant

One exception to the single consonant way of Hlīngit is the L. Hlīngit L never occurs alone just as L. It occurs together with another consonant sound, h, t or d. These sounds come from the original Gàidhlig. Sometimes the original Gàidhlig has another two consonants. Hlīngit L comes from two consonants. The Hlīngit hl comes from Gàidhlig sl or fl.

ā' / nAł = *farsuing, pailt* (ā'Len, 126), (nAłgē'n, 102)
Ał = *aos-liath, aois-liath, slànach, slàn, àlainn, aisling, aislingiche* (yū'Ałdî's, 72), (weAłdî's-q!os, 75)
Ał_s = *solus* (yū'Ałdî's, 72), (weAłdî's-q!os, 75)
Ałdî's = *faslairt-Dis* (yū'Ałdî's, 72), (weAłdî's-q!os, 75)
aLī' = *àill* (aLī'L!, 5)
a'ołiga = *uallaich* (ka'ołiga, 59)
awuĻ / awuĻî = *àrrusg, arruiseachd* (awuĻîgê'n, 37, particle)
djAł = *flathail, dreachlagh* (AcA'kAnadjAł, 130)
ła' / ł / ał / łixA' = *slaoic* (particle)
Lāk = *lathailteach, dlagh, taisgeal* (Lāk, 115)
łdakA' / ł = *uile, slàn* (łdakA't, 110)
łayA't! – *slatarra, slat* (kułayA't!, 1)
Lē / L / La = *dlagh* (particle), (La, 91)
Lēł = *sgleò* (Lēł, 25, 30), (Le'łsdjî, 47)

łguha / ł = *slaoic* (k!awê'łguha, 54)
łi = *slighe* (in particle ŷa'ołi)
łî / łîcā / łîcāt / łîcād = *sliobasta, slìobach, sgiab, sgiabag, sgrath, glac* (awu'łîcāt, 89), (wudułîcā'dî, 91)
Lî = *slighe* (in common particle kaoLî, kaołi)
Lī'L! = *triall* (aLī'L!, 5)
łî'tsAqk = *sleamhnaich* (yu-Aqłî'tsAqk, 141)
łixA'nq! / ł = *sligeanach* (nełixA'nq!awe, 8), (neł, 29), (ā'nēł, 159)
Lī'q! = *gléidh* (ALī'q!anutc, 20)
łîs = *slis* (awułîsu', 51)
łix = *fleòdradh, seòl* (łixā'c, 41)
łkī's = *sgrid, sgrìd* (kułkī'stc, 24)
łū' = *sloisir, uisliginn* (łū'waguq, 169)
łuqAnā' / łuqA = *slugair, slugadh, sluganachd* (łuqAnā', 46), (yū'łūqAna', 50), (łuqAna', 53)
łū'waguq = *sluaigheach, uisliginn* (łū'waguq, 169)
nēł = *nead, neadaichte, neadaich, ealachainn, sligeanach* (nełixA'nq!awe, 8)
(nēł, 29, 79, 130, 151, 161, 164, 169), (nēłq!, 80), (nēłŷī, 152), (ā'nēł, 159)
wuĻî = *ruith* (awuĻîgê'n, 37)
wułîs = *rùisg* (awułîsu', 51)

M changes from a palatal to a labial

Because Hlīngit doesn't use sounds made with the lips (labials), it changes the m into a palatal sound like x, c (sh) or k. Sometimes other labials change in this way too.

A' / A'qx / djA'qx = *marbh* (sadjA'qx, 48), (ā'wadjAq, 50), (ŷāqġadjā'q, 96)
ā'q! = *abachd* (ā'q!aołitsīn, 182)
ax, A'x = *a mach, mach* (particle, common)
cî' = *spìd, sir, mionnaich* (aodîcî', 96)
cūye' = *sguileach, sgruibleach, smuig* (Q!aī'tî-cūye'-qā, 107)
dagA / dagAnê = *camhanach* (akA'ndagAnêawe', 109)
dē'tc = *deatamas, dearralachd* (q!AnAskîdē'tc, 97)
djī'n = *min-lamh, pliut* (Acdjī'n, 89), (dudjī'n, 91)
djū'k = *dubhan* (kîdjū'k, 83)
duwasa = *duarmanaich, duarman, duanaireachd* (yū'duwasa, 107)
ēq = *mèinn* (ēq, 122)

îyAx = *a mach* (gā'nîyAx, 98)

k!A / k!ê / ŷē'g = *beag* (tc!aŷē'guskî, 52), (k!Atsk!^{u}, 79, 86), (k!A'tsk!^{u}, 87), (Atk!A'tsk!^{u}, 97), (k!êsā'nî, 134)

kês / ke = *measg* (kês, 80)

ku / k^{u} = *rùdhrach, coilleanta, camus, buan, cuimseach* (kułayA't!, 1), (ułsā'k^{u},47), (yēk^{u}dīwuq!, 122), (k!ū'nŷagīŷî, 156), (LA'k^{u},184)

ku'k = *cuspair, cuspairiche* (wucku'k, 85)

La = *mathair, lathair* (duLā'tc, 68), (duLā 69, 98, 108, 114, 124)

łî'tsqk = *sleamhnaich* (yu-Aqłî'tsqk, 141)

nA'x / q!ānA'x = *trasd, crasg, crasgach* (q!ānA'x, 113)

ndihē / dihēn & q!ū'n / k^{u} / k!ū'nŷa / nŷa = *dirim, meud, meudaich, meudaichte* (ā'caŷAndihēn, 53), (q!ū'na, 112), (sa k^{u}, 127) , (cā'ŷadîhēn, 133), (k!ū'nŷagīŷî, 156)

nū'gu = *urram* (wunū'gu, 174)

q!anAckîdē'x / q!anAc__dē'x / q!AnAskîdē'tc = *daibhreach, crann-fàisneachd* (q!AnAskîdē'tc. 97), (q!anAckîdē'x, 181)

qêL! = *ceum* (wu'diqêL!, 173)

qodicī' / qoŷa'od / qo_ciawa / qodūciawa / qo / qe' = *coimhead* (qoŷa'odū'waci, 15), (yu'qodūciawa, 16), (qoya'oduwacî, 35), (qodicī', 155), (qe'cî, 158)

taŷ = *tàmh* (yutcā'ctaŷīq!, 127)

taŷīq! = *tàrmaich* (yutcā'ctaŷīq!, 127)

tî'q / tî'q! = *toinneamh* (kAtî'q, 139), (yuē'q-kAtî'q!tc, 141)

wusko' = *rùisg, fiosraich, fios, fiosrach* (wusko', 125)

xa = *mar, samhail* (ayA'xawe, 34)

xā' = *màm, maise* (AtġAxā', 81)

x̦āk^{u} = *spàg* (x̦āk^{u}, 116)

xā't = *mat, math, mathachadh* (yuxā't, 19)

xōq!^{u} / xō= *mu, moc, gu'm* (xōq!^{u}, 23), (xō, 134)

xo'xq!^{u} = *comhaim, solaraiche, sonn, sònnrachair, so-chois, soighlear, so-chairdean* (duxo'xq!^{u}, 88)

ŷaqā'wadjA= *iomad-druidhte* (caŷaqā'wadjAł, 153)

yudo / yudowa = *iomradh* (yū'yudowaAx, 171)

O is too powerful

O is a powerful sound. It's toned down usually in Hlīngit, so the Gàidhlig o will be dropped or change into something else. The o signifies a peak of energy. In fact, many god names in Africa begin with o. There are times, however, when o could be kept or added to show this peak of energy. This is a feature of language that controls meaning through limitation.

A = *aoi, aoin* (Acū'waca, 17)
Ade = *a dh'aindeòin* (xā'naAde, 147, particle)
Ał = *aos-liath, aois-liath, slànach, slàn, àlainn, aisling, aislingiche* (yū'Ałdî's, 72), (weAłdî's-q!os, 75)
Ał_s = *solus* (yū'Ałdî's, 72), (weAłdî's-q!os, 75)
ā'ni / ni = *ionad* (ā'ni, 21)
ā' q! = *air son gu, air ghràdh* (particle)
ā't! = *òrd* (ā't!Aq!anutc, 127)
ā'wa = *aom* (kā'watAn, 85)
awe = *aoi, a réir, nàile, ar feadh* (common particle)
A'x = *an seo* (taŷinA'x, 13)
cî = *sgiab, spion, spionadh* (akucîtA'n, 2)
ci / si = *sin, sìon* (yū'Acia'osîqa, 11), (yuacia'osîqa, 42), (yū'siaodudziqa, 74)
ci / si = *sgiolta, sgil* (yū'Acia'osîqa, 11), (yuacia'osîqa, 42), (yū'siaodudziqa, 74)
ck = *òg* (ckAstā'xwâ, 82)
cka' = *oileanaichte, oir* (cka', 85)
ckA't = *cosd* (ckA'teAtsinen, 184)
d = *dol* (daā'dawe, 6)
de = *deas, deiseal, sios* (common particle); but *nuas* breaks the rule of slender vowels.
dî's = *Dis, teasgonn* (yū'Ałdî's, 72), (weAłdî's-q!os, 75)
do = *siod, an siod* (yū'do, 33)
du = *do, o* (dunA'q, 92)
ê' = *eochair, earr* (Ak!ayaxê', 40)
ē' = *eolann* (dAnē't, 60, 63)
e / es / oe / oes = *oirbheart* (hAsduq!oe's, 82), (hA'sduq!oē'dê, 87), (wA'nq!es, 88)
hā' = *seo* (hā'nde, 42)
hā'n = '*Thalla an seo.*' (hā'nde, 42)
î = *iodhlan, eoghunn, bel-ain, Bel* (ŷê'tq!î, 46)
igī / nigī / igītc= *fios, fiosraich, fiosachd, fionn* (kaodAnigītc, 68)
ī'n = *iongantas* (aositī'n, 26)
k!Atsk!^{u} = *crileag, sgriothail, sgrioth, sgriothal, caifeanach* (k!Atsk!^{u}, 79), (Atk!A'tsk!^{u}, 97)
kā'wadjA / kā'wa = *caoin-chronaich* (Acu-kā'wadjA, 32)
kîdjū'k = *geabhroc, geòchair, gèadh táighe, gèadh-fiadhaich, fasgadair* (kîdjū'k, 83)
kī't = *crìonachadh* (dekī't, 45)
k!^{u} = *beag, òg* (Axsī'k!^{u}, 81)
ku / k^{u} = *rùdhrach, coilleanta, camus, buan, cuimseach* (kułayA't!, 1),

(ułsā'k^{u},47), (yēk^{u}dīwuq!, 122), (LA'k^{u},184)
ła' / ł / ał = *slaoic* (particle)
L!A'k = *dreògh, dlagh,* (uwaL!A'k, 36)
Lēł = *sgleò* (Lēł, 25, 30), (Le'łsdjî, 47)
łguha / ł = *slaoic* (k!awê'łguha, 54)
łî / łîcā / łîcāt / łîcād = *sliobasta, slìobach, sgiab, sgiabag, sgrath, glac* (awu'łîcāt, 89), (wudułîcā'dî, 91)
łkī's = *slìomach, slìom, sleugach, slanach* (kułkī'stc, 24)
łix = *fleòdradh, seòl* (łixā'c, 41)
łū' = *sloisir, uisliginn* (łū'waguq, 169)
nAk! = *naing, naing-mhór, neanaidh* (qAġA'qqocā-nAk!, 27)
na = *na… na / na's… na / na's mò* (nAłgē'n, 102)
nî'q! / dzînî'q! = *snot* (aodzînî'q!, 143)
nt, ndî, nde = *nochd, mach* (doxA'nt (10), (kāxkî'nde, 21), (hīnt, 41), (gānt, 67), (wA'nġA'ndî, 92)
q, q!, q!^{u} = *criach, comhair, gu'm* (common particle)
q!oes / q!oe' / q!es / q!e' = *sgàth* (hAsduq!oe's, 82), (hA'sduq!oē'dê, 87), (wA'nq!es, 88)
sA / xA' = *seo, sàbhail* (wâsa', 25, particles with opposite meanings)
s!ēq = *sgleò, deatach* (s!ēq, 26)
sni / sniyî' = *sniom, snìom* (odusniyî', 25)
tc!uLe' = *ciodar, c'e 'sam bith* (tc!uLe', 9, 12, 32, 45, 79, 80, 90, 93, 115, 120, 126, 131, 136, 145, 152, 153, 160, 167, 169, 174), (tc!u, 34)
ts!As = *tathaich, daonnan* (ts!As, 5, 20, 24)
tsk!^{u} = *sgriothail, sgrioth, sgriothal* (k!Atsk!^{u}, 79)
tū'nAx = *troimh* (atū'nAx, 93)
ukA' = *mu choinneamh* (hAsdutcukA'tawe, 57)
wAq = *rosg* (wAq, 68)
wA'sâ = *mar seo, samhlach* (wâsa', 25), (wA'sâ, 79), (wA'sa, 80)
wū' = *fù, fo, fuilc, fuath* (dūwu', 64)
wus = *rus, fios* (awusikū', 65), (wus-ha, 143)
xA = *seo* (xAtc, 14, 16, 17, 63, 70)
ŷAndih = *iomadach* (ā'caŷAndihēn, 53)
yAx / yêx = *iomhaigh, réir* (common particles)
yē = *seo* (yē'At, 96)
ŷî' = *riochd* (kaodîgA'naŷî', 151)
ŷī' = *ris, fior, fior-iochdrach, fior-iochdar, fin-foinneach, fiadhaich, ri* (nēłŷī, 152)
ŷī'dî = *iodhlan, ridir, gille, bìdein* (hAsdūŷī'dî, 96)
yū'yāk^{u} = *biorrach, biorraid* (yū'yāk^{u} 41, 64), (yū'yāk^{u}, 58)

Combining added connotations

When a new language is created, the culture of the words will be different. So not all meanings or sounds will transfer. If they did, there would be no change. A people want to create a new identity for themselves with their new language, so they will make some distinctions, and distinguish their culture and sound pattern in the new phonology. But they can solve problems by putting words together to form new words. They can take the meaning from one word and the sound from another word, for example.

ā'c – *aisig, aiseag* (łix̯ā'c, 41)
Ac / Acī' = *ac* (Acī'n, 12)
aca = *earras* (Acū'waca, 17)
āk! = *achd* (qāk!udA's!, 21)
aq = *faigh* (aq, 50)
cA't = *càraid, cailleach, càirde* (ducA't, 75)
cā't = *sàs, spachadh* (aosłicā't, 141)
cawA't = *searbhanta* (yucawA't,15), (yū'cāwat, 24), yucā'wAttc (26)
ci / si = *sgiolta, sgil* (yū'Acia'osîqa, 11), (yuacia'osîqa, 42), (yū'siaodudziqa, 74)
cī' = *siab, siad* (Acī'n, 12)
d A's! / d A' = *dreachadaireachd* (qāk!udA's!, 21)
de = *an dràsd* (de, 37)
dî = *dideanach* (common particle)
dî's = *gil* (yū'Ałdî's, 72)
ē' = *eolann* (dAnē't, 60, 63)
eł / ełixA'n = *ealachainn* (nełixA'nq!awe, 8), (neł, 29), (ā'nēł, 159)
gā' = *gàbhadh-bheil* (akuġā'ntc, 23)
gwâyu' = (*falach-cuain, falach* (gwâyu', 41)
hît = *sgrin* (hî'tî, 65)
î = *iodhlan, eoghunn, bel-ain, Bel* (yū'ġAgān ŷê'tq!î, 46)
i / e = *èairlinn, reamain* (common particle)
igī / nigī / igītc= *fios, fiosraich, fiosachd* (kaodAnigītc, 68)
k!Atsk!^{u} = *crileag, sgriothail, sgrioth, sgriothal, caifeanach* (k!Atsk!^{u}, 79)
k^u = *camus* (qAk^u, 5)
kī't = *crìonachadh* (dekī't, 45)
na' = *abhron, agan, aghann* (tînna', 129)
o = *obaig, obann, olc* (particle), (part of particle a'odî)
oes = *oirbheart* (hAsduq!oe's, 82)
q = *glinne* (qāk!udA's!, 21)
qA' = *ach, cadad* (qA'tcu, 127)

qa = *calg* (qaġê't, 38)
qa = *cuadh* (aŷa'osîqa, 5)
q!os = *geug* (q!os, 72)
qot = *coisg, coisgte* (qot, 68)
tc!aŷē' = *caifeanach* (tc!aŷē'guskî, 52)
tînna' = *tiompan* (tînna', 129)
tū = *trù* (tūt, 45)
u = *uair* (u, 1)
ut = *uchd* (ū'wagut, 10)
wan = *ran* (aka'wanîk, 31)
xā't = *mat, math, mathachadh* (yuxā't, 19)
x̜ūk = *spruacach, spuacach* (yū'x̜ūk, 24)
q!î / î = *iodhlan* (ŷê'tq!î, 46)
ŷî' = *riomball, riomach* (kaodîgA'naŷî', 151)
yū'yāk^u = *ceanna-bhiorach, ceanna-bhrat, ceanna-bhàn* (yū'yāk^u 41, 64), (yū'yāk^u, 58)

Sound can be more powerful than meaning

As above, new word combinations can be created using sound from one word and meaning from another. Sometimes the culture of the sound word, has more power than the word that gives the meaning. This creates a mysterious new word, giving special poetry to the new language.

ā' = *math* (ā'wa-ū, 56)
A'cutc = *sluaisreadh, sloisir, sloisreadh* (A'cutcnutc, 101)
acū'waca = *nuachar, nuathar* (Acū'waca, 17)
aitē'awe = *airteagal* (qaq!aitē'awe, 103)
Ałeq!ā'= *leac* (Ałeq!ā', 113)
ān = *aoin* (ān, 3)
A'nġa = *aingeal, aingealag, ainneamhag, adag, acaran* (ġA'nġa, 26)
aosî, aołi = *os ìosal* (common particle)
ā'q! = *abachd* (ā'q!aołitsīn, 182)
ā'q!aołitsīn = *tionnsgradh, tionsgra* (ā'q!aołitsīn, 182)
ā't!Aq!a / Aq!a = *aothachd* (ā't!Aq!anutc, 127)
AtġAxā' = *abhaisteach* (AtġAxā', 81)
ā'waca = *nuathar, nuachar, cubhas* (ā'waca, 46)
ayat! = *aghaidh* (ayat!A'kq!^{u}, 63)
ckA'teAtsin = *teachd-a-mach* (ckA'teAtsinen, 184)

dagA / dagAnê = *neul* (akA'ndagAnêawe', 109)
desgwA'tc = *deas-ghnàth* (desgwA'tc, 102)
dī'q! = *diacharach, dian* (kāwadī'q!, 175)
djAł = *dreachlagh* (AcA'kAnadjAł, 130)
djī'n = *trian, trianail* (Acdjī'n, 89)
dju' / u' = *driuch, diùc, driuchail* (dju'deAt, 167)
gudAxqā'x = *grunndachadh* (gudAxqā'x, 150)
hît = *sith, sìthean, sgrin* (hî'tî, 65), (hît, 99, 101), (duhî'tî, 124, (hî'txawe, 126), (wehî't, 133), (Axhî'tîŷīdê', 147)
kā'wadjA / kā'wa = *car-fhaclach* (Acu-kā'wadjA, 32)
k!ayax & q!AnAs / q!anAc = *cràbhaich* (Ak!ayaxê', 40), (q!AnAskîdē'tc, 97), (q!anAckîdē'x, 181), (particle)
kîdjū'k = *geabhroc, geòchair, gèadh táighe, gèadh-fiadhaich, fasgadair* (kîdjū'k, 83)
kīnigī' = *gleadhraich* (kīnigī'q, 163)
ku = *tulg* (ku-doxē'tc, 131)
kułayA't! *–rùdhrach, coilleanta* (kułayA't!, 1)
Ḷā'k!A = *dlagh, lachd* (duḶā'k!Atc, 68)
łdakA' / łdakA't / ł = *slàn, flaitheanas, flaitheachd* (łdakA't, 110)
łix̣ = *fliuch* (łix̣ā'c, 41)
na = *a ghnàth* (naA'ttc, 18)
nAs / nAs! – *naisgte* (nAsnī', 114), (nAs!gaducu', 177)
nA'x / q!ānA'x = *trasd, crasg, crasgach* (q!ānA'x, 113)
nî'q! / dzînî'q! = *minich, minichte, mionn, mionach, mion-dearbhadh* (aodzînî'q!, 143)
nt, ndî, nde = *nochd* (doxA'nt (10), (kāxkî'nde, 21), (hīnt, 41), (gānt, 67), (wA'ngA'ndî, 92)
qA' = *cha* (qA'tcu, 127)
qāk! = *sgrath, gach* (qāk!udA's!, 21)
qā'wo = *gaoil, gaoine, gaoi* (ānqā'wo, 1), (yuānqā'wo, 81)
q!īca' = *gingein* (q!īca', 88)
qoġā's! / ġā's! = *gaorsta* (yuqoġā's!, 80)
q!os = *gnùis* (q!os, 72)
SAks = *stac* (SAks, 108)
t!ā' = *taigh* (nēłt!ā', 67)
tāt = *tràth, tàmh, tàmhachd, tàn, tamull, taradh* (tāt, 124) , (tā'dawe, 138)
t!ā'xe = *taibhsich* (q!aowut!ā'xe, 116)
tcāc = *teach, teagh, teaghas* (tcāc, 99)
tc!uLe' / tc!uyū' / tc!ū'ya = *tiugh* (tc!uLe', 9, 12, 32, 45, 79, 80, 90, 93, 115, 120, 126, 131, 136, 145, 152, 153, 160, 167, 169, 174), (tc!uLē'xdê, 87) (tc!uyū', 91), (tc!ū'ya, 109)

tînna’ = *tinne* (tînna’, 129)
tiyānġa = *tiachair* (u’tiyānġahē’n, 63)
t!o’kt! = *tulg* (at!o’kt!, 109)
ts!As / sadj = *tathaich, dràsda* (ts!As, 5, 20, 24)
tuwA’nq! = *tuathal, tuathach* (tuwA’nq!, 79)
wAq = *faic* (wAq, 68)
wudū’dziha = *ionndruinn* (wudū’dziha, 156)
wusko’ / wusk = *rùisg* (wusko’, 125)
xā’t = *sgat* (yuxā’t, 19)
xo’xq!^{u} = *solaraiche, sonn, sònnrachair, so-chois, soighlear, so-chairdean* (duxo’xq!^{u}, 88)
ya’ = *rath, rathail, ran, ràitse, ràideil, rag-bharalachdm ràbhart* (niya’, 30)
ŷana = *rannaich* (ŷana-isAqa, 76)
yê’t = *beachd* (duyê’t, 152)
ŷī’ = *iodhlan, ridir, bìdein* (hAsduŷī’t, 79)
ŷīs = *riasg* (ŷīs, 115)
yū = *ma* (yū, 85)

A whole group of meanings may be present

If a word has many sources, it will carry a deep culture. In fact words are a kind of gateway between worlds.

a’ / **ŷAsaha** = *bas, baslach, basardaich, basgaire, basgair / basgaird, bas-mhol, amais, fasgain, fasgnadh, fas-lomairt* (ŷAsahē’x, 7) (ŷAsaha, 9), (a’na, 10)
a’ = *ac, ab, mna* (qoa’nî’, 17, 18), (qoa’ni, 30, 38)
Ał = *aos-liath, aois-liath, slànach, slàn, àlainn, aisling, aislingiche* (yū’Ałdî’s, 72), (weAłdî’s-q!os, 75)
Ałeq!ā’= *flann-dhearg, flann, dearg, leac, leaghta, leaghta, lealg, leòbach, leth-ruadh, leathraich* (Ałeq!ā’, 113)
A’n = *aithinne, airis, adhnadh, adhannadh, adhannta, acfhuinn* (ġA’nġa, 26)
At = *math, dad, alt, seud, taisg* (At 10, 23, 30, 59), (Atcawe’, 53), (dułа’t, 70)
ā’wayA = *malc, mac, amar, àlaich* (ā’wayA, 87)
awe = *aoi, a réir, nàile, ar feadh* (common particle)
cu = *suiridhe, suidhe, siuchag, suil mu’n, snuadh* (poetic particle)
de = *deth, deachaid, deòrachadh, deòradh* (dekī’t, 45)
duwasa = *duarmanaich, duarman, duanaireachd, duaireachadh,*

duaireachas (yū'duwasa, 107)

ha = *fadal, fàrdal, farran, farranaichte, fàs, fathamas, sanntaich, sàraichte, sàs, paiseanach, pàidh, mairg, mairgnich* (wudū'dziha, 156)

hūtc = *urra, fuasgaldair, fuadan, fuil, fuidhir, fùidse, ursan, pulaid, puirneach* (hūtc, 138)

kîdjū'k = *geabhroc, geòchair, gèadh táighe, gèadh-fiadhaich, fasgadair* (kîdjū'k, 83)

ku / k^{u} = *rùdhrach, coilleanta, camus, buan, cuimseach* (kułayA't!, 1), (ułsā'k^{u},47), (yēk^{u}dīwuq!, 122), (LA'k^{u},184)

Lā = *lathair, dlagh, lachd, lac, làbanaiche, màthair* (duLā'tc, 68), (duLā', 69)

L!A'k = *dreògh, dlagh, dealbhaidh, dealbhasach, tarlaidh, tar-shoillseach* (uwaL!A'k, 36)

łî / łîcā / łîcāt / łîcād = *sliobasta, slìobach, sgiab, sgiabag, sgrath, glac* (awu'łîcāt, 89), (wudułîcā'dî, 91)

łkī's = *slìomach, slìom, sleugach, slanach* (kułkī'stc, 24)

ni / n = *ni, nighe* (qoa'nî', 17, 18), (qoa'ni 30,38)

qāk!udA's! = *gairbheadach, caidhliche, gairgin, cinnteagan, sgrath* (qāk!udA's!, 21)

q!ē' – *geur-bhile, giall, géile, caibhe, clab* (q!ē'wat!āx, 117)

sē'k = *sgeadaich, seòlach, seòl, seunach* (yAsē'k, 181)

stī' / stī'n / saŷe'= *sealltainn, steòrn, chìteadh, chìtheadh* (aositī'n, 26), (dutī'n (71), (wudustī'n, 94), (qōstī'ŷīn, 128), (dustî'ndjîayu', 145), (ŷawusaŷe'awe, 160)

tāt = *tàmh, tàmhachd, tàn, tamull, taradh* (tāt, 124), (tā'dawe, 138)

wa = *cuairt, nuadh, nuadhaich, a, ma, ua* (common particle)

xōq!^{u} = *mu, moc, gu'm* (xōq!^{u}, 23)

xo'xq!^{u} = *comhaim, solaraiche, sonn, sònnrachair, so-chois, soighlear, so-chairdean* (duxo'xq!^{u}, 88)

ya' = *furasda, furas, furan, rath, rathail, ran, ràitse, ràideil, rag-bharalachdm ràbhart* (niya', 30)

ŷêt = *mèithealach, mèitheallach, meacan, reasbait, breith, peit, peithir, eoghunn, eilthireach, eidir, eil-thir* (ŷêt, 56)

ŷê'tq!î = *eilthireach, eidir, eil-thir, eoghunn* (ŷê'tq!î, 46)

ŷī' = *riar, riochd, riochdaich* (wuniŷī'tc, 183)

ŷī' = *ris, fior, fior-iochdrach, fior-iochdar, fin-foinneach, fiadhaich, ri* (nēłŷī, 152)

ŷīs = *sleagh, rinn, rinn-bhior, righ-shlat, riobhag, riasg, isneach* (ŷīs, 115)

ŷiŷid / ŷiŷi = *rìreadh, riamh, bitheantas* (ŷiŷidA'de, 181)

Making new words in Hlīngit language

Hlīngit is classed as critically or severely endangered. I read somewhere James A. Crippen said Hlīngit is not adaptable, is resistant to borrowing. (He's at http://zeromorpheme.blogspot.com.) I think it's adaptable with Gàidhlig word history. We can see how words were originally created, how Hlīngit sounds developed.

The phonology section on page 357 can act as guide. My new method of word creation needs leadership, and I hope that will work out. I wish I could stand still and be that person after publishing. (My earlier Māori book also suffered my absence). I like stability. I'd like to express Scottish support. Now as a druidh I want to work on my core ancestral culture; from that position of strength I could give more.

In our current social order, those with doctorate degrees or positions in large influential organizations are the ones who either empower society or lead in other directions. Unfortunately, they often cling to familiar problems. Word creation can be an organic communal exercise. Sealaska Heritage Foundation makes new words.

It's important to consider word particles, also word culture and phonology. Tone tends to be put on the Gàidhlig root or stress. (See rules for word adaptation, Phonology p357.) Here are two attempts:

palmistry	ya'odjī'stinîtc // *dèarnadaireachd* = palmistry //
	(**ya'o** – went back, turned back) See p171. +
	(**djī'** = *dèarnadh* = palm of the hand, palm-ful) //
	(**djī'** = di – immoderate, precipitant) See p150. +
	(**stin** = stīyin – look and do something carefully and wisely, see, look, hard to manage) See p161. +
	(**î** – taking time and care) See p153. +
	(**tc** – intensifier & catcher in the way of a spiral, exact) //
	Compare dudjī'n (91) her hand // ᴀcdjī'n (89) her hand

see-saw	êqᴀ'nit!e // *làir-mhaide* = see-saw, a native game played in Uist. Note: Literal meaning is 'wooden horse' // (**ê / êq / êqᴀ'** = *each* = horse) + (**qᴀ'nit!e** = *maide* = wood, timber, stick, staff, cudgel) + (**qᴀ'**– border, frontier, pioneer) See p111. + (**ni** – sense of readiness, do) See p157. + (**t!** – extent) See p112. + (**e** – beginning & end, (one use of this particle is for repetitive tasks or activities that involve coming or going)

Bibliography and Notes

Topics

Childers, and the Nightshade Effect
Copper, and the Copper River area
Dance hat, Clothes
Dichotomy
Denali (See Aconcagua)
Dolmens
DNA
Druidhs
Dryopithecus and the big picture
Gàidhlig language, and its ancient roots
Gendered language
Grandmother mouse
Grease box
Greenberg and the Na Dene mystery
Han: River Peoples of two worlds
Ice ages
Influence of Native American languages
Lake Ahtna and Lake Agassiz
Mannered languages
Medicine men and women
Medicine wheel
Moiety
Monogamy
Neandertal language
Poetry of Raven and Eagle
Pyramids and the history of writing
Seafaring
Sitka places
Tonal languages
Trade
Translation
Turtle Island
Vowel 'a'
Vowel 'o' and the Vowel War

BIBLIOGRAPHY AND NOTES

Aconcagua and New World arcetypes

This book contains the story of the house of copper. It is a part of the lore of the land possessed by native people. Poetry of the land is something deep in the hearts of a people. It is a special part of culture.

A rainbow axis with two metal pots for polarities

The land possesses its own colors that make each place special... the rocks, gems, metals, chemicals. Even black oil produces rainbows on a puddle. Rainbows are a special element in New World culture, linking First Nations together across continents. They symbolize simple yet profound order.

The pot symbolizes how we use Earth's gifts. She gives us her treasures and we transform them into food and metals. As in the pot of gold at the end of the rainbow. In South America, toward the south end of a rainbow mountain range, the Inca palace and temples were once clad in gold. That is the region of Aconcagua. (See also 'Vowel 'o", below.)

Bronze cauldrons were used in Europe, 'the cauldron of rebirth' of the Celts in which the sun sets. Bronze Age gift of copper gave us beginnings of human material civilization. www.templeresearch.eclipse.co.uk/bronze/intro.htm .

Two metals and two mountains. (See also p542.) Mt. Denali and Mt. Aconcagua are two polarities at the north and the south of the Rockies-Andes mountain spine, a mountain chain running across our globe. There is the House of the Sun in the south and the House of the Moon in the north.

Vincent Malmström's book 'Cycles of the Sun, Mysteries of the Moon' tells of Central American calendar development.

The city of Cusco, once a center of Incan power, still keeps the rainbow in their flag, ancient geographic symbol.

Denali – northern mountain-pole

Denali is the coldest mountain in the world; jet stream winds (160 km / hr) sometimes descend onto the higher parts of the mountain in winter, flash freezing daredevil climbers.

Maybe the appearance of the jet stream there inspires the stories of a canoe traveling up to the sun, as the sun's sons' canoe. On the other hand, there's the northern lights streaking across the skies. Another rainbow, a northern one. Today, jet planes save fuel by flying with the jet stream.

I put Denali on the cover of this book, because of its size. Mt. Denali is in the Alaska Range. But it's the Wrangell Mountains where the Copper River begins, at the Copper Glacier. In fact the Wrangell – St. Elias National Park contains nine of the sixteen highest mountain peaks in North

America, giving the park the name 'America's Mountain Kingdom'. According to www.alaskatrekker.com , Hlīngit and Haida were famous for their mountaineering skills.

A simple overview of the mountain ranges of Alaska is at www.greatlandofalaska.com/reference/ranges.html .

Mountain ranges are spines with energy wheels

The Navajo have a whirling mountain, too. A whirling mountain gives us a good idea of how energy develops focus. I think Hindu culture is useful in getting a deeper feeling of the meaning of the mountain spine, perhaps due to the Himalayas. They have the yoga culture, with its science of spinal energies and energy centers (chakras, or wheels).

Moon satellite, the satellite archetype

Yanomamo people of the Amazon have been known as 'children of the moon'. They are not in North America, but in the more northern region of the South American continent. Maybe they are a satellite like the moon. Their legend is that they are created out of the blood of Peribori, the moon.

For choice of habitat, the cool northern hemisphere is like a satellite to the sunny southern hemisphere, a natural habitat for ancient humanity. Cool moon for the north, warm sun for the south. Sometimes the earth's north and south magnetic polarities actually switched too.

A marsupial baby is like a satellite next to the body of the mother. Marsupials carry their babies on their bodies, babies that are born way too early and continue developing on the mother's body, like a kangaroo in a pouch. Many marsupials are Australian, but there is the North American opossum.

I think people are marsupials, in a way. Our babies' brains keep developing for 21 months. Sharing the Amazon region with Yanomamo are the Yekuana people, who were made famous in Jean Liedloff's book 'The Continuum Concept'. From observing the Yekuana, she taught us the special value of carrying young babies about (for example on our back) until they are ready to be independent.

Some of the Yanomamo men have multiple wives who raise their families in separate satellite-homes. The practice is known as patrilocalism. Maybe this arrangement is common in modern America and other places now, because of serial marriages. In my view it's immoral... not that I'm perfect either.

It's said the Yanomamo men have a lot of conflicts over women. The men who have more women are more involved in the culture of raiding other groups of people.

The satellite is really an archetype for our times. There are so many displaced peoples in the world today, especially

Native American races, as in Oklahoma. Archetypes are a tool of psychology, by which we understand not only literature but our selves. The 'satellite' asks us what we depend upon.

An archetype acts as a kind of organizing factor in life and experience; it's a theme of our life narrative, whether for an individual or a people. Carl G. Jung developed the idea in psychology. In sustainable living, understanding archetypes can help us explore the thinking of not only humans but animals and other species. (See animal whisperers p532.)

Mother earth's body

Geography is the original Rorschach test. Sometimes it seems petty and superficial to me, but I also think shape is important, and before people used maps, shape was an instinctive mental tool in remembering the layout of the land.

American geographic inkblot... North America's shape looks like a womb, Central America a birth canal, and South America the young child, together representing the new world. (So yes, the Yanomami could be 'children of the moon'.) The two mountain chains: two lovers. A midwife is there possibly.

A people's mythology is especially alive in the landscape. Its shapes and meaning are for the past and the future. A New Zealand Māori elder in Rotorua told me the name of a place tells me what I should do there.

The geography and the ecosystem are two formative aspects of our human experience. A strange plant element exists in the New World, the nightshade plant family of the Americas, which I think is the classic Bible myth's forbidden fruit. I learned about their chemistry, then never have eaten nightshades since. Don't even touch them. See 'Childers and the Nightshade Effect', below.

Poles and an axis

If the earth ever had a real physical axis between north and south, I think the Rockies-Andies would be it. Aconcagua is the southern mountain-pole. It is not right at the far south of the Andes, but is the largest and has weight. The region was important to agriculture, trade and leadership.

The world has geographic poles (axis of rotation) and magnetic poles, two north poles, two south poles. They're close to each other. The Old World has its west-east axis. (See p405; See 'Medicine wheel' below on the four directions.)

Today, ice is naturally associated with the North and South Poles. But it wasn't always icy at the poles. There were poles on the supercontinent of Pangaea before the continents separated. Those poles were warm and temperate; much of the inner landscape of Pangaea was hot and dry.

A warm polarity, the House of the Sun

The two ice-covered Poles possess electrical and magnetic force, involving spin. In the case of the Rockies-Andes axis it's a cold pole and a warm pole, moon and sun, a sort of environmental polarity.

The South American Inca people had gold covering their temples and important buildings, gold for the sun. They are known as 'children of the sun', and the name Inca means 'lord, ruler'. Maybe it comes from Gàidhlig *ion* = sun, *ca* = (OG) house. Inti means sun in the Inca (Quechua) language. (See also p542, Sumerian house mountains.)

On gold in Inca religion, worship of Illa Tecce, creator of the sun, moon and planet gods, and naming Saturn after the sun see www.bibliotecapleyades.net/esp_cosmotawa.htm . (More on Saturn culture in 'Medicine wheel', below.)

The copper trade culture in the north, and the gold trade culture in the south were less commercial than trade as we know today. There was busy trade in a range of goods. (See 'Trade' below.) Metal possessed cultural importance, or spiritual importance that helped to unite people; it represented technology, science, wisdom, cooperation, territory, many things, in a view to the past and future.

Inca temples of the south fit Plato's description of the temples in Atlantis. They were designed with thin gold covering over the stone to symbolize the House of the Sun. Film documentary, 'Discovery Atlantis', tells of how traces of gold, along with pins for holding it in place, were discovered on the stone walls of temples in the Andes. They particularly look at one temple at the ancient city of Tiwanaku, near Lake Titicaca. Not only the temples, but it seems most of the description of Atlantis by Plato fits Tiwanaku. More on Tiwanaku at www.crystalinks.com/tiahuanaco.html

There is good information on Lake Titicaca, origins of the children of the sun, and the house of the golden sun disc at www.crystalinks.com/laketiticaca.html .

Mt. Aconcagua, the sentry

Mt. Aconcagua is the highest mountain in the world outside the Himalayas, 'The Summit of America' is one book about this mountain. It's in Argentina near Peru.

Aconcagua is formed of three levels of rock. The second level of rock is sandy, formed in six phases by the washing of the seas over that land. The many fossils there are evidence of the rising of the South American continent and withdrawal of water.

The local Quechua name for the mountain has been translated variously as 'sand sentry', 'white sentinel', 'we are going to watch', 'viewpoint'. I think the whole sentry archetype is worth exploring. See Sumerian sentry, p542.

A sentry is a gatekeeper, the one controlling access to power. On some level the sentry can represent education and teachers. Also it can represent the humble person in a key position. It has a lot to do with position. St. Peter is the keeper of the pearly gates. It is a protective person, who must remain alert and responsible. The sentry is exactly the role I think moieties like Eagle and Raven have, social sentries of access to the New World. See 'Moiety', below.

The name Aconcagua breaks down as: ACON + HAKU + QHAWAQ (from the official Huascaran region website, www.huascaranperu.net/Toponimios.htm). Huascaran is in Yungay province, Peru. This part of South America is the cradle of agriculture. Below is the Huascaran site translation followed with Gàidhlig correspondences I searched out as parent language key, along with Hlīngit comparison:

(**acon** = sand = *gaineamh* = sand, gravel, the seashore, sandy beach) +

haku = vamos, let's go //

(**ha** // Compare Hlīngit a = dual pronoun)

(**ku** // Compare Hlīngit gu = *gluais* = move, go, walk, advance, proceed, march, put in motion, bestir, make a motion, get up, afflict, agitate, provoke, touch pathetically)

(**qhawaq** = to watch = *cuallaich* = (prov.) tend or herd cattle // cuallaiche = keeper of cattle, society, companion // *cuallach* = corporation, society, fraternity, company, family, herding, cattle // *cuallachd* = (OG) dependants, herding, colony)

How sound changes from Gàidhlig to Amerindian is on page 357. It applies particularly to Hlīngit, but in some respects to Amerindian in general. Even Georgian language in Central Eurasia seems to use the same particles, see p500. Also, there is the table comparing a word, 'water', in the range of American Indian languages of the Americas pp359-363.

Alchemy of copper

Alchemy itself is based on copper. Copper is an ancient basis of life, being one of the oxygen carriers for blood. (See also 'Copper', below.) Like in breathing, copper and iron are a pair of similar elements. See p542 – end of the copper age.

As a pair, copper and iron tend to be found together in the earth, eg. in copper pyrite. Copper represents Venus, and iron represents Mars. The Egyptian ankh (on the right) symbolizes copper, and all the kaballah tree of life philosophy is contained in it. (See p540 on origins of the kaballah.)

Copper was considered to have a soul in alchemy, and so copper kind of defines what alchemy is: "the liquefaction of the soul, and the separation of the soul from the body, seeing that copper, like a man, has a soul and a body". See www.dragonseedcave.com/copperspirit.htm .

Bears

The word for bear in Gàidhlig, *ùruisg*, also means brownie. Brownie is a special guest in Celtic culture, a mystery guest. See xūts!, brown bear, in the dictionary section. Swanton translated it as grizzly bear, a kind of brown bear. Also, s!īk (s'eek), black bear in Hlīngit, is the other half of *ùruisg*. Gàidhlig words sometimes divide into two in Hlīngit. (See Phonology p374.)

Maya have the were-jaguar (werewolf, werejaguar).

Bearshit stories

Yuri E. Berezkin has produced a whole list of American Indian tribes that have similar stories to the bearshit one (as in the first half of 'The Origin of Copper'). He gives the basic outline of each tribe's version, very briefly, including a reference to another story that John R. Swanton got. See www.ruthenia.ru/folklore/berezkin/eng/081_48.htm .

On the net at www.planetozkids.com/oban/girl.htm , one bearshit story is there in English. They call it 'The Girl who Lived with the Bears'. That story appears with Hlīngit text in the book 'Haa Shukaa' by Nora and Richard Dauenhauer.

Why bearshit

Nora Dauenhauer mentions that it was taboo for women to say the word 'bear' among the local tribes. So for the woman to step in bear dung, it may be a big deal, due to this taboo. - Maybe taboo with other Native American tribes too. http://poeticsandpolitics.arizona.edu/dauenhauer/dauenhauer.html .

Berries

I think the berries in the story are salmonberries, but it's just a wild guess, that's all. James Crippen has a noun dictionary with a section of many berry names. But I couldn't find our story's berry name there. I think it just means 'berry'. Before having sugar, berries were the sweeteners. Salmonberry is usually served with other sweeter fruits.

There is a Hlīngit language lesson about berries at www.sealaskaheritage.org/programs/CURRICULUM/Tlingit/Berries/berryunit.pdf . Also, www.alaskatrekker.com has some good information on berries. There is a book:

'Alaska's Wild Plants' by Janice J. Schofield. Pauline Duncan has a book called 'An Introduction to Traditional Berry Picking in Southeast Alaska', and another one on recipes.

I think more berry cultivation would be good for us and good for the environment. Berries are so important! And there are so many kinds, it's a rich resource. Rich in color, rich in antioxidants and vitamins. Alaskan berry culture is part of the lifestyle. It could be developed more, as a special feature of Alaskana.

There was a pungent dish made of soapberries. The berries were whipped, and often mixed with fish or seal oil. www.sealaskaheritage.org/news/cultural_notes_soapberries.html . Juneau Empire also has run some stories on it.

Apparently, rosehips have also become a traditional part of the native Alaskan berry culture. I love rosehip tea, but you have to make it cold to get the result I love. Steep a rosehip teabag in cold water overnight, then in the morning press the teabag gently for awhile to get the flavor out. It's like drinking the most delicious juice. Not very sweet, but the taste more than makes up for that.

In New Zealand, where birds are important in the original ecosystem, berries are also important for their food. In Alaska, birch, willow, and alder provide natural seed sources, and some berry-producing plants attract birds that rarely come to feeders, according to Wildlife Conservation www.wc.adfg.state.ak.us/index.cfm?adfg=birds.feed .

I can't resist comparing picking berries (perhaps orangish salmonberries) with picking up copper nuggets (not orange but produce orangish colored metal). Copper ore was collected on the surface of the ground, rather than in mines.

Box House

The story 'The Origin of Copper' in this book was told by a man of the Box House. Stories tend to be property, though some modern stories are treated as being in the public domain. Box House tribal group seems to be prospering today.

Qū'k Hît, not Kūq Hît

The Box House and Pit House names can get confused, because in Hlīngit they sound similar. The pronunciation difference between q (k at the back of the mouth) and k is subtle, especially when used in an English context. People have often been saying these tribal names in English instead of Hlīngit. Qū'k Hît (Ḳóok Hit) is Box House, and Kūq Hît (Kooḳ Hit) is Pit house.

Let's look at the Gàidhlig origins, to see more difference. Knowing why they sound different, through word history, can help with learning. Then we can take care with pronunciation, too.

Box: qū'k = *cuman* = circular wooden dish without a handle, shrine, milking-pail, skimmer, angler (fish).

Gàidhlig m often changes to k or q in Hlīngit; see p391. The sound n is often either lost or gained in Hlīngit; see p382 & 394.

Pit: kūq = *toll* = pit, hole, hollow, cavity, bore, perforation, cave, den, wicket, ear-mark on sheep, head, (nouns); bore, perforate, make a hole, dig a hole or pit, exhale, emit vapors // *cruadhlach* = rocky acclivity, hard bottom, hard stony ground.

This is a case where the connotation word, *cruadhlach*, controls the sound; see other examples p396. As for the meaning sourceword, *toll*, in some languages (like Samoan), t and k are interchangeable; they are both similar palatal sounds (made on the roof of the mouth). There is no pure L sound in Hlīngit so the soft ll sound of *toll* is replaced; see p390. Changing ll to q is an example of how soft sounds often disappear or are replaced with a more native sound; See Phonology (eg. p375, p359, p391). The vowel o is often replaced too, because in Hlīngit o is too strong in meaning; see p392.

Pit House appears to be comprised of various inland Athapascan peoples who assimilated into the Hlīngit nation, according to a list by Jeff Leer found online at www.drangle.com/~james/tlingit/clan-list.html . See a lesson about the construction of an actual house at www.teachervision.fen.com/tv/printables/TCR/1557346070_100-103.pdf . There is information about bentwood boxes at www.wackykids.org/main_b-box.htm . I suppose Box House is named for the bentwood box.

Broad to broad and slender to slender:

Caol le caol, agus leathan le leathan

This is a very very ancient grammatic rule, based on the use of the tongue. It can help us to understand all human languages. In future, its importance will be more clearly explained and recognized.

When you say a, o and u, you open your mouth wider. These are the broad vowels. When you say i or e, your mouth is more closed. These are the slender vowels. Our mouths dance to a tune of broad and slender sounds.

Knowing how broad and slender match up helps to make speech elegant. You can get a soft and gentle sound, or a sharp and cutting sound. Your accent (in any language) depends on how you match the broad and slender vowels to soft and hard consonants.

A different tongue

Consider a language as a 'tongue', and imagine that you have to use your tongue differently for each language. Feel your tongue as the center of your whole mouth, because whatever you are doing with your mouth focuses on your tongue. It's the main moving part, and it moves in very particular ways.

For use of the tongue in Hlīngit, it helps to make the A sound (light a) at the front of the mouth, just like we do in English with the sharp u (like in use or do). In general, use the tip of the tongue more, and roll the difficult sounds toward the back of the mouth. I have noticed that the Cockney accent, like in the film 'My Fair Lady', seems to have front-of-the-mouth vowels, not only guttural vowels.

Palatals belong to the tongue most especially

We make palatal consonants by pressing our tongues to the roof of our mouths. So palatals use more of our tongue, and we feel our tongue more. It affects the flow of breath more. These are ancient sounds. (See page xviii for diagram of Neandertal mouth.)

The palatals can be made softer or harder. The quality of palatals is affected by tongue pressure, breath control using the tongue, twists, taps and dips of the tongue.

Softer and harder palatals

Compare s and sh, t and d, tc and dj, k and g, zh and z, ch and j, k and kh (or the ch in loch). But softer can be relative, depending on the recipe of sounds belonging to a language.

It's the broad vowels a, o and u that go with sharp palatals, and the slender vowels e and i that go with soft palatals.

This rule is partly understood as 'vowel harmony', in the spelling. In Gàidhlig words, a consonant (or a group of consonants) never appears between both a broad and a slender vowel. It will have a broad vowel before and after, or a slender vowel before and after, not one of each. This is what is called vowel harmony. (In Hunnish, for another example, vowel harmony means all the same vowels in a word.) See these random Gàidhlig examples below.

Broad: sàbhail, conall, tathaich, daonnan
Slender: teithneas, cròileagan, tuiteam, cinneadh

Cannibalism

In the story 'The Origin of Copper', there is a mention of a cannibal, and how cannibals came to be among certain people. Some may dislike that but I kept the story as it was.

www.crystallinks.com On this site is a good detailed overview of cannibalism worldwide, with cautions about believing supposed 'eye-witness' accounts. There are many cases listed, with evidence that claims about cannibalism are often false.

Cannibalism isn't so far from us

As to 'The Origin of Copper' reference to cannibals, I have no evidence as to the truth of this aspect of the story. Though perhaps the occasional occurrence taints everybody from sometime or other in human history. I suppose it's a widely-shared moral problem involving emotion, sanity, an evolving social order and resource management.

I say it 'is', not was, because to me organ transplanting and blood transfusion is another kind of cannibalism. That's not to say that I'm perfect in this respect. I take the hormone epinephrine (adrenaline) in my anaesthetic at the dentists, or else I'll still feel the pain. Where dentistry gets this hormone from I don't know. I'm eager to have other alternatives, and would prefer some kind of saline solution fake blood to transfusion. GM is the worst instance I think of cannibalizing body parts. It seems so removed from reality, but a body part is a body part, no matter how small.

I appreciate Lyall Watson's books, which explore biology and morals in many ways. We can learn about ourselves by knowing more about animals and plants, because it helps us become objective. His study specialty was animal behavior.

How to respond to the cannibalism in the story

www.shannonthunderbird.com On this site, Shannon said Tsimshian were not cannibals. She makes a good case for the morals and sophistication of the Tsimshian people.

Their 'Cannibal Society' is a kind of group that acts out stuff. People in this social group are not actual cannibals. In the book 'Thomas Crosby and the Tsimshian: Small Shoes for Feet Too Large', Clarence Bolt says 'In the Cannibal Society, the member (symbolically) leaves the human world to meet the cannibal spirit, receive its power, and then is brought back safely and restored to the normal human state by the shaman.'

We could adapt this story's words. Instead of saying 'That's why there are many cannibals over there,' we could say, 'That's why there is a Cannibal Society in the spirit medicine culture over there.' But I myself don't want to tamper with the original Hlīngit expression, or mess up the poetic structure in it. Especially how the poetry works. See about poetry in the story, pp343-348.

Accuracy in Hlīngit stories is traditionally guarded over generations, carefully. It's not so simple to arrange the words poetically and elegantly. But I have produced this book to make it more simple, and hope that our simplicity will enable sharing and eloquent speech.

Dekinā'k!ᵘ (who told our story 'The Origin of Copper') was a Christian. Swanton (who recorded Dekinā'k!ᵘ's story) felt that Dekinā'k!ᵘ's storytelling was true to tradition, and not influenced by his religion. Calling others cannibals could also be just a kind of name-calling, or a simplified expression of something complex or indirect. And of course it can be a moral device in the story, a way of telling us that we shouldn't be cannibals, that they can come to a bad end.

The curse of 'the tooth', like a brain-eating prion disease

There was a novel I read once, a saga of a family's business lives, in which the cannibal was a metaphor for people using others deliberately and selfishly, manipulating and trapping them for profit. Like hazing. I was told in mahjong if you make bad moves the opponents will 'eat' you.

I once gave a newspaper interview and quoted anthropologist Colin Renfrew comparing loss of language to a toothache. Later reading the article, I was sorry to have mentioned toothache. It's more serious than that. (Though sometimes toothaches did used to kill, without antibiotic. A cheating Beijing dentist caused serious problems for me.)

The tooth may be a metaphor for cannibal greed. Loss of language is the consequence, and even whole tribes have died out as a consequence of colonial greed. (See also p532.)

The subtleness of the dark spirit

Headhunters kill for ritual, and display. They seduce the victim's soul, after death and before. Jealousy is the biggest threat to us, it seems. (See Homo heidelbergensis, p524.)

Lǔ Xùn, the well-loved 20th century Chinese writer, wrote a short story called 'Diary of a Madman', in which the man is tormented by signs of cannibal intentions that he perceives in others, and records it in this fictional diary.

I think on another level, cannibalism has to do with nightshades. In 'Childers and the Nightshade Effect', below, I explain how our ecosystem is a matrix of biological light, and using nightshades is the breaking of that matrix. In this light matrix, photon experiments produce mysterious results. The theory of relativity, based on the speed of light, is still mysterious.

Canoe

About metal used in boats, and about copper canoes, see 'Copper', below.

For a Hlĩngit language lesson on canoes, see the Sealaska school curriculum lesson found online at www.sealaskaheritage.org/programs/CURRICULUM/Tlingit/Canoes/CanoeUnit.pdf . This webpage has the links to a range of their various lessons, along with audio, www.sealaskaheritage.org/programs/language_and_culture_curriculum_tlingit.htm

A lesson on construction of canoes from cedar is at www.teachervision.fen.com/tv/printables/TCR/1557346070_100-103.pdf .

Caucasians or Aryans

The master race dogma – who are the real players?

It seems as though we've always believed that humanity was born in Africa, but this belief wasn't always so automatic. Africa has been tagged on to the beginning of the Aryan origin theory. Aryanism was made famous by Hitler's government.

The Leakey family worked to change that. The influence they had on today's 'out of Africa' anthropology is described at www.leakey.com . It is pretty much accepted today that modern humans came out of Africa, end of story.

What this still gives us is a white versus black deal. Hitler attacked whites. All white races are not the same! With Dmanisi (1.7 million years ago) and Dryopithecus (18 million years ago), we can see a vice versa process of evolution into and out of Africa, a sharing in development.

Pressure to evolve

A warm African climate is a suitable womb for evolution. People in a nurturing warm environment like Africa have it more simple, if not more easy. But modern humans are determined to triumph over climate, and necessity is the mother of invention. Dryopithecus apes began our journey to becoming human in a climate with warm and cool seasons.

A temperate climate has its advantages, its resources. Europe has played an important role in the struggle of human evolution since earliest times. (See 'Dryopithecus' below.)

Shades of white

American nationalism has something to do with breaking away from the ties of old European problems. In the World Wars, America had tried to stay out. But staying out of your ancestral matters is easier said than done. As the song goes, 'Everywhere you go, you always take the weather with you.' In America black and white politics haunts us.

In fact, for ages Old World problems have haunted the New World. I think that's one reason Native Americans evolved systems of moieties. As a gatekeeper mechanism. (See 'Moiety' and 'Neandertal language', below.)

Vere Gordon Childe was an Australian anthropologist who wrote the book 'The Aryans'. Aryan origin underpinned Hitler's ideas of eugenics, the master race and government policy. At that time, people believed that civilization arose in the Near East. In America, 'Caucasian' is the common term for whites now. Actual Caucasian people are from the Near East, or Central Eurasia. Like south of Russia.

Childe was a one-man revolution in his time, working to develop amongst humanity an international understanding of prehistory. He spent almost 20 years of his teaching career at Edinburgh University, having been made to resign from Sydney University because he was a communist.

His death from a fall in the Blue Mountains near Sydney in 1957, a year after retiring, is said by some to have been suicide. Some felt it was because of how Hitler had used his ideas. Childe had fought hard to oppose supremacist racial ideas. (See also the meanings of the swastika, p551.)

Recently, Lahn, a scientist who discovered the relation of MCPH1 gene to tonal language, withdrew from his research (or some of it) due to white supremacy using his results for their publicity. (See also 'DNA' below.)

Seeing red

It may be that discrimination against men with red hair is a racial issue. It seems to affect men much worse socially, while for women it might not hurt.

It's known that Neandertal, or some of them, had red hair. Though the exact gene is bit unique, not quite the same as the red hair genes found today. Red hair is found most especially among Celts. I think this doesn't hurt my case for relation between Neandertals and Celts. We have a name for our primitive ancestor in Gàidhlig, that is *armed.* I propose this name for Neandertal.

Religion has had prejudices against redheads. There are many websites on red hair online. Of the 4% of humans having red hair, most are found in the U.K., Ireland and Australia. The highest percentage of red hair is found in Scotland, 13%, followed by Ireland, 10%. In the U.S. it's 2%. Red hair is also found in a few surprising places, and the question of who got it where is a bit of a hot topic.

www.purgatory.net/kornelia/1603/red_hair_facts.htm. There is an article, 'Seeing Red about Gingerphobia' at http://jonmcknight.typepad.com/jon_mcknight/2007/04/seeing_red_abou.html .

Black and white slaves... commonality & difference

White slavery existed before black slavery became the norm. The Scots and Flemish made up a lot of the numbers sold by Germanic Normans at Rouen slave markets in northern France to Arabian countries. This followed on the practice of Norman relatives, the Vikings. (Even earlier, there were the Saka or Scyths, with their caste systems; See p486.) www.africaresource.com/rasta/sesostris-the-great-the-egyptian-hercules/white-slavery-re-slaves-of-scotland/ The Norman practice continued at three ports dominating black slavery, see http://etymonline.com/columns/frenchslavery.htm

Germanic-Cromagnon and Neandertal-Celts are peoples with a very different history and identity. Some intermarriage occurred 70,000ya (See 'Ice ages'). Today's intermarrying (as in my own family) is partly due to loss of identity among Celts. I didn't know my language existed at all before.

One important piece of information that came out this year May 2010, is that Eurasians have some of the genes particular to Neandertal, 1-4%. But Africans south of the Sahara do not, only North Africa.

Fatheads of the world unite

This Neandertal gene population seems to be the population that spread MCPH1 gene for brain size. Neandertal are the most notable humans ever for big brains.

MCPH1 came from some ancient humans 1.1 million years ago, then crossed again into 'modern humans' 37,000 years ago, at the time Cro-Magnon entered Europe. Perhaps Homo erectus at Dmanisi, Georgia, 1.7 million years ago were ultimately the ancestors of both Neandertal and Peking Man. (Dmanisi Man's spinal remains showed a more human structure compared to one of the time from Kenya.) But Heidelbergensis, Neandertal's immediate ancestor, is a good choice, fossil records in Europe go back 800,000 years.

MCPH1 brain size gene was a wildly successful gene, and swept into 70% dominance worldwide. So it's said to have undergone 'positive selection'. Heidelbergensis' gift.

Out of Africa origin helps Germanic supremacist ideology when ignoring the most ancient European achievements.

Saka of Central Eurasia are Germanic ancestors

They say it takes 20,000 years for humans (from Africa) to develop lighter skin in the north. Less sunlight, people need to absorb more of it with lighter skin, to create vitamin D.

African legs are too long for the cold northerly climate of Europe, neither did Saka adapt over a thousand generations. Too busy attacking people and climate, no time to adapt?

The Nazi idea of Caucasian origin can be traced step by step, first to the north of the Black Sea. From there they circled up to Scandinavia, settled there, and made forays into Europe, attacking on and on the past six thousand years. Scyths or Saka became Suebi and Suoni.

Saka can be traced to Baktra in North Afghanistan at the foot of the Hindu Kush, a center of earliest crop agriculture where bronze may have been invented. Aryana is a name for ancient Afghanistan (here is Hitler's Aryans), with small river Arius (today Hari Rud). Rameen Javid Moshref wrote 'History of Old Balkh'. Also see www.afghan-web.com/history/chron .

Further north the Oxus River once flowed to the Caspian Sea. The Saka, Scythians or Scytaians had come in from the north of the Oxus River and had attacked those simple people of Afghanistan. Those natives started the Zoroastrian religion. Fossil skull piece from Baktra, 30,000 y.o., shows 'Neandertal transitional' human. (See 'Ice ages' below.) YuèZhī 月支 tribes from China had caused the pressure on the Saka, leading in turn to pressure on Europe. See 'Mannered language' below, on how language change influenced events. DNA studies show early mix of east and west peoples www.biomedcentral.com/content/pdf/1741-7007-8-15.pdf

Tocharian language of Tarim Basin, c.200-900AD. Western China, but mummies show blue eyes, blond hair, tartan fabric, European face. A gendered language; eastern dialect (A) and western (B).

TOCHARIAN vocab followed by matching Gàidhlig words

eye	ak (A), ek (B) // *faochag* = eye
ear	klots (A), klautso (B) // *cluas* = ear
tooth	kam (A), keme (B) // *cnàimh* = bone // *cnamh* = chew, ruminate, digest, consume
cow	ko (A), keu (B) // *colpa* = cow, horse, colt // *colpach* = cow, cow that hasn't calved, bullock, heifer, steer, calf
horse	yuk (A), yakwe (B) // *each* = horse
dog	ku // *cù* = dog
voice	wak (A), wek (B) // *faodh* = (OG) voice
red	rtär (A), ratre (B) // *ruadh* = red, reddish, brown
father	pācar // *pacair* = pedlar, packman, churl
brother	pracar // *pracadair* = tax collector

Not all Tocharian words have Gàidhlig matches, due to intermarriage and mixed culture. Words 'father' / 'brother' reflect Silk Road trade – hundreds of accounting and tax records found.

The Oxus is known as the Amu River today. The Amu and Syr Rivers form the Silk Road highway out of China, geographically. They flow east to west toward the Aral Sea, and serve the lands of Uzbekistan, Khazakstan, Turkmenistan, Tajikstan and Kyrghistan, bordering Afghanistan on the north. See also www.maravot.com/Etruscan_Phrases_f.html , Mel Copeland, on history and retribalizing in the region.

Caucasus Mountains run southeast - northwest between the Black Sea and Caspian Sea. Georgia is there, p500.

Health, justice and purpose

Leif Ekblad has done research (by online survey) into people today with Neandertal features. A self-evaluation you can do. Results suggest some genetic problems like Huntingdon's disease and Asperger's syndrome came from Neandertal genes, has looked at the timeline of gene change.

A list of genes and their known effects can also be found at http://erectuswalksamongst.us/Chap13.html .

We live in ecosystems, which define us. The human world can be divided into four human ecosystems, animal / insect / fish / bird & reptile; corresponding to Neandertal (See p524-533); Asian (See pp538-541); African, (See p545, pp456-460, p422); American Indian (See 'Medicine wheel' below, and pp460-463). On boundaries, see p545.

In Western Europe, extreme sport lifestyle matches Neandertal history. Salad & herbs, meat diet ('paleo diet').

Celtic and New World oak culture... a resource for creativity

The common Hlīngit word and particle, **daq**, meaning inland, up, homeward, toward the forest, traces to the Gàidhlig word *darach* = oak, and to *dachaidh* = homeward. In Alaska, a land of dangerous snow and ice, the green forest up in the southeast mountains beckoned to the medicine man.

For the Celts, a grove was and is a sacred place, a kind of temple, druidh meeting place. Oaks have long been sacred trees to the Celtic druidhs, and mistletoe-gathering from oaks was an important occasion. The song, 'Bonny Portmore' is about a treasured oak in Ireland that was heinously cut down.

Oak wood has, of course, wide uses, and has been important for ship-building and for wine barrels. The New World has a lot of different kinds of oak trees. Acorns were a big part of the diet in some cultures along the west coast of America, like the Chumash in California.

Acorns were ground into flour by Native Americans. Iron-rich red earth helped sweeten the mix; fish-bone powder could be added. Californian Indians used a lot of acorns. They should be leached of tannins by pounding then soaking in cold water, until the water doesn't turn brown anymore. Don't boil them first, it fixes the tannins. I've made acorn cookies this way once, they were quite okay. Wikipedia 'acorns'. www.siskiyous.edu/shasta/nat/sha/sub.htm (- detail on how different acorns were processed by Shasta Indians).

Oaks are outstanding

The oak belongs to the northern hemisphere. Some of the most popular and ancient trees of European countries today are oaks; there are a few great oaks pictured at http://purpleslinky.com/trivia/history/famous-oak-trees-in-the-world/ . Wikipedia also has a gallery of grand old oak trees.

Many duels were fought sword to sword at the Duelling Oaks in New Orleans. Dumbarton Oaks is a place on the highest hill peak in Washington D.C. It features in the novel 'The Fire' by Katherine Neville.

There are oak trees in the Bible. They are a symbol of virtue and enduring strength in many cultures. In different forms they show signs of ranks in the U.S. armed forces.

I have seen ducks stuffing themselves with acorns, acorns bulging out all over their necks. I found I am not the only person who has been surprised by ducks' love of acorns.

Chiefly trees, and tree alphabet

In Celtic culture, the trees are greatly revered. The letters of the alphabet, though fairly recent in history, were given tree names. On the Dwelly's Dictionary cover, they are illustrated. A=*ailm* (elm, silver fir), B=*beith* (birch), C=*coll* (hazel), D=*dair* (oak), E=*eadha* (aspen), F=*fèarn* (alder), G=*gort* (ivy), I=*iogh* (yew), L=*luis* (quicken-tree, rowan), M=*muin* (the vine), N=*nuin* (ash), O=*onn* (gorse), P=*beith bhog* [soft b] (dwarf elder), R=*ruis* (elder), S=*suil* (willow), T=*teine* (holly), U=*ur* (heather).

There are three classes of trees, chiefs, peasants and shrubs. The three major chiefs are oak, ash and hawthorn. At www.angelfire.com/de2/newconcepts/wicca/ogham1.html there is more on the ogham. (Hawthorn is the mayflower.)

Perhaps it is because of the hundreds of thousands of years that Neandertal man struggled with the ice age climate, that trees became so very highly revered.

I think perhaps the parallel lines that were found in Neandertal art are the origins of the ogham writing of the Celts. (See also p527 & 540.) More on the ogham is at this website, www.akerbeltz.org/beagangaidhlig/gramar/grammar_shorthand.htm . Ogham is different from the runes belonging to Hungarians, Turks, Norse and Saxons. (See p540.) But they both may be called runes. Ogham had tree-names too.

The druidhs foreswore writing. But just like Native American experimentations in agriculture (See 'Aconcagua' above), Celtic experimentations with tree wisdom may have influenced the development of writing. For more on writing, see 'Pyramids' below, and 'Mannered language'.

There is a lunar and a solar Celtic tree calendar at www.faeriefaith.net/treecal.html . Thirteen trees for the lunar calendar, and five trees for the solar calendar.

Celtic raven culture

There are various names for the raven in Gàidhlig language. Some of them are:

eathra / neabhan = raven, Royston crow
reamhan = raven, crow
preachan = raven, crow, kite, moor bittern, little fen, jackdaw, vulture or any ravenous bird
preachan-cnàimheachd = raven
fitheach = raven
bran-fhitheach = raven, rook
branorgain = raven, crow
biadhtach= raven, farmer, hospitable person or farmer, grazier, host, hostess, kitchen, glutton, order of Irish tenants who procured provisions for the nobles
troghan = raven

The raven goddess in Celtic culture is the Morrigan. She is a goddess of war. Some of the traditional stories were recorded about a thousand years ago in a few books like The Mabinogian. The Celtic druidhs did not favor writing, they did not want to write their wisdom down. Some of the stories, like a story about Bran, have ravens in them. The raven is an emblem of Clan Dougall. Gypsy raven culture, p453.

There is some information on ravens at http://celticmythpodshow.com/blog/the-raven-in-mythology-by-sam-fleming/ , where I found out that ravens are monogamous. They mate for life. And a raven could be as long as three feet altogether. This website also compares Celtic and Native American raven culture, and mentions Hlīngit.

A bit of information on this website about the difference between crows and ravens, but mostly on crows. www.birds.cornell.edu/crows/crowfaq.htm. There's something called The American Society of Crows and Ravens. They are at www.ascaronline.org .

This website has very good detail on ravens www.druidry.org/obod/lore/animal/raven.html .

In this story, the copper canoe of the sun's sons says 'Ġā' like a raven after it's shot. But in another Hlīngit copper story told at Wrangell to Swanton, the young man is told to shoot it while making a raven call, because the raven call is a protection. I didn't draw the canoe picture like a raven.

Celtic and Hlīngit salmon culture

If you search 'salmon of wisdom' online, you'll get a lot of information about Celtic mythology and salmon.

The importance of fish in the history of human development shouldn't be underestimated. I think we need to consider it more carefully.

'Salmon Wisdom Healing Project', not sure exactly what it is, but seen cool pictures of people in the water with fish.

www.northwesterlyfisherman.com has good information on different salmon. Hlīngit scholar Jay Miller wrote 'Salmon, the Lifegiving Gift'. Elaine Abraham studied Hlīngit traditional salmon resource management. Salmon also has had a role in fertilizing Alaska's land. Eyak role of preserving salmon habitat at Copper River, see www.redzone.org .

Sealaska's Hlīngit language curriculum has another of their well-prepared lessons on the theme of salmon, online at www.sealaskaheritage.org/programs/CURRICULUM/Tlingit/Salmon/salmonunit.pdf .

In both Alaska and Scotland, sustainability should go with salmon. But salmon farming has some conservation problems. Salmon today has become a global symbol of the high life that the common man aspires to… especially through the spread of Japanese sushi culture. Walmart keep the price of salmon low to attract more customers, and their suppliers produce bulk salmon cheaply in South America on the coast of Chile. Salmon farmed there doesn't have pink flesh, so they color it. It seems we have a paradox.

Celtic yew culture

Gifts from the *iugh*

The yew is one of the earliest evolved trees on our planet. It's more than 200 million years old.

I was distracted toward the spirit of the yew (*iugh* in Gàidhlig) when I was finding the Gàidhlig word history for Hlīngit. The Hlīngit poetry in the **yu** and **cu** (shu) sounds was calling. (See pp343-348.) It is a special kind of rhythm in the words of the story, an aesthetic. It spoke to me.

In Celtic culture, the yew provided wood for arrows. It

seems Native Americans used yew too sometimes.

Arrows are an important part of the perceived culture of Native Americans. There is a book called 'North American Bows, Arrows and Quivers: An Illustrated History', by Otis Tufton Mason.

Eternity tree

The yew and the bow and arrow possess a shared culture. Yew stands for eternity, and the arrow made from it gives direction. The yew evolved early, and the bow and arrow are an early kind of machine, a symbol of the opening up of thought to produce efficiency, power, reward.

The bow and arrow symbolize our human love affair with the machine, the ability to imagine something, target and realize it. We could get sustainability through the spirit medicine of the yew tree.

The yew also was planted in Celtic cemeteries, as it had a habit of renewing itself from within, growing new stems or trunks, once the first trunk had rotted away. So the yew is a symbol of eternity. Cupid is a yew tree fairy.

A yew in Perthshire is estimated to be the oldest living thing in Britain, 3,000 or maybe even 5,000 years old. See www.rampantscotland.com/know/blknow_fortingall.htm . 'It's All About Yew!' on http://ezinearticles.com tells of other great and ancient yew trees found in Britain. Also, at www.mokshaproductions.com/Yggdrasil.htm , there is a great photo of people sitting inside a hollow yew tree.

Reaching

Arrows can take life, but the arrow's yew wood is for eternal life, or long life. Maybe in human evolution the arrow represents a new level of abstract thought, we begin to apply technology from a distance. I think yew 'medicine' (poison, beware) can help us to discriminate, take the best of technology, leave the rest. To agree on these decisions.

Perhaps it is plants, not animals that give us our most powerful icons and wisdom. As a medicine woman, this idea is not foreign to me. We druidhs have always honored trees very highly.

Longfellow did a poem called 'The Arrow and the Song'. The end of the short poem goes:

Long, long afterward, in an oak
I found the arrow, yet unbroke;
And the song, from beginning to end,
I found again in the heart of a friend.

As a descendant of Priscilla Mullens, the pilgrim lady in Longfellow's poem 'The Courtship of Miles Standish', I would like to say to Longfellow 'Thanks!', and here is an arrow for you in this book, with the ancient song of a traditional flute. A book to unite loyal hearts, a call for revival across the world.

Kind parents and false teachers

In this story 'The Origin of Copper', the arrow is the young man's answer to ridicule. The other boys mock him so he asks his mother for bows and arrows. This gift from his mother brings another blessing, an important unexpected gift from his father, finally to marriage and higher status.

In a sense, the arrow is his whole heritage. The arrow is kind of like a 'value-added' package. It is more than the sum of its parts. It is like a total lesson in physics. I'm going on about it because the arrow started me on a lesson of my own, and a path to destiny. I shot an arrow of a sort in university English class. I had to comment on some lines from Shakespeare's play 'The Merchant of Venice':

'In my school days, when I had lost one shaft,
I shot his fellow of the selfsame flight
The selfsame way with more advisèd watch
To find the other forth—and by adventuring both,
I oft found both. I urge this childhood proof
Because what follows is pure innocence.
I owe you much, and, like a willful youth,
That which I owe is lost. But if you please
To shoot another arrow that self way
Which you did shoot the first, I do not doubt,
As I will watch the aim, or to find both
Or bring your latter hazard back again
And thankfully rest debtor for the first.'

The teacher had, like many literature professors, it seems, strangely little awareness or respect for symbolism. I insulted him, and got my comeuppance. My mentor, my father, was about to die, and I didn't know it. He fully supported me... though he'd wanted me to learn positivity. I'm glad that I got a father who was so supportive.

I think my father's soul was really French (his father's side), and he didn't know it. But he helped me to be what I needed to be. Many people in modern America are of mixed race. (I often keep the Scots habit of declaring my clan heritage when I meet people.) Perhaps the mixed-race person faces the choice between a voyage of discovery and a 'normal' life. North America was 'New France' in the past.

Often the important thing in life is not what's done, but how we get things done. When my father died, procedures were important. I was groping my way in the dark culturally at that time. Instinctively I was working out a cultural role, while studying this story of Shakespeare's.

Arrows of destiny

'The Origin of Copper' seems like a coming-of-age story. At the time my father died, I was coming of age in my career, as far as finding a foundation for my life's career and direction. It was a process. Coming of age is a very personal thing.

That literature class was only a trial run for my later education studies. Finding something that works for you in a society where everybody is so very different from one another can be complex. Money is supposed to bring us together.

So I had a Dutch English lecturer with a heavy accent demanding a commerce-themed essay from me about a few lines in 'The Merchant of Venice'. It wasn't the first time I suffered because of my unbending pride in understanding deeper meanings. It's a typical medicine woman's dilemma. My cruel streak took wings, as it did with an English French literature teacher later, and many others. The humor is in the poetry. Without that, what do we have?

My father was a business leader in Samoa, but he had passed on his true dream to me – he wanted to solve the psychology of the human condition meaningfully. Born in 1913, he had been a physics major at MIT. But his dream was to combine physics, chemistry, biology and psychology and become a research professor in psychiatry. He wanted multiple degrees like Lyall Watson. I was his second chance. My parents weren't perfect, they made me suffer a lot. But it has been productive.

He had missed his graduation exams because of protesting German warships in Boston before the world war, in 1933. Maybe he needed more cultural purpose. He later studied for an Industrial Engineering degree in New Zealand and failed to be awarded that too, for not being a citizen or something.

'Rich Dad, Poor Dad' business writer Robert Kiyosaki, from Hawai'i, wrote comparing how his real dad thought (safe and earnest), and how his mentor, his friend's rich dad, thought (read financial statements and take calculated risks). We work and spend, hoping the social system will work for us.

It was 1984, Orwell's year. For some reason, novelist Orwell prophesied doom for 1984. I didn't just confront the money-loving Dutch lecturer, I confronted my father too. I was working on the complex cultural package I'd inherited.

That arrow of commerce had struck my father. He had been overjoyed that I was coming to see him. (A friend and I had saved for plane tickets.) Then a bowel tumor broke loose, he went to hospital, refused to let on to us, kept insisting to them he could go to work, had a heart attack.

Ambition is a hard master

Life and death come into our lives in different ways. For the funeral, I was in the role of eldest daughter, like a princess. I made a speech. (It's complicated, there are four wives' eldest daughters.) There were traditional ceremonies for chiefs from around the islands, visiting choirs, a wake; church gathering. The government and business community that he had served as a friend and advisor honored the occasion.

It was just lucky that instead of borrowing only English lit books, I'd used my university library privileges to research the most profound traditional medicine culture of the Samoan islands, written by a sort-of king's granddaughter. Then I received a chief title, Tolotolo, while attending the funeral.

My speech in Samoan (I'm a fluent speaker) promised 'O le ā utu pupuia le seuga i lona fale'ula.' This proverb means the aristocratic bird-hunters' catch will deck the ceremonial house. That's what my book projects are about. I began to fulfill that promise with my first book, a topical dictionary of Māori language.

In my books is a pride in the younger generations as they reach for truth. I've also suffered as a teacher. What goes around comes around. But it's like a yew tree, the inside hollowed out while new trunks are shooting up.

Childers and the Nightshade Effect

Nightshades are a family of plants. It's my belief that they're not the right thing to eat, or even to touch. I'll explain and prove why I believe this. The answers come from human nature, ecology and biochemistry. Nightshades eaten today mainly originate from the New World. Tobacco is in the family.

Principles:	Temptation – a subtle addiction has been hinted at in mythology
	Species and chemistry – how the addiction operates
	Subtlety – it affects our state of mind, science, politics
	Paradise – harmony may elude us till we accept our boundaries
	Power – addiction fills our world with dogma
	Spirit – it even has to do with the physical light within our bodies
	Lifestyle – free ourselves of this addiction, liberate more energy
	Immortality – everything has boundaries, this is ours

Sneaky temptation

Norman Childers produced a book on nightshades and set up a research association to provide knowledge about the nightshade family and how they damage our health. His book is 'Arthritis: A Diet to Stop It'.

I think his contribution has been greater than he knew, an essential piece of knowledge for humanity. Childers focused on arthritis-causing chemicals in nightshades. He showed how animals' organs get calcified from browsing on nightshade plants. He is a professor of horticulture.

In 1989, I got Childers' book. I intuited that it meant a lot more than just physical health, and thought of the biblical 'forbidden fruit' (Gen.3:3). So I broadly reviewed all humanity, which countries were eating nightshades and what had happened to them. Nightshades contain glycoalkaloids.

Universal principles

I think the nightshade family (called Solanaceae) are plants we shouldn't touch even, apart from not eating. It struck me as infinitely subtle, what those ancients had written about forbidden fruit. Solanaceae are effectively the foundation of agribusiness in the modern world. Amazingly, the plant family has been at the root of globalization and at the heart of the takeover of farming by business.

It's also a basis of genetic research – see U.S. Agriculture Department supported information on nightshades. http://solgenomics.net/about/about_solanaceae.pl . But note that they have an error, coffee is NOT a nightshade, it is in the rubiaceae family, and comes from Africa.

Nightshades also are a part of interplanetary development, food for Mars preparation. See also the film 'The World According to Monsanto' for the role of GM potato research in the history of the GM food political movement.

When I read Genesis 3:3, I noticed a whole lot of detail about the forbidden fruit, the tree of life, the tree of knowledge of good and evil, that I hadn't noticed specifically before. I think it has to do with properties of light that govern nature and the universe. It's guarded by a flaming sword.

The nightshade plants do respond to light, as their name suggests. An example is the increase in toxins in potatoes when they are exposed to sunlight. But it's not well understood. I believe what we need in the field of physics and sciences in general is an understanding of the matrix of light. Physicists have tried to produce a theory of everything (TOE) with string theory, but so far it hasn't been able to be tested, and hasn't become properly accepted.

Can it be possible, that in the New World a plant family has existed in a different kind of dimension, in a role of importance that we'd never suspected? That nature was designed in such a way that one family of plants is on a collision course with humanity, and in this contest we can't win without humility and respect for it. A kind of ecosystem failsafe against our monopoly of power.

Food, like drugs, contains biochemicals. Some people say, 'Chocolates are better than sex'... chocolate actually does have chemicals similar to biochemicals produced during sex. Nutrition is a part of life that we all need to master, but without harmony this part of our lives won't be fulfilled.

The wrong kind of buzz

Once, when the tomato was brought to Europe from America, people called it cancer apple and put in on the mantelpiece, not in their food. They looked at it, was all.

From this family of plants, including potato, tomato, chili, bell peppers, tobacco, eggplant, belladonna, tree tomato and pepino, schizandra, petunia, datura, cape gooseberry, we can learn to enjoy but not touch. We really need to learn the art of civilization, the balance between freedom and repression.

Nightshades contain glycoalkaloids, like nicotine, solanine, atropine, etc. These chemicals cause our bodies to flood with calcium and phosphorous that is leached out of our bones etc. It provides a buzz, but the wrong kind of buzz. Kind of like robbing my own bank account, and then wasting the money. Bees are not even attracted to nightshades. www.geauga4h.org/clubs/plantmasters/solanaceaeeight.pdf

The Old World had herbal nightshades, had its mandrake, its datura, its belladonna or deadly nightshade – obviously dangerous. People were intelligent enough to be suspicious.

On the other hand, the nightshades of the New World have been the most enticing. It gives new meaning to the song of the siren calling Oisin to Tir na n'Og. (See the story on p348. It relates to a different kind of rhyming in Hlīngit poetry, which I would think is not unique, but a part of the tradition of Native American language. This clever rhyming is all about pattern.) America has subtle traditions.

Herbalism could develop better in the Americas once the nightshade ecosystem is understood. Moral principles are a joyful part of our daily lives when we deal with boundaries.

Tree of Knowledge versus Tree of Life

Some people guess which tree would really be the tree of knowledge of good and evil. The mythical tree of life must be vital to our economy. But the tree of life is an icon of universal truth (See p544-545). And the tree of knowledge of good and evil is another tree again. Once Adam and Eve ate of it, then they were barred from access to the tree of life.

That a plant can save our lives is a miraculous thing. When I walk through a forest, the trees I see are special. It's not a threatening sea of green. Most medicines were plant medicines once, if not now.

What if the universal ecosystem anticipated humanity's

domination... and encoded to quarantine us? To neutralize our aggression via a mysterious set-up. There could be boundaries that the chemical universe sets, with checks and balances. A universal chemical matrix might control for balance, impose biochemical control. All life processes involve chemistry. What if the universe is made that way?

Knowledge is power, but if an ape, even a human ape, begins to control everything, the whole fabric of ecosystems could fall apart. The perfect control would be one that has a great yet subtle temptation that we are unaware of, that we surround ourselves with ignorantly; a poison that would dull our minds. Sound a bit 'Alice in Wonderland'? And to make the poison most powerful, it would engage our pride through biochemical means, and lock us into conceit and vanity.

Humanism gets out of control

Agriculture borrows a lot. I think Neandertal were full of initiative but slow to interfere with the environment, while modern man copied Neandertal animal care, and rushed ahead rashly to control, control.

When one race copies another culture, the magic of cultural inspiration may be missing. The foundation is lacking. Sooner or later the magic fails as generations grow up without reason.

Those 'Venus' figurines found in Europe are I agree, made by modern man. (See p527, 539.) I don't think the Neandertal thought in that direction, but that they did the realistic cave art. Venus carved figurines are a cult object of 'modern man', for a humanistic southern religion of Sumeru culture. (See p485.) I believe they were a kind of voodoo of colonizers. Frigga would be a better name for them.

Science persuades us 'modern man' won the competition against Neandertal, but science is biased toward 'modern man's city culture. The consequences for intelligence of intermarriage with gentle Neandertal brought varied results.

To grow crops, we have to control the other species that eat those crops. Once we control one crop, the whole network of ecosystems has to be scaled back, in a domino effect. Controlling animals is a crop management priority, controlling animal friends of Neandertal (See p523).

We begin to second-guess our animals friends. At least the carnivores don't eat our crops. The ecosystem of loyalties crumbles. To grasp self-control, we need to get the chemistry right. Get rid of nightshade addiction, sustainability follows. Give thought to which countries use more nightshades, and what happens to them. Nightshade is the tree of darkness. Honoring it by not touching it makes it a tree of light.

Paradise's mythical trees – looking beyond the superficial

First of all, in the Bible there's no actual apple that Eve ate. Some scholars think it would have been a pomegranate. Anyway, could the tree of life be taken literally? In Hebrew culture, the tree of life is a mystical system of knowledge, codes of numbers and letters, as in the kabbalah. (See p545.)

A man named Charles G. Gordon believed that the tree of life was the coco de mer. The bum seed, double coconut or Seychelles coconut – it looks like somebody's butt.

It's a rare palm, and palms are ancient trees. This palm has the biggest nut in the world. Sailors saw this strange kind of coconut floating and said it's a woman's butt. Many thought it was a mythical tree growing at the bottom of the sea.

The fruit story, if you want to read it in detail, is in Genesis 3:3, in the Bible. There's no fig leaf, no apple. They had a choice, they chose darkness and knowledge. They were prevented going back so as not to be able to eat of the tree of life, another tree. (See Eden, p544.) In fact, nightshade knowledge is a biochemical delusion.

What actual trees are in the nightshade family? They tend to be herbs more than trees. In the Old World there was the 'devil's trumpet' tree, datura, with its trumpet-shaped flowers. It's also known as woody nightshade, a pest plant that gets out of control. Pepino and tamarillo are New World South American trees in the family. People eat their fruits.

Biological light

Nightshade has a biochemical relation to light. We know plants use sunlight in photosynthesis, but there is much more to learn about light and nature. Light and energy are closely related. A few researchers have been fascinated with measuring plant emotions through electricity.

Cleveland Backster researched plants' emotions using lie detector machines. This set off some physicists to looking inward instead of to starlight. Following his work, there has been important progress, like in studying the faint light emitted by living things, ultraweak photo emission.

I read half our bodyweight is mitochondrial DNA, but apparently it's ATP, the biochemical energy store which mitochondria help make. DNA emits light when cells die, and it stores light (is a 'coherent photon store'). K.H. Li at the Chinese Academy of Sciences proved this.

Marcel Vogel was a plant sensitivity investigator, whose work on bioluminescence led the field in the 1950s. He invented things like the red in TV screens and black light for tracking mice. Many others have investigated the operation of living processes, how a living thing influences other organisms or tissues through its own light.

Reporting for this kind of complex experiment needs to be of a very high standard. It has to be reported in fine detail so that others can assess if it's true, give it a try, replicate it. A subtle energy, the operation of light in our bodies is an important study which greater cooperation could illuminate.

Phosphorus and living light

Our brains see light when we die. Once I had my head smashed on the floor by someone, and I held onto the tiny point of light in my head when everything else felt like a permanent darkness of death. A dying person thinks they're going into the light. It's very tempting and comforting, but it's the end.

Phosphorus is the element of light. The word phosphorescence means a kind of cold light, a light made without appreciable heat, like white phosphorus burning. It is an essential element for life, as it is part of DNA, RNA, ATP (for cellular energy) and the cell wall phospholipids.

So in some sense phosphorus is a matrix for life. Living things concentrate it, but it can't exist alone in a free state because it's so reactive. It's very important for fertilizer. Just like agriculture requires us to control everything, so phosphorus gives us the power to do that.

It was the first element discovered since ancient times, an alchemist first produced it while trying to make gold from pee. Large stars make it from two oxygen atoms, a stable form of phosphorus. Phosphorus was the name of Venus in ancient Greece.

Nightshades are an addiction, the addiction of darkness to light. We think we are controlling our body's light forces, when actually we're depleting them, flushing them out. It's calcium and phosphorus but not nourishment, depletion.

Better judgment

The Maya faced these questions long ago. It's the heart of their environment, the nightshade family. In Central America a great civilization was lost. The film 'Apocalypto' showed a nasty massacre. We may wonder why cultures died out and were replaced there. We may also blame Columbus, Jesuits, a cult of bloody human sacrifice, clan warfare. Some people study paleodiet and as part of that they may consider nightshades too. We need boundaries.

If only we can have good judgment, we can have better justice. It's kind of catch-22. To have good judgment, we can give up eating (and touching) nightshades. But to get the good judgment to do it, we should have the wisdom of balance. Overall, the Chinese eat fewer nightshades. Their language also contains a kind of tonal gender for hot and cold. It recognizes the difference between pure heat, and heat and light. (See p552-553.) A Garden of Eden is found in Chinese writing itself www.british-israel.ca/Tyre.htm .

Nightshades hardly bothered people in the Old World, except when it came to the clearly poisonous ones they had. New and Old World wisdom have come together, a small profound step. Science can empower us; macrobiotics has some wisdom on it. Our tree of knowledge of good and evil could bear fruit at last.

Instead of chili tonight, try garlic, mustard, black pepper or ginger. There are thousands of delicious spices. Follow the Maya to corn rather than potato, non-GM of course. Choose the New World sweet potato instead of New World potato. Let's support the Native American herbalists too, and cultivate the great native plant resources. Heal ourselves of nightshades, and focus on biodiversity in our daily lives.

Mental energy

I believe we will be happier on this planet if we get the idea about nightshades. As the Catholics say, we are born with guilt. Guilt is really a reminder of other emotions, and we become immune to reminders. Then we lose our past. If we honor the nightshades with reverence, we can focus on biodiversity and sustainable living.

Knowledge needs renewal. There is something organic about it. To get the knowledge out of the books and into our minds is a process we can't take for granted. Culture supports that constant renewal. Herbalism can be developed to protect our minds, and to benefit endangered species.

Our energy industry now converts farm crops directly into ethanol for car fuel. More and more, we can say money grows on trees (plants), especially Monsanto can say so.

Use of nightshades is a fairly good vanity indicator. Washakie, a Shoshone chief, once gave a short speech. What he said was only one sentence, "God damn a potato!" The man knew something. No doubt it caused amusement.

Grace under pressure

Maybe the thing that is most positive about war is that it draws patriotism down to a practical level, a level of survival, beyond dogma. Even in charity, we could be more practical.

Hazing is a part of our jealousy, mainly a tactic for pushing boundaries. (A part of prehistory too; See 'Neandertal languages' and 'Ice ages' below.) Nightshade ecological boundaries, seafaring boundaries (See p545) and migration boundaries (p419) work for us.

The 'modern humans' encountered Neandertal culture in the Levant (far eastern Mediterannean). It was a shock wave. In the ice age 76,000ya began a 30,000 year period of observing the Neandertal medicine men whose group took refuge in the Levant. At a distance. Some intermarriage occurred, some later followed Neandertal back to Europe.

The Neandertal struggle is still with us. In the Old World, people used nightshade poison for murder. With better education, we can master nutritional alchemy. We must prevent academics selfishly clinging to problems for their own convenience. And we should beware of hypophosphatemia. The symptoms of this chemical imbalance are very similar to those described by Norman Childers for nightshades.

New World garden paradise and Quetzalcoatl the snake

When we cut out nightshades, there is no lack of valuable foods we can learn to love and adore. Maybe the South Americans created the first gardens. In North America, some people in early times would sow seed and come back after hunting season to harvest.

I think in South America they started with amaranth. It's a grain but you can eat it like a vegetable too, and there are different varieties for both grain and vegetable amaranth. A Sri Lankan friend who has passed away, a nun named Sister Priya, shared my love of amaranth greens. I enjoy its texture. One good thing, it can grow like a weed.

Amaranth is high protein, easy to cook, grows wild. Amaranth was a staple food of the Aztecs. It is known to have been cultivated for 8,000 years. It's gluten-free, its protein is high quality, it has lots of iron. It exists as a family worldwide, but as a crop, seems to originate in the Americas. See www.hort.purdue.edu/newcrop/afcm/amaranth.html . Also called pigweed. It's a very efficient grain crop.

A book, 'Indian Givers', tells of the American Indian contribution to agriculture and other things. More is becoming known. Perhaps the most close-to-nature cultures were also the pioneers of advanced agriculture – Neandertal with animals, and American Indians with gardening.

For China, paradise is PengLai, islands in the eastern sea. This suggests the Americas to me. (See also 'Poetry of Eagle and Raven' at p343.) The garden where a snake, Central America, lies in the midst, the god of civilization Quetzalcoatl.

I think the Chinese Han might have brought the story of the Garden of Eden over with them from Alaska-Yukon. (See 'Han' below.) Gardening suited the monsoon climate of Asia, because monsoons bring water in summer. The first thing the Chinese Han decided to farm was millet, a plant similar in appearance and growth to amaranth.

Gardening is a mark of civilization. It spread like wildfire through the Near East. I think it may have come from the New World, via Polynesian seafarers. The earliest human settlement ruins found in the world is there in Turkey, at Catal Hoyuk. I have been at Diyarbakir, Turkey, near the headwaters of the Euphrates River. Some think it's the first garden, Eden. Or the Pamir Plateau or Bhaktra. (See 'Seafaring' and 'Tonal languages' below.) Babylon produced the Hanging Gardens, one of the wonders of the world.

Whether the Garden of Eden is in our minds or in the real world, a taboo on nightshades is essential to our happiness. Complex changes in the world of human language means we have to adapt, simplify. Best if we learn about nightshades.

Copper, and the Copper River area

Copper in historical perspective

After the Stone Age, there was the Bronze Age (bronze being copper based metals, alloys). Then followed the Iron Age (iron being softer but easier to find). When we're talking about metal, we're often talking about trade, because to make good metal it often requires two or more different metals or ingredients, for an alloy. These often aren't found together. Maybe far away. So, trade.

Copper is soft, but other metals produce alloys with copper to make it hard. An important metal for copper alloy was tin. A little alloy added can make a big difference to the quality of the copper metal. But the tin for bronze was rarely found in the same place as the copper, except a little in Thailand and Iran.

In the Industrial Age, Britain had a similar advantage with iron and coal being found together. Then they built a network of canals to move it. Now they don't have so much of these resources. The Bronze Age probably started in the east, in the China – Pamir Plateau – Bhaktra region.

Possibly Celts contributed culturally, like Native Americans did with metal use. Celts have been renowned for fine metalwork. Cornwall, in southwest Britain, had rich tin resources, so held a key position in ancient Old World trade.

A copper

A copper is a special cultural artifact of northwestern tribes. There is a great essay by Don Mcnaughtan with lots of great pictures online at Oregon's Lane Community College website. Seems the site is about Kwakiutl people's coppers. Coppers were broken; pieces were broken off, and parts riveted on.

One copper named Galgatu was sold for 9,000 blankets. The shape of a copper is mysterious. It's like a human body, it has a 'backbone' (See also pp404-408). Rich poetic language and ceremony was employed in the sale and treatment of them. The ones existing today are not made with native metal.

Copper for canoes

In 'The Origin of Copper', the fathers' canoe becomes pure copper and separates into pieces, providing a heritage for their son.

In fact metal really is useful in protecting boats. Bronze is a most suitable metal for ship fittings and bearings, because it is tough and resists corrosion from salt water. It's still used for ship propellers and submerged bearings.

Christopher Columbus' three ships had copper sheathing. An interesting website with information about this, that also describes Viking ships found buried in the ground, is www.spirasolaris.ca/sbb4g1cv.html . John N. Harris's 'The Last Viking' is the title, sort of like an online i-book.

Harris includes information about the northwest passage; part of another Hlīngit copper canoe legend; and part of a Kathlamet copper canoe legend, 'Many Swans', recounted by Amy Lowell. In fact it was a relative of Amy Lowell who gave me Swanton's book 'Tlingit Myths and Legends'. That provided me full Native American myth texts as I wanted, sending me in the Hlīngit direction.

Copper River region

Copper actually was found in the upper region of the Copper River area. Traditionally the people gathered copper nuggets ('copper float') on the ground surface. That seems typical in early use of a copper resource. Later they got copper sheet from the traders, who carried it on their ships for repairing the sheathing of the ship hull. Then European traders began to bring more of it to trade.

The Copper River delta forms the largest unbroken wetlands area on the west coast of North America. Copper River begins at Copper Glacier, on Mt. Wrangell.

Over 20,000 years ago, the whole drainage area of the river was an enormous prehistoric lake, covering 2,000 square miles. It was a huge lake in the Copper Basin, surrounded by mountains. Sometimes it would suddenly empty into the sea. The last time that happened was 9,000 years ago. Prehistoric glacial Lake Ahtna is on a map at www.alaskageography.com/essays/..%5Cmaps%5Cglac_hist.jpg . (And see 'Lake Ahtna' below.)

On Copper River region geography of today, see

www.inforain.org/copperriver/content/pages/background/profile.htm . Wellwood B&B has good info for hikers online.

On the cover of 'Hlīngit Word Encyclopedia' is a picture of Mount Denali, surrounded by stars. Mt. Denali is in Denali National Park. This is the largest single mountain from foot to peak of any mountain in the world. See also 'Aconcagua' above.

According to the Wrangell – St. Elias National Park website, the Native Americans were producing copper 1400 years before European contact. More on the park region at www.wrangell.st.elias.national-park.com/info.htm .

Other tribes' copper culture

On Shannon Thunderbird's Tsimshian culture website at www.shannonthunderbird.com/Pacific%20Northwest%20Coast.htm there is a picture and description of 'a copper'.

The Ahtna people are developing their tourism and economic plans in the Copper Basin region. Their website is www.ahtna-inc.com . They have a cultural center, Heritage House, near Copper Center city. The Ahtna are known as the Copper River Indians.

John Smelcer is an interesting character. He is Ahtna. Mr. Smelcer produced a book about archaeology in the region. He has published bilingual poems, and is one of a small number of fluent speakers, apparently the only one to read and write Ahtna fluently. He made an Ahtna dictionary. He's done a whole lot of things, really eclectic.

'Daughters of Copper Woman', by Anne Cameron, is a good book. She is of the Nootka (Nuuchanulth) people of Vancouver Island.

United Hebrew Congregations has a webpage about Phoenicians, and it begins with 'Copper Mining in America' at www.uhcg.org/Lost-10-Tribes/walt3b-Phonecia.html . They cite 500,000 tons of copper having been mined from there in Phoenician times. They say Mediterranean civilizations needed huge amounts of it, but I'm not sure on evidence of large American mining operations, for export.

Keweenaw Peninsula in Michigan has thousands of mine pits from ancient times, at least 4,000 years ago. Thousands of tools and artifacts have been found, but the area was also mined in modern times. It would be good to commit more resources to this area of archeology. Wisconsin Copper Complex is the center of a large regional native industry in North America. See http://copperculture.homestead.com/

There's a bit of evidence for South America, for example mercury pollution remaining from ancient mines. But I think there must be older evidence still to be found.

Copper and blood

Blue blood, red blood

Blood needs special proteins to carry oxygen. Oxygen-carrying proteins are even found in plants, fungi and bacteria. The respiratory protein our blood has is hemoglobin, containing iron. Blue blood has hemocyanin instead, containing copper. The copper is colorless until it makes a reversible bond with oxygen.

Copper gave life on earth an early start with breathing. It's thought copper first helped organisms handle oxygen when it was toxic to them.

Later, oxygen-breathing organisms developed, and iron-based oxygen transport worked better for them. Details in www.jbc.org/content/276/19/15563.full . Copper proteins are large and float freely in the blood. Unlike iron protein like hemoglobin, which is small and is contained in a blood cell.

The horseshoe crab has copper-based blue blood. Their blood has commercial use. Some molluscs have blue blood too. Molluscs have no bones but often a shell. The octopus and the scorpion have copper-based blood. See also 'Alchemy of copper', above.

Our blood needs copper too

It's been found that lack of copper in the body hasn't been measured well in the past. New ways to measure it show that most people don't get enough copper, and could have sub-clinical (slight) copper deficiency.

According to C.A. Bouthillier, lack of copper caused different human blood types. Due to copper deficiency, humanity developed various unhealthy blood types with pH imbalance (A and O types too acidic, B type too alkaline), while AB is balanced.

So Bouthillier says AB is the true human blood type, and inheriting it would have depended on sufficient dietary copper. www.bibliotecapleyades.net/sociopolitica/esp_sociopol_depopu24.htm . Apparently many things can reduce our copper levels. But check out some websites like Red Cross, you might find the facts conflict.

Good copper, bad copper

When people change to good nutrition, or fast, they may detoxify and the body releases stored copper, flushes it out into the bloodstream for elimination. This stored copper that is not bound to proteins is toxic. Health advice is at www.drlwilson.com/Articles/copper%20elimination.htm .

Information on the history of the medical use of copper is at www.dragonseedcave.com/copperhealhist.htm .

Copper and metal culture in Europe

Albrecht Dürer made a copper engraving that contained a magic square. (See the Hlīngit magic square I made for the alphabet, on page 98-99.)

On page xiii there is a photo of me in one of Europe's most ancient copper mines, trying the method for using the simple ancient stone tool that was used there. I can hardly imagine how they could extract ore with such a blunt tool. Sadly, Monsieur Espérou, the archéologue who guided me through the mine, has since passed away.

Celtic legend treasures the cauldron of rebirth, and the holy grail is full of legend. Metal has played a large role in Celtic culture, eg. swords, chariots. Early Celtic kings had their own coins made. The torc, a stylish metal collar, was worn around the neck to show status. Some are beautiful, delicately worked. There is a star map done in metalwork.

I think this tradition has been slow and steady, lacking the sudden flowering and decay of many civilizations that produced great metalwork. The knotwork patterning is ancient and profound. The art forms show humor.

Dance hat, clothes

Learning about Hlīngit clothing

The illustrations in this book aren't drawn according to Hlīngit clothing styles. They are stereotyped 'Indian' clothes. Though it's a Hlīngit story, I do see this book standing in for Pan-American language origins and unity. If I'd started out at the beginning with a knowledge of the native clothing, I might have adapted my art. Even now my knowledge of the clothing is limited.

'The Tlingit Indians' by George Thornton Emmons and Frederica Laguna contains a whole detailed chapter on clothing and decoration. There is a book called 'Meet Lydia: A Native Girl from Southeast Alaska', which has a bit on ceremonial clothing.

There is a little about Hlīngit native clothing at http://library.thinkquest.org/11313/Early_History/Native_Alaskans/tlingit.html . Information on Chilkat robes and weavers is at www.native-languages.org/rugs.htm . Possibly the 'Encyclopedia of American Indian Costume' has info.

Sealaska has a page for Hlīngit high school materials, where you can open a lesson about clothing, at www.sealaskaheritage.org/programs/language_and_culture_curriculum_tlingit_hs_2.htm . But it is not about traditional clothing. It is mainly vocabulary exercises.

Various hats, dance hats

There is a rich culture of hats. In the story "The Origin of Copper', the sun's sons' canoe wears a conical dance hat.

Hlīngit culture has a spruce root dance hat of conical shape. I noticed one pictured for Stonington Gallery in Seattle, selling for $4,000. Lisa Telford can make them. www.nativepeoples.com/article/articles/160/1/Tradition!-Arts-and-Crafts-Revived .

In the front of the book on page viii, I put a photo of Dekinā'k!ᵘ'’s nephew, Herman Kitka Sr with Herman Davis wearing some kind of conical hats,. Possibly they are crest hats.

The clothing worn for dance and special occasions can be called regalia. A lot of these hats look quite solid, one picture in www.thecanadianencyclopedia.com shows a maple wood hat that looks like a solid wolf carving with a little totem on top. A sixth grade student, Whitney, put her presentation online somewhere (I can't find it now) showing some of the gear used by dancers.

It appears that, in Hlīngit society today, dancing plays a large role and there are a number of dance groups. There are Hlīngit hat songs, mentioned on a CCTHITA (Central Council of Tlingit & Haida Indian Tribes of Alaska) webpage about funerals. Hlīngit hats appear to be many and varied.

Special hats

There is a 'jointed dance hat' in a story called 'The Flood', in 'Myths and Legends of Alaska' by Katharine Berry Judson. When Raven-at-the-Head-of-Nass puts it on, water pours out the top of it.

There was a 'peace hat' made for Baranoff, a Russian leader. It is metal. When it was brought back in 2003, there was ceremony, speeches and formalities. That's in a book by Richard Dauenhauer and Lydia Black, 'Russians in Tlingit America'.

There is a book, 'George Johnston and his World: The Life of the Inland Tlingit' that mentions a ceremonial hat of a swan's breast.

Clothing in culture

I read somewhere that there is deep significance in the clothing culture. Shannon Thunderbird has some good photos of Tsimshian clothes on her website, www.shannonthunderbird.com , that show its unique character. Some features of it may compare to Hlīngit, perhaps use of bark. There is great variety in Native American dress according to culture and local resources.

Clothing in Celtic culture

Clothing adds humor and double meaning to Gàidhlig songs. I've performed several, like *Ciamar a Ni mi a Dannsa Direach*, about not being able to join the dance because of having lost the pin of one's skirt, and *A bhriogais uallach*, of the man whose new trousers turned out to be so grand he disappeared in the depths of them invisible.

A waulking song is to sing when working together rhythmically processing linen fabric. There's one about a woman turning away the attentions of a handsome man. A long song, in each verse the first line changes, eg. I would not have torn your shirt front, ...if I had, I would have sewn it up, ...with a fine needle... and so on. I learned these from Mary Smith's recording, '*O Innse Gall*'.

Denali

See Aconcagua.

Dichotomy

Wikipedia online describes 'Tlingit religion and philosophy' as being all about duality, everything is divided into opposites. Light water and dark forest. The climate is wet and cold, so people seek the dry warm home with its solid red cedar construction and its blazing central fireplace. (See also Chinese hot and cold language tones, p552-553.)

Heat and hardness... also found in cremation and the eight long bones of the limbs. (See Chinese cultural comparison, p502.) Hardness contrasts to soggy forest floor with rotten logs. Three things valued in a person are hardness, heat and dryness. Dryness of clean skin and hair, dryness of sharp dry cedar scent.

Dry versus moist in 'The Origin of Copper'

In 'The Origin of Copper', the opposites wet and dry appear in the choices of firewood. The bears' wet wood always burns magically with the addition of oil shaken from their fur coats. But the girl's dry wood never burns.

So then the bears are displeased with her, it gets serious. She runs away, finds the suns' sons' canoe in a lake, swims out to it where they pull her from the water and they fly up to the sun. Later her son is saved from poverty and unhappiness by the same canoe, when it leaps out of the water at him, is killed by him and changes to copper for him.

The Hlīngit word hīn, water, has several source words. One is *linn* = moist, wet. In the story, the sun's sons test the water brought for them with a feather, test it to judge the behavior of the person who brought it. The woman brings water. She loses both status and her husbands when the fishhawk quill comes up slimy and she fails the feather test.

Kiss of life

It appears in Hlīngit cultural values that dry wins hands down over wet. There is a moist element of Celtic culture that came to me poetically while researching word histories. I found the Gàidhlig word *mòthan*, bog violet.

In Celtic tradition, the *mòthan* was a protection during childbirth. As an archetype, the *mòthan* can represent youth, love and the kiss of life. A young woman would make a ring of nine *mòthan* roots, and put it to her mouth before she kissed a man. He would be hers.

The *mòthan* also was carried for safety by travelers. If an incident occurred when a person luckily escaped danger, someone might say '*Dh'ol e bainne na bó bà a dh'ith am mòthan.*' He drank the milk of the guileless cow who ate the *mòthan*. (*Mòthan* could be used as cheese rennet too.)

I wanted to see if the *mòthan* archetype is present in Alaska. There is a plant, pinguicula macroceras in Alaska south as far as California. It's also called California butterwort. A book: 'Carnivorous plants of the United States and Canada' by Donald E. Schnell. Photo, map http://plants.usda.gov/java/profile?symbol=PIMAM2 . I don't see this archetype in Alaska, but local people may know. Consider the sacred lotus of Asia and the New World.

Dichotomy in culture

Page xxv has examples of duality in Hlīngit language; page xiii has completely new information on dual pronouns that are two-in-one. See 'Han', p502-503 (bridging separate worlds), p551 (dichotomy in human race), p561 (formal v casual speech). Hinduism speaks against duality.

DNA

DNA is the essence of inheritance. But it's become a painful subject, and it's important that we all have a say in where gene science is going, and how education handles it. Investing in DNA science alters the whole fabric of our society, putting power toward some groups of people whose motives are unworthy. Parents can help their children get the best science. Computers ruling us as in 'I, Robot', that's DNA science run by computer. It's not takeover, it's surrender.

DNA science may seem like the purest of pure sciences, but it's the dirtiest. Greed to own the souls of the world's species. Native Americans created corn over thousands of years. The cost of that is incalculable. DNA represents everything we have. It's worth more than a party trick.

From romance and love, family and identity, through to habits, health, lifestyle, body, hopes, dreams and destiny... It's all relevant to DNA. To protect it, we need to have nurtured pure- hearted individuals to be our spiritual warriors.

Better objectivity

When I was getting my education degree, I had to take a philosophy in education course. I've always hated the philosophy of the Saka with a passion! It's morally bankrupt. (Eg. What responsibility do teachers have? Their method: not only present one side of a matter, but allow questioning. Never mind that a child may have no idea what to question. The teacher punished me for insisting teachers must present different sides of a matter.) It's sychophants breeding sychophants. Breeding ground for dishonest leaders.

The more specialized work becomes, the less luxury of exploration we may afford ourselves. I would like to see the thinking of chess applied to gene science. Garry Kasparov says life imitates chess. It's been said that chess is a closed system so it's not like life... I suppose it depends if we account for human nature; anyway DNA is kind of a closed system too.

Honesty and objectivity is desperately needed in the area of DNA science, and we need tools to help us to be impartial. That's where chess logic can come in. Logic such as, for example, the vice versa effect. Something that's been done can be undone. Rather than being self-perpetuating. History of science helps.

During times of peace, we have to handle these issues. The picture is so huge, only the absolute greatest objectivity will suffice. We need storytellers who understand how logic really works to get in there. If we were more humble, and treated science as culture, we could manage it better. Religion is supposed to provide us with these wise, loyal and objective citizens, but religion has been the hitman of power for some time now. Boundaries get lost. (See p419, 545, 551.)

With unemployment pressure, people in developed countries promote every technology for the sake of economic survival. Especially GM, genetic modification of food sources. Sad disregard for truth in governments and institutions responsible for the science of GM food is shown in the film 'The World According to Monsanto' by Marie-Monique Robin.

Mastery and control of genes

We are beginning to get a little knowledge of the flexibility of DNA in evolution, since DNA changes by nature. In 1947 Scottish-American scientist Barbara McClintock began to discover that genes jump (or some of them do). They can move to a different part of the genome. There is a book called 'Transposons and the Dynamic Genome'.

In Mexico, Dr Elena Alvarez-Buylla has researched the MADS-box genes, as science had understood them poorly. Simplistic interpretations had failed to recognize the complex systems of genes. In the Monsanto film, Dr Alvarez-Buylla's team insert one gene into various locations of a flower's genome, and the plant's flowers all come out as different mutants. Systems are at work. Non-GM farmers in Oaxaca, Mexico, organized to spot bizarre mutants popping up.

Geneticists find adaptation influences the genes a lot more than they had thought. Dmitri Petrov and Guy Sella wrote a paper on it. For a long time, scientists also thought jumping genes were 'junk DNA'. But McClintock said jumping genes are a response to stress. That's why there are patterns to jumping genes. Leslie Pray wrote 'Transposons or jumping genes: Not junk DNA?'.

Groups representing doctors have long been at the forefront of concern about GM causing illness. See www.rense.com/general86/doct.htm . Union of Concerned Scientists: http://www.ucsusa.org/food_and_agriculture/ .

Stress and evolution

Bad science also means less time and resources for good science. Chemistry remains very important, and hybrid science. Dr. Susan Crockford's iodine theory of evolution relates to stress as a motivator of evolution. Iodine in the diet (especially from seafood, but also from eating small animals and eggs) produces thyroid hormones that control our growth. Her book is 'Rhythms of Life'. Richard Parker, www.coconutstudio.com/Iodine%20Human%20Catalyst.htm .

Genetic illness is studied for jumping genes, transposons. Genetic illness like Huntingdon's and autism. Leif Ekblad says these may originate with Neandertal interbreeding. Not necessarily bad genes, he doesn't blame them.

For neutral discussion, the term 'neurotypical' is used for normal people who don't have mental problems like autism or Asperger's syndrome. Neandertal had their own virtues, and this outlook values two acceptable kinds of mentality. (We now have genetic proof that most races are part Neandertal.)

Axis

The axis archetype is seen in the field of health, symbolizing the spine, kundalini energy, DNA spiral, caduceus (a wand in medical symbols with two snakes coiled round it, Mercury or: See p534). The axis can also be the red road, a cultural idea in North America. (See New World landscape and the axis archetype, pp404-406.) An axis can be powerful.

Remember when President George W. Bush used the term 'axis of evil', he hit a major nerve. His father deregulated GM.

Coincidence should raise questions in our minds. We can call that 'synchronicity'. The science of jumping genes came from a Scot who was studying the most iconic treasure of the American Indians, corn (or maize). DNA is also about heritage. We need cooperation on intellectual property today, given that science itself often abuses the rights of traditional native property owners. Pirates in turn abuse science's copyrights. Jobs suffer, secrecy proliferates.

DNA stores light. (See p430.) This is where the rainbow axis intersects with the DNA axis. The rainbow dominates cultural icons in the Americas, like corn colors, the hummingbird, the rainbow flag of the Inca. In Navajo tradition there is the Corn Maiden, protector of corn. Sand paintings were done in her honor. She is like a rainbow.

The Wizard of Oz drew on Kansas and southwest culture with 'Over the Rainbow' and the 'Follow the Yellow Brick Road'. Entertainment is often prophetic. The Wizard behind the curtain in the Emerald City (who turned out to be a powerless individual) could be GM revolving door politicians. Mexico banned GM corn, but GM corn invades from the U.S. (See 'The World According to Monsanto'.)

The corn spirit medicine is the medicine of vision. It seems that the Yellow Brick Road of Oz and the Red Road of Native American culture are two sides of a DNA strand. The leader Black Elk had visions of corn medicine being restored. It would empower the people on the Red Road, bring good to triumph over the black road.

The axis takes many forms. A DNA strand is also a ladder. In a Bible story, Isaac sees a ladder to heaven in a dream. (Then gives his son a coat of many colors.) Language itself can create a power axis. See swastika p551.

Besides love and war, what changes us?

Some genes can be turned on or off. McClintock said it might also be jumping genes that are responsible. Diet during pregnancy can influence whether some genes turn on or off.

Epigenetics is about how genes change. See www.bbc.co.uk/sn/tvradio/programmes/horizon/ghostgenes.shtml . Time Magazine tells more about how epigenetics works, see 'Why DNA isn't your Destiny', January 6, 2010. They describe a material that lays on top of the DNA, called the epigenome. Genes have a memory.

People have proven that there is 1-4% of Neandertal DNA in modern Eurasians. That comes from the Max Planck Institute, leaders in the field, result of years of research. At the time when Neandertal and new arrivals co-existed (40,000 up till 30,000ya), Neandertal culture was a force for change. The 1-4% shared nuclear DNA is thought to date to 60,000 years ago, when Neandertal and Cromagnon's paths crossed in the Levant, Israel region. (See 'Ice ages' and 'Neandertal language', below.)

Our innate goodness, whether in eating rightly, managing stress (through good behavior, planning, cooperation and honest work), also cherishing our cultural heritage... these virtues are still the foundation for good genetics. Mating according to instinct and love and reason.

On the processes of change in modern culture, see 'Pyramids'. I think it's probable that 'modern man', Cromagnon, learned only too well from Neandertal's skills and advancements. (See 'Neandertal language' below.) Developing countries have many advantages today.

First People

Language gives us a record in itself. The power of change has developed another aspect to language, writing. Like DNA, it is a record of continuing life, and of light. Perhaps writing gained the greater influence over DNA.

I think also the relation between language and genes is much closer than we realize. Tonal language has influenced some human genes. This represents a large cultural field of influence. Just like it takes a ton of rose petals to produce a small vial of pure rose essence, so it takes a lot of culture to produce genetic change. Our small agreements matter.

According to DNA, Na Dene peoples (that includes Hlīngit and Navajo; See 'Greenberg' above) are later arrivals than many First Nations in the Americas. Some Native American people arrived as early as 25,000 years ago (documentary series 'The Incredible Human Journey'); they are found along the west coast of North and South America. Despite various evidences, many textbooks etc. still have not updated from dates of 13,000 years. Some in the field of anthropology make sure not to let facts get in the way. After all, this is the science of humanity. We are all responsible.

With 'Na Dene', sometimes it seems linguists have bagged all the languages they couldn't figure out and dumped them in a 'Lost and Found' called Dene-Caucasian. According to John D. Bengston, this group includes peoples of a range of world regions. No one seems to include Celts in that group, except Basque and Aquitaine cousins. We hear the term 'language isolate' often, but we shouldn't. We should find a place for everyone. The root of Na Dene culture belongs to the New World, I think. It spread to the to the Old World. This is the story of how tonal-agglutinative language evolved. (See 'Mannered language' and 'Tonal language' below.) Basque and Aquitaine should come out of Dene-Caucasian. They are Celtic, (p531 word comparisons). Much as Germanic anthropologists hate to support the fact Celts are indigenous, they believe Basque are.

Mitochondrial DNA (mtDNA) evidence is supposed to show that the Na Dene arrived 10,000–6,000 years ago while other American Indians of North, Central and South America arrived about 20,000 years ago. Some research on it is at www.genetics.org/cgi/content/abstract/130/1/153 .

It's said people of Asia were different to what they are now. This would be due to tonalism. (The culture of tonal language spread.)

DNA types among Alaskan Native Americans have been studied by B.M. Kemp. On the oldest DNA in America, taken from fossils, www.athenapub.com/oldestDNA.htm .

Vive la différence culturelle!

Language is part of our inner beauty. I put a comparative table of Native American languages on pp349-353. It has the Gàidhlig as key, a newly-recognized Rosetta Stone for expanding our understanding of languages.

I see two main language influences in the Americas. Long ago Neandertal-Celtic language united Eurasia. I expect this language arrived with the first settlers, not only the Hlīngit, like different stages of Celtic language arriving, so some are earlier Celtic and some are later. It's proven both Europeans and Asians possess Neandertal genes; almost all peoples do, including North Africa but not sub-Saharan Africa.

For me, the culture is key. DNA and race is secondary. Culture shows alliances, influences and trends. I think it's reliable and it fits our natural human thinking. We can logically reason it out, and everyone can have a say. 'Culture' then includes moral culture, as in sacred geometry, metaphysics, myths, poetry, agriculture.

Even astrology can contribute to moral culture – anticipation, objectivity, awareness of the greater environment, timing. In agriculture, farmers suffer many anxieties over their crops. Facing GM with respect for them is also a form of self-respect. Bless our organic farmers on this planet, as they bear a tremendous load, our collective anxieties.

In the matter of ethics, we can consider Russian Nobel prize winning poet Joseph Brodsky's advice that aesthetics (philosophy of beauty) is the mother of ethics. Brodsky, who was jailed four times for his poetry, appears in a Discovery documentary video about Plato's book 'The Republic'. To know more about aesthetics, see www.iep.utm.edu/aestheti/ Beauty is essential to our everyday judgments and choices.

Natural selection

Natural selection involves our minds in evolution. We need to be informed. The provision of food cannot be left to others. Everyone should be knowledgeable in the matter of the food they eat; and preferably capable of producing it.

Genetically modified Bt corn, rice etc. produces Bt poison crystals in the stomachs of those who eat it. Unlike insect pests on crops that die from it, we don't have the basic receptors in our guts for the poison. We have basic immunity, only due to not having receptors. But there's more to it. A book by Jeffrey Smith (of Concerned Scientists Union) proves the ill effects of GM. There is the rate of increase of certain illnesses, and the timing of events – when the coincidences stack up a pattern appears.

Beauty has a superficial role in natural selection. That superficial role is still very valuable to us. I enjoy beautiful colorful foods full of vitamins, flowers in my salad; a beautiful arrangement on the plate. The less we understand true beauty, the more we rely on stereotypes. Or competition blinds us to beauty. The energy and poetry of romantic love fixes natural selection. Beauty helps us find agreement. We are always making judgments that affect the future. But we should judge better – eg. dimples are ugly, long big toes are beautiful. We can evolve consciously. True beauty gives us order, effectiveness, collective understanding and efficiency. It conforms to principles of harmony and design.

Lyall Watson wrote very interesting books about ethics in the natural world. He had many degrees, including a doctorate in ethology (science of animal behavior). How we use our time is natural selection. These are all moral choices. And the other thing is that traits must appear for selection first, before natural selection can operate. Neandertal developed a large brain, intermarriage allowed Cro-Magnon to select for it.

Language, writing, DNA – three records of evolution

Language is not magically neutral, but it seems so because we become familiar with our own language. For honest science, clear distinctions need to be made between Celtic and Germanic languages. See 'Caucasians' above, and 'Gaidhlig languages' below. See also 'Druidhs'.

Whorf's idea that the language you think in influences what you think was popular from 1940 when he produced it. It fell into disrepute due to racism then, but it's making a comeback in a more neutral more honest form.

I have used various languages in my life, and I definitely

find that I behave differently when expressing myself in different languages. In English I can be pernickety, in Samoan I clown and gossip, in Māori I get spiritual or political, in Chinese I get academic and observant.

I select ethnic music according to my mood. I like Korean when I want energy, French when I want soul, Cantonese when I want faith, Mandarin Chinese when I'm bored, Gàidhlig for inspiration, and Native American for rhythm and meditation. One language and one environment doesn't have everything.

Linguistics should be simplified for primary school, as science is. Children should be helped to be objective about language through a more scientific awareness of it.

Exploration and awareness

Science includes the simple experiments we do in daily life. For me, as a medicine woman, diversity of experience in tasting, testing and eating herbs gives me something special. It gives me, in the Hawaiian kahuna way, the medicine woman or kahuna role of genetic leadership. Each thing is useful, but the safe amount may be tiny for some medicines. I can feel what the chemicals in the herbs are doing in my body. I see gifts everywhere.

Healing is our human ape's way of grooming. Monkeys and gorillas pick lice, we massage and comb and stroke and hug and diagnose and treat. Healing allows us to explore our world, our resources and our existence. Can you move your toes one by one at will? Place a finger on a part of your spinal vertebrae and will it to move?

I can diagnose with my hands, thanks to Christopher Hill. I hold and move my hand or hands as in blessing, at a 45° angle. Empathy is not just emotion, it is knowledge. It's a type of mirroring. DNA light storage is known in yoga as the akashic record. If we become unaware, we lose evolution.

Language revival and healing go hand in hand. The Hlīngit medicine man social tradition has suffered greatly, more so than in many Native American cultures. It's not too easy to find blessed herbs on our planet today. Sometimes, herbalists and our suppliers destroy diversity too.

Understanding of roles multiplies our awareness.

The potential

There happens to be an odd link between Neandertal and solar power. Some high-level research is being done by the U.S. Department of Energy on Neandertal genes, in the hope of certain technology spin-offs.

They want to apply genetics to solar energy technology, if they can imitate plant systems for processing light energy.

In physics, we face the questions of wave versus particle. Things such as light exist as waves or particles. Different yet the same, yin and yang, they express something of infinite potential. I'd like to see yin particles as the scientist and yang waves as the organic farmer, in a cosmic alliance. May the force be with us.

Sometimes in colonization of the U.S. the medicine men were deliberately targeted for murder, shame or attack in war, in order to break the rebellion or power of indigenous nations. I can look at historic photos (online) of the old Hlīngit medicine men with love. I read nobility in their faces, shame, pride, knowledge, responsibility, cunning (one of them), alertness, openness, secrecy, (and in one of them) great fear. A story of power lost, suffering and possibility.

Notorious maybe, but I guess they did great good too in their roles. I'm a medicine woman, and I'm not perfect myself. Those medicine men had rights. Sometimes tribes have faded away. They become disacknowledged.

With simple attention to grooming one another's health, our humanity could be enhanced. But with lack of simple attentions, fear easily takes over the human mind and life.

The psychologist Jung reckoned confession or acknowledgement is essential to the healing process. Every field of knowledge needs people who can do that. With ethics and proper use of science, we should be able to restart evolution, regain the momentum of evolution.

Dolmens

Photo from http://en.wikipedia.org

Dolmens are made up usually of two standing stones with a table stone on top. Some are made shaped like a box / hut. Stone circles in Western Europe may have the stones arranged in a circle of dolmens sometimes. Dolmens were erected from 4,000BC up to 1,000BC, roughly. (Western ones were earlier, Korean ones later.)

At about the same time, Native Americans erected pyramids. Celts preferred a mound or circle to the pointy pyramid; and Native American pyramid culture started out with mounds in circles; (See p505). On a connection between language and writing, see 'Pyramids', below. Hebrew writing literally looks like dolmens, pp506-507, 544.

The transition from empty dolmen to ambitious pyramid marked a transition in culture due to language. (See also p537-538.) The empty space of the circle or square symbolizes the feminine, while the straight line is masculine.

I keep it in mind when doing Chinese calligraphy; the dolmen and pyramid can fit together (p507) to express duality, like the yin-yang symbol does. The space of a dolmen equals heaven.

Heaven in our hearts

The Celts built stone circles, domes, and thousands of dolmens, as part of the druidh culture. They meant unity, welcomed seafarers, celebrated the sun and moon. Druidh celebrants observed a war from a hill (if they didn't prevent it), and they traveled, made contacts.

Celts and non-agglutinative language speakers preferred domes and dolmens to pyramids. The idea is one of openness and unendingness. A Stonehenge is double emptiness, an empty circle made up of empty square dolmens. A facet of Neandertal-Celtic culture. (See also p507 on use and diverse locations of dolmens.) The dolmens were built to symbolize the struggle to hold onto simplicity, against the false simplicity of languages with many word particles. (See 'Mannered languages' below.)

Monuments help to solidify our patterns of knowledge

Human existence not only depends on advancement. We are challenged by the burden of knowledge that we try to retain, in agriculture for example. And we must understand the knowledge. Monuments embody clues to wisdom.

Sumeria had ziggurats. These kinds of monuments represent commemorations of leaders, patriotic labor, math and architecture, sacred geometry, community celebrations, seasons of history, story. In all these things there are patterns.

In the west, the Celtic squarish dolmen mirrors the four-sided pyramid of Native American design. Also, in Celtic culture there are four elements, *ceathair-dhùil* = (OG) the world as consisting of four elements. (See 'Medicine wheel' below.)

The number three is sacred to Celts. Triangles are part of pyramids, so three and four connect in the geometry. A four-leaf clover is lucky; it would normally have three leaves..) I've found them, always by magic – they make themselves known. I saw another woman find them this way.

We could say that between the numbers three and four (3.5) is a portal to a different realm. Three is the soul and four is the material world, in the sacred language of numbers. Numbers and shapes help us to process our knowledge. Sacred geometry was once a traditional subject for scholars.

Unity and boundaries

Seafaring allows transportation of goods and materials. There are traditional ways that boundaries operate on the seas. Navigating and getting around the world is part of staying united as human beings. In an ideal world. For many, sadly the cross has become a symbol of dogma. But the Celtic cross was used for navigating. This cross has a circle around the middle. (See 'Seafaring' below.)

On land, especially the coast, the dolmen gateway helped develop a sense of boundaries, a culture of ritual, password and identity, riddles and keys. An empty space is an important concept, just like zero in math has important functions. Emptiness allows us space to process our understanding.

The resistance of the Celtic druidhs to writing was like saying 'The buck stops here.' A resistance to cultural fashion, to the new complexity in language that swept through the Old World after contact with the New World. Later, Irish priests brought books and libraries into Western Europe (France, Germany-Austria, Northern Italy), along with Christianity.

The dolmen gate, connection portal

To stay united as human beings, one thing we need is to connect. Staying united is a process we each experience in different ways. We can learn to relate to others who possess different skills.

The Native American dreamcatcher is a modern inspiration that draws us back to simplicity. It possesses circles, curved lines (parts of circles), and spaces. A dreamcatcher is supposed to catch good dreams, and let bad ones pass through. (See also 'Medicine wheel', below.) www.crossroad.to/Books/symbols1.html on the meanings of shapes.

There is no such thing as a perfectly straight line, in physics. But a square gives the illusion of perfectly straight lines. So does a pyramid. We could have a Native American pyramid on American dollar notes.

Mathematics traditionally involved the study of number and shape in the natural world. This is sacred geometry; this study, and the traditional study of logic can arm us with adaptability. Space, emptiness, chaos, these call on us to organize and adapt.

The Chinese gate could be an adapted dolmen. This one is on a hill in Hangzhou. In Japan, there is a simplified kind of gate called a torii.

(www.photos8.com)

Dolmens stand for adaptability, pyramids for aspiration. The names of the Portuguese dolmens suggest a defensive pride. They are burying the dead, but they are making oaths of loyalty. One is dedicated to Tongoenabiagoi, 'God of the

Fountain of the Oaths'. Dolmens, like the zero, are an interdimensional paradox. Portugal has quite a lot of dolmens too, and some fossils show transitional Neandertal. (http://en.wikipedia.org/wiki/List_of_Neanderthal_sites - This list of Neandertal sites shows which are transitional, becoming modern. An early modern child near Leiria, Portugal, 24,500ya, looks part Neandertal.)

There is information on dolmens adapted from Wikipedia at www.newworldencyclopedia.org/entry/Dolmen , and some religious perspective on dolmens of Israel and Western Europe at http://britam.org/dolmenpics.html . One Portugal dolmen became a Christian chapel.

Dolmen resistance to sweeping language stress

Dolmens are found on the coasts of Eurasia, both east (especially Korea) and west (especially Britain and Holland). Most of the dolmens were built 4,000 BC up till 3,000 BC, the time before the Central Asian agglutinative language craze caught hold, an eventual spread which brought Neandertal-Celtic culture under attack. Complex agglutinative langages with many word particles seemed to offer flexibility and advantage. Saka pressure for global language began to arise.

Dolmens are found at the Baltic Sea, North African coast, Israel (where Neandertal also had lived). The ones in Korea are not as old as the European ones. Korean dolmens were built about 700BC up to 300BC. I think they felt pressure as part of the Han circle. It's said Korean language was a tonal language before and that it lost tone. Maybe they only experimented with tone. Korea's dolmens seem mostly short-legged, and Japan had even flatter ones, or sunken in the earth. See another style with a hole in the stone, p534.

Korea possesses 40% of the total remaining dolmens in the world. They have 30,000+ dolmens, and have a dolmen culture festival. There are about 3,000 dolmens in the northwest Caucasus, Central Eurasia, along the Black Sea and Caspian Sea Coast. See www.ancientmysteries.com .

Druidhs

Models of civilization

The druidh had a responsibility to observe things. They traveled to observe. They observed a war if they couldn't stop the war, going up to a hillside to watch. Often they did have the power to stop a war. They were politicians, political representatives, ambassadors, judges and upholders of law, linguists. So their job was to go about, to know what was happening far and wide, to represent, to connect people.

The Romany Gypsies lifestyle is like the druidhs'. A role of travel, observing truth, sharing spiritual advice, upholding women. (See also pp472,482.)

ROMANY vocabulary followed by Gàidhlig interpretation key

basht = good luck // *basa* = (OG) fate, fortune // bàs = death
prikaza = bad luck // *preachanachd* = ravenousness, greediness // *preachan* = raven
wuzho = pure, untainted [incl. hedgehogs, horses, scavengers] // *ubagach* = enchanting, like a charm, superstitious, skilled in charms / enchantments / incantations
mahrime / mokadi = unclean, impure [incl. cats, dogs, rats, foxes] // *mallaichte* = cursed // *malcaidh* = rotten, putrid, stinking
phuri = elder // *furtachair* = helper, reliever, comforter
phuri-dae = wise woman matriarch // (see above) // *dàimh* = friend; (OG) learned man, church
gaje = non-gypsy (pejorative) // *gadaiche* = thief, robber
vitsa = clan // *fiùbhaidh* = company, hero, valiant chief, prince // *fitheach* = raven
chikni = daughter // *tighearn* = lord, ruler, master
phrall / froll = brother, true gypsy // *fuil* = family, kindred, tribe
vardo = gypsy wagon // *fardach* = home, dwelling, house, hearth

Democracy, law, freedom and education

The highly-organized Druidh legal system was a foundation for modern social policy. The traditional rule of law amongst Celts has eventually spread throughout the world today to become modern law. Each person had their price, like a kind of insurance. (Eg. If someone killed a person, they would have to pay that person's price.) They were a people civilized in the practice of law.

It is the Celts who fathered democracy. In Celtic democratic tradition, the king was always called King of Scots, not King of Scotland, as he depends on the support of the people. This was stated in 1320 in the Arbroath Declaration.

It declared the tradition of freedom from rulers (i.e. English and their sympathizers) among Celts. It stated that the king would be deposed by the people if he didn't uphold independence.

The Scots have long been leaders in education, with the 1696 Education Act providing for a school and schoolmaster in every district. An education tax funded it. This is thought to have been only the second nationwide education system in the world, after ancient Sparta in Greece. Universal education in Scotland began in 1561, while compulsory education for eldest sons of nobles was even earlier, in 1496.

Attacks on druidhs

In the legends, the great King Arthur had a druidh, Merlin. In fact there's more written historically about Merlin than Arthur, but Merlin (Myrddin) was just before Arthur's time. Many stories have developed out of Arthur. English King Edward I, 'the hammer of the Scots', had Arthur's supposed bones dug up. More voodoo.

It's said Arthur might have been the last of the traditional druidhs, and that he was driven mad after a bloody battle between a Christian king and a pagan one, Gwendollau. Then he lived wild and naked in the Wood of Celidon, now the Ettrick Forest. He lived in fear, and at last died a triple death, beginning with beating, then falling on fishermen's stakes in a river and drowning. But many cultures claim Arthur as theirs.

Dwyran, Angelsey, North Wales is where the Romans massacred the last druidhs and burned their sacred groves. The druidh religion was the only one the Romans feared, having assimilated all the others in the Empire.

Following that massacre of druidhs in their stronghold on the island of Angelsey, the famous Queen Boudica fought the Romans and won many battles before a defeat following which she committed suicide.

The druidhs were not all sweetness and light, but neither are authorities in any society. To seek to break their power by murder, mockery, obstructionism and sarcasm is an act of racism. They have been major representatives of their people's wisdom and civilization. See also 'Medicine men' below.

Seafaring saints

It's been said that Celtic druidhs used to retire to the New World, that Merlin retired to the New World. The name used in this case is Maelduin, an Irish name for Merlin. (*mal* = (OG) king, prince, champion, soldier, poet; *duine* = man, person, individual, body, oldest man of a village.)

In an eighth century tale, called 'The Voyage of Maelduin's Boat', he apparently landed at a white sand beach in Labrador called today Porcupine Cove. There's a map of his route online somewhere. Apparently he stopped at the Isle of Mykines then at the Faroe Isles, went on to Iceland, to Greenland, then to Manana Island off the coast of Maine.

The Irish monks traveled and spread Christianity and book learning to Europe. The Irish monk Brendan was said to have traveled to America by curach in the sixth century. See www.crichtonmiller.com/Brendan the Navigator.htm . Miller explains how the Celtic cross was a powerful and important navigation tool. He patented it and demonstrated it. He has a book, 'Golden Thread of Time'. See also 'Medicine wheel' below, and 'Dolmens' above.

Dolmens and sacred monuments act as kinds of prayers. Prayer has functions of hope and language for the seafarer. In this sense, language becomes light, just as the Bible said 'In the beginning was the word, and the word was light.'

Druidhs and the voice of the sea

The sea gives six magic elements to the Gàidhlig voice. Wind (f,ch,h); Rock (t,d,m) Rhythm (g,gh,c,nn), Water (i,th); Water against the boat (a,u,l,s); Contact between the elements (b,r,br). One of the druidh's roles is linguist. It's a meditation of mine. Perhaps the remaining (e,n,o,p) are a magic of P-Celtic, (See 'Gàidhlig language', 'Vowel O' below.)

Although skin and frame, the curach is seaworthy. Sometimes less is more. Tim Severin built one by 6th century methods and sailed it from Ireland to America in 1977. They can withstand high seas and gales, but couldn't always stand collisions. (The ships of the Celtic fleet that met Caesar's could ram other ships though.)

They can be large, say 26 feet, and there were sailing ones. Builders Meitheal Mara describe the different ones of Ireland at www.mmara.ie/map.html . There is curach racing in Philadelphia and Pittsburg. A history of curachs is at http://uk.ask.com/wiki/Currach .

Caesar encountered fleets of large Celtic ships, with his Admiral, Decimus Brutus. The Celtic navy was winning against the Roman fleet, but when there was no wind the Romans used their oars and won, destroying them. http://macdonnellofleinster.org/page_7j__the_romans.htm

But after that time the Celtic navy fell apart. Celtic love of the sea is well-known. Even today, the Scots love the sea. My Celtic family are close to the sea... yacht club, marine engineer, seaside homes, the (New Zealand) navy. In Ireland travel by land was difficult, and most people traveled by sea, not by road. The towns were located at river mouths. (See www.crichtonmiller.com .)

Modern druidhs need the power preserved in the Gàidhlig language that knitted the people together. On the other hand, druidhs today are facing much greater challenges than in the past, often spiritual challenges. Winston Churchill, the British Prime Minister and inspirational leader during the World Wars, joined an order of druidhs. Books of druidh myths such as The Mabinogiàn survived in some early records, but they are later writings recorded after the druidhs' time. A book by the current chief of bards, ovates and druids, Phillip Carr-Gomm (also a psychologist), is 'The Druid Way'.

Now druidry has been recognized again in Britain as a religion after 2,000 years. Archbishop Cranmer said it's incredible, why not the Jedi? The Germanic race seek the sea in outer space.

Dryopithecus

I think Europe's Dryopithecus are great ancestors, because they went through that a big transition for us. Transitions can be very uncomfortable. It's thought that upright posture and walking first evolved 9.5mya (9.5 million years ago). The first of Dryopithecus existed around 18–20mya.

Similar to Dryopithecus is Oreopithecus, ('Oreo' from Greek, mountain / hill.). 'Cookie monster' lived on what was then a swampy island, Sardinia, in the Mediterannean. (The island was bigger then, reaching to Tuscany, Italy, home of the Etrurians.) When an ice age lowered the sea level, a land bridge allowed predators in. Up till then, they flourished better than other Dryopithecus species, there are 50 skeletons.

NAS (National Academy of Sciences, U.S.) shows Oreopithecus were bipedal (walked on two legs). Their big toes stretched far out sideways like our thumbs do. Picture: http://redapes.org/wp-content/uploads/2008/09/ciaobella.jpg . Its foot has been compared to a birdfoot. Maybe it's why Sumerian goddess Innana has birdfeet. Their foot to body size ratio is similar to ours. Their teeth show they ate leaves. They had no primitive fangs for competition over females.

While European ones take the name Dryopithecus, there are other –pithecus of Asia and Africa, eg. Sivapithecus, Ramapithecus. Proconsul is an early hominid or ape in Africa but may be just the ancestor of the chimp. European Dryopithecus were especially successful, while Africa produces few fossils from before 5mya.

John G. Fleagle said in 'Primate Adaptation and Evolution', "The four species of Dryopithecus were known only from Europe." Three of those four species came from the region of southern France and northern Spain, from within Gaul, (the Gauls being the cousins of the Celtic Gael).

Iodine theory of evolution

According to Susan Crockford, once those ancestors started eating iodine-rich food like seafood or small animal brains and eggs, then they changed in form and size very quickly. Thyroid hormones influence growth, and iodine is necessary. This theory suggests very fast-paced evolution, so it could satisfy both evolutionists and also the creationists who believe we didn't slowly evolve from apes.

Wonderful walnuts

Walnut is a great iodine source. The name Dryopithecus, from Greek, means 'oak tree man'. In Gàidhlig, we have the word *magair* = ape. But if iodine is that important, it's possible that this ape loved the walnut.

Persia is the home of the walnut, and also in Central Eurasia is Homo erectus' homeland. Coincidence? Or Homo georgicus (an early erectus) chose the region 1.7mya because it had walnuts. Ancient walnuts have been found in Persia and later in Switzerland but in France walnut fossils only date to 8,000ya.

The salmon of wisdom in Celtic lore ate some kind of nuts, maybe hazelnut though. (It's in the legend of Pwyll.) The ancients believed that the gods dined on walnuts, so they are named Jupiter's nut. (Juglans nigra is black walnut.)

The colonizing English and Romans, on the other hand, were suspicious of walnut trees and treated them as a kind of evil wizard sometimes. I think there is something deeply moral about iodine, especially the walnut. It helps the thyroid gland in the neck to clean the blood. Iodine may be a kind of judging god of nature's chemistry. (I believe in the sentient nature of atoms, that chemical elements are alive and intelligent in some sense.)

Walnuts are greatly loved in France. I suspect Dryopithecus loved them too, though maybe they were rare in Gaul. Perhaps (to really push the theory) Dryopethecus gained a love of walnuts in Persia, found Gaul (France and Spain) safer from walnut competition, and moved their base. Like the Neandertal after them, they ranged far, still cherishing the walnut of Central Asia, but comfortable in less-contested territory disturbed by near-polar conditions in ice ages. See www.**mdidea.com**/products/new/new07319.html.

'The Walnut Cookbook' is a book by Jean-Luc Touissant. Salads are also a big part of French meals. Artichokes, lettuce and other greens supply iodine. Dryopithecus are known to have been leaf, nut and fruit eaters.

Ancient walnuts are found in eastern regions of North America – third most popular nut after hickory and acorn. Anything effective and pleasant can be cherished on a symbolic and instinctive level. I love the greasy black ooze of old walnut fruits on my skin. Sitting in a walnut tree is wonderful, surrounded by the fresh delicate leaf scent. In French noix, nut, also means walnut. Just like chimps depend on fig trees; cats go mad for catnip; dogs adore garlic.

Walnut is a resource of iodine for balanced metabolism, skincare, pigment and dye, germkilling and parasite riddance, and provides specially beautiful wood, also good firewood in common use in North America. The walnut is a symbol of the ocean's beauty... man as an ape is the seafaring ape, and the walnut is a psychic anchor for us on land.

In Persia, the walnut was just for royalty. Babylon's Hanging Gardens had groves of them. They are in the ancient Persian law code of Hammurabi. It could be the tree of life of Genesis. (The kaballah 'tree of life' philosophy originated in that region; See p544-545.) In Genesis it says God commanded to seal the way of the garden so that sinners can't get back in to partake of the tree of life and live forever.

The walnut even looks like a brain, there's a sculpture of one at Baoding University's library in China. Some of my Baoding students have been proud to say that they have a walnut tree at home.

Dietary intake of iodine

Sometimes Dryopithecus migrated to Asia or East Africa, like in an ice age. The European ape ancestors may have done so well just through wisely understanding the value of iodine-rich foods. But too much iodine is not good either. A constant supply in the diet is necessary. Once the momentum of evolution is at high gear, a maintenance level intake may be necessary. So vegetable sources could be a wise option for us.

People with chronic thyroiditis (caused by their immune system attacking their thyroid) need iodine regularly. But they're also sensitive to it and react to it, so vegetable sources are recommended. This problem affects 0.1-5% of adults in western countries, especially middle-aged women.

Maybe a lot of animal-sourced iodine produces a crash-and-burn civilization. A map shows which countries have enough, not enough or too much iodine in the soil www.healthalicious.com/articles/natural-foods-high-in-iodine.php . (The plants take iodine from the soil.)

France's good taste in cuisine comes from literally 18 million years of Dryopithecus and Neandertal wisdom. French cuisine is less deceived by nightshade abuse, unlike the English and Romans. Mustard is preferred to ketchup. 'French fries' are from Belgium. (See 'Childers and the Nightshade Effect' above.)

The Spanish in South America often prefer corn to potato. But are deceived by chili. I don't eat a lot of meat, sometimes I've lived on fruit. I like raw foods. But I often steer clear of vegetarian offerings – all too often it's unimaginative and uninspired, just a dumping ground for nightshades. And however angelic children may be, they're liable to make the stupidest choices over nightshades, it's really a let-down. They are greedy for nourishment at any cost for their growing bodies. Nightshades have a meaty smell, especially eggplant. The nightshade herb mandrake was said to scream when its bulbous root was pulled from the ground. (I always say, 'Would you eat human flesh just because it has minerals and vitamins?') Maybe the guilt of human 'natural sin' that we're born with is strongest in kids.

Seaweed is good for iodine. There's a film called 'Man of Aran', they are living a most basic life, close to the sea, and depending on kelp. On Aran there was virtually no soil, and kelp was compost, for creating soil. Salmon fertilize soil too. www.whfoods.com/genpage.php?tname=foodspice&dbid=135 has info on sea vegetables. Scots and East Asians have a traditional respect for seaweed.

Dryopithecus possessed the good taste to moderate their iodine intake, and this empowered them to manage stress. A fragile balance. Perhaps we are not permitted by nature to comfortably live off animal sources of iodine, but need a mild dose from vegetable sources. On plant sources of iodine, see www.suite101.com/content/vegetables-containing-small-amounts-of-iodine-a187261#ixzz1BNL4U5yt (but they mistakenly suggest potato; potato should not be a choice).

Out of Europe

The Mediterranean Sea dried out about six million years ago when some land rose blocking the flow of the Atlantic into the Mediterranean. That time is known as the Messianic salinity crisis, during which the Mediterranean filled and emptied 69 times. It could be at that time Dryopithecus crossed over to Africa, perhaps along the Malta Ridge.

Leif Ekblad says on his Neandertal website he reckons they went back to the trees at that stage in Africa.

Susan Crockford's iodine theory of evolution suggests we evolved through use of iodine under pressure, because we had to evolve by force, not through a series of lucky chances and opportunities. So, logically, it would be possible the early ape ancestors reverted to the trees as a comfort zone if the social or environmental pressure relaxed.

Run too fast, fly too high

Anthropologists comment on how little advantage we get from standing upright. (I don't understand their reasoning.) But standing upright came later from Homo erectus who learned running; from butt muscles running develops that walking doesn't. Individuals do not all run – but we're willing to face all the other species head-on, standing upright.

Standing helps us harvest from trees, which is how

researchers explain Oreopithecus being a two-legged ape. Standing upright is for preaching to the animals. I have developed the theory that Neandertal were the first 'animal whisperers'. (See 'Monogamy' and 'Neandertal language' below.) Befriend them, help them, manage them, observe them. Then manage crops, stand upright and work.

Bonding

Monkeys groom and nitpick for social bonding. We do the same by healing in various ways, and in a sense agriculture is a process of healing the damage we cause every year in clearing, ploughing, slash and burn, spraying and harvesting. We also bond by running.

Maybe we can explain agriculture in another stranger way... On the one hand, standing upright becomes our fate once we learn to run. Then we have to make do with upright posture, so are forced to develop a new identity and lifestyle.

Running is kind of a hobby for humans. It can help us get around to monitor a territory and food source, run down prey, escape predators. It gives us potential, but also ups the stakes a lot. An ape is not essentially a carnivore, but the power to run may have brought about some change in our dietary habits. The curse of power?

Iodine protects us from disease. It could be partly that the iodine users were better survivors. All life forms possess some iodine. Iodine sources tend to be overall nutrient-rich foods. Also if a person is iodine deficient, they may be sensitive to cold. In Eurasia's colder climate we began to favor these kind of foods much more and develop an instinct.

A comet swastika of ancient China bears a connection to owls. This is black walnut / black sun power. See Eric Miller's work. http://abob.libs.uga.edu/bobk/sw/ - pictures. See swastika details on p551.

Reverent ape, inspirational bird

Black walnut is a royal symbol; birds with their color and shine can be royal too. Chinese Emperor Yu was supposed to change into a divine pheasant. Chinese inventor of writing, Cang Jie, was inspired by bird tracks. Birds are greatly revered in many cultures. They are our angels.

Possibly amazement at the evolutionary force of ancestor ape gave us reverence, to later worship Creator God, as the brave ancestor. There are many kinds of monkeys: swamp ones, grass-eating ones, mountain apes, gangster apes (chimps). No flying ape (though lemurs and bats come close). Our brains speed up from iodine, and we love to fly. The medicine man and woman's trance, the witch's broom, alien abduction conspiracy theory. Dark iodine intuitions.

Birds have an important role in our own evolution, because we co-evolved with them in a special way.

Shapechanger upholds civilization

Shapechanger is the traditional role of the medicine man, an example of empathy. We need empathy, to fulfill our responsibilities as masters of the universe.

We cannot just know things, we have to understand what we know, know it inside out. Then we evolve instincts, prove that our knowledge works. Instincts are created quietly, across millions of years of evolution. Thanks to Dryopithecus.

Science is very good with observation and calculating. But deduction, objectivity, good judgment and instinct are also extremely important. Shapechangers keep us alive as a functioning part of the ecosystem, in tune with all intelligence, and focused. The dragon is one great shapechanger. Compare Neandertal animal whisperer culture (pp523-525, 532) with Oriental insect whisperer culture (p538-539.)

Dragons: archaeopteryx and dinosaur-birds

A dragon is many many things. In the natural world, we can see a dragon as a dinosaur becoming a bird. This is dragon magic. The Viking dragon is especially bird-like, dragon ships aside. The Chinese dragon often flies too, without wings. Actually a ship's sails look like wings. The Chinese dragon is a hybrid made up of nine different animals. (See p511.) The Celtic dragon and Chinese dragon are both supposed to belong to water. In some sense the dragon is really ourselves. Sometimes the Chinese one is a crocodile.

If we look at fossils of the first birds, the archaeopteryx, they sport a Chinese dragon tail, tuft of feathers at the end. Some dinosaurs made the intelligent step to becoming birds, bypassing dinosaur extinction. (See Wikipedia.) Chinese feathered dinosaurs are a bit different to archaeopteryx; See 'Chinese Dragon', Newsweek Feb.2, 2003.

Dryopithecus our ancestors listened to the birds, and learned to stand upright. We have never stopped trying to copy birds in every way. I'm tempted to wonder if Raven moiety (kinship system) is for archaeopteryx, and Eagle moiety for feathered dinosaurs. (See 'Moiety' and 'Poetry of Eagle and Raven' below; See also 'Raven and Eagle Education System', p343.) Scientists describe archaeopteryx as being the size of a raven, looking like a European magpie, with the land and tree adaptations of a crow. But also it was half theropod dinosaur. Dragon-bird is another species.

Transition from dinosaur to bird must have been an awkward change. But they became beautiful, 'ugly ducklings' of evolution. It takes patience to evolve successfully.

Performance under pressure is necessary. Compare evolution to the problem of spatial disorientation that pilots experience under stress. (See p524.) Desperation can lead to tunnel vision, a pilot gets lost and ignores better options.

In the history of science, archaeopteryx fossils featured as the main evidence used in arguing the theory of evolution. The fossils were discovered two years after Darwin wrote his long held back book 'On the Origin of Species'. He included the archaeopteryx in the fourth edition of the book.

Medicine men are shapechangers like the archeopteryx dragon. The dragon is important to human culture. In dogma, it's stood in for ancient cultures. Saka like 'Saint' George, fascist Scandinavian-Germanic dragon-slayers have practiced genocide, wanting to fly airplanes and rockets.

The honest bird, and the ape who played chicken

The dinosaur bird evolved 150 through 148 mya, then animals began to evolve after that from about 135mya. Modern birds began to evolve 54mya. For the earliest mammal ancestors looking at birds, the greatness of birds' adaptations was important advice. Primitive ancestor apes saw the evolution of modern birds, and how the bird learned to keep itself both warm with feathers and upright on two legs.

They saw the transformations of birds, one of the most dramatic transformations in the history of evolution. The bird stood up on two feet, dealt with balance issues, learnt speed, became light, and began to sing light-heartedly. Its call is forever in the human heart. Many of the monogamous species on our planet – species that mate for life – are birds. According to human values, we could say birds are honest.

I have always loved big birds. I was born in New Zealand, an ecosystem that was populated by native birds (especially flightless ones) rather than animals, where once was the moa, world's largest bird ever. I went to high school in Samoa. The name Samoa means 'Sacred Chicken' (or sacred moa). The famous writer Robert Louis Stevenson said Samoa was a nation of high morals. (See pp508-509.)

The chicken is one of our great successes in animal domestication. Poor chickens suffer a lot in battery farms, with GM feed along with daily antibiotics. In tiny cages unable to move, they produce eggs like machines, under the influence of salt, night lights and hormones.

Like dragon birds began their first flights by running, we humans gained speech by running. From running we began to sweat, we didn't need to pant for cooling off. So we could control our breath. (See 'Search for the Ultimate Survivor', a film documentary.) We also had an example in birdsong.

Eggs are also an iodine source, obtainable with less violence than killing. Birds' progress was an inspiration that taught us a new kind of ape we could become. Birds are our true angels. We are birdwatchers from way back.

Pleasure is necessary in evolution

Technology has given us a variety of pleasures, but in the natural world, surviving is the main pleasure of life. With all the chronic illnesses today, we may be flying too high, and missing the basic pleasure of surviving. Pleasure is a necessary incentive in life. Life fails due to lack of it. People get into drugs. Pleasure is better than indulgence. Good instincts come with success at survival, and we appreciate things better.

Religion, the cult of 'the other', allows us to experience pleasures vicariously, through empathy and imagination. The shapechanger and medicine man come to us from our ape ancestors, accompanied by birds. (See 'Medicine man' below.)

We needn't have to fly to outer space necessarily. We can combine culture and science to give a rocket boost to our minds. Adapt education to combine them (eg. using films and novels in the education process). Rudolf Steiner has paved the way with creativity in education. Synesthesia can give us clues, the way people cross over the information from different senses. Explore. Without culture, dogma closes our minds. Money gives us a focus, or an obsession. Reducing life to financial figures can dull our moral senses. A book 'Freakonomics'. www.marginalrevolution.com and at www.gmu.edu/centers/publicchoice/faculty%20pages/Tyler/index.html - These two websites by Tyler Cowen, incentives.

Evolution pyramid

See 'Pyramids' below, on how the material world comes into culture. We can view evolution as a pyramid. The foundation of ape evolution is at the bottom of the pyramid so it's broader and takes longer to achieve, millions of Dryopithecus years. This foundation is most important.

A brief summary of evolution

Trees, algae and plants produced oxygen. From 425 up to 405 mya (million years ago), the first air-breathing animal evolved, the scorpion. (Some scorpions were very big.)

During the Carboniferous period, 345 mya until 280 mya, the first reptiles evolved. After a large extinction by hydrogen sulphide gas when a meteorite struck 250 mya 90% of sea animals and 80% of land animals died. The meteorite struck during the Triassic period, which was from 230 mya up till 180 mya.

The supercontinent broke into two after the meteorite struck. Then the early dinosaurs got separated on the different continents. Before and after the meteorite strike, theriodonta reptiles evolved, animals which would later become modern mammals. The dinosaurs themselves had their day in the Jurassic period following.

The beautiful fresh air provided by plants became filled with pterodactyls, insects and little flights of the earliest dinosaur-birds in the Jurassic period 181 up till 135 mya. From 150 mya up till 148 mya was the time of archaeopteryx and feathered bird-dinosaurs.

In the Cretaceous period, from 135 mya up till 65 mya, various animals (placental mammals, marsupials) evolved and ants evolved more. Deciduous and flowering plants developed. Dinosaurs died out at the end of this period, maybe because of a meteor hitting Mexico. Many mammals evolved in Northern Asia in the Paleocene epoch, from 54 mya up till 38 mya.

In the Eocene epoch, from 54 mya until 38 mya, modern animals and modern birds evolved. In the Oligocene, 38 mya up till 26 mya, modern carnivores evolved. During the Miocene, from 26 mya till 12 mya grasses evolved and there were mastodons. Dryopithecus lived in this time, and into the following epoch, the Pliocene, which lasted from 12 mya up till 2.5 mya. For more detail on this summary, see my source at www.ayton.id.au/gary/History/H_PreH1.htm .

Before the end of the Pliocene, earliest humans developed, Australopithecus. There was a range of different hominids or apemen in Africa. They ate different things, some types lived in the same place at once. As early as 1.7mya Homo erectus lived in Central Asia. Homo heidelbergensis lived in Europe 800,000ya, becoming Neandertal 320,000ya up till 28,000ya. A child with modern as well as Neandertal features lived in Portugal 24,500ya. Spain and Croatia seem to be the last places Neandertal lived independently.

Gàidhlig language

Bless Edward Dwelly, who dedicated himself to produce 'Dwelly's Illustrated Gaelic to English Dictionary' (Gairm Publications: Glasgow, 1988, first published 1901-1911). This is the major Gàidhlig dictionary. Dwelly did an important language conservation job, a really big job for one man, a project finally supported financially by English King Edward VII, once he inherited the throne on Queen Victoria's death.

Scottish and Irish literacy, a background

Gàidhlig language came to the Celtic Picts in Scotland about 1500 years ago from nearby Ireland. It was at the time before Irish missionaries went and set up Irish monasteries in Europe bringing education and reading. Scots Picts are more closely related to other Celts like the Welsh and Gauls.

The Irish church with its work on the European continent was more advanced and powerful than that of the Roman Catholics, until about 800 AD. At that point the Germanic peoples who'd learned Christianity from the Celts, found it more advantageous to switch loyalty to a Roman church allegiance that would benefit them politically.

Gàidhlig language is part of a Celtic revival, and its speakers have struggled with politics for many thousands of years. Internal politics created a pseudo-peaceful Scandinavia, a region supposedly very peaceful today. But from it birthed attacking colonial radiations on the mainland (Goth, Norman, Viking, German).

The great animal-loving Neandertal-Celtic culture of the Old World faced humanistic cults from the south. Eventually, Germanic Normans penetrated into Celtic societies on the mainland of Europe (northern France, southern Italy). They took slaves steadily from Scotland.

Meanwhile the Celts continued a slow steady progress in education and literacy, despite these raids. Irish universities are very old. (On Scottish education, see p453.)

Celtic ogham writing is similar to Neandertal patterns

Long lines are a West European tradition. Neandertal marking with parallel black lines could be the forerunner of ogham. Celtic ogham writing was in the form of long lines. It seems this sort of pattern was also used by Neandertal for body marking. Two kinds of runes are ogham with long lines and small cross-hatches, and orchon Turkic runes (source of Norse and Hungarian runes; See p540, 527, 535).

Ogham runes may come from counting for trade. They look like tally markings. Celtic Ogham is from the 17th / 18th centuries, but its inspiration may possibly be ancient. It's said the lines in Scottish tartan bear ancient meanings. Long lines and crossed-over lines are a characteristic feature of Neandertal-Celtic expression, are found in Celtic knotwork art.

Beyond Gàidhlig language we can see to the heart of human nature, to an innocence we need.

Neandertal and southerners trade in culture

In South America, the Inca and Maya trading empires hold the rainbow as sacred. (See 'Aconcagua' above.) It seems color is associated with trade. In Neandertal history, color also plays a role. As Noah said, the rainbow is the sign of the covenant. Color is not only for adornment but for leadership (power of links outside the tribe, as trade). Color is as attractive to us as shiny things are to monkeys. Pattern recognition is part of our color awareness, and also relates to food and vitamins. On complex processes of exchange and incentive see the book 'Discovering your Inner Economist'.

In Blombo's Cave, South Africa, 75,000ya, seafood-eating people had begun to color shells and string them. It looks like Neandertal borrowed color use, and shell money; it was when some Neandertal retreated to the Levant (Eastern Mediterannean like around Israel), 75,000 up till 47,000ya.

Neandertal made parallel markings on bone as early as 60,000-75,000 years ago. Neandertal shell decorations from 50,000ya were found in southeast Spain. ('Symbolic Use of Marine Shells and Mineral Pigments by Iberian Neandethals', 2009.) They used yellow, orange and red colors.

Shell was an early money throughout the world, partly since it symbolizes the universal living element, iodine. My first business, as a 15 year old girl, was in producing paper shell necklaces from shells with natural holes. When I came to New England much later, my friends were producing modern-day wampum, purple clamshell money beads.

For money to serve human culture and unite us, I believe it has to have something to do with iodine, as shell money does. Iodine-rich walnuts were used as money for tax in France. To understand how money evolved, see Nick Szbabo's article 'Shelling Out – The Origins of Money' online.

Saka are rebel children of Neandertal intermarriage

Sa- and Su- names are kin. (See Satem p479.) Saka include Germanic-Scandinavian people. Ultimate place of origin is Sagsar, Iran (modern Sangsar, also named Semnan for a nearby city), east of Teheran; and also Sistan, part of Sakastan. www.otanatravel.com/images/Iran_map_1.jpg . Both are desert or close to it. Sakastan, the Central Asian desert, is where the borders of Afghanistan, Pakistan and Iran meet. The largest river in the world to peter out without any outlet is here, the Helmand. (Could Helmand be Hell? 'Sangsar' is a video of the stoning of women in these regions.)

Around 70,000ya was an important moment. A volcanic eruption releasing dust that cooled the earth's atmosphere. The ice age that occurred next was more sudden, and there was an unusual retreat by some Neandertal to the Levant.

A controversial idea is that the eruption so threatened human survival that it created a population bottleneck, and it took abstract thinking (as that of the Saka) to survive.

Therefore the humans who practiced ornamentation made it through.

Scythians from 800BC were indeed very fond of accessories. Since 1980's, treasure troves have been found. Very fancy gold crowns and necklaces made by collecting gold dust from rivers in sheepskin and then burning the sheepskin. These guys wandered everywhere, and DNA shows they intermarried prolifically. In the Tarim Basin of West China Neandertal-Celts and Saka again intermarried, 1000BC. Mummies wear tartan, druidh hats, have blonde or red hair. These are 'Tocharians'. For the Scyths themselves, the Chinese name is SàiTè 赛特.

In 30,000BC, Neandertal recorded their love of animals, in beautiful French cave paintings. I'm thinking painters were not CroMagnon, or only part-CroMagnon, or as John Lienhard says Neandertal painters were imitated later by CroMagnon www.uh.edu/engines/epi208.htm . Neandertal-Celtic painting is realistic; they understood the roles of animals. Animals even influenced their language. (Gàidhlig has a range of words for addressing various animals.) The language shows special sensitivity, and Gàidhlig language has a gentle lilt.

The Saka borrowed on the language front, giving the illusion of an Indo-European family, just as they intermarried. (See 'Gendered language' and 'Neandertal language' below.) Attcks and slavery (see 'Caucasians' above) went along with this intermarriage, probably a kind of calculated matchmaking.

In time, the Levantine intermarriages of 60,000ya produced CroMagnon of 35,000ya, and later the Saka of the Levant of 5,000ya, very distant half-brothers of the Celts. The Saka expansion is usually termed an Indo-European expansion. Phoenician Syrians developed world sea trade.

Egalité, Fraternité

Local peoples of the Levant (ancestral Scythian, Syrian, Saka, Saba) were displaced, and some returned to the Levant after Neandertal had left. (See details in 'Ice age' below.)

Neandertal left a grave, had buried a child under a limestone slab, with a design on the stone. Their ancestors Heidelbergensis 350,000ya are credited with the world's first funeral item, at a site in Northern Spain. Sentimental? Perhaps Neandertal explorers of the ancient world, rugged, egalitarian, reserved, valued loyalty and had long memories.

Su- / Sa- culture is not egalitarian, but ambitious. The origin myth of Scythian caste systems is three brothers who separate up the gods' gifts of gold from heaven into three, for three tribal castes. The youngest brother gave rise to a royal caste. (A caste system reflected in Plato's book on an ideal nation, 'The Republic'.) They brought caste to India.

Their shamans took cannabis. Classical Scythians disappeared by the first century; Eastern Romans continued to refer to Germans as Scythians. Shamans of the Saka have a sacred place of the dragon fire (methane vents that burn continually) in Lycia (related to Luwia, pp535, 544, 577, and www.lycianturkey.com). Origin of eternal Olympic flame. They called themselves Trmmli; had a democracy till 1176AD.

The 'Sea Peoples' attack that changed the world

In Arabia there were Saba. I also use their name to refer in general to early people of that region. In North Africa (Libya) Sabratha (Roman 'Syrtica') became a Phoenician sea trade colony which received goods from Africa. Libyans were a major part of the so-called 'Sea People' attacks on Egypt and her allies at the end of the Bronze Age, begun 1180BC.

Attacks were begun by the Shardana of Sardinia (who also fought on both sides later). Sardinia is home of Oreopithecus, Europe's ape ancestors. (See 'Dryopithecus' above.) A large confederation of tribes from Phoenician colonies protected their sea trade. Phoenician cities were spared, East Mediterannean civilization devastated; Egypt survived. Saka-Saba took power. Identity of Sea Peoples www.historyfiles.co.uk/KingListsMiddEast/AnatoliaSeaPeoples.htm See also www.salimbeti.com/micenei/sea.htm .

Ottoman Turks whose empire dominated the Old World in recent history had their core base around the Sakary River. After the world wars, the Sykes-Picot line divided Syria.

Oreopithecus, father of two Heidelbergensis races?

Homo heidelbergensis occur in various parts of the world. Three Heidis stand out, as far away from one another as possible, East Asia, West Europe, South Africa. See www.talkrational.org/showthread.php?t=18896 (classification), www.humanjourney.us/europe.html (DNA, climate, migration).

The first Oreopithecus humans evolved in Europe 9mya (a branch of 18myo Dryopithecus), some moved down along the east coast of Africa 6mya, first modern humans in Africa, crossing at the time when the Mediterannean went dry.

Africa took its turn, eventually there is a parallel evolution of Heidelbergensis in north and south. Tallest humans reaching 6ft, Goliath lived 280,000 up to 240,000 years ago. They competed in Africa with large Pleistocene era animals. Overlarge bodies overheated, dependent on water, perhaps they migrated north. Both Heidi were large and competitive.

European Heidelbergensis existed 800,000ya. When Heidi's descendants, Neandertal, arrived in Israel 70,000ya, perhaps some of Goliath's descendants in South Africa were drawn gradually north, spurring intermarriage.

An axis of Saka formed:

South: TELL SAKA (Syria) / SAQQARA (Egypt) / SABA
Middle: SAKASTAN (Central Asian Desert) \(Arabia)
North: SOGDIANA (Uzbekistan).

A further Phoenician Saka trade axis formed in the west:

South: SABRATHA (Libya)
Middle: WESTERN TARSHISH (Spain: Cadiz & Carteria)
North: SKANDI / SUEBI / SUONI (Germany, Scandinavia)

An eastern intermarriage axis formed in the east:

South: JAVA (Indonesia) / JAVAN = IAWON (Ionia, Greece)
Middle: JATT SIKH (Punjab) / SAKA DAWA Tibetan festival
North: JAPAN (Sakai, Sakata, Saeki, Sakaiminato, Sakurai, Sakishima,= places) / YUAN (Mongolia)

Saqqara is for Beni Saqqar, a Berber people. Western Tarshish is a Phoenician post; its name means to smelt (metal). http://creationwiki.org/Tarshish . Original Tarshish at Cilicia, Turkey. (On axis archetype, see 'Aconcagua' above.) www.saveyourheritage.com/early_white_history.htm - this is Germanic dogma on Saka. Blog – Jatt Sikhs, gypsies: www.punjabi.net/talk/messages/45129/58272.html?1088016122. Biblical view http://www.british-israel.ca/Tyre.htm . Java was settled by Homo erectus 1.6mya.

Bengt Hemtun, (in Scandinavian Society for Prehistoric Art), has info on Scandinavians / Phoenician traders after 1000BC. (These pics from www.catshaman.com/index1.htm.) There is a raised hand (arm and hand) that became the Phoenician signature sign, reminiscent of 'Hail Hitler!' It seems to be the origin of the zodiac sign Cancer... navigation symbols containing secret Phoenician trade route code.

Minding your P's and Q's

Celtic languages are either P-Celtic or Q-Celtic www.maryjones.us/jce/qceltic.html Scottish Picts spoke P-Celtic like the Welsh, Cornish and Bretons. Gaels from Ireland brought Gàidhlig (Q-Celtic) to Scotland, and it remained closer to its Irish origins than the Irish language, as colonies can be conservative. Gaels and Gauls divided words into male and female. (See 'Gendered language' below.)

Map at www.unc.edu/celtic/catalogue/boudica/map.html (Britain's Celtic tribes); www.celtnet.org.uk/gaulish-tribes.html . Wikipedia has its Celtic tribes page well-ordered by region, as far as Galatia, Turkey. www.duerinck.com/celts.html - detail.

'Scots' name said to be from Egyptian Princess Scota, an honor title she got after marriage with a Celtic prince of Spanish Gaul. (Because he was part-Scythian, Phoenician or something.) Glenn Kimball compiled information on her.

Gendered language

Gàidhlig language and the continental Celtic languages (the Romance languages) are gendered languages. All their nouns are either male or female, which affects grammar.

Romance?? We have overpopulated the world, with ongoing resource exhaustion. This problem in our evolution, of destructive domination, has to come back to gender, society and intelligence for answers and solutions. (To metaphysics of diet too, but see p426.)

What is grammatical gender? Many languages in the world are kind of gendered, but not necessarily in terms of male and female. They may add neutral gender, or class words as animate or inanimate, or have other noun classes.

In Chinese they use measure words based on shapes. Also Chinese surprisingly has hot and cold gender, very similar to French. I found it in their four tones; See pp552-553.

The humor of gendered languages

Atmospheric humor is a part of gender. It's one way that our ancient ancestors imbued language with instinct and values. Amusement can help lighten our minds.

A more honest society is possible through understanding gender profoundly. We need the order built into gender. And moralists and poets are needed in the field of linguistics. See French architectural design humor, photo on page viii.

What would happen if humor were part of our education planning, from top to bottom? Native American cultures have inherited the ancient sense of humor of Celtic culture. Incentive is now a hot topic in management theory. It could have reference to the serious importance of humor.

Dry sand borrows from the moist earth

Germanic language is a tradition long borrowed, a reason grammar can be dry. Borrowing taints our sciences with dogma, it takes great humility to balance it. Good is the enemy of great. Neandertal took refuge from the ice in a dry land, and they've never lived down this borrowing of territory, despite their usual bravery facing ice. (See 'Ice ages' p485) Saba sand culture revenge has been an ambitious destabilizing force, a desertification of the human soul.

The Celtic father god is a humorous god, the Daghda. He is self-deprecating. Maya were the first cartoonists. See Maya cartoonish writing on p577-578.

Agglutinative language particles, such as in Maya languages, function like gender or noun classes. But it's about action, at the common emotional level. In the New World I call it 'mannered language' (See p489). New World language structure was formed instinctively over time, like

New World pyramid mounds (which began to appear several thousand years earlier than those in Egypt.

As shown on p577, our own writing in Roman letters could come from Maya writing. If we could understand our gentle side correctly, we could come to a balance of power in gender politics (eg. archaeology politics over Marija Gimbutas' work), not fight over feminism. I like Buckminster Fuller's idea, science made understandable. Dry sand of the Saba homeland in Arabia flows easier through an hourglass, but time and its fruits cannot be squandered in that way.

Gentle gender

Grammatical gender is complex, but supports a romantic, primitive instinct in speech and thought. Male and female gender is found in the true gendered languages. British Celts used a pronunciation trick to make gender more simple, so Gàidhlig is not as complex in gender as French. The Neandertal-Celtic Romance languages extend east to Romania, Romany Gypsy, even Tocharian in Western China.

Neandertal used his voice as an animal whisperer. (See 'Neandertal language' and 'Monogamy' below.) Maybe even earliest apemen of this region had begun to do this. Oreopithecus (bipedal) evolved in a specially gentle predator-free environment. Gender is for mild tame speech.

Nine stages in human language development

1. **Primal Neandertal-Celtic**. Dryopithecus spread down the east coast of Africa. Influences Erectus in Asia. Heidelbergensis. Neandertal culture unites Eurasia.
2. **Neandertal and San-Saba contact**. Neandertal take ice age refuge in the Middle East, Israel (the Levant).
3. **Sumeru**. African Sumeru culture to Babylon, South Asia
4. **Tonal-agglutinative development**. Sumeru culture to Polynesia. Polynesian influence on the Americas.
5. **Saba-Syria expansion**. Su/Sa migrate to Eurasia.
6. **Tonal-agglutinative spread**. Sumeru consolidation. Polynesian and Han influence on Sumeria. Alaska-Yukon Han to Chinese Han. Han influence on Central Asia.
7. **Saka vs Neandertal-Celts cold war**. Saka compete aggressively. Neandertal-Celts to the Americas.
8. **Tonal-agglutinative dogma**. Skandi to Scandinavia. Suebi & Suoni to Germany. Scandinavians into Europe. Saka, Greek, Turkic, Viking-Germanic. Alexander the Great (Alexander Gujaste, the cursed). Syria partitioned.
9. **Native American & Celtic consolidation**. Scots trader intermarriages with native women or princesses, Scots-Indian leaders like Tecumseh. Scottish leaders Robert Dinwiddie (U.S.), Alexander MacKenzie (Canada).

Eastern Neandertal-Celtic gendered languages

People thought Romanian had three genders, like Latin. But it seems really it has two genders. (I'd say that there is outside Slavic pressure influencing the language.) Nicoleta Bateman and Maria Polinsky explain about Romanian gender. Harvard University has Bateman and Polinsky's work online at www.fas.harvard.edu/~lingdept/Romanian_MIT%20reprint.pdf. Tocharian (West China) gender is similar; Romany Gypsy has two genders; Albanians, facing Italy from east, speak a gendered language too. (See 'Han' below about Albania.)

Psycholingulstic warfare

Linguists study gender as a way of exploring people's thinking in psycholinguistics, because it influences the way people perceive things. Jonah Lehrer gives an example in a blog, taking the word for 'bridge' in German and in Spanish. In German 'bridge' is feminine, in Spanish it's masculine. So German people describe a bridge as graceful, Spanish describe it as strong. Consider Saka ambition, pp467-469.

Germanic developed gender through borrowing from Neandertal-Celtic. Just as English borrowed Gàidhlig words extensively and turned them into opposite meanings, so Germanic borrowed gender and turned it into opposite order. From the Germanic empire started by the Suebi and Suoni, to the Mongol empire 1271-1364, Saka ambition took form as a military form of government. See Wikipedia 'Yuan dynasty' and www.ancient-battles.com/catw/sweboz.htm .

In New Zealand, native Māori resistance eventually was held back by one policeman per district with backup. Hazing is social follow-up, in this case policing language. A double-edged Excalibur sword of subliminal messaging lodged in the stone of language. On hazing, see 'Pyramids' below.

The voice of gender

Generally women have higher voices, men have an Adam's apple. We should call it Arthur's walnut instead, if the iodine theory of evolution is true; (See p456). The culture of the salad and of the walnut tree is the culture of iodine. It relates to the thyroid, the gland located in the throat where the voicebox is. There's another kind of dichotomy I hear listening to Swahili song 'Malaika' (Belafonte and Makeba, film 'Piano Solo'). The way the two pronounce / use their mouths seems different to me. There's also Chinese falsetto opera.

Gender also relates to the use of the tongue for palatal consonants. Soft palatals are more feminine, clear hard palatals more masculine. (Eg. sh versus s, ch versus t; See 'Broad to broad, Slender to slender' above.) I have described on pages xviii-xix how the Neandertal mouth shaped human speech. See 'Neandertal language' below.

Extinct Hittite language of Turkey had a primitive type of noun class, animate v. inanimate; mostly for nominative nouns, sometimes either gender could be used for the same word. Gypsy Romany is gendered. (See pp482, 453.) Tocharian (eastern Neandertal-Celtic) is gendered; See p418.

Gender difference displaced from body to voice

In my experience, in French, 'feminine' is the class of words for things that are 'just as they are'. While 'masculine' goes for progress, for changeable things. Some examples:

Dynamic masculine: fromage (cheese) is fermenting, it's masculine. Gouvernement (government) is dynamic, it's masculine. The telephone is active, it rings and sends voices, it's masculine. Médicament is active for healing, it's masculine. Compare Chinese hot (falling) tone, p553.

Stable feminine: A situation is what it is, it's feminine. A decision is what it is, it's feminine. A salade is a salad, made and done, it's feminine. See Chinese cold (rising) tone, p553.

Grandmother Mouse

Dance of northern mouse

Cailleach Mheur is really the Celtic grandmother mouse goddess. There is a chant and dance, '*Chailleach an Dùdain, dùdain, dùdain, Chailleach an Dùdain, cum do dheireadh rium.*' = Cailleach of the milldust, milldust, milldust, Cailleach of the milldust, settle yourself permanently with me.

The dance is performed by a man and a woman. The man uses a dance wand, and they gesture and pose toward one another, cross and re-cross, exchange glances, then he waves the wand over himself and then her, and she falls down as though dead. Then he bemoans her death and gesticulates, then he lifts her left hand, looks into it and breathes upon it then touches it with the wand. It becomes alive and moves side to side and up and down. The same happens to the right hand, left foot, right foot, though the body itself is still. Then he kneels over her, breathes into her mouth and touches her heart with the wand. Then she springs up and they dance very vigorously and happily. The tune changes during the different phases, and it is either sung as a port-a-beul (a cappella) or with a fiddler. It's described in Dwelly's Gàidhlig dictionary.

In various cultures of the American northwest, Mouse Woman appears, giving her wisdom to humans and animals. See p134 of 'Handbook of Native American Myths' by Dawn Elaine Bastian and Judy K. Mitchell.

There's a really cute Mouse Woman at Vancouver airport in a Jade Canoe carving, http://loobylu.com/archives/001541.htm . has a photo. Done by Bill Reid, for a Haida myth, she's said to be the oldest and most enigmatic, is grandmother to Raven, who unraveled the tangled webs of trouble.

'The Story of Jumping Mouse' by Kathy Morris tells of a mouse seeking the place of legend, a traditional Native American tale apparently. 'Jumping Mouse and the Great Mountain', I read it could make a grown man cry! According to Christie Harris, Mouse Woman in Haida myth keeps order between humans and shape-shifters (narnauks).

House mouse and California mouse are monogamous, have a single mate for life. Rat is not. See also p515.

There's a cute picture of dancing mice at www.story-lovers.com/listsmousestories.html . Scots poet Robert Burns gives a perfect picture of the humble man in 'To a Mouse (The Best-Laid Schemes o' Mice an' Men)'.

Ritual of southern cat

The Scots have a few records of strange rituals involving dead cats. It may be this is due to Cailleach Mheur; (I think she's our Grandmother Mouse, but she's not much heard of).

In South and Central America, the panther is a chief of the gods. (See also reference in 'Medicine men' entry in this bibliography.) The north and south play cat and mouse. In Central America the jaguar was important. (See http://meta-religion.com , Olmec civilization.) Prisoners of war were taken for sacrifice at pyramids.

Tradition of southern cat may go back 400,000 years to fear of Heidelbergensis in northern Eurasia cannibalizing their troublesome neighbors. Part of human struggle to conceive of a single human race? In Egypt 300,000 mummified cats were found offered to Bast, the cat goddess. In Burma there is the legend of the monk and the cat. Temple guardians maybe.

In South America there is the puma. A part of the city of Machu Picchu, Hanan Pacha, is laid out in the shape of a puma. (The overall shape of the city is a condor.) Hanan Pacha is the government and religious sector of the sacred mountain city. In the Incan universe, Hanan Pacha is the upper world.

Agricultural game of cat and mouse

Agriculture was very carefully managed in Native American cultures. (Amaranth was grown 8,000 years ago. See 'Aconcagua' above.) Our moral lives still struggle to keep up with agriculture. It's made our evolution complex.

Christian religion itself started off with agricultural ideas as moral lessons, like the good shepherd, the unproductive fig tree (made to wither), the seed that falls in a hard place or falls among thistles.

These moral stories could also relate directly to agriculture,. There is a novel called 'The Sparrow', in which colonization of another planet brings about conflict and tragedy because of gardening and the effect of this path of evolution. Agriculture makes a vast change in our psychology, and so human culture has to address it.

The rat and the cat are two animals influenced by human agriculture and our domination of the landscape. They are animals that come to us, yet keep their freedom and pride. Symbols of the chance to redeem nature from ourselves.

Although we may not like the rat's thieving, we can't help but be impressed by its survival skills. Although the cat can be a nuisance, it is passionate, graceful and often dignified.

The cat and the rat are not true to one mate like some kinds of mouse are. Dog's wolf ancestor is monogamous, but because of us dog has trouble staying monogamous. Cat and rat represent corruption that we bring upon ourselves, temptation, lawlessness, de-evolution or disevolution.

People sometimes ask, are you a cat person or a dog person? On the dog subject, see 'Neandertal language' below. See also 'Monogamy'.

Playing with the world

Agriculture changed our role, made life rich, complex, serious. But Austrian philosopher Wittgenstein said 'If no one did anything silly, nothing serious would ever get done.' Advertising pioneer Ogilvy said 'The best ideas come as jokes.' (In 'Marketing for Rainmakers' by Phil Fragasso.)

This playful nature is found in Celtic gendered languages, inherited from the steady brave Neandertal culture... which in turn came from some good-humored apes known as Dryopithecus. See an example of French humor on page viii.

In a lot of countries, there has been a cat and mouse game going on between the people in the north and those in the south, and tensions have erupted into civil wars. Cat and mouse has deep significance for our healing.

Cat and mouse also represent ice ages. The ice ages (to be precise, glacial periods) are the cat; the cat sends people south (and rodents too, archaeology reveals). During interglacial warm periods, ice retreats and people can live further north. (Then seas get deeper. Doggerland was buried beneath the waters of the English Channel 8,000ya.)

Neandertal suffered eventually after returning from southern CatLand to northern MouseLand. See 'Ice Ages', below. Indo-European language family idea is a product of southern Cat's version of history. Puts another slant on Mickey and the Disney castle?

Grease box

The grease belonging to the Alaskan cultures was from small fish. This fish grease was transported along 'grease trails' for trade.

'The Alaska Almanac' by Nancy Gates has some good info on the hooligan grease. She also mentions that grease was held in kelp jars as well. The hooligan (oolichon, eulachon) are small fish used to produce this oil, used for various purposes. This Nisġa'a website has information and photos of the process of preparing oolichon grease in boxes. www.gingolx.ca/nisgaaculture/ancient_villages/way_of_life/grease.htm . A Hlĩngit language lesson on oolichon: www.sealaskaheritage.org/programs/CURRICULUM/Tlingit/Hooligan/HooliganUnit.pdf .

On Shannon Thunderbird's Tsimshian heritage website, there are drawings by elder Frank Alexcee of grease boxes. www.shannonthunderbird.com/Pacific%20Northwest%20Coast.htm . Judy Hill Gallery has info, a photo on their website looks more like Alexcee's drawing.

Haida info on general on use of bentwood boxes is at www.angelfire.com/realm/shades/nativeamericans/haidavillagesfurnish.htm . The first dictionary I produced was a Māori one, and it hasn't escaped me that southeast Alaskan cultural studies are often linked with Māori. Carved containers from both cultures, like boxes, were exhibited together, see www.spiritwrestler.com/exhibitions/vessels.html . The Canadian Museum of Civilization has round shaped boxes. www.sfu.ca/archaeology/museum/nwcart/boxdesc1.htm also has info. The Hlĩngit boxes seem to look taller to me than the Haida ones.

Bowls used for grease can be quite similar to the boxes.

See also 'Box House', above.

Greenberg and the Na Dene mystery

Joseph H. Greenberg was a linguist. He contributed a lot to the worldwide study of genetic linguistics (the study of language classification). He found three families of American Indian languages. This theory matched other evidence – three different patterns of teeth, and three DNA groupings. (See the book 'Genetic Linguistics: Essays on Theory and Method', p305.) Turner produced the teeth evidence, and Cavalli-Sforza the DNA evidence.

Greenberg had a leading role in the field of classification of languages, and his African classifications changed the whole family tree for African language, eventually. But for the languages of the Americas, the questions go much deeper. The three groups are Eskimo, Northwest and Amerind.

The Northwest Athabascan languages of Southeast Alaska tend to be grouped together as 'Na Dene' languages, along with some in the Rocky Mountains like Navajo. But Na Dene grouping has been a focus of some disagreement and unhappiness. A history of the Na Dene quest is at http://home.snafu.de/duerr/PDF_Doku/Nadene1.pdf . Edward Sapir's work is interesting too.

Aspects of Na Dene come up all throughout this Bibliography. See 'Han', 'Caucasians', 'Dryopithecus', 'Neandertal languages', 'Gàidhlig language', 'Gendered language', 'Mannered language', 'Tonal language', 'Pyramids', 'Dolmens' and the pronunciation section on page xviii.

Of Greenberg's three language families for the Americas, Amerind is the really big one, taking in all others besides Eskimo and Northwest basically. Greenberg wrote some books about classification of American Indian languages.

Hlīngit is in the Na Dene family, that is fairly well accepted now. (Closest relative, Eyak, see p493.) But the overall study of Na Dene is still bogged down. See history of Na Dene study by Michael Dürr and Egon Renner.

The Amerind languages classification is also controversial. Now with better Celtic evidence, we can put aside controversies, hazing, and various social or racial struggles in and around the language field. Open up new effective programs and social language projects, with resources to revitalize these languages.

Na Dene, a small circle or a big circle?

Often today Na Dene refers just to the Native American group, especially Athabascan (including Navajo), because people had failed to find any clear connection between the Na Dene languages worldwide. It needs a deeply-rooted standpoint through Gàidhlig, which acts as a Rosetta Stone.

The thing that strikes me is how closely connected human races were in times past, when a single individual of great skill was a centerpoint, instead of a machine network.

John D. Bengston published a paper in 1999 about a language grouping he called Dene-Caucasian. It included Basque, North Caucasian, Yeniseian (Siberian, they once were more widespread, living over North-Central Asia), Sino-Tibetan, Athabascan and Burushaski (in the Pakistan mountains). An Italian, Trombetti, studied these too in 1926.

Strangely, members of the Na Dene family, including Hlīngit, are still often referred to as language isolates, alone in the world. Our scientific outlook often creates a disconnected world, when there is a one-sided racial debate.

Han, one of the Athabascan Na Dene peoples of Alaska-Yukon, got me thinking, and the connection to Han Chinese began to appear to me. I drew up a working chart, comparing the Han of both worlds. (See 'Han' below.) This gave me a shake-up, and was a leaping point to further discoveries. A whole network of ancient events began to unfold.

Han brought Na Dene culture back to the Old \World

I expect the Han of Alaska-Yukon came from Asia. There are other Han back there in Asia. Then some Han returned to change Asian culture, bringing tonal-agglutinative language, a new development originated from the New World.

This new development in language presented a lot of possibilities to the Old World. Its culture became fashionable in the process. There is some Hlīngit website where a myth is mentioned, of some people who went back across the sea to the southwest. I haven't seen the complete myth or its interpretation, but possibly it relates to this.

My instinct is that the Han who moved into Alaska were unable to achieve as much change as they had wished. That, isolated a bit, they retreated back to the Old World, with their new treasures to contribute, treasures from the whole civilization of the Americas. Language, astronomy, agriculture, writing and building, even hairstyles. They were a popular hit in Asia, and took a lot of power, until now still.

Then Na Dene influence extended across the Old World, especially throughout mountain networks like the Caucasus and Pyrenees, to become the Dene-Caucasian. With the south of the New World, there may have been contact by sea.

Olmec giant head statues look African, so some reckon that the American Indians came from Eurasia or Asia at a time before Asian facial features had developed. Homo erectus of Eurasia began in Dmanisi 1.7mya. They became Heidelbergensis, and split west and east, finally becoming Neandertal, Peking Man etc. Or it could be traders' impressions; traders' art boasting how cosmopolitan they are.

It seems the spread of tonal-agglutinative language needs to be a factor in Na Dene classification. Adapting their languages to have lego words with multiple independent particles, the Han had brought back new grammar structure from Alaska-Yukon. (See p500 on similarity of Georgian and Hlīngit particles; p535, world writing systems show tonal-agglutinative influence.) Lego language was not always an advantage to imitators. Some Dene-Caucasian languages are recorded extinct, such as Hittite, taken by Indo-Europeanists as the first Indo-European language.

Hittite language seems to be a hybrid, an ancient branch off from Neandertal-Celtic through intermarriage in the Levant. Rev. K.T. Cheyne wrote in 1885 on the wide locations and big role of Hittites. Hittite words compared to Gàidhlig on p528. Hittites invented production of iron, (See p542), and were known to Hebrews as Khittim, to Egyptians as Khita and to Assyrians as Khatti. The K- names as distinct from S-names of southern Sumeru-Saka cultures, fits a rule known as Kentum-Satem shift. (Spread of Saka meant that palatal 'k' of Neandertal language type often changed to 's'.) Cimmerians may be related to them; See also p482.

Greenberg enjoyed taking a broad sweep at language classification. I believe he'd appreciate these resolutions on the Dene-Caucasian family.

Han

Hlīngit are Athabaskan, in the Na Dene language family, and their Han neighbors are likewise. When I realized there are Han people in Alaska-Yukon as well as Asia, things started to come together. It complicated the fact of human migration originally moved from west to east. But once people had occupied the New World, that frontier path comes to an end. Further human territorial expansion shifted out of the material realm of land, and into the mental realm of language.

Perhaps once long long ago Han arrived in Alaska-Yukon after migrating out from the Han peoples of Asia. After some time in the New World, some of the Alaskan Han returned to rejoin the Chinese race. They brought a wave of language change that would sweep across the planet. See pp500-503.

Dene-Caucasian lego language knitted societies together in a network (See p477). Its complex nature supported Saka-Sumeru caste society, its social classes.

People of the River

New World Han became People of the River, in a place with many rivers. Han language is the most endangered language of Alaska today. The Han are the first recorded inhabitants of the easternmost stretch of the Yukon. They are Han Hwech'in... Han meaning river. (Gàidhlig *abhainn* = river, stream) Dawson City, a major traditional Han territory, is at where the Klondike flows into the Yukon River. See p504.

Gold seekers brought disaster for the New World Han

The Rockies-Andes is a mountain axis, not only geographical but cultural axis. At its ends are two cultural poles. Copper house belongs to the mountain chain's northern pole, and gold house belongs to the mountain chain's southern pole. (See 'Aconcagua', above.)

Not only copper, but a gold rush in the north caused a lot of problems for Han. When gold-diggers came to Klondike, Dawson city was established. There were missionaries. All kinds of intrusions. The Han people faced thousands of outsiders; within ten years their whole lifestyle was disrupted.

Another Han town is Eagle, Alaska, which also was a major trade center during the gold rush. Klondike (as in 'Klondike gold rush') comes from Han, Tr'ondek Hwech'in.

A leading Han among many emerges

There are three Han in Asia, Korean Hán (韩), Chinese Hàn (汉) and then there are the 'Huns'. Hun are called XiongNu in Chinese, but I would like to use the name Hàn (翰) because they must have been a branch of Han, and HànHăi (翰海, literally, Sea of Han) is the Gobi Desert of Mongolia. Which Chinese character to use for the Alaska-Yukon Han?

Han state was founded by Tang Shuyu during Zhou dynasty. Their clan surname was Ji. (First king JiWan.) Then they took the state name Han as surname. Chinese Han began to gain all kinds of cultural ascendancy with many new contributions in China's early historic period.

Han were located at the center of the seven major states. In the time of the Zhou dynasty (1100 - 221 BC), they were Hán (邗, 韩) like Korean Han. Then Qin state united China briefly, then the Han became kings of all China; battling it out against other states, and becoming Hàn 汉, which also means the Milky Way, the river of heaven.

There are three Han Rivers, one in Korea, two in China. In South China, the other Han River was later a base for Han southward expansion. Originally they may have come from the east coast up the Yangtze and Han River. There is a Mt Han in Shaanxi and in Henan, and a HanZhong city.

The original name for China of ancient times was HuáXià (华夏). Their sacred mountain is Mt Huà, near the location of the famous terracotta warrior statues in Xi'An, ShaanXi, and not so far from the Han River headwaters.

HuàShān, the sacred mountain of HuáXià is a representation of a medicine wheel or a flower. It has peaks in four directions and a central one. (See 'Medicine wheel' below.)

Central Eurasia's internal boundaries and ancestors

Central Eurasia has three inland seas. Central Europe culture focuses around the Black Sea, Central Asia around the Caspian and Aral Seas. Between the Black Sea and the Caspian is the Caucasus Mountains.

Cultures in Central Eurasia I want to point out are Albanian (west), Georgian (near east), Tocharian (farther east, in the Tarim Basin), who may descend from 1.7myo Homo erectus of Dmanisi, Georgia, Central Eurasia. He probably evolved into Heidelbergensis (Heidelbergensis existed in China and Europe), then Neandertal and his Asian cousins. Homo georgicus is more primitive, smaller, with smaller brain and bigger canine teeth, like Homo ergaster. See www.bbc.co.uk/sn/prehistoric_life/human/human_evolution/leaving_home1.shtml . See p482 below.

Homo heidelbergensis 800,000 up till 350,000ya had fire, was as right-handed as us, had equal brain development (as shown in fossils), lived in a time when animals were big. Another Heidi in South Africa was a huge guy, (See p468.)

To the west, Europe is bordered westward by the Scots and Irish, and eastward by Albania. Albania has a language often considered the most ancient in Europe. I think Gàidhlig is earlier than Albanian, but the two languages seem quite alike. Alba is another name for Scotland, too.

To the east, Georgian language seems similar to Chinese. (See p500-501, where I compare a Georgian word with Hlīngit and Chinese; structure and particles very similar to Hlīngit, root words similar to Chinese.) Scyths and Huns influenced Central Eurasia, new particle structure came to Georgian words; native word roots remained (pp476-479). See Hun, www.hunmagyar.org. Horse culture may be a factor.

Na Dene Eagle and loyalty

The Albanian totem is the eagle. The ancient language of Albania is called Shqip; it comes from shqipe, which means eagle. Albania is Shqiperia.

In traditional social structure in the American Northwest, there is the kinship moiety of Eagle. Hlīngit people belong to either Raven or Eagle moiety. (See 'Moiety' below.) And there's Alaskan Han town named Eagle.

Han may be the original connection between Athabaskan Na Dene culture and Dene-Caucasian of the Old World, like a tree with roots in the New World, and branches in Central Asia. (See 'Greenberg & the Na Dene mystery' above.) With strong Neandertal-Albanian eagle loyalty, some Han returned to Asia, and Huns to Central Asia eventually.

It happens that the American bald eagle is monogamous

(mates for life). Sometimes when mating, the bald eagle couple skydive recklessly.

Central Eurasia's eagle is co-opted for northwest attack

In the Central Eurasia region northern Homo erectus (Homo georgicus)'s descendants were stockpiling river stones for throwing as early as 1.7mya. (Throwing is an important skill development, more complex than we might think.) Fending off sabertooths, other would-be settlers probably.

On the west side of Central Eurasia, Albanian people are fiercely protective of their kin, and notorious for blood feuds in recent times. Some are housebound when payback for a death is coming. Eagle becomes avenging angel.

Eagle character is a big part of Albania's national identity and social policy challenge. Saka moved across Central Eurasia, splitting and dividing it, bringing Albanian sentry Eagle to Europe in attack strategy. They became the Skandi, Suoni and Suebi. From Scandinavia, they terrorized the Celts. The same Germans hold to the eagle still.

Raven and Eagle sentry totems for east and west

Moieties act as a social control like fraternities. (See also 'The sentry', p407.) There were three moieties only recently, a small Eagle clan and large Raven and Wolf clans, but now Eagle has become another name for wolf. Wolf evokes Neandertal, animal whisperers, domestication of the dog (the first animal taming). Wolf's duty is to patrol.

In Neandertal-Celtic Europe, raven is in the west, eagle in the east. (See 'Raven and Eagle Education System', p343.) Raven accompanies The Morrigan, Celtic war goddess.

History tells Roma Gypsies they left Northern India in the 10th century. They speak a language called Romany, a gendered language. (Raven hides in Romany word histories; See p453.) It seems Roma are a part of complex history of Kashmir, Cimmerians, Khittim (Hittite) and other K- name peoples known to linguistics as Kentum cultures (p479).

Mystery prophet John relates Cimmerians with R- names, as Russians, www.tribwatch.com . I expect they are of the Central Eurasian branch of Neandertal who intermarried in the Levant,. Truth-seeker, author of 'Conan the Cimmerian', Robert E. Howard, wrote a poem 'Cimmeria'; discussion at www.robert-e-howard.org/ShadowSinger5ve02.html . Roma, like the Tocharians, are more spiritual in their answer to Saka. www.korenine.si/zborniki/zbornik08/novel_ie_view.pdf gives Saka-Satem dogma on Indo-European language family.

Turtle of the sacred eight

China has a tradition of the eight immortals crossing the sea, baxiang guohai. (See also p502, 'Eight sacred bones'.)

Turtle Island culture of North America gives the turtle-shaped Chinese medicine wheel; north is black tortoise. Tortoise shell was used for earliest Chinese writing, oracle readings.

The primary colors

I noticed in photos on page viii that the colors looked the same on the Hlīngit clothes and at the Confucius temple. Same primary colors, similar tones, red, yellow and blue. Maybe we can say these are the Han colors.

Red is a popular color in decoration of Alaska-Yukon artifacts, especially with red cedar. Red China, Red Indian. There's the red road, an American Indian concept. Also, Celtic pink skin and the red skin are cousins. Copper symbolizes the northern pole, Denali, of the Rockies- Andes mountain chain (See 'Aconcagua' and 'Copper' above).

Yellow for gold, treasure at the south end of the Andes-Rockies mountain rainbow. The ancient grain crop of the Americas, amaranth, produces bright red flowers and golden grain. Corn produces red, yellow and blue cobs. Gold for the Yellow Emperor. Golden dragon.

Chinese porcelain comes in surprising colors if you look in a good museum like the Museum of History in Shanghai. But the familiar color in Chinese porcelain is blue. Blue is for the sea and sky. In Alaska, blue endures in winter when other colors may be covered in snow. In Chinese classical painting, there are rules for the balance of color. There should always be a little blue. A few blue dots can be added to a painting to keep this rule of balance. Han are always 'People of the River'. Suicide in Chinese legend is usually in a river or lake, and legendary gifts appear from rivers.

Ice Ages and human retreats

Neandertal faced ice ages bravely, and adapted. There's something we could maybe learn from them. It may be that our technology comes down to a chaotic war against ice. Our mechanized lifestyle has changed the climate, melting polar ice and glaciers. There's a saying that if we look to the result of our actions, we can also understand our motivations.

I've heard the carbon trading plan could create inequality. The plan comes out of our concern for global warming, which is affecting some Alaskan and Canadian peoples seriously.

Anthropologists pay a lot of attention to ice ages when considering the evidence of when Native Americans arrived in the New World. It seems the best evidence is for arrival 25,000ya (25,000 years ago). I like the explanation on the film series 'The Incredible Human Journey'.

It was thought before that prehistoric settlers couldn't migrate during an ice age. But then some reckoned they came by boat or raft around the kelp beds that curve around from Asia to North America, then followed the coast along the ice shelf. The kelp beds are the safer sea route, and richer in resources too. At the edge of the continental ice shelf, there were some habitable wetlands, marshes and islands.

The people made their way along the edge of the ice, settling all along the west coast. The oldest New World DNA is along the west coast all the way to the tip of South America.

A 10,000 year old tooth from Prince of Wales Island in Alaska was matched to 3,500 different gene types from throughout the Americas. Only the 1% along the west coast (including people at the far south in Tierra del Fuego) matched it closely. So the west coast ones were fairly early arrivals. Chumash were one group that had a good DNA match. (Info from Brian Kemp, Vanderbilt University, Nashville, Tennessee.) See Wikipedia 'Settlement of the Americas'.

Beringia land bridge between Asia and North America

This site has a good picture of the Beringia land bridge: www.rootsweb.ancestry.com/~akahgp/Social/beringia.htm . The date they have for crossing it is 18,000 y a. This land bridge existed before 35,000ya, and then 22,000 up till 7,000ya. The strait broke through and divided it 15,000ya. The Aleutians were virtually crossable on foot too.

It's now understood that Beringia was a refuge during the milder parts of ice ages, and that it had vegetation. Mammoths flourished there. Native American early populations settled there before moving into the New World.

Ice ages in earth history

About the meaning of 'ice age' – large periods are termed glacial periods; ice ages are phases within those long periods. www.esd.ornl.gov/projects/qen/nerc130k.html - ice age info.

There are four glacial periods, 2,400 up to 2,100mya (million years ago); 800 up to 635mya; 450 up to 420mya, 360 up to 260mya, and finally 30mya to the present. (Yeah, we're in a glacial period right now.) The second glacial period seems to have been the coldest – some think the whole of the planet was iced over ('snowball effect').

In the beginning of earth's climate history, the climate seems to have been generally milder. There was hardly ice. Rarely did the earth get as cold as it does now. Ice ages have been speeding up in frequency, getting more extreme.

To compare the timing of evolution, refer to pp473-474.

Lasting 75,000 up till 60,000ya was an ice age that arrived rather suddenly. At that time, some of the Neandertal, maybe from Central Asia, moved to occupy the Levant. (The Levant is along the eastern end of the Mediterranean coast.)

Jealous competition

Neandertal stayed in the Levant 75,000 up till 47,000ya. (See pp465-466.) From 130,000 up till 80,000 years ago, 'modern' humans had lived in the Levant. But then they disappeared and Neandertals lived there. Then modern humans appear there in the Levant again 45,000 up till 40,000ya. Someone tried to explain the distance 'modern humans' kept from Neandertal, saying they were 'wolves with knives'... so therefore, following Neandertal north to exterminate them was justified. I think differently.

Yes, Neandertal were descendants of the powerful Heidelbergensis, who had been cannibals for a period. The Heidis learned their lesson, and their sons the Neandertal became animal whisperers. 'Modern' humans missed Heidi's lessons, and are now practicing cannibalism through organ transplant and blood transfusion. They imitated Neandertal animal taming; some intermarried with Neandertal (as DNA shows). Trying to outdo Neandertal, they now become what Neandertal ancestors had been before.

Ice age survivors showed the 'mods' how it's done

The dwellings of the two different races in the Levant are known apart by different weapons (heavier ones for killing larger animals belong to Neandertal), possibly different burials (evidence not so complete), and the fact Neandertal were less nomadic. They didn't practice seasonal migration. In any one Neandertal location, the fossil teeth of animals they ate show different seasons, unlike the modern humans. See www.athenapub.com/8shea1.htm .

This settled lifestyle is explainable by animal taming.

I call the 'modern humans' or CroMagnons in the Levant the Sabaeans. (See Satem culture, p479; See also Heidis p468.) The culture of Saba flourished in the south of Arabia around Yemen in biblical times. Known spice traders, who worshipped the moon. (Bible refers to as 'Sheba'.)

Perhaps related to Bedouin, mobile cultures of shifting sands; connected to North African tribes, the Sahara, around the southern Mediterranean. Sabratha is a Libyan town.

Saba and Sumeru, 'Great Meru'

Sabaean culture was the culture of the Red Sea, and existed in Ethiopia. Meroe in Ethiopia and Meriba in Arabia, as far as Mount Meru of Tanzania are the foundation of Sumeru. India's Mount Meru, Sumeru, 'Great Meru' is the mythical mountain at the center of the universe in Indian and Southeast Asian coastal cultures.

Its mythical location is Jambudvipa, one of the continents of earth, in a flat land. The African town of Meroe/Meru and also Mt. Meru are located exactly on the equator. In legend, the sun and all the planets walk around Mt Meru every day.

In colonial times in India/Tibet, there was a great controversy over whether Sumeru was real, and dogmatic colonials used astronomy to trump the Sumeru myth of India. But Sumeru was not India's astronomy, it was coastal India's migration history. Meru temples are found across Asia, for example in ChengDe and NingXia (China), Angkor Wat (Cambodia). The legend reaches Java (Indonesia).

Icy Neandertal, Sandy Saba

Neandertal hardly survived the latest ice age, 25,000ya up till 15,000ya, due to all kinds of interferences; just some DNA and Celtic cultures. They were under occupation by colonials from the south. They held out in Spain until about 28,000ya, according to available evidence. Clive Finlayson of the Gibraltar Museum produced some evidence.

In Neandertal-Celtic culture, ice has been our friend. Even though it is our hell, *Ifrinn*. Those who followed the Neandertal north 40,000 years ago, termed proudly 'modern humans', are the cold-fearing peoples who have created our electrified world, safely isolated from nature and cold climate. The electric culture that endangers the planet's ice. Gàidhlig has a word for sensitivity to cold (but I've lost it).

From the Central Eurasian Saka colonies, the Skandi moved northwest 6,000ya and established themselves as supposedly fearless Vikings. From there they radiated out into Europe. I think their moral fears weigh us down, even fear of ice. Later with the oil fuel of their long-ago Arabian home, a hot fast-paced economy arose, helped by Scots inventors. Global nomads' shifting sands spread desert. Now, strangely, Saka seek out ice on the moon and Mars. 'Bury your head in the sand' is really Saka culture, ostriches don't do such a thing.

Many white slaves were sold to North African and Arabian countries in historical times. In fact, Saka were known as the slavemasters. Often it was Scots and Flemish (sold at Rouen in France). Scots were put into the colonies, often proving useful in befriending the natives. Oil refining and the steam engine for industry came from Scots inventors.

Before America became a beacon to refugees, Scotland was such a refuge. Scots mildness and simplicity countered Germanic dogma, propaganda in education and social caste.

Better, truly modern Turtle Island culture, a New World, born of Neandertal ice maidens; (See 'Turtle Island' below.)

In the Chinese I Ching, hexagram #33 describes retreat. Retreat must be constructive, not a desperate flight.

Influence of Native American language

American accent

The development of 'n' sound in human speech was an important stage. It divides earliest guttural speech from later abilities to make sounds with the front of the mouth. The 'n' is a key sound in Hlīngit too; I think likewise for other Native American languages. So 'n' plays a role in the pronunciation of American English. Eg. comin' instead of coming.

A strong 'r' in American English is an example of clear consonants as in Native American. In Navajo (Hlīngit-related), there can up to 17 consonants without vowels between!

The quintessential American accent is well-heard in old folk songs, like in the film 'No Direction Home'. Native American languages had a period of grace out west, longer contact. American English has a range of distinct 'a' vowels, like Hlīngit distinction between light 'a' and heavier 'a' sounds.

Casual v formal, more extreme in tonal language

Some native languages are heavily tonal, and extremes of super-casual and super-formal appear with tonal-agglutinative language. (Samoan, the original seed for tonal languages, has an almost-separate polite language; See 'Tonal languages' below.) Americans are known for being brash at times, for outspokenness, even loose self-expression. In American English, we have slang use of the word 'like' (eg. He was, like, 'Oh, yeah!'); similar to manner and feeling woven into Native American word particles.

There was American Indian sign language, that broke down barriers. And American English may be more versatile, employing a range of accents and vocabularies. An average American moves home 20 times in their lifetime. Rich film and media culture presents choices of accent too, could be designed to do this. America likes a multicultural act.

Regional influences, and a hint of unity

Scots men often married into native cultures during the trade era, and Scots-Indians contributed heartfelt leadership. Scots were known as cousins to the American Indians. http://pandora.cii.wwu.edu/vajda/ling201/test3materials/AmericanDialects.htm - This site has info on eastern accent.

On Chinook influence on English in Alaska and beyond, see http://robertspage.com/dialects.html .

The walnut/bitternut culture of the east and southwest lends iodine power to these cultures. (See 'Dryopithecus', above, on iodine theory of evolution, and walnuts.) Eastern Algonquians are politically powerful, but datura coming-of-age rite hurts that power. Just as tobacco ritual has hurt some of the cultures. See 'Childers & the Nightshade Effect' above.

There is a Native American tribe of mixed origin called the Lumbee. They had their own English dialect, see www.native-languages.org/lumbee.htm .

About 2,200 words in English come from Native American languages (www.tolerance.org). There is a book called 'Indian Givers' on various contributions of the American Indian cultures, including a bit on language. See also www.voanews.com/learningenglish/home/a-23-a-2002-02-12-16-1-83109167.html . An American Indian language comparison chart is on pp349-353. On the international reach of Native American language see 'Han' above; and 'Mannered languages' and 'Tonal Languages' below.

Lake Ahtna; Other massive lakes or inland seas

Lake Ahtna, a large prehistoric lake, existed in Copper Basin, Alaska. It used to fill and empty cataclysmically, being surrounded by mountains. The last time it emptied was 9,000 years ago. (See also 'Copper' above.)

This lake was huge. But it was not the biggest prehistoric lake in North America. One other glacial lake, southwest of the Great Lakes, was seven times bigger than all the Great Lakes combined. That was Lake Agassiz. When it emptied, the deep sea current in the Atlantic stopped. This meant the warm currents didn't flow back up to the Arctic as usual for some time. It affected the world's climate.

If we go way back to 74 million years ago, the earth was warm then and there was no polar ice at that time. The sea was so full of water that North America was broken up into parts by the higher sea level.

The Mediterranean Sea became a lake six million years ago, and it filled and emptied 69 times. It actually dried up. (See also 'Dryopithecus' above.)

A massive inland sea in Central Eurasia, the Black Sea was a place of origin for Homo erectus. Much later it was the place of settlement for migrating Saka-Slav-Skandi peoples. The lake itself has a violent history, having suffered glacial floods rushing in from the Mediterranean at least 12 times in the past 670,000 years, and seven times it was also flooded from the east, from the Caspian Sea, in the same period.

Saba homeland once possessed many freshwater springs at the South Arabian coast, now under seawater.

By going to the lake, the hero of 'The Origin of Copper' gets lucky. It's where his fathers' canoe has retreated. The big lake is a place of power, of the ebb and flow of destiny.

Mannered language

'Mannered language' is my new term, to refer to agglutinative language structure found in the Americas. Agglutinative language is found elsewhere in the world, but I think the American came first, and is more complete. Some American Indian languages (like Hlīngit) are different to English, words are built with many little word particles, they tell a manner of doing, mood and feeling, give situation. 'Mannered speech' tends to have the character of adverbs. We could say that this is disclosure. It is built into the grammar, and fixed into words, and designed for not only structure but for trust.

On pp146-173 we have a dictionary of 'Manner particles'. I selected these particles out to classify as manner particles, because they relate to the manner of doing, to mood and style. They give an especially human feel to the language. This website gives some feel of what it means to get into a language fully, http://public.wsu.edu/~dee/TEXT/nareader.rtf .

Invention often begins with elaborate feeling

The mystery is, there are so many kinds of agglutinative languages – analytic, synthetic, polysynthetic (Native American), inflective, fusion. Edward Sapir wrote about it in 'Language: An Introduction to the Study of Speech' (1921). Sapir says psychology is an important factor, there are subtle differences between these languages. Mannered languages developed poetic use of particles in words. Poetry keeps a vital connection to the parent language alive. (See p343.)

These Native American languages look like the first agglutinative languages, full of feeling. In a whole separate New World, speakers had a unique need in their niche to balance separation and connection. Evidence is in the words, word histories. See more in 'Tonal language' below.

Other Old World agglutinative languages wear particles as a fashion, for structure (though they can't go back). It's passionate original ones who set the fashion, then evolution selects and borrows (See p500). I also see primal origin for writing in the Maya style; (See 'Pyramids' below, and 'p577).

Lego language

Small word particles are called morphemes, single sound units. Agglutinative language is like having a kitset of these particles to make up words. Like lego word building-blocks.

It seems almost every language is agglutinative in some way or other. All they need is to add a few extra parts to the words, some suffixes or prefixes here or there; like English. (Eg. preview = pre+view.) Many languages have some parts put together in words, but in a truly agglutinative language, it is most of the words that have many particles.

Word roots are important. We should know which particle is the key one in the word, maybe a noun or a verb particle. Now with word history we can see in Hlīngit where the roots come from. Teaching the word patterns can be helped by culture, because structure alone is mind-boggling.

History and evolution transforms a language

Language structure has something to do with the way a people use their memory. In Celtic/Romance languages, grammatical gender has been a function of our word memory. Instinct functions with memory, on the basis of masculine and feminine words. (See 'Gendered language', above.)

This memory function was transformed in Native American into tonal-agglutinative structure. People had to memorize grammar particles, not gender. Every language, at its beginning, inherits resources from its parent language. The people will create something special to give character to their language. So Native Americans transformed the language they inherited. That, we can see in the dictionary section with its word histories of Hlīngit.

Layers of history accumulate in a language, sometimes producing 'noun classes'. Many languages have some kinds of noun classes. World language families with no noun classes or gender are Sino-Tibetan, Austronesian, Altaic and Uralic, generally in the wider Asia region. Chinese has many measure words though (using shape, eg. 'sheet of paper'), and I discovered gender in Chinese tone (pp552-553).

For more on gender, see Wikipedia online ('Grammatical gender', and 'Noun classes: Languages without grammatical gender'), Algonquian and Athabaskan are described there. According to Wikipedia, maybe an ancient language ancestor had two noun classes, animate and inanimate.

With true understanding of history, imaginary 'Proto-' (or mother) languages are less necessary – their role is fulfilled by actual pioneers in world language, often endangered.

Teachers face the complexity of lego language in a special way. These Native American languages transform gender into less abstract disclosure and trust-building. It is practical and innocent emotion, instead of romance. No longer Romance Languages, languages of the Americas are languages of direct emotion, that describe mood and manner.

A clear manner of speaking: Evidentiality

Both Hlīngit and South American Quechua let the listener know how sure we are – evidentiality. The Hlīngit example is subtle. Quechua is an agglutinative language but not tonal.

Hlīngit example of mannered language:
Like: The difference between yAx and yêx
Atūtxī'nawe Le ex yêx At akuġā'ntc yū'caq xōq!ᵘ.
Sparks then from in the clothing would blaze **like** traces of grease amongst the wet wood.

Yêx describes something that is hard to define, and gives a feeling of maybe, in my opinion, as I recall, or it looked like. So, in this case **yêx** shows the mysterious nature of the magical grease from the bears' fur coats, that could make the green wood burn. The value of the words **yAx** and **yêx** is also that I can let you know if I understand what I see or not. If it's incredible, I can handle it smoothly and tactfully.

XAtc cā'ayu xao yAx Ac tuwā'yatî.
These mountains seemed to her **like** logs.

Here, **yAx** is not mysterious, it's quite a simple comparison. The shape and appearance of the mountains she saw is **like** logs. This compares two things (nouns).

Quechua example of mannered language evidentiality:
Suffix example: -mi = I know, -si = hearsay, -cha = probably
Tayta Wayllaqawaqa chufirmi = Mr. Huayllacahua is definitely a driver.
Tayta Wayllaqawaqa chufirsi = I heard Mr. Huayllacahua is a driver.
Tayta Wayllaqawaqa chufircha = Mr. Huayllacahua is probably a driver.
Disclosure creates a network of trust. This kind of cultural awareness is probably what made the New World 'mannered language' a popular system for restructuring languages, when agglutinative language spread to the Old World. It's both practical and poetic.

The Quechua information comes from Wikipedia. They used Rodolfo Cerrón-Palomino's 'Lingüística Quechua', which is in 'Bartolomé de las Casas', (from Centro de Estudios Rurales Andinos), and also Bruce Mannheim's 'The Language of the Inka since the European Invasion'.

(More on Quechua in 'Vowel O' below.)

Old World borrowing is more likely than Old World origin

I think Old World agglutinative language is an unlikely form of language, that exists due to borrowing. Some Old World languages died after becoming agglutinative, like Hittite. After evolving in the New World, agglutination (use of word particles) then spread westward in a wave of enthusiasm.

If Old World languages that borrowed agglutination, they must have had to strip down and rebuild. You've got to have little particles (not too easy to do). Making building blocks elegant may be hard too, and they should go together efficiently. (Hlīngit particles are smaller than Turkish ones, often only one or two letters.) Poetic elements are valuable in this process, and as memory aid.

Tracing spread of agglutination

There are Han people in New World gateway Alaska-Yukon, and a range of Han peoples in Asia. Chinese Han, Korean Han and Huns. (See 'Han' above.)

Celts are fond of threes. Three Hans within Asia, and furthermore three Hans in the wider world – New World Han, Asian Han, and Central Asian Han. Huns planted their culture in Hungary in more recent history. This array of Hans forms an east-west axis. I read of SanHan (three Han – MaHan, ShonHan and PienHan), but couldn't confirm.

Maybe Han returned west after getting carried away with tonal-agglutinative language in Alaska. Found things moving too slow, returned home to China, took charge, created a high-energy national culture. Sumeria is agglutinative, and while they are connected via the Silk Road region, they also were at the end of the sea lanes between the New World, Pacific and South Asia. See 'Seafaring' below.

Risky chop-and-change process in language

My idea is that creating a lego language is a perilous and ambitious process, begun with perilous ocean voyages by Polynesians, and life on small islands. This was only a seed, but in the Americas a complex language experiment took place amongst a wide network of cultures. With environmental awareness as modern 'New World' people, they devised a high-maintenance language that could keep them close to nature. The language was meant to be vulnerable. Relearning can be hard. It needs great love. (Why Edward Sapir said there are no primitive languages.)

Some extinct languages of Central Asia are agglutinative languages. John D. Bengston wrote 'Wider Genetic Affiliations of the Chinese Language' (in Journal of Chinese Linguistics, January 1999). He shows the whole Dene-Caucasian family; (See pp476-479).

The closest known dialect related to Hlīngit is Eyak. Last native Eyak speaker, Marie Smith, died in 2008, but Dr Michael Krauss taught himself. On preservation of Eyak, see http://redzone.org/index.php/programs/culture/eyak_language/ .

There's no easy going back after adopting lego language. For a people to change their language into an agglutinative language, they have to streamline it and make it more simple. This means a lot can be lost forever. Going back would be like making a dress, then taking it apart to make another dress.

The memory of the agglutinative language speaker must handle more layers of structure. They have an extra layer of composition to manage, not only idea, sentence and word but word particle composition too.

Mannered language, education, and true manners

When the hero is also the enemy, things are sadly messed up. This happens in education sometimes.

This meditation yantra is for healing our human races. In the yantra is a cycle of evolution. Rooted in Africa, where people learned to fish. The seed is the Neandertal animal tamer (pp523-525, 532); the flower is Asian insect whisperer (pp536-539); the bird, free, mobile, inspiring with a special voice, is the New World and Oceania.

Complex language structure creates a matrix with a pecking order. Hazing maintains the pecking order, enablers buy into it. We need a light in that darkness. Nightshades, the 'tree of temptation', also came out of America's ecology and replaced traditional foods around the world. (See 'Childers and the Nightshade Effect' above.) This darkening of the mind, speech and diet is the gentle culture become bad manners.

It's a kind of darkness that appears in the ancient Chinese I Ching in hexagram #36, 'Darkening of the Light'. "One must not unresistingly let himself be swept along by unfavorable circumstances, nor permit his steadfastness to be shaken. He can avoid this by maintaining his inner light, while remaining outwardly yielding and tractable. With this attitude he can overcome even the greatest adversities."

Piracy is an issue that will need to be addressed for racial harmony, in a holistic manner. I recommend the book 'The Prize' by Daniel Yergan, on oil and power. Oil has influenced our whole existence; strangely, it parallels Saka expansion.

Mastering complexity

Some type of agglutination such as inflection is quite simple. Real agglutinative languages have much more than prefixes and suffixes added on to words. There are infixes. Part of a Hlīngit particle may itself become a particle.

This fine art of language takes some mastery, not to the extent of a linguistics degree, but an ordinary speaker should try to master particles. Many function like our link words, eg. to, on, over. It seems technical, but what this kind of language needs is an investment of feeling. Art without emotion would be rather pointless.

Twins – tonal and agglutinative language

Here is why I think tone and agglutination are twin language features that had a common origin. When you have a lot of particles together in a word, you need some clear focus. Tone developed to show and emphasize the key part, the root, in a compound word made up of many particles.

The biggest argument against it may be that Chinese is tonal but not agglutinative. But Chinese has more and more compound words, and verbally words are slurred together a lot. Japanese is a little bit tonal, a little agglutinative. Quechua is agglutinative but not tonal, that's a question. I'm guessing there's an imbalance there, that it either needs to add tone or remove agglutination?

Native Americans developed agglutination as a new form of language unseen before. By streamlining and condensing their inherited vocabulary, American Indians produced a complex standardized language structure to share. (See the language comparison table on pp349-353.) Over the vast two continents, Native American languages shared a gently expansive culture that set a high standard for harmony.

Asians to the west dreamed of the New World as 'PengLai', their eastern paradise. Celts dreamed of it as 'Tir Na n'Og', western paradise. Complex agglutination was like a social hurdle against expansionists and imperialists.

Tonal-agglutinative language was not only a solid basis for New World identity and civilization, but a protection from colonization. Peoples protected their lifestyle with a kinship system of moieties, as an additional social hurdle. (See 'Moiety', below.) It still needs broader confirmation, how agglutinative language originated in the New World.

Language has more to do with sharing than we realize

When Han people went back to the Old World with agglutinative language, they changed the Chinese Han language. They rejoined their Chinese Han ancestor people, and brought them new ways, revolutionized their Han culture.

Korean Han culture remained much the same; it resisted. Some touches of tone use entered some Korean dialects. In Korean might survive something original of Asian Han speech. www.chinalanguage.com/forums/viewtopic.php?t=779&sid=4a86190067569b25ef1e3334f31a3895 – Interesting idea posing Korean as parent language of Chinese. May be partial truth in it.

Their culture is known for being dynamic. Linguists think Korean used to be a tonal language, but I think, if ever, Korean only briefly was a tonal language. Korean has similar use of compound words to Chinese, perhaps not as many compound words. They share the problem of repetitive vocabulary. (Eg. Too many people share surnames.)

Some writers talk of how Maya writing was used to enforce a class system. Writing is even more necessary to Chinese language, so therefore the class system must be so much more greatly joined to the language and its writing. Furthermore, Saka caste system has spread over the world.

Tone without agglutination? Maybe not: Chinese example

When a language changes into an agglutinative language, it needs little word particles. So they have to be created. Chinese Han streamlined their language so much they produced hundreds of little words sounding the same. The sound is the same, only the writing is different.

Only Chinese characters separate what are essentially words with hundreds of meanings into separate written words. Chinese possesses about 410 phonetic words (counting neutral tone words). Such a small word repertoire makes weird repetitions come up. Multiply 406 phonetic words with tone, times four tones = 1,624 phonetic words plus a few neutral-tone words. (Virtually every Chinese syllable needs tone, unlike Hlĩngit. That's called truly tonal, like Navajo.)

It's easier to recognize words by combining two words, which is very common in Chinese Han language, especially the modern language. Chinese has character dictionaries (zidian) and compound word dictionaries (cidian). Chinese people sometimes use the finger like air writing sign language. Compound word example is another aid. (Eg. 'The shi in chengshi?' 'No, shitou, that shi.')

Chinese is not agglutinative, but compound words and a need to 'sing' a certain way to get meaning across (running words together in a stream of melody) mimic agglutination.

This leads to the question, shouldn't tone be accurate in song, or do they just put any tone in song? The languages most faithful to tone in song are in the Americas, Cheyenne (North America) and Pirahã (Brazil, South America). Joan L.

Baart gives details in 'Tone and Song in Kalam Kohistani (Pakistan)'.

Race for evolution

The Musée de l'Homme in Paris has a large display of world race migration, showing step-by-step eastward stages of modern human migration out of Africa. My idea of human evolution is waves of evolution. Five alternating waves, west to east, east to west...

First wave of evolution

Human races have been in a race eastward until the New World was peopled. That first stage of evolution was very physical. Our bodies' running ability evolved in Africa and in Georgia. Homo ergaster and Homo erectus gave us this power, gave us momentum and energy. We stand fully upright with powerful butt muscles developed by running. (See the film 'Search for the Ultimate Survivor'.) In a world without borders, running and walking became part of our inherent nature. (See p456 on Oreopithecus' contribution.)

Now that we have borders, rather than become sedentary, we need cultural ways to connect with our roots as runners, vital to our modern world, and to our sanity. When I ran in the streets of Diyarbakir in Turkey, it really challenged the local culture / religion. Males were scandalized, and didn't hesitate to react (elders politely, youth rudely). My father followed my sometime habit of walking barefoot in his later life, even though he worked in business and government.

Planet of the shoe-wearing apes

In Samoa, sometimes a scolding adult would ask one of us kids who appeared obdurate, 'E tū lou fai'ai i lou muli?!' (Is your brain on your ass?) Now if I were a cockroach I would answer sincerely 'Yes, the other one is.' Feet at our lower end are another matter. Although feet in our modern world get little attention, they are very important. Footwear allows us to keep warm in cold lands, but footwear affects us a lot.

It could even be a moral issue – as long as we live in our heads, the real world needn't disillusion us. 'Achilles' heel' describes a small fault with big consequences. Something like Superman losing his power when he encounters krypton. Feet let us down when shoed – they can't function naturally.

The spine starts to go wonky after the age of 22 or so because of shoes. Feet in shoes are passive. The 52 bones of the feet (25% of the total number of bones in our bodies) cannot be let to fail their job. They not only keep us upright, but keep hormone production balanced and energized, minds alive. Insensitivity can relate to our feet. Our nerve endings should be alive, our 214 foot ligaments and 66 foot joints should be ready to take on the challenges of life. The large heel, long big toes, and the arch of the foot are part of our inheritance as two-legged walking human beings.

Almost all people who wear shoes develop a widow's hump sooner or later, between the shoulders. It's a downside of civilized life. Hebrew religion speaks of stiff-necked people in the Bible. Passive feet lead to stiff necks, reaching into our civilization to destroy everything we build up, at the roots. Flexibility goes, and rigidity extends to social systems, economic strategies, brings about impatience and wars. It affects our fertility, vitality and emotional intelligence.

Most chronic illness starts with the widow's hump and other spinal problems caused by shoe-wearing. The mind can be so corrupted with the passive foot lifestyle that children get born with stunted big toes, feet shaped like shoes. Look at a Bushman or other tribal person living without shoes, and you'll see that their neck is straight. They won't have all the problems we have. Shape of shoes is worth considering.

I've found it most necessary to compensate for the harm of shoe-wearing; yoga is the best way. By fostering awareness, life becomes more livable. There are so many things that can be solved instantly through spinal fortitude and bearing gravity. Angles count with bones, geometry matters.

Here is a clear example of how quickly our ape ancestry kicks back in. Uprightness is so easily lost, and with it evolution. Evolution can't be taken for granted, and loss can't be simply put down to old age. Innocence is part of this.

Dimorphism is when the male and female are different sizes. It's the taller male ape tradition, remaining from the more violent ape family ethic. And why fewer Asian men would marry tall Europeans. A little size difference may be correct, but to exaggerate it would be primitive. Tall long-boned women may be strong survivors but a man wants to be taller. It is still difficult to buy beautiful ladies' shoes or clothes in tall sizes. Foot-binding in old China played to gender/height sensitivity; men were excited by small feet.

Human life on our planet today is a shoe-ocracy. Shoes are a protection and a prison. Prove me wrong, and go walking without shoes in your daily life. Feel the weight of shoe politics come crushing down on you. Shoes have become our master. This dogma costs us emotionally.

Moccasins are iconic artifacts of Native American culture, and may be a part of an acceptance of silence. Silence is prized differently in different cultures. I've been told, 'Oh, I didn't hear you coming!' as if I ought to make noise. 'The Sound of Silence' could be a curse in the Paul Simon song.

Second wave of evolution

Following dispersal, a second wave westward occurred, more on an intellectual level. A race for language ascendancy, the sky was the limit. Or not (we have space travel).

As a Scot, I was raised with strictest manners. My Scottish grandmother was adamant. There were rules for speaking and rules for silence. Responsibility is part of the Scots language heritage. We are a people of ancient law.

Rules governing Gàidhlig language demand manners. Whorf would agree with me, as he believed each language had its influence on our manner of thought. Manners go to the heart of how we relate to people, including those closest to us. Even beyond this, to the ecosystem.

'Mannered language' (American agglutinative language) is part of this. Lego language became a fashion in many cultures. Hazing travels with agglutinative language. In Celtic culture we may be treacherous but we are more direct.

To use word particles properly, an apelike social hierarchy developed to keep everyone in line. Hazing provides control, effectively keeps people on their toes. U.S. college fraternity hazing is only the tip of the iceberg. The fraternity (which really belongs to the U.S.), is one influence of Native American moiety culture; hazing came on board with it.

Like moieties, hazing deals with outsiders, ostracizes people by subtle signs and positioning. Hazing bloomed with the insect whisperer culture; See p535. Like queen bee pheromones. (See www.andrewgough.co.uk/bee1_1.html . It would amaze you the role of bees in history and culture.)

There are two MCPH genes that tonal language speakers often have. These genes may partly be for social complexity caused by tonal-agglutinative language.

Harmony between speakers of different language types

Hazing might be considered a bonus advantage with agglutinative language. It can be like an addiction, with its power to enforce status (as in the workplace). We can break the cycle when it turns selfish, prevent it eating society up from the inside. (See also 'Cannibalism' above.) Social justice involves hazing awareness, deeper truths, good judgment.

It acts on our motivations, accumulates. In suicidal tendencies and mental illness, hazing cycles must be broken effectively. Like bullying and like criticism, hazing can empower the victim by forcing improvement. Not purely evil, like sarcasm it can be healthy. On the other hand, passive apathy might be worse than hazing. Some ancient dignified Native American tribes died out completely.

We face the challenge of dealing with other than our own

race's manners. No doubt a lot of spite and revenge happens on this near-invisible level. Managing the problem of hazing puts the onus on the whole society; the complicity of the passive is an essential factor in hazing.

What frustration Old World migrants may have felt, faced with the subtlety of New World hazing. Whereas New World people would find blunt colonial betrayal and treachery outrageous. The effect of the New World culture on the Old World has been like a cultural earthquake, producing shock waves. The I Ching has a hexagram, #51, titled 'The Arousing, Shock, Thunder'. The judgment reads, "Shock brings success. Shock comes – oh, oh! Laughing words – ha,ha! The shock terrifies for a hundred miles, and he does not let fall the sacrificial spoon and chalice."

Agglutinative language, a circle round the world

A circle goes around the world through Samoa, Maya / Han around to Georgia / Turkic culture to Sumeria / Luwia and back to Polynesia. Georgia, in the heart of Eurasia, is a key staging area for the spread of tonal-agglutinative language from the east. Georgia, a homeland of Homo erectus.

Some extinct Central Asian languages like Hittite and Hatti were part of this westward jump. Hittite was a gendered language, though, and was probably ripped apart fatally through becoming agglutinative. Euskara (Basque language) is in a similar position to Hittite, but has survived, struggling.

The westward wave from Eastern Asia through Central Asia rippled on to remote parts of Europe via the Saka (Scyths). Germanic-Scandinavian people (Skandi).

Black sun tradition represents this. A dangerous history of repeated war crimes belonging to Skandi. (See p551.) The berserker warrior, trying to be Celtic.

Dene-Caucasian languages of Europe include Finnish and Hungarian. It's said Basque is Dene-Caucasian, but I think not, and it's said to be not gendered, but it is partly, just when saying 'you' in intimate form, the verb will change, hik duk = you have (to male), and hik dun = you have (to female).

After the spread of mannered language, a third wave of evolution now moves eastward. I think maybe the third wave needs to undo the damage of agglutinative language, through empathy. I intuit five waves to our evolution. But I think they're very difficult. Anyway, these phases take a long time. Fourth westward evolution: better understanding of love and childbearing. Fifth eastward: affection. Some clues are in Maya writing, astronomy, calendars and astrology. In the Aztec five suns tradition. (See p543.)

Georgia is important in the history of Europe

I have described Georgia as a staging point, from where tonal-agglutinative language entered Europe. I think the Georgian language has the agglutination (word particle system) most similar to Native American. Georgia is in the Caucasus region in Central Asia. It's a centerpoint for agglutinative language in Central Eurasia. Kartuli is Georgian people's own name for their language.

From a surface glance, I think the genetic Haplotype G of Y-DNA originates from Georgia and maybe can help to prove my idea of Han migration from Alaska-Yukon back into the Old World.

People have been stumped trying to relate Georgian language to anything else in the world. This idea of language isolation seems to come up a lot when linguists study Na Dene languages. My view is there's no such thing as an isolated language.

Let's look at a word from Georgian: ageshenebinat, means 'you had built' (you plural). It breaks down as a-g-e-shen-eb-in-a-t. (It's on Wikipedia online.) As an experiment, I'm comparing it to Hlīngit here. You may see more detail on each particle in the particle grammar indexes, pages 100-193.

a – it
g=gu – subjective action
e – repetitive task
shen = build (Georgian)
eb = (action) (Georgian)
in=i – you
a – was
t – extent

Chinese Han
神 **shén**

On the right is the early pictograph. 申, shēn, means express, state. (Is shen the original swastika? See p551) 礻（示）, shì, means spirit.

It's so close to Hlīngit that it seems to hardly need translating. I haven't checked the standard Georgian word particle translations, but it seems the Hlīngit interpretation works. This possibility that Georgian root words or particles were borrowed from Native American via China supports my theory of the spread of agglutinative language. The relation between Georgian and Chinese is something yet to be explored.

The Chinese word shén gives a sense of creativity, relates to god (creator) and medicine. The Chinese word jiàn, build, is closest in meaning to the Georgian. Pictographs got from www.chineseetymology.org .

Chinese Han

建 **jiàn**

Means build, construct, establish, found, erect, set up, propose, advocate

Chinese Han

增 **zeng**

Means increase.

The question of universal use of sounds

Joseph Greenberg wrote some books on universal sound. He said if sound had its own meaning, speakers of different languages, hearing a sound, must understand the same meaning from it. There is some evidence in the above Hlīngit word particle match with Georgian, but maybe that's unique. It would have to work for word particles in any agglutinative languages. Georgian culture has an ancient ancestry in Eurasia (1.75 million years Homo georgicus). If agglutination is as intensely political as I think, maybe it was targeted for conversion to agglutination.

Perhaps sound has its own meaning depending on environment and ecosystem. Ecosystem and geographic boundaries could be another dimension shaping language.

Some people fear subliminal messaging in the media, mysterious conspiracies and alien abductions. But subliminal messaging and conspiracies are built into some language borrowing. If we are sufficiently objective we can see the effects of our words. See comparison of American Indian languages on pp349-353. As one human family, we have come a long way to unity but the end is not yet achieved.

Medicine men and women

I think what Donald N. Panther-Yates says about the tradition of a people coming to help another people is really great. He wrote a paper 'Owls and Panthers: Southeast American Indian Medical Practitioner Types'. He gives ideas and facts I haven't seen anywhere else.

There is some good understanding on the sacred-clown tradition in 'Daughters of Copper Woman' by Anne Cameron. See also 'Druidhs', above. I hear Alaska has a lot of good and bad fanatics, that native medicine traditions suffer under dogmas still. Maybe long winters and summers bring out extremes. Herbalism should unite everybody. There may not be many herbs in icy lands, but Southeast Alaska has forests.

There is a good artistic community in Alaska... again,

those dark winters and bright summers must bring out creativity, maybe suiting up-and-down cycles of creativity.

The medicine man is another kind of creative type, a leader of a society. Story is one thing that links the medicine man or woman to their society and community.

It's my intuition that to Neandertal animal whisperers (see 'Neandertal language' below) the hare was sacred. It is the last animal humans domesticated. In County Kerry, Ireland, it was taboo. Caesar said it was taboo in Britain; it would be like eating your grandmother. They didn't eat it except at Beltane, May Day. It is a royal animal. As Michabo in northeast America, rabbit drives away cannibals, and receives the good.

A Maya god becomes moon, but shines equal to the sun. They throw rabbit in his face to make him darker. Asian myths are like this Maya one, specially a part of the story about fire. Moon rabbit myths at www.bbc.co.uk/dna/h2g2/A2465426 ; www.laputanlogic.com/articles/2004/04/05-0001.html has a moon photo showing rabbit outline. On Alaskan moon see also pp404-405.

Eight sacred bones

After someone's death, Hlīngit eventually recovered the eight long bones of the limbs. Eight was their sacred number. There is some more info on the eight in Hlīngit culture in Jay Miller's essay 'Alaskan Tlingit and Tsimshian

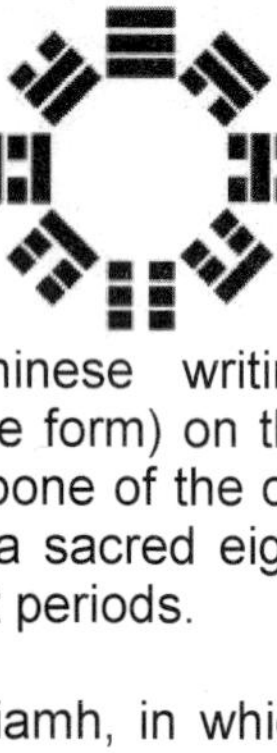

The eight-sided Chinese bā guà could originally symbolize the ancestors' bones. National Geographic TV documentary, 'Taboo: After Death' shows scraping and saving the bones also practiced by some Chinese people today. The earliest Chinese writing possessed today is recorded (in more primitive form) on the eight-sided tortoise shell, and on the scapula bone of the ox. Katherine Neville's novel 'The Fire', features a sacred eight theme. Ancient Celts divided the year into eight periods.

Bridging separate worlds

The Celts have the story of Oisin and Niamh, in which Oisin is drawn to a paradise in the west. Later he returns to find his old world has aged and things are overgrown with ivy. See pp343-348 on romance between Old World and New.

Hlīngit people and activities are divided between Raven and Eagle moieties. Native American language and culture also celebrates pairs of opposites. (See 'Dichotomy' above, and 'Language and culture', page xxv.) As the I Ching says, where there is opposition, the need to bridge it arises.

In Chinese Han culture, there is Chinese Valentine's day, QīXī, another romance. It is on the seventh day of the seventh lunar month, 7/7. It is the day of the year when the mythical couple separated by a river get to cross a bridge of magpies, to meet. Yin and yang is a pair of opposites that is basic to Chinese culture. The separated lovers can also be a yin and yang pair.

Isolation in the empty center of a gateway

Han is the most endangered of the Alaskan languages. If necessity is the mother of invention, isolation must be its father. The medicine woman may treat these as resources. Being a medicine man or sacred clown could be an unenviable role in traditional Native American culture, due to isolation. Often, or in some cultures, they didn't marry. In Hlīngit culture, they were they guys responsible for punishing people by exile. They could kick anyone out of the village.

Later, colonials (even some people in the navy) used shame against them, even kidnapping a medicine man and shaving him to remove his status. There is a Celtic culture of emptiness waiting to be understood; See 'Dolmens' above.

Neighboring Han people have been isolated in some respects in their Alaska-Yukon homeland. Like Hlīngit, their land sits on the border between Canada and the U.S. They get isolated from each other in some ways, though there have been efforts to ease the problem. Historically, the gold rush of the late 1890s brought thousands of outsiders into their homeland (including Chinese Han), isolating them in their own land. But there seems to be even more to this isolation.

Alaska-Yukon Han possess four tones in their language, like Chinese Han and some Maya. Four tones is a lot... their neighbors, the Hlīngit, have only two tones (high tone and normal tone). Tonal language is a complex, ambitious development in language. It could be that in their complex tonal language also the Han were isolated culturally.

Tonal-agglutinative language bears some risks in its structure and development. (See 'Tonal language', below and 'Mannered language' above.) Aside from horrific colonial disruption, four tones may be part of the reason Han in Alaska-Yukon have struggled. Chief Isaac brought Han songs and dances to the Tanacross people in Alaska for preserving. See www.chiefisaac.com. Chief Isaac possessed a useful medicine man skill – he was a great orator.

The Alaskan-Yukon Han were living at a central place in the river geography. They had rivers in all directions. It was a place of power. I imagine there was an impulse to create a center of culture. Alaska has been an ancient gateway, the people had roles as gatekeepers, managing the territory in face of Old World arrivals.

Place of power, in the midst of many rivers

The environment is important to the medicine man's role, especially places of power. The Garden of Eden is supposed to have been surrounded on four sides by rivers. Eden means a 'plain, it could be Gobekli Tepe, between the Euphrates and the Tigris Rivers in Mesopotamia. A book, 'The Genesis Secret' by Tom Knox. In Central Asia there is another supposed Eden, between the Amu (Oxus) and Syr Rivers. (See p418-419.) Possibly the Garden of Eden story came with the Alaska-Yukon Han from the New World. Images of Eden are convincingly found in Chinese characters, see www.morgenster.org/signs.htm .

Known as 'People of the River', the Alaska-Yukon Han lived in a place with many rivers in all directions, not only one river at each four sides as in the Garden of Eden. Their location is between four large rivers, the Copper, Yukon, Klondike and Tanana.

Then to the north are nine rivers' headwaters draining north toward the Beaufort Sea. The river geography can be seen well on a map at www.myriverquest.com. Down the Yukon (on the west) from Dawson, there is Stewart River flowing along the south branching eastward, to where many other river headwaters drain to the mighty MacKenzie River, the longest river in Canada. A powerful location. The MacKenzie-Peace-Finlay river system is the second longest in North America. (See also Copper River, p435.)

Over 150 glaciers existed there up till recent times, but now 26 glaciers exist. To see landscapes in detail, find a list of map links at www.lib.utexas.edu/maps/topo/alaska/

China cherishes river culture. The Yellow River region is where Peking Man lived, where Chinese Han culture evolved. Later they expanded south to the Yangtze River and then to the Pearl River. (See three Han Rivers p480.)

Historically, China has focused a lot of enterprise on building canals and artificial lakes. Feng shui emphasizes a building location (such as temple) having water in front and mountains at the back.

A number of legends of China tell of heroes' suicidal jumps into lakes and rivers, including the dragon boat day story. China's acupuncture treatment is based on science of meridians, rivers of qi energy in the body. (See www.thebodyworker.com/meridian_kidney.htm .)

The nation's name, ZhongGuo, means central country. They are at the center of three Asian Hans, and internationally between New World Hans of Alaska-Yukon, and Hungary's sometime Huns of Central Eurasia. 中国

Virtues of medicine man's science

Metaphysics is set to evolve more in future, drawing together culture and science into a more wholistic study of greater benefit to us. I look forward to much greater and more humble progress in the field of chemistry.

I look forward to religion and race cherishing the medicine man, who will help us develop willpower to face challenges. I hope for less of the 'Physician, heal thyself' I hope for the inner beauty that spills over into the visible world.

Medicine wheel

Medicine wheels are circles, often divided into four quarters, that were marked out in stone in North America. The oldest found is 4,500 years old. Native Americans also produced mound circles about 6,000 years ago, as at Watson Brake, Louisiana and Caral, Peru. (See 'Pyramids' below.)

Medicine wheels can show four directions. (Compasses were invented by Chinese Han; See 'Han' above.) The symmetrical hourglass shape of the American continents is one inspiration for the medicine wheel or sacred hoop. (See 'Aconcagua' above on New World landscape.)

This stone monument is designed to disturb nature as little as possible. The furthest south one is in Wyoming.

Navigation tool is similar in form

It may be a primitive Neandertal-Celtic navigation tool was a forerunner of the medicine wheel in Native American culture and ceremony. Early Native American settlers may have come by raft, traveling down the edge of the ice shelf. (See 'Ice ages' above.) Use of the tool by the Celts described at www.world-mysteries.com/sar_5.htm . See 'Seafaring' below; See also 'Druidhs'. The cross is also a tree. (See 'Celtic oak & yew culture' above; See also p457-458.)

Four quarters in North and South America

Poetic medicine wheel in 'The Origin of Copper', p344.

Many North American tribes' direction totems are: north – white buffalo, south – serpent, east – eagle, west – bear.

In South America, the Incan empire was known as Tawantinsuyu, the four quarters. Science and knowledge produced by Incan civilization must have been known throughout the Americas in ancient times.

Incan empire four quarters are Chinchasuyu in the north, Collasuyu in the south, Antisuyu to the east and Kuntisuyu to the west. At the center was the city of Cusco, and four roads went out from there to the four quarters of the empire.

Medicine wheel of the stars

Situated at the center of the New World, Maya astronomers had about 20 different kinds of calendars. One was based on observations of Venus, a planet that doubles as the morning star / evening star. Nearby, in the U.S. southwest, the morning star is a part of Apache girls' coming-of-age rites aged 13, still held today. (It seems to me 'The Origin of Copper' is like a coming-of-age story.)

North American astronomy is found carved in stone. About two dozen sites have designs that sunlight and shadows play over on a certain day of the year. Bill McGlone has studied them a long time and written books.

The highest mountain of Central America, Mt Tajumulco, marked the sunrise of the solstice, in the calendar evolved at Soconusco, Guatemala. Izapa was the best viewing place. See www.dartmouth.edu/~izapa/CS-MM-Chap.%204.htm .

Saturn, Incan second sun

The civilization of the Inca is ancient. Strangely, they named Saturn after the sun, considered it a second sun. I think this idea of Saturn in India and Babylon comes from the Inca. Compare Incan, Chinese Han and other cosmology at www.bibliotecapleyades.net/esp_cosmotawa.htm . (See also 'Aconcagua' above on Inca.)

Chinese Han dynasty historian Sima Qian recorded Saturn at the center, four other planets at the four directions; stars revolved round Saturn at the pole. (See 'Han' above.)

This strange idea likely came from Inca, 'Children of the Sun', (perhaps more correctly, 'Children of Saturn'). Farthest planet naturally visible, farthest continent in human migration.

Pyramids and gateways

Piedras Negras was named Yo'ki'b, Great Gateway, due it seems to a large sinkhole nearby, 120m wide and 100m deep. Kind of mysterious, a sinkhole is a deep circular hole opened up in the ground in some Central American regions.

A pyramid is a monument to the four directions. (See 'Pyramids' below.) The oldest and largest beong to the New World. Sometimes the Native Americans honor six directions. In that case, plus flat top and base equals six. The faces of China's 'Great Pyramid' were painted according to the four directions; black north face, green east, white west, red south.

The monument of the Old World, the dolmen, was being erected at roughly the same period. (See 'Dolmens', above.)

At the time dolmens were made, about 4,000BC up till 300BC, agglutinative language was spreading aggressively. Agglutination occurred already in Celtic speech, but in simple form. Dolmens and pyramids express

ק̇

the beginning of physics, and evoke opposites like mass versus space or sound versus light.

You could fit the dolmen and pyramid together theoretically, the dolmen's shape can fit over the pyramid. One is an empty square, the other a pointed square. The Celts' empty dolmen is a modest monument. Receptive in the tradition of the animal whisperer.

The Maltese cross combines a dolmen and a pyramid. Malta is a crossover place, on a Mediterannean undersea ridge. The Maltese cross comes from the knights templar, from the crusades. www.orderstjohn.org/osj/cross04.gif .

Emptiness

Medicine wheels deal with four directions. Dolmens are gateways to other dimensions. Both deal in emptiness and elsewhere. A skyward-angled dolmen measures to forever, like a telescope. Only some are tombs, often collective tombs; mainly they are telepathic portals of animal whisperer culture, hugging the coast to bring seafarers safely home. Known also as portal tombs, some in Europe contained a human ear bone and nothing else. The oldest are in Portugal and Brittany.

The Hebrews have dolmens, and celebrated their language in dolmen-shaped writing, letters like these:

מ ל ף ב ה ה ח א ג ז ד ת ק ר ם

China has free-standing gateways, mén 门. India, the Caucasus and North Africa have dolmens. Madagascar still builds them. Perhaps diverse locations signifies intermarriage portal between the two human races, Sumeru and Neandertal-Celt.'Dolmens for the Dead' by Roger Joussaume.

Dividing up the world

Chinese Han have five elements & directions culture. Fire south, metal west, water north, wood east, earth center.

See www.chinesefortunecalendar.com/5EList.htm and 'Wu xing', Wikipedia. www.wyith.com, - medical aspects of five elements. (See 'Han' above, proposed New World origin.)

In Chinese culture, there were barbarians in the four directions. In the north, BeiDi 北狄, in the south NanMan 南蛮, in the west XiRong 西戎, and in the east DongYi 动夷.

Five elements function like moieties, apart from kinship, (See 'Moiety' below); dividing up the Chinese Han world and heavens. Australian Aboriginal artist Rosella Namok said moieties Kaapay and Kuyan divide up the whole world.

In many languages there are noun classes to divide up the world, usually a few but sometimes many. (See 'Gendered languages' above.) Chinese language has measure words that dividing the world according to different shapes. Eg. zhī 只; 一只鸡 (one zhī chicken), 两只羊 (two zhī sheep),

一只小船 (a small zhī boat), 两只箱子 (two zhī suitcases).

There is a grand sacred mountain in China with five peaks, Mt Hua, a dangerous mountain once accessible only to emperors, hardy hermits and local pilgrims. (HuaXia is ancient China.) A ridge, Dark Dragon, provided access.

Center is Five Clouds Peak, north (smallest) Cloud Terrace Peak. TaiHuaShan, Great Flower Mountain (west/south/east part), is west Filial Son Peak, south Landing Goose Peak (has three summits), and east Pine Juniper Peak (four summits). The east peak also has its own summits for the four directions; its western summit, Jade Maiden, is now treated as the center of Mt Hua.

Mountain medicine wheels are found in Mongolia (at Ulaan Baatar, Four Holy Peaks) and in the U.S.. Four Corners of the Navajo: Dibé Nitsaa, Mt Hesperus, is black north; Tsoodzil, Mt Taylor, is blue south; Dok'o'osliid, San Francisco Peaks, is yellow west; Sisnaajinii, Mt Blanc, is white east.

For Turkey it's seas instead, northern Black Sea, southern Red Sea, western White Sea (Mediterannean, Akdeniz), eastern Blue Sea (Caspian, recorded in ancient Russian manuscripts in Turkish as Goy).

Dividing up the heavens

In China the stars of the heavens are divided in six, two poles and four quarters. Their four totems are sì shòu, 四獸. It's said that before the four direction totem animals, there were just three totems, the qilin (unicorn), the phoenix and the dragon. Could this be a shared four directions culture from the Americas' medicine wheels? Let's search their ecosystem.

Chinese Han South totem: Red Bird

It has been a question, which bird is the real Chinese Red Bird that belongs to the south. So could it be found in the Americas? Birds were beloved by the Inca, this Gavin Menzies in his book '1421' affirms. They had their astronomy center, Machu Piccu, shaped in the form of a condor. ('Machu Pichiu' would mean 'old bird'.) A book, 'The Sacred Valley of the Incas: Myths and Symbols', has details.

Red Bird is sometimes called Big Bird. Ignoring color then, there's the Andean condor. There is the teratorn, largest flying bird ever (wingspan sometimes maybe as great as 7.5 meters), but it's in North America as well. The teratorn is thought by cryptozoologists to be the mythical thunderbird. Teratorns of varying sizes flew about the New World until 8,000 years ago, and their bones are found in places where thunderbirds were reported. www.newanimal.org. (See 'The inspiration of birds', p460.)

Far south from China, Samoa's name translates 'sacred

moa'. Moa can mean chicken, or the New Zealand moa, largest ever land bird and extinct only in recent history. Southeast Asia had an ostrich similarly hunted to extinction.

The chicken itself comes from China, and its wild relative is the red jungle fowl. It's one of those animals we call red that is actually orange, ginger. Gavin Menzies, in '1421: The Year China Discovered the World', gives evidence that the chicken was brought to the Americas in the early 1400s.

With the chicken we're getting warmer, but I'd prefer to arrive at an actual red bird, not a ginger one. In the Southeast U.S., keeping a parrot was like a badge of the medicine man, according to Donald Panther-Yates. Macaws of South America (some types were in the Southeast U.S.) are some of the world's most colorful and intelligent birds. They come in many colors – some types are more or less red. It's said the green-winged red macaw is the best pet of all the macaws.

When I lived in Cape Cod, Martha's Vineyard island, I saw cardinals. They are true red, and are found in many parts of North America and South America. They are not from the south as in China's totem, but importantly they are symbols of enduring the cold of the north. They stay the winter. Shawn and Kevin Gadomski portrayed an Ojibway cardinal totem with colors red, white, yellow and black, symbolizing the bird's mastery of the four winds.

Cardinals are spirit medicine for courage and true faith. They are actually called 'red bird'. A Sioux woman named Red Bird (Zitkala-Sa) struggled for Native American rights. This could be China's Red Bird, together with the flamingo.

The flamingo is a large red bird which is found in South Asia, Africa (where many of them are dying) and more widely in South and Central America. There is also one found in the northern Mediterranean. An ancient bird in this location recommends itself as spirit brother to Dryopithecus, and seems to have its original homelands in the same regions as humans. Very social, they keep out of predators' way, even inhabiting salt lakes. The Moche people of ancient Peru often pictured them. In Egypt they are the god Ra.

They trawl the water with their heads upside down, they produce milk in their crop like pigeons do. The reddist of them is the Caribbean flamingo, Phoenicopterus ruber ruber. http://library.sandiegozoo.org/factsheets/caribbean_flamingo/flamingo.htm This bird also lived with the Maya at Yucatan.

They are not always very red, it's the blue-green algae and brine shrimp they eat that gives them more or less color. Someone must have identified them with the phoenix, because their genus is given the name Phoenicopteridae. Flamingoes are non-aggressive birds. Some beautiful photos of the red flamingo can be seen at the website www.bernard-preston.com/LONELY-ROAD-OF-FAITH.html

Chinese Han West totem: White tiger

Alaska, the westernmost part of the New World possesses the white polar bear. White tiger is Bengal tiger. Bengal is not directly west of China, about south southwest.

The westward journey of tonal-agglutinative language from the New World via China to Central Asia is described in 'Han' above. Changes in language traveled along with various treasures of Han culture. Journey to the West, XīYǒuJī, is one of the four Chinese literature classics. It was published in 1228, and told of a three year journey by the monk Qiu ChuJi, who went west to visit Genghis Khan at the Hindu Kush in Afghanistan. Through snow leopard territory.

So the white tiger could also be the snow leopard. It's not white so much as grey with black spots. Sixty percent of its territory is in China, especially to the southwest.

According to my theory, after receiving New World Han culture, the Han of China became more and more prominent. So it may be that the return of New World Han occurred at the start of the Chinese Xia dynasty. HuaXia is the name of early China, on the Yellow River. The Yellow Emperor of HuaXia was supposed to have reigned 2698BC for 101 years. Xia dynasty is later, 2070 BC till 1600BC. Perhaps the Han brought more than just Han culture, but also Maya. New and Old World Han and Maya are all languages with four tones.

Maya are the central civilization of the New World. One western branch of Maya are the Xiu. Could China's Xia dynasty come from Xiu? They lived in the Yucatan. Conflict between Xiu (whose allies were west in Mexico) and Cocome feature in the film 'Apocalypto'. Xiu joined forces with Spanish to help them conquer. Maya have the black jaguar.

Map of Xiu land drawn later in the book Chilam Balam is circular, shaped like a medicine wheel, capital Mani in the center. Korean peninsula, a Han land, compares with Yucatan geographically, and faces PengLai (possible Han resettlement location) across the sea. Overview of changes in Chinese history www.indiana.edu/~e232/Time1.html

Chinese Han North totem: Black tortoise

North America is called Turtle Island. (See 'Turtle Island' below.) Its shell is like the polar ice cap and the ice sheet that spreads over much of North America during ice ages. Turtles are ancient animals. There are lots of turtles in North America. A medicine wheel can itself be a turtle.

An igloo is turtle-like, or a Celtic roundhouse. Or Chinese pyramid-shaped homes at the Neolithic site of BanPo.

The turtle / tortoise has taken on great importance in Chinese Han culture, perhaps due to New World Han. The Chinese Han used a tortoise shell in primitive oracle-reading. These records of writing on tortoise shell are known as the first Chinese writing. In Chinese Han culture, often a turtle, known as bìxì 赑屃, was carved to bear writing on large stone tablets (steles). (See photo on page viii.)

A legendary tortoise named Ao bore the world on its head. Once the black tortoise was the black warrior. He is said to come from ancient Chinese prehistory. The somber (or murky) warrior is actually a combination of snake and tortoise. Tortoise is yin and snake is yang.

Snake is a totem of the Maya, and the long thin isthmus connecting North and South America. Vision serpent. Quetzalcoatl, the snakelike god of writing corresponds to Chinese snake-bodied couple, FuXi and NuWa. A snake (page xiii) comforted me one day, and said, 'Remember me.'

The first compasses were made in China, some in turtle shape. But the Olmec of Soconusco, Central America, mastered magnetics a thousand years earlier. They produced statues with magnetic points in strategic parts, 'fat boy' ones with north and south points on the head or around the navel. They produced a turtle head with magnetic nose; also a possible compass, a small magnetic bar with a groove in it.

The Sioux made a totem pendant of a child's navel after birth, a turtle or a lizard. (Lizard for South America?)

Chinese Han East totem: Green dragon

Off the Chinese coast (to the east) are the fabled islands of PengLai, the mythical paradise. There is an actual city named PengLai too, popular with about two million Chinese tourists a year. Ida Pruitt, born there, wrote 'Daughter of Han', about a simple Han woman. Maybe it was at PengLai that Han settled upon their return from the New World?

Eastward of the Americas, one arrives at Celtic Ireland, the green isle; there also is Anglesey, Isle of the Druidhs.

Off the coast of PengLai, mirages frequently occur, and the sea southeast of Japan has phenomena like the Bermuda Triangle. A mythical mountain at PengLai had gold palaces like Inca had. (See 'Aconcagua' above.) From PengLai city the eight immortals left to float over the sea. 'Gulliver's Travels' reflects Japan's HoRai (PengLai) fairy people. http://digital.otago.ac.nz/results.php?lcontributor=Swift,%20Jonathan,%201667-1745 – map of his location, Luggnag.

The dragon is the shape changer; birds evolved from

small dinosaurs. See 'Dryopithecus', above, p461. The dragon is many things, and its body is said to be made up of nine animals (horns of deer, head of camel, ears of ox, eyes of devil, neck of snake, abdomen of cockle, scales of carp, claws of eagle, paws of tiger). But my idea is that the dragon is the mammoth.

The mammoth was furry, it had tusks and a trunk. These could transform into the image of soft-looking dragon horns on a long body. Its tusks continued to be discovered and treasured as a mystery of the past, and were prized by Chinese craftsmen for intricate carvings. The mastodon is another mammoth relative.

The elephant is known for emotional intelligence, so makes a good dragon. (Dragons are supposed to be intelligent.) An elephant has a long memory, is a large animal, suitably noble to represent an emperor.

Mammoths traveled over icy terrain, and survived on in the New World (east of China) longer than in the Old World. They flourished on the Beringia grasslands during the ice age, between Russia and Alaska, where Native American settlers lived for some time before entering the New World.

Mammoth recalls the ancient Neandertals' power to survive the Ice Ages without running away. Mammoth doesn't have dragon scales, but elephants are partly water animals. Sometimes they swim distances, like between islands. Southeast on the island of Flores, the fairy elephant Stegodon lived with Hobbits. Celtic dragons are water dragons too.

But for Scythians, the dragon is Chimera fire, See p468.

Fabulous beasts, the sì líng

The sì líng are not direction totems, but I'm treating them as riddles, making a new interpretation to account for these hybrid beasts. Traditionally the four fabulous beasts include tortoise, not pixiu. I replace turtle with pixiu. Pixiu is magic, tortoise is real. Tortoise has its place as summary ancestor totem, connecting to ancestral branch of Turtle Island Han.

The stone tortoise that carries the important stone tablet on its back is known as bìxì. (Bàxià 霸下 may be more correct.) The earliest known use of the bìxì was in the Han dynasty at LuShan county, Sichuan province.

Sì líng uniquely possess both yin and yang energies. I am investigating a New World ecology origin for the sì líng beasts. To try their hybrid origin I've picked eight totem animals from the Americas; four fabulous beasts hybridized from eight real American animals, pairs of opposite directions. The four mythical beasts themselves are from Chinese Han tradition. (See pictures online, judge and compare.)

A list of 14 supernatural beasts was compiled long ago by writer Lu Rong, probably from folklore; some are variants.

Píxiū: East rabbit + West coyote hybrid

Traditionally, the píxiū (pronounced 'peeshiu') is like a winged lion with whitish-grey fur. It was called pi-xie at first, which means avoiding evil spirits. It loves to eat gold and silver, and its butthole has been sewn shut so it can only accumulate more and more wealth. This beastie is all about good fortune. The one with wings is for protection from evil. Píxiū is popular today in jade jewelry.

Possible New World origin of the hybrid: The píxiū has rabbit-like ears, usually lies down like a coyote but shares west bison's body. (Dragon is west bison and east whale.) A rabbit is fast and productive. The fur is right for the hare. On rabbit in Native American culture, see p502. A coyote is a carnivore like a lion. Coyote is cunning, he is the Native American trickster. Both rabbit and coyote can be tricksters.

Qílín: North raven + South llama hybrid

Pronounced 'cheelin'. It's a stern hero of justice. Its makeup is body and head of deer, tail of ox, hooves of horse, scales of fish, a single horn. It steps lightly so as to injure none, even to the point of only eating dry (dead) grass. Llama is unique and unfamiliar, so qílín types vary. See http://lair2000.net/Unicorn_Dreams/Types_of_Unicorns/Chinese/Chinese_Unicorn.html .

The qílín appeared to Emperor FuXi 5,000 years ago out of a river, with the gift of writing. I saw a qílín with a phoenix in a wall fresco at a daoist temple in QuanZhou. The city was once maybe the largest city in the world. Quanzhou's port was the start of the Maritime Silk Road.

In the history of animal taming, there is one occurrence in the New World – the llama. (Well, and the guinea pig.) So llama produces the most important of the fabulous beasts. Qílín ears and feet do look like the Andean llama's. It has an agile look like the mountain-crossing llama and looks a similar size. I understand that llamas have a lovely nature, and there are programs to bring people in contact with them for healing. Thousands of llamas empowered Incan trade. As an Andean high mountain animal, qílín is pictured in clouds.

The spindly legs look like raven's. Raven adds humor and intelligence, but also seriousness. Raven is bold, cleans up a battlefield. So qílín appears in court to spare the innocent or spear the guilty. (See 'Celtic raven culture' above, and 'Poetry of Raven and Eagle' below.)

The qí (raven, male) and lín (llama, female) when joined as qílín, lose their upspread mane and instead gain a beard.

Dragon: West bison + East whale hybrid

Dragons vary. In the case of jiaolong (See Wikipedia), dragon has been suspected to be the crocodile. Dragon could have bison's horns and shaggy head, whale-inspired scaly fishskin, whale's vestigial legs. (Creationists believe vestigial organs are actually useful not vestiges). It has whale's intelligence. Dragon also shares west coyote's humor.

Phoenix: North bear + South condor hybrid

In Han dynasty China, two phoenixes faced each other, the male fèng and female huáng. Much earlier, there was just huáng. After Han dynasty they became one, fènghuáng.

The phoenix is the pheasant. Actually the phoenix is supposed to have the golden pheasant head, the mandarin duck's body, the crane's legs and the parrot's mouth. And perhaps wings of the giant roc bird of the east and feathers of the peacock. Oldest picture on 2,500y.o. silk, near Changsha.

China is (or was) especially rich in beautiful pheasants. They are a marvelous bird. A little bit like the sharp feather patterns of a native wild turkey in America, but colorful. In Han dynasty the ancient sacredness of the divine pheasant lost ground to new influence (red bird of astronomy). Phoenix gave power to the king to win in war.

In China pheasant types marked the ranks of imperial court officials. A golden pheasant was the best, a first or second rank (later, just the second). See the beautiful golden pheasant with its brilliant gold, red and blue colors at www.adeoma.org/the-20-most-brilliantly-colored-birds-in-the-world.htm . Some pheasants have 6-7 foot long tails. The silver pheasant is rank number five, from 1391 on. So they had some status. The white-crowned long-tailed pheasant is for high ranking women in the imperial household.

As a New World hybrid, phoenix has condor and bear's claws and power, and bear's stunted tail (pictures show few feathers on a phoenix, however long). Phoenix represents gracious power. Bear has special endurance, (it hibernates), it can teach us restraint. Condor circles calmly on an updraft.

The phoenix could also be a symbol of poetry. (See p343.) Maybe deep in the heart of this poetry lies the call to welcome back the phoenix. I think the story of phoenix is terribly sad, bear and condor are lonely animals!

Medicine wheels create order out of time and space

The animals were summoned by the gods. Rat got there first, he rode the ox across a river. It's the story of how the order of the Chinese animal year zodiac came about.

The Maya had not a yearly zodiac animal, but daily, in a twenty-day month called a winal. www.onereed.com .

Various units of time include a tun (20 winals), a baktun (20 tuns), even an alautun (64 million tuns).

Maya had about 20 different types of calendars, including one based on Venus. The Maya or Aztec picture of time involves five phases, known as five suns, shown on a disc with concentric circles. I've heard (by word of mouth only) that RiZhao in China has a five sun culture.

Astrology may have arrived in Sumeria and Near East via China, from Maya and Inca. (See 'Aconcagua' above, and p506 on similarities of Inca and Central/East Asia astronomy.)

Rat, a small cog in the ecosystem

The first two animals of the zodiac, rat and ox, represent to me the great and the small as found in I Ching philosophy. The Power of the Small is one of the 64 hexagrams in the I Ching, #62, and The Taming Power of the Small is #9.

There is something of rat power appearing in the story 'The Origin of Copper'. Rat has a secret place in Celtic culture. (See 'Grandmother Mouse' above.) Grandmother Mouse appears in other Native American stories too.

China has a story, not so well known, of Polite Mouse, lĭmào shŭ. It would bow to a certain man every day, when the man passed by its hole. We could compare mouse to 'The power of the small' in the Chinese I Ching.

Once Han brought New World astronomy / astrology back, it became a tool to organize society in place of moiety kinship. A mirror for the imperial family, any unauthorized use of astronomy and calendar books or implements would be severely punished. Unfortunately, politics meant Chinese scribes often changed the facts of the stars to suit the occasion. It's been suggested this was done by Native Americans too. Ray Williamson wrote 'Living the Sky: The Cosmos of the American Indian'.

For a society like the Hlĭngit that has lost a lot of the organizing tradition of moieties, other things can replace some functions of moieties. The Chinese I Ching describes the family as the model of our lives. Our role in our families extends to the wider circle of society.

In hexagram #37 it says 'Three of the five social relationships are to be found within the family... The reverence of the son is then carried over to the prince in the form of faithfulness to duty; the affection and correctness of behavior existing between the two brothers are extended to a friend in the form of loyalty, and to a person of superior rank in the form of deference. The family is society in embryo; it is the native soil on which performance of moral duty is made easy through natural affection...'

The rat is a family animal. I suppose we would put our family at the center of our medicine wheel. Maybe this is what the story is teaching the young man or woman coming of age. That a mature person puts their family at the center, not just themselves. The mouse in the story sends the girl back to her home.

Ox, a big sprocket in the mechanics of the ecosystem

Ox is second to the cunning rat. The greatness of ox may be expressed in the I Ching as #34 Power of the Great, #26 The Taming Power of the Great, and #28 Preponderance of the Great.

The counsel to people who used this great and ancient book of wisdom was that its oracles only applied to the 'superior man' or 'great man'. This means that a moral person will have the necessary responsibility to balance the benefit they take from society. As a youth I was taught that with great blessing comes great responsibility.

It is significant that ox and rat are singled out among the 12 animals. I think that ox represents the New World origin of much of Chinese Han culture. Whereas rat is the cunning adaptation of that culture in the Old World. It seems that the ox idea is all about sustainability and history.

Hexagram #34 in the I Ching represents pause, and the change from cave-dwelling to buildings. 'Strong in movement – this is the basis of power... Perseverance furthers, for what is great must be right. Great and right: thus we can behold the relations of heaven and earth. Strength makes it possible to master the egotism of the sensual drives; movement makes it possible to execute the firm decision of the will. Thus all things can be attained. This is the foundation upon which power rests.' [These text quotes are from the Richard Wilhelm translation.]

Wilhelm says that the eight words for the eight trigrams (bāguà, see p512) that make up the I Ching are not from Old Chinese but appear to be foreign, and do not relate to any other words in the Chinese language.

#26 'When innocence is present, it is possible to tame... The ;power of the great depends on the time... Not eating at home brings good fortune; It furthers one to cross the great water... Daily he renews his virtue. The firm ascends and honors the worthy. He is able to keep strength still; this is great correctness... People of worth are nourished... One finds correspondence in heaven... The great man acquaints himself with many saying of antiquity and many deeds of the past, in order to strengthen his character thereby.'

#28 Takes the image of the ridgepole of a house, or the system of burial. This hexagram shows extraordinary situations. 'Without provision of nourishment, one cannot move... Nourishment without putting to use finally evokes movement; movement without end leads finally too far, to overweighting... Preponderance of the great is the peak... The ridgepole sags to the breaking point because beginning and end are weak. The firm preponderates and is central; gentle and joyous in action; then it furthers one to have somewhere to go; then one has success...

'Despite this extraordinary situation, action is important. If the weight were to remain where it is, misfortune would arise. By means of movement however, one gets out of the abnormal situation... The lake rises above the trees, the image of preponderance of the great; thus the superior man, when he stands alone, is unconcerned. And if he has to renounce the world, he is undaunted.'

Ox leads to the idea of the wheel as machine

Bison traveled by millions up and down alongside the great axis of the Rocky Mountains. Also, the cow is most beloved by the Celts and ancients of Eurasia such as the Indians. With Ox, we come to the actual wheel, for example cart wheel. This is also the machine. The operation of systems. It can mean joyful convenience, it can mean loss of our humanity.

I am a Taurus also born in the Ox year, so I have to include myself in Ox power. I don't want to be just a machine! The machine has helped and also hurt me. I yearn for a more human world. This language work has been a huge project for me. In fact there are a range of huge projects, each part of a matrix of knowledge I've been manifesting.

Creating a matrix is not easy. Kind of like growing skin over a wound. I've had the strength to go at it little by little, discovery by discovery, over more than 20 years. Found the resources. Thanks to all the people who've helped me, directly and indirectly. Which kind of is everybody, in a way.

Wheels as cycles

I'm getting old, so I really want to see results to my work, changes in society. I'm calling on you for that. All my decisions in life have been influenced by this destiny, using language to bring back harmony. Sometimes we hold onto bad things because they're familiar. But I want to embrace life, flow with the evolution of society, leap with trust.

With elegant simplicity, we can make a big difference in our world, and cherish the things that matter most. I'm a person who has often received instant results to my actions.

Instant karma. Good actions, good results, bad actions, bad results. At times I've suffered severely for little wrongs, and profited handsomely from little acts of righteousness. I have also trained myself to the long game, to track slow results, cause and effect.

Since 'we' have become farmers and domesticated animals, our actions have so many subtle consequences. The medicine wheel of the seasons has become more and more important. But, like Neandertal, we live in one place, most of us. Instead of being nomads. And we need all our skills to control everything. We won't always just use resources and abandon things and move on to another place.

The seasonal calendar gives us a chance to come together over resources. Celtic culture pays a lot of attention to seasons, the traditional calendar is full of seasonal wisdom.

There is another wheel, the turning wheel of the cycles of birth and death. Many things are lost when they're not passed on. Our ability to keep the following generations strong, instead of overprotecting them is important.

So finding your medicine is finding some inspiration personally, through some experiences in the natural world of your life. Maybe through a vision quest, or going without, so that you appreciate and open your senses to the beauty and the power. Maybe wear souvenir 'medicines' in the dance too.

In the Chinese I Ching, hexagram #54 contains the medicine wheel. 'The superior man understands the transitory in the light of the eternity of the end. In the autumn everything comes to its end. At that moment, the death-dealing power of autumn, which destroys all transient beings, becomes active. Through knowledge of these laws, one reaches those regions which are beyond beginning and end, birth and death.'

Moiety

Moiety is a system of kinship and of identity. The Hlīngit nation consists of 21 tribes. Each tribe's clans belong to one of the two moieties. They are raven (Łaŷineidi), and eagle-wolf (Cêngoqedi). There is more about these at the website www.drangle.com/~james/tlingit/clan-list.html .

Łaŷineidi = Gàidhlig *sloinneadh* = surname, act of surnaming, act or mode of tracing one's pedigree.

Cêngoqedi = Gàidhlig *seanachaidh* = genealogist, reciter of tales or stories, antiquarian, one skilled in ancient or remote history, recorder, historian, keeper of records.

In the Sitka tribe there are six raven clans and five eagle

(wolf) clans. One of the eagle clans is Qūkhîtān (Ⱪookhitaan) clan. Within that clan are five houses, one of which is Box House, Qūk Hît. The storyteller who passed 'The Origin of Copper' story to linguist John Reed Swanton was from that house. A chart researched by Andrew Hope III, and produced by Peter Metcalfe, shows the various tribes, clans and houses. See also 'Box House', above.

Traditionally, Hlīngit people should marry only according to correct moiety, your choices were limited. Your children inherit moiety in a certain way, through the mother. It is a matriarchal system. Moiety rules provide for organizing social customs like potlatches, and (previously) access to trade.

Moiety still operates to some extent today, but not all as in the past. The section Eagle and Raven Education System, p343, contains some new idea about moiety. I think moiety was for controlling ambition and greed (especially where new settlers were concerned), and as trade grew. For some info on moiety and trade, see www.haines.ak.us.

Some South American societies have multiple moieties organized into two opposite sides. (A bit like Aboriginal 'skins'.) Their social organization is very complex.

The word in Hlingit for moiety is naa. Jeff Leer says naa means any clan or non-Hlīngit group of people. Swanton thought it meant wolf moiety.

The Gàidhlig word origin is *nàbaidh* = neighbor. In the north, it translates as neighbor, and in the west it translates as Northern Highlander. But *nàmhaid* = enemy, antagonist. Some other connotations can be seen in the following parent language origins.

naibh = (OG) ship (identity symbol; Māori of New Zealand identify by the canoe their ancestors came on; perhaps there is Polynesian influence here; See 'Tonal languages' above.)
nàistinn = nation, tribe, native, sense of duty (as of the servant toward his master's interests), care, wariness, attention, vigilance, modesty, circumspection
naing = (OG) mother
naoi = man, person, hip
nàim = (OG) bargain, covenant
naisg = ring, seal, (nouns); pledge, seal, money, deposit, bind, make fast
naisir = (OG) old inhabitants of a country
naoimh = saint (noun); holy, pious, divine, sacred, consecrated
nall = to this side, hither, towards us, from the other side

There is more about the word naa on p104 of the book 'Haa Kusteeyí' by Nora and Richard Dauenhauer.

Moiety internationally

Numbers of moieties, and how they work varies. Tsimshian has three. The Incan Empire was a vast system of moieties. There is a book by Levi-Strauss called 'The Elementary Structures of Kinship'. Endogamy and exogamy are words used to describe marriage arrangements, in relation to social groups such as moieties.

In Australian Aborigine society there are two moieties, but most tribes in central or northeast Australia divide those further into four sections or eight subsections. They can call those 'skin groups'. Aboriginal artist Rosella Namok described how everything in her own tribal world is either kaapay or kuyan.

I suggest moiety comes from Polynesian influence. Moieties can be found in Pacific Rim locations visited by Polynesians, in particular in places that acted as migrant gateways, northern Australia and Alaska. In the Northwest and Alaska, moiety could have been like a Customs & Immigration Department, but with ongoing cultural obligations. Some Hlīngit individuals seem to believe their clan had a history of coming in from another place.

Moiety may be a form of intercultural management

The Polynesians had already experienced the dangers of two different racial groups. (See 'Caucasians' above.) Melanesian versus Polynesian conflicts occurred in New Guinea, East Timor, Fiji versus Samoa. Experience results maybe in a sensitivity to the problems of intercultural contact (See also p482), and willingness to solve these problems. (I explore Sumerian origin of Polynesians in 'Seafaring' below.)

I wonder if moiety played a part in Easter Island conflict. Self-destruction theory seems an unproven colonial dogma, but widely believed. Research disproves it. Katrina Croucher (University of Manchester) has good work on Easter Island.

Native American culture with its moieties was discovered in the 1500s. Could have influenced formation of dual political party system (just subtle influence, I suppose).

At www.snowwowl.com, there is info on the three original Hlīngit moieties: Wolf and Raven were the major ones, and Eagle a small moiety. Nora and Richard Dauenhauer and Julia Black say in the book 'Russians in Tlingit America' that Wolf was older than Eagle. Now, Wolf seems equivalent but is more commonly called Eagle. See also p482.

Moiety literally means half. Instead of village leaders, the Hlīngit clan (moiety) heads acted as leaders.

Moieties were important and powerful. They still have some function. See also 'Grandmother Mouse', above.

Monogamy

Monogamy means staying faithful to one sex partner. It's a part of romance.

Social background to monogamy

Morality is something to appreciate in a story, and I would like my stories to be edifying, not demoralizing. Unfortunately, there are demoralizing influences in our world. Our financial systems are so primitive. If we could make money our true friend for the greater good, maybe our daily life would be more moral, monogamy would stand a better chance.

Racial moral debts go a long way to interfering with our good intentions. Saba and Sumeru expanded in the time of Chinese Han expansion. Saba-Sumeru-Skandi origins are in ancient and continuing East African migrations. (See p538-539, p548-549 & p485.) The better we understand the racial pressures that we face, by understanding history as correctly and honestly as possible, the better we arm ourselves against 'subconscious' mental and moral problems.

We should be spiritually prepared to handle emergency, since anything is permissible in chaos and we lose our moral compass. Cities often give the power of anonymity, which means it can be hard to find an anchor... anonymity is like an ocean. Becoming crop farmers makes life infinitely complex. I think the Neandertal culture was the leading moral civilization. Neandertal tamed animals, were animal whisperers. Going back to this brutal beginning, we can anchor our moral lives, because to practice monogamy we have to know the difference between ourselves and animals.

Monogamous animals

We should become more human through our interactions with animals, not less. It's a test of our humanity we can associate with animals closely without becoming animals. Sometimes they are corrupted by us. We are forced to become their moral guardians.

In our world, some of the species are monogamous. Birds are the best, 90% or so of bird species are monogamous. It's said that it works for them because the male can help equally to feed the babies, a common scientific view. Personally, I think it also has something to do with intelligence, but intelligence is also defined by moral codes.

Following birds, primates have a rate of 15% species monogamous, like gibbons. Mammals, not so many, 2-3%.

Beavers, some rodents like the house mouse, California mouse, some voles and hamsters. Red-backed salamanders, Kirk's dik-dik antelope. Wolf fish, a large endangered fish, have sex, unlike other fish that don't. See http://pblabs.biology.dal.ca/research/index.php?t=Population%20genetics%20%20of%20wolffishes . They are thought to be monogamous, but study is still going on.

In 'The Origin of Copper' there's a woman who marries a bear, or was about to. On the other hand, she suffers for her decisions. These bears are persons, can remove their bear coats. They're magical shapechangers.

Among every category of creature there will be some species that are monogamous. Including insects. There are 2% of insect species that are monogamous. But that 2% are the eusocial insects, the ones that have sexless workers. So in fact it accounts for 2/3 of total insect biomass.

Jacobus Boomsma of University of Copenhagen and William Hughes of University of Leeds have proven that these eusocial insects' ancestors were strictly monogamous. Once they become eusocial, they might in some cases like the queen bee have more than one mate. It's kin selection. They foster genes through actions instead of reproduction.

Nature and moral behavior

In 'The Origin of Copper', the woman marries the sun's sons. Then it turns out they are quite suspicious. Maybe others put temptation in her way to punish her. People have turned away from enforced religion, but with a lack of moral education we may miss out on the social support some religions give to monogamy. Social knowledge can help us to learn how monogamy works.

An animal has its own natural mating system. Then we should manage our dogs to have one life partner, a dog husband or wife! It's their natural moral standard, from their wolf ancestors. Wolves are known to mate for life. They may take another mate only if the other dies, is wounded or something. Whereas a penguin practices serial monogamy – it will have one mate at a time, for the length of the breeding season – a black vulture will be attacked by all the others if he or she is unfaithful.

If you want to know more about nature and moral behavior, Lyall Watson has written some entertaining books. He had so many degrees in the different sciences, and was a very popular writer. He has written on animals' morals.

Seasonal migrations and other seasonal cycles are part of animals' morals. Cycles operate in our own lives; with more objectivity we could evolve more successfully.

Why monogamy

Some scientists think that humans evolved speech through hunting, and that we evolved marriage through men providing meat to wives. In fact, women often provide a lot of the food, maybe through gathering plant foods. Also, other animals hunt in groups without needing to talk.

Male contribution with childcare is often a key to monogamy. But the Kirk's dik-dik antelope male doesn't help rear the young. Each culture has its way to handle morals; to suppress indigenous cultural religion is highly dangerous to their morals, including their will to be monogamous and faithful. I read once the suggestion that the family has gotten smaller and smaller, from clans to extended families to nuclear family, and the next step is solo parent families and individuals. We need the spiritual side of native cultures.

'Socially monogamous' means an animal might be faithful to one partner socially but still have other mating partners. Reporting is messy, this term is applied too widely.

Maintaining our human role in the ecosystem

What we need is a wholistic understanding of the role of a species, and its nature. Including our own. We should admit we need the the skill and will to care for other species, in proper accordance with our role as masters of nature. If monogamy comes from males helping take care of offspring, how much more do we humans need monogamy, to care for the animals and plants which now are like our own children?!

Sensitivity and intelligence, wisdom, balance, reliability, quick reflexes. Monogamy could produce these qualities. Fasting is a part of many religions; asceticism or doing without helps cultivate these qualities, prevents us being complacent.

We can imagine our ancient ancestors learning to commit to marriage by working through stresses together. In 'Dryopithecus' above, I introduced the iodine theory of evolution. Susan Crockford's theory states that evolution occurred really fast and by necessity, not through a slow process of selection. It's more instinctive, high pressure.

We manage stress and emotional bonding through chat and organization. I think to develop a good moral sense for monogamy, we should develop our conversation skills.

We are primates, primates are fairly sensitive, high-strung. Many of us primates tend to be social; some are very quiet and peaceful. Grooming is a very primate thing. I think for us, the role of grooming is now the role of healing, medicine. Healing happens on a micro scale and large scale. At the center of a chemical matrix of healing, we could place iodine. It is found in all living things, maybe it's a matrix of understanding. Iodine is a clean element, used by the thyroid gland to protect our blood.

Neandertal, the animal whisperer

There's a monogamous wolf fish, and a monogamous wolf eel. Maybe we are the monogamous wolf primate! It's been proven by DNA that Neandertal are one part of our ancestry, for most Eurasians and others today, except those south of the Sahara in Africa. Neandertal had large brains, often a bit larger than our own (And their body size was not greater than ours... a bit shorter, a bit more stocky.)

Neandertal have been in Europe over 800,000 years. It's only that we call those fossil ancestors over 300,000 years old by another more widely-used name, Homo heidelbergensis. Those Heidis were cannibals for a time, and ate the young.(Peking Man too.) My theory is Neandertal revolted against that generation. Rebelled. Reformed. Radically altered their lifestyle, with help from brother animals. They became animal whisperers. A revolution.

There are claims Neandertal domesticated animals for meat. The health or form of animals they ate was top quality; the meat couldn't all be in such condition if it had been hunted. (See also p532.) The wolf/dog has been at the heart of West Europe's culture since stone age, maybe ice age, times.

It's accepted in science that the first animal ever domesticated was wolf... that became dog. West European culture strongly values the dog. Central Eurasia went further in breeding the dog, producing the first dog fossils.

Neandertal really had the guts to do it. Wolves wouldn't necessarily become dogs until heavy discipline of later training, once the wolf was bred out of them in Central Eurasia.

Living in an ice age, Neandertal uniquely faced up to the ice and stayed near the ice sheet. I think for animals the cold was a great leveler, as Bob Dylan said of people in his cold hometown... they didn't even think of rebelling, it was too cold.

Survival partnership with the monogamous wolf

Aboriginal peoples in Australia benefited from the dingo on cold nights. They were a living blanket. A very cold night required three dingoes, and in extreme cold you needed six dingoes. Maybe the wolf was a warmer for Neandertal, who didn't run from the ice age. He may have played alpha wolf. Neandertal is nothing if not brave – he faced his prey up close when hunting, didn't throw weapons from a distance.

It's said it's really hard to force domestication. The animal should expect some benefit, and allows itself to be tamed. Their numbers do increase wildly when humans take them on and protect or support them. Neandertal probably could help Wolf with big prey like mammoth. Neandertal are known to have had a meat-heavy diet, like Wolf.

Wolf could help a little to manage other animals. It's known that Neandertal possessed flutes. The purpose of their flutes is believed to be to call animals. (See 'Neandertal language: Music' below; See also 'Pyramids'.)

Humans learned behaviors from monogamous Wolf, co-evolved, partners forever. (See p533, effect of cropping.)

Oh Maybelline, why can't you be true?!

The quality of loyalty is associated with the dog. Allying with wolves started the human power play in the ecosystem. It's a key to our modern world. It seems wolves have taught us that we have options. And pirates who borrowed wolf culture from the animal whisperer, developed it at high speed... eventually we come to DVD or Gucci handbag pirates. Intellectual property is hard to manage and judge.

The question of who was first to take control of nature... www.historyworld.net/wrldhis/PlainTextHistories.asp?historyid=ab57#ixzz1BP663LJQ - A chronological history of animal domestication, beginning with dogs, 12,000BC. Dog taming might have occurred 30,000ya up till 14,000 years ago. http://archaeology.about.com/od/dterms/a/domestication.htm

Some DNA comparisons of wild and domestic animals suggest a much earlier domestication. (See 'Neandertal language' below.) Competition needs harmony. Like a pilot experiencing spatial disorientation, pressure in our evolution can cause us to become fixated on errors.

Love me, love my wolf

In Yellowstone National Park, wolves have saved a whole ecosystem, and a dying river, damaged by overgrazing.

Wolf moiety could be in memory of the animal-taming Neandertal ancestor, and a moment of enlightenment about our potential as leaders in the ecosystem. I trace the Hlīngit name given to wolf/eagle clans in general, Cêngoqedi, to Gàidhlig *seanachaidh* = genealogist, reciter of tales or stories, antiquarian, one skilled in ancient or remote history, recorder, historian, keeper of records. (See also 'Moiety' above.)

Leif Ekblad in his Neandertal theory of autism suggests that Neandertal were not monogamous, and so some people descended from them may not be naturally monogamous either. I am not convinced. As indigenous people, morality is part of our survival. DNA can be a part of it, vasopressin receptor genes in mice were studied. DNA in eaglefeathers.

Why are monogamous species, why are we, faithful? Animals, plants depend on us; we must be true to ourselves.

Neandertal language, Neandertal mouth

To understand Neandertal potential for speech we need to consider all kinds of evidence of civilization. DNA and fossil evidence tells us Neandertal had the ability to speak, but these evidences only give us so much information.

Discovering the link between Native American languages and the Celtic takes us back a long way. The last Neandertal populations in Spain survived until about 24,000 years ago (some say 30,000). The Native Americans may have entered the New World 25,000 years ago (see 'The Incredible Human Journey', film series). Some may have retreated with mammoth to Beringian grasslands, bridge to America.

Partial results on Neandertal nuclear DNA (out in May 2010) proved that not only Europeans, but Asians too, are equally part-Neandertal. (See 'Gàidhlig language' above.)

The original animal whisperers, their language skills developed through complex management activities (why they had big brains). Their culture was very important in their day.

Simplicity

My father once said to me something to the effect that, 'When you gain enough knowledge, at that point you find that it all converges.' (At that time he was reading the whole town library shelf by shelf.) It's a complex process achieving true simplicity. Lucky I had an animal-whisperer foster aunty.

As a teacher, I constantly face the challenge of simplicity. As a hippie, I searched for simple but effective healing. My father had huge ambitions for his contributions to human psychology, also the questions of the space-time continuum. (Physics-trained, MIT.) Sidetracked into economics, he passed the wisdom baton to me. Not that I always showed much promise, but he cultivated my interests carefully.

Daily pressures force us to simplify. Paleo diet is a hot fashion. (See 'Meet the Caveman Dieters', ABC News.) It's established Neandertal ate mostly meat. I think Neandertal was a meat and salad connoisseur, like gourmets of Western Europe today. A herb man. Herbs and flowers are on a Neandertal grave at Shanidar, Zagros Mountains, North Iraq.

Neandertal brain

Part of researching Neandertal speech is to understand the brain. Neandertal had larger brains than us, on average. Erik Trinkaus says the main thing is the brain, not the mouth, and Neandertal had large brains. See also p417 on the fast spread of the Neandertal gene for brain size.

Researchers study various parts of the brain which support language and speech. 'The Chosen Species: The Long March of Human Evolution' by de Arsuaga, Martínez and Antón, has a description of the various evidences scientists look for in fossils.

New Scientist May 2 1998 reported hypoglossal nerve canals in the skull of Neandertal are the same size as ours, and prove speaking ability. (A chimpanzee's are only half our size.) The base of the modern human skull flexes more, because of the different throat that humans have. Some thought Neandertal didn't have this flexion but Jean-Louis Haim proved this part of a Neandertal skull base had been measured wrong. Again, same as us. Laitman studied all mammals to prove skull base flexion relates to a lower larynx (uniquely human), and more space in the pharynx at the top of the throat. See 'Talk of Ages' by Bruce Bower.

One major difference between Australopithecus (3Mya, three million years ago) in early Africa, and Homo habilis & rudolfensis (the next humans), was the Broca's area in the brain. It's much larger. A shadow of it remains on the inner braincase of fossil skulls. Neandertal and Heidi's are big too.

Modern medical research on people with aphasia (brain problem affecting speech) has revealed the function of the Broca's area, and other parts of the brain relating to speech. (See speech areas / functions in 'Broca's area', Wikipedia.)

It's found that the Broca's area relates to our interpretation of actions and body language, more basically. So some say the Broca's area in fossil study proves right hand use for tool-making rather than proving speech.

Ornamentation as proof of language

For proof about Neandertals' language abilities, people studied ornamentation, since culture suggests language. See http://ebbolles.typepad.com/babels_dawn/2008/03/neanderthals--1.html . Black manganese pigment blocks were found, and the Neandertals had also shaped them into tools they used to write straight lines. (See also p539.) It seems they used the color on their fair skin and on animal skins. This was discovered by Francesco d'Errico. Neandertals' coloring pigments have been found at 36 sites.

Humanist cult versus animal whisperer culture

The newcomers to Europe, CroMagnon or modern man, arriving about 40,000 years ago, made fetish figurines of women, 'Venus' with huge hips and boobs. This goddess became the Frigga of the later Skandi (Vikings). (See p535.)

CroMagnon entered a land where descendants of Dryopithecus existed for almost 20 million years. He faced a matriarchal Neandertal animal-taming society with strong respected women. First impulse: patriarchal goddess cult.

HITTITE language, a museum of Neandertal Levant intermarriage. The Gàidhlig (for Neandertal) follows after in italics. Arabic may have inherited a few words. Randomly selected vocab. See p479 on Hittites.

1. **Unchanged borrowing**

salchar = dirt // *salachar* = dirt
erha = boundary // *èarr* = boundary
nepiš = sky // *nèamh* = the skies, heaven, the abode of bliss
lala = a language // *labhairt* = language, speech, speaking
wali = great // uallach = noble, proud, fantastic, gallant // [Arabic \ waadeem]
ta = to come // *tàir* = to come, to go // [Arabic ja-a]

2. **Adding humanistic / religious element**

arma = the moon // *àm* = season, time in general // *airmid* = (OG) swan, honor, reverence, worship [Arabic qamar]
arái = to pray // *àraich* = rear, educate, bring up, maintain, support // *araichd* = godsend, boon, gift, present, donation
mekiš = large // *meig* = protuberant chin [the Neandertal had hardly much of a chin], snout of a goat, [the goat became the Saka god], sign of life, cry // *meilleach* = (OG) the globe
nahhan = respect // *naomh* = holy, sacred, divine

3. **Neutral or enforcing distinctions**

mina, mini = a city // *mìn* = plain field // [Arabic madina]
kikla = grass // *ciabh* = the hair, ringlet, side lock of hair // *ciabh-ceann-dubh* = deer's grass [literally, black-head hair]
piddai = to run // *pliadh* = swagger [Neandertal were not committed to running like the southerners] // *pliut* = clumsy foot or paw

Either psycholinguistic warfare was used against Neandertal animal whisperers, subliminal messaging... or defensive self-deprecating Neandertal humor. Preference is for words with an animal theme.

4. **Curses or wise jokes?**

ak = to die // *ag* = hesitate, refuse, doubt, scruple, contradict // *abhail* = (OG) death // [Arabic ma-ta]
ekw, akw = to drink [necessary in the desert] // *ag* = hesitate, refuse, doubt, contradict // *òl* = to drink
ai = to do, to make // *ai* = (OG) cause, territory, possession, inheritance of land, herd, cow // [Arabic 'amala]
ešhar = blood // *eas* = waterfall, cascade
mald = to ask // *malraich* = exchange, barter
hulana = wool // *ùrla* = hair, lock of hair, face, forehead, chest, breast // *uallair* = coxcomb [Neandertal often had red hair]
parai = to blow // *paradh* = pushing, brandishing
istanza = a soul // *ite* = wing // *itealach* = flying // *isleachadh* = humiliation, condescension, abasement, abjection

Breath: Flutes, lungs, nose

Pan, the goatherd, is the Greek god associated with the flute. This wind instrument belonged to Neandertal too. Here we are dealing with an important side of human nature, charm. As animal-whisperers, Neandertal made use of the flute as a tool for calling animals.

There was a bear bone flute found in Slovenia that tuned to the seven-note scale of music today. The flutes had four holes. www.greenwych.ca/fl-compl.htm The flute is dated at least 43,000 years old, maybe as old as 82,000 years. Perhaps the oldest known musical instrument.

Jazz composer Simon Thorne attempted to make music as Neandertal music might have been. (Hear it at National Museum of Wales.) Book by Steven Mithen, 'The Singing Neanderthals'.

Neandertal abandoned the flute to its later popularity, and devised a new identity. The Scottish bagpipe that takes strong lungs to play. Bagpipes from across Europe can be seen at www.hotpipes.com. It may be the territory of the bagpipes reflects western Neandertal ice age refugia, as the Pyrenées and Balkans, rather than Ukraine, which seems to be the origin of the Neandertal intermarriage in the Levant.

Singers and speakers need lungs. Fossils give us clues. For large modern lungs, the spinal cord needs a wider space in the chest vertebrae (thoracic vertebral canal). It's thought without more lung capacity, ancient humans couldn't speak.

Homo habilis had already become a strong runner. He must have had good lungs for running, but I expect the cold climate of Neandertal developed the larger lungs, in the same way that Neandertal developed large noses for warming the freezing air.

Throat and mouth, Pronouncing of sounds

The larynx is a key part in the anatomy of speech. We modern humans are the only ones in the mammal kingdom to have a larynx that is placed so low. It's right down at the vocal chords where our throat separates into digestive tract and windpipe. We can choke, only our babies under age two have a high larynx (easy to breastfeed), then it descends.

The pharynx above it is larger, that's the key. McCarthy and Lieberman reconstructed Neandertal's vocal tract, made him speak with a computer synthesizer. They reckon he couldn't control his voice for subtle differences in vowels.

That's where dipthongs come in. By using dipthongs, vowel differences could be clearer. Gàidhlig has an extremely great number of dipthongs (double vowels). (See 'Phonology: Dipthongs' on p366; 'Pronunciation' pages xviii-xix.)

Softpedia has an article called 'Neanderthals were too smart to survive'. It summarizes some of the information about how the throat and mouth of the Neandertal was shaped, based on a rare fossil from Israel, a hyoid bone.

They too proved Neanderthal spoke. They think Neandertals could say mainly c, a, u and p. Because they think the Neandertals' tongues were too high, or too far back in the mouth), had less space in their mouths. (But de Arsuaga, Martínez and Antón claim Neandertal couldn't pronounce the vowels a, i or u.)

When a thing is hard to do, doesn't mean people don't do it. They used the back of the mouth for g,k,t,s, connecting closely-positioned mouth parts. They had forceful intense body energy (eg. preferring to spear prey at close range, like today's bullfighters, rather than throw spears), and motivation to engage (eg. engage the wolf, tame it a little). Like Native American storytellers, in ice age winters they had time to talk.

The Neandertal mouth had less space because of the tongue being higher and further back. So Neandertal preferred the guttural sounds that Hlīngit and Gàidhlig have. Also, they cherished the guttural sounds. French r (rolled on the floor of the mouth) and Spanish r (rolled on the roof of the mouth) were their expressions of creativity. It's a tongue yin-yang. To hear the French r clearly, listen to Georges Brassens' songs (from Sète in Occitania, South France).

Try it yourself, raising your tongue like a Neandertal's. The palatal sounds t, d, s, k, g are easy to say, right? Their tongue was closer to the back of their throat, they could more easily make the velar d and g and k of Hlīngit and Gàidhlig.

Making p, b, m, f sounds (labials) would be pretty useless until they could make open vowel sounds. Labials without sound won't work, tongue control is needed more than lip control. The labials like b and m are more common in the eastern languages of the Americas, if you see pp351-353.

Hlīngit might be loyal to an earlier Neandertal-Celtic parent culture (Gàidhlig is Q-Celtic, not P-Celtic). Due to early arrival, identity, or like a colony like Nova Scotia holds onto ancestors' tradition rather than allowing it to change.

'U' could have been first vowel, a chimpanzee vowel, kind of universal. There are varieties of u, both slender and broad, ü or the front u in beauty is like ee but ŭ like in put is more of a back vowel. (See pp411-412.) It's a middle vowel, default. (As in Hlīngit magic square, p99.) Chimp vowels: www.pbs.org/saf/1504/teaching/teaching2.htm .
For é and o we need more tongue control, the back of the tongue needs to drop forward. Two types of vowel evolution are reflected in Gàidhlig linguistics, (See 'Broad to broad, Slender to slender' above.)

Eliza Doolittle in 'My Fair Lady' was a Cockney, she used both the far back and far front of her mouth to make outrageous vowels. She wasn't totally primitive. Many Celts and various foreigners lived in that scene in the East End.

The 'n' was the first sound used to broaden Neandertal range of sounds; 'n' helped them move speech to the front of their mouths. That's why in Hlīngit sometimes n is added and sometimes it's lost. (See p382-385.)

We have a Gàidhlig word for the ancient origins of language – the language before dispersion is ***gortaighean***. This word relates to the Old Gàidhlig word *gort* = garden, enclosure, field, crop of corn or grass, standing corn, ivy.

Ivy has some importance, it is one of the chiefs of the plant kingdom in Celtic culture. It's associated in word history with the time of grain crop development in agriculture, when memory nurtured Neandertal's ivy league days.

Ivy appears in the mythology of Tir na n'Og, the land of eternal youth. It is said that when the visitor to Tir na n'Og returned from there, they would find eons had passed, the place was now covered in ivy. See p343-348 on Tir na n'Og.

It's commonly claimed by Germanics that Celts are not indigenous. However, Basque are generally accepted to be.

BASQUE Vocab sample with Gàidhlig comparison after

axe aizkora / haizkora (aitz / haitz = stone) // *aith* = (OG) hill, keen, sharp, skirmish // *àite* = place, spot, part, region // *clach* = stone // *carraig* / *creag* = rock // *tuagh* = hatchet, axe, yew

sun eguzki // *easconn* = (OG) moon, old man

dog zakur / formala // *sracair* = one who tears or rends, tearer, render, spoiler, robber, champion, extortioner // *famhair* = giant, champion, mole-catcher // *formalach* = (OG) hireling

man gizon / senar // *gliocasair* / *gliocaire* = wise man // *seanair* = druidh, ancient bard, elder, grandfather, ancestor, elder // *gintear* = father, parent

red gorri // *gorm* = blue, green // *dearg* = red

Neandertal genes, Hearing and intelligence

John Hawks says that in the last 40,000 years, we gained more genes for hearing, since subtle differences in speech turned up. It's the 10,000 years Cro-Magnon (Saba) listened in on Neandertal in Europe. Neandertal large mammoth nose and sinus for warming cold air connected ears to brain more perhaps through nasal resonating.

Evolution of Neandertal and today's humans separated 500,000 years ago, branched away from each other. Maybe due to Heidelbergensis' cannibalistic radical search for identity, followed by Neandertal's animal-whisper culture. Researchers at Max Planck Institute thought Neandertal would lack FOXP2 gene (has something to do with speech). But, surprise, a 40,000 year old Neandertal fossil produced this same gene.

('Neanderthal, humans share the same language gene' by Joe Palca, NPR News)

A computer scientist named Lief Ekblad has done some detailed research into current genetic problems like autism and Huntingdon's disease, that he says can be traced to Neandertal period of intermarriage. And says some savant and antisocial genius mentalities like Asperger's Syndrome (becoming known as Aspies) come from Neandertal.

Teeth may express frustrations of evolution

Three teeth patterns agree with three DNA types and three New World language families (See 'Greenberg' above.)

In Serbia, some people are born with several baby teeth grown already, a sign of Dracula heritage. (It's a theme in 'Un Lieu Incertain' by my favorite French novelist, Viviane Hamy.) 'Tiger teeth' appear in China and Japan, many of my students have canines growing in front of other teeth.

Price and Pottenger have done most important work on the effects of cooked food on the structure of the skeletal system, teeth and jaw in particular. Their work on generations of cats proved degenerative effects from cooking.

While some Asians developed a weird carnivore-like tooth, some Neandertal third molars show eleven bumps on the surface, Uzbekistan (40,000ya), Oase, Romania (100,000ya). This looks more like a weird herbivore tooth. www.redorbit.com/news/science/62163/humanitys_strange_face/index.html .

Boar and whale teeth have been worn in Polynesia, and I have heard of 'le nifo', a curse called 'the tooth'. Maybe Polynesian contact has to do with Aztec 'five suns' history of humanity, where the tooth might be seen at the start of five periods beginning with 'four jaguars'. The five worlds of Aztec history may fit periods of evolution, Dryopithecus (jaguar sun), Heidelbergensis (wind sun), Neandertal (water sun), Celtic Eurasian (rain sun), Native Americans (earthquake sun). Legend at www.aztec-history.com/aztec-creation-story.html

Tooth suggests dog. Cunning wolf thought it could teach humans. (Dog behavior proves cooperation in the process of taming. A book by Ray and Lorna Coppinger, 'Dogs'. Article 'From Wild Fangs to Tail Wagger' by Johan Timmer is at www.dogbreedinfo.com/articles/wolftodog.htm .)

Power of humility Neandertal possessed was key to success. Wolf fossils are found near Neandertal ones. Animal whispering appeared magical. Probably the 'modern humans' started European witch hunt traditions as a hate campaign against Neandertal. (See 'Monogamy' above, on Neandertal and wolf.) Migrants might have trained dogs to attack Neandertal. Roman legend has ancestor twins Romulus and Remus, baby brothers suckled by wolves.

DNA evidence possibly reveals an ancient branching apart of wolves and dogs, 135,000 years ago, which would support Neandertal as true domesticators of animals. It's not mainstream science. Same goes for cows, goats and horses. Joseph Layden has an informative blog (quoting Leif Ekblad?). http://sci.tech-archive.net/Archive/sci.anthropology.paleo/2007-08/msg00179.html. Understanding the history of animal taming goes to the heart of environmentalist philosophy. Sadly, our educators are often barking dogs of misdirection.

Wolf may be Neandertal's god, but with agriculture, people discipline the dog and elevate the gentle but promiscuous herbivore, a demoralizing influence. A creationist, David Livingston, argues that Neandertal IS modern man, at www.ancientdays.net/adamcaveman.htm .

Poetry of Raven and Eagle

Order and care

Nora and Richard Dauenhauer in interview are asked about poetry in Hlīngit, and are talking about the girl who lived with bears story. Nora mentioned one needs care with words. http://poeticsandpolitics.arizona.edu/dauenhauer/dauenhauer.html . Words are powerful. People tended to have others cross-check their accuracy when they told stories.

I have discovered a poetry in the 'yu' and 'cu' (shu) word particles. This poetry showed me the rhythm in the word stress, and I found the silences in the rhythm. Yu and cu is the call of the eagle and the raven throughout the story, two sounds that appear in regular meter, like a drumbeat, throughout. Celtic - Hlīngit shared culture is in the poetry of 'The Origin of Copper', See p343.

Poetry contains order. (Also in a society that stands in the gateway to Asia / Eurasia, moieties promote an orderly management of different cultures.) Creative methods to keep order come together in language, culture and social rules.

How widespread is this poetry phenomenon?

Beretzkin has a list of similar bear stories from many tribes. (See 'Bears above. 'The Origin of Copper', contains in the first half of it a separate story of its own, 'The girl who married a bear'.) Could it be the 'yu' & 'cu' poetry in this particular story is imitated, resulting in many similar stories?

Maybe this poetry is a particular Native American thing. I guess there could be similar rhyming in other Native American languages too, it deserves exploration.

Pyramids and the history of writing

The oldest and biggest pyramids are in the Americas

Olmec civilization had huge platforms that spanned several kilometers, like at San Lorenzo. So did later cultures like Aztec and Maya. Piedras Negras was a grand city. Platforms have pyramids built on them, like at El Mirador. The Great Pyramid of Cholula in Mexico is supposed to be the largest monument in the world. But El Mirador's La Danta is bigger, 70 meters. (Egypt biggest, Khufu, is 30 meters.)

The largest one north of Mexico is Monks Mound at Cahokia Indian Mounds, in Collinsville, Illinois. And there are about a hundred small ones there. Mounds could be shaped like animals, eg. Serpent Mound in Southern Ohio. There's the Ogemaw earthworks in Michigan. There's a book called 'Ancient Monuments of the Mississippi Valley'.

The oldest in North America is Watson Brake in Louisiana, built in 3500BC (5,500 years ago). A circle of mounds. Caral, the most ancient city of the Americas, in Peru, also has a circle of mounds. Aspero is a 6,000 year old pyramid in Peru, whereas Egypt's Khufu is 4,500 years old.

The pyramids were an important connection with the geography of the Americas, and the culture of the mountain spine and mountain poles. (See 'Aconcagua' above.)

Portal as focal point for trade

A pyramid is a focal point for the buzz of trade and traders' varied languages. Traders are symbolized in the caduceus as snakes, according to the Phoenicians. Pyramids have mysterious entryways; dolmens in Caucasus, India, Algeria, France and Palestine have holes made in the stone, as this Indian one, in 'Manners and Monuments of Prehistoric Peoples', Nadaillac. http://gelendzhik.russian-women.net/big/gelendzhikNi769684.shtml ; www.globusz.com/ebooks/Prehistoric/00000015.htm. www.tribwatch.com/caduceusCelt.jpg - picture shows both caduceus and stone. The Brahan Seer of MacKenzie clan used a stone with a hole. Silbury Hill, Britain, is the largest tumulus in Europe, a conical mound 170ft high dated 4750ya.

See 'Ice ages' on Neandertal intermarriage as a foundation for modern trade. American herbs including coca and tobacco are found in Egyptian mummies. See 'Tonal languages' and 'Seafaring' below, for more on Polynesian influence and contact, and Sumerian language link. Sumerians developed sail, which facilitated distant travel.

China's Great Pyramid is at the start of the Silk Road, Xi'An. (See 'Mannered language' and 'Han' above on China.)

On the next page is a chart of writing evolution. Writing

together with trade has a twin influence on social status. On p577 see design match, Maya glyphs and Roman letters.

With GM cropping, trade has become evil. It should be a holy cooperation. Mexico is wise enough to ban GM corn. We need to be 'solid, like a pyramid' (pop song by Charice).

Hum of activity

Pyramids were built over caves. Documentary 'Ancient Astronauts', researchers measured their special acoustics. In domed tombs of Scotland and Ireland as well. No coincidence that we talk of busy places as 'hives of activity'. Romania is at the heart of ancient Danube-Balkan agricultural region writing culture, (See chart below). Romania also is one of Neandertal-Celtic gendered languages.

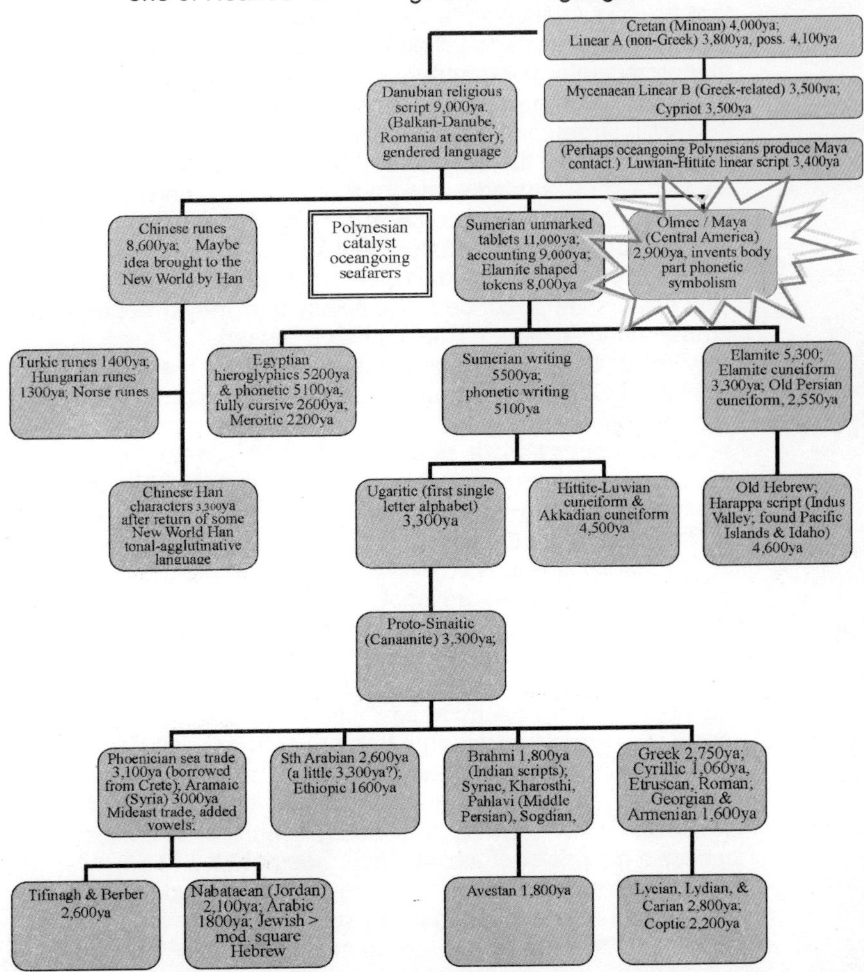

Tonal language leads to writing, which can be a bad buzz

Among the great Maya ruins, Comalco was a writing college. Rune marks appear in China early, just after Sumeria's accounts notations. Writing in sentences in Sumeria is 2,000 years before China and Maya, according to evidence. They are all tonal-agglutinative languages.

Like having words with many word particles, writing is a risky survival tactic. Why take that risk? Socrates recorded an Egyptian story of Thoth, the god of writing. Thoth asks King Thamus for blessing to go ahead and establish writing among the people, but Thamus says Thoth is biased, and predicts corruption. Plato said the Egyptians had contact with Atlantis. With Inca/Maya, probably. We needn't take it too seriously that he said Atlantis sunk beneath the sea. Phoenician sea traders' custom was to tell all kind of dangers to put others off and protect their trade route. One reason maps say 'Here be dragons'. Some say Thoth traveled to the New World.

With large continents at their disposal, Native Americans would have had the resources for some leisure. So Maya could have developed writing out of interest, bringing humor to it. So much the better, because King Thamus said writing would cause learners to become informed but not instructed, gain reputation without reality, be knowledgable yet ignorant, and have such a conceit of wisdom that they'd become a burden upon society. Thamus had it sussed.

To deal with outrages, we can follow the advice in Chinese I Ching hexagram #38, Opposition. Confucius says 'Opposition is actually the natural prerequisite for union. As a result of opposition, a need to bridge it arises... it is the individual differences between things that enable us to differentiate them clearly and hence to classify them.' (Wilhelm translation, I Ching.) Or is this circular logic?

Tonal language is a revolution, and it came with a whole set of cultural treasures, including the pyramid, a kind of language and writing beehive. Honey is sweet.

Life is sweet, let's be gentle.

The beekeeper has the true Midas touch. See the connection between pyramids, bees, Egypt's bee cult and more at www.andrewgough.co.uk/bee1_1.html .

In many cultures bees come from a sacred cow, also known as an apis bull. In a nutshell, this is how insect whisperer cult followed after animal whisperer civilization. Insect is the power of the little guy; See pp515-517.

Since introduction of nicotine-based pesticides, 75% of bees have mysteriously died across North America, 25% in Europe. It may not be just varroa mites (large bee parasites).

People have been looking into GM effects on bees (Bt gene in 30% of GM crops is designed to attack various insects) but say it's not to blame. Changing DNA through GM is a direct anti-evolutionary attack, causing 'closest approximate cause' reaction. The animal's integrity goes into shock, so the animal's body will react in an unnatural way, as if a natural cause existed. Info at Wikipedia, 'Colony Collapse Disorder'.

To protect bees performing their essential role in our ecosystem, I suggest ban all use of neonicotinoid crop sprays. (Documentary 'Vanishing of the Bees' also picks this spray as probable cause.) These nightshade poisons (See 'Childers and the Nightshade Effect' above) may be the reason bees have been dying out in North America. A Native American saying is that after bees die out we have four years left to survive. There is talk of developing native bees as pollinators (bumblebees and mason bees), but this has limits.

3D Inca writing (the quipu knotted string) and a rich Maya culture of calendars (20 or so different ones) developed alongside complex agriculture and waterworks. Developing corn from teosinthe was a very complex undertaking patiently done over thousands of years. New World amaranth farming (8,000 years old) was also done very efficiently, and has a high nutrition efficiency.

Maya have male bee gods. Chinese Han also thought bees had kings. (They have queens.) China had a matriarchal society earlier though at Banpo.

Maybe the price for Maya writing with its class consciousness is the gruesome prisoner of war sacrifices at the pyramids. But infinite gentleness of manner can be seen when we watch 'Apocalypto', not only gruesome violence. The gentle llama is the one animal domesticated in the New World (see also p513); it transported goods over the Inca empire. Vision serpent or war serpent, their god of writing and civilization could be either Quetzalcoatl. Maybe the quetzal bird is the gentle side of the feathered serpent.

Dogmas are dangerous. Too often ambition becomes bigotry and gets into education. The Sumerians and others around there had a pyramid-like structure called a ziggurat. In the same area, the 'Tower of Babel' was struck down for people'sconceit in Hebrew legend followed up by the god cursing them with multiple languages to stop their ambition. This is the effect of agglutinative language, it's risky.

Nearby 9,000 years ago in Catal Hoyuk, Turkey, people had walls like honeycomb with hexagonal bricks, had apis bull shrines in their basement churches, and put stalactites or stalagmites in their artificial cave basements. Maybe the natural flatiron pyramids of Bosnia landscape (part of Danube culture) inspired pyramids. (See www.robertschoch.com.) Hindu culture has a fire ceremony, agnihotra; put cow dung, rice and ghee in a copper inverted pyramid, pray and burn it.

Chinese Insect whisperers

Chinese culture more than others focused since ancient times on use of insects. Insect whisperer culture possesses a willingness to experiment, and ability to work with detail. Insects are very fertile; harvesting them is being explored for better farming economics and sustainability. China has experimented in harvesting insects for fish and chicken feed.

Bees: Bees have always been a major temptation for humans. I'm tempted to think bee culture originates in Spain, where honey hunting was pictured 15,000ya after the ice age (in the Cave of the Spider, Valencia). Honey hunting is ancient, but honey hunters also developed beekeeping in trees, in the bee's own natural environment. Not so long ago in Europe, they created a nuisance cutting into trees to cultivate hives.

In 1586, a Spanish researcher found that queen bees lay eggs. Lithuania has a museum of ancient beekeeping. Israel had a 900BC intensive honey farming operation, discovered at Tel Rehov. China has by far the world's highest national honey production, which is consumed in the domestic market.

Cicada: The cicada is a kind of timekeeper, appearing in America every 17 years (or 13 years further south) after developing as nymphs in the ground. A Zuñi legend and cicada info - http://biology.clc.uc.edu/steincarter/cicadas.htm .

The Aztec and Maya placed a jade cicada in the mouth of a dead person. In China, covering parts of a dead body with jade began in the West Zhou period. It was in the later Han dynasty they put jade cicadas in the mouth like Maya.

The cicada is an ancient Chinese symbol of longevity and rebirth. I think the ones in Korea (called memi) are the loveliest, because they're huge, individual, chirp like birds, and sing like high-voltage power lines, very special. Chinese people kept male cicadas for their song as they do crickets.

Japanese kites are often designed with a cicada pattern.

Ant: As early as 300AD, Chinese pomelo and orange orchardists used weaver ants (citrus ants) to eat aphids. This ant may be used in Africa, even for fruit flies – Aarhus University did research. The ant eggs are sold as food in Thailand and Phillipines; adults ants are protein, rice flavoring.

Moth: The care of the silk moth of China was a closely guarded secret, revealing the secret was punishable by death. The Silk Road trade network witnesses its importance in trade. Silkworm cultivation occurred as early as 4000BC. There's a book called 'The Food of China' by E.N. Anderson.

Other: Centipede kites, mantis kungfu, dragonfly toys are brief examples. Mantis eggs are in a medical book from 1108.

Cunning at the edge of chaos

There was a religious cult of killing the bull to bring forth the bee. For some reason, the bull and bee are widely connected. (Insect whisperer ambition to destroy earlier animal whisperer culture of Neandertal?) It makes me think of killer bee swarms, (it's a human-created hybrid bee).

Bees dance to tell each other the direction of food. Their dances taught us to observe. Learning beekeeping taught clever people about code, and esoteric subtle knowledge. Then came writing, each letter or character is a bee.

Hazing, another subtlety, a culture of teasing, developed. Like insects tease, but they also may sting.

Flying in circles

Haloes appeared in ancient art as bees flying around a person's head. The many arms of Hindu deities are insectlike.

Mt Meru, or Sumeru means 'Great Meru', it is a mythical remembrance of the sacred homeland at the equator in East Africa. That's where people set off from on the journey to settle the coasts of Southern Asia. ('The Incredible Human Journey' tells the story on video.) There exists a Mt Meru there in Tanzania next to Kilimanjaro. See 'Mt Meru' in Wikipedia online. A town in Ethiopia not too far is Meru.

In Hindu culture, Sumeru is a sacred mountain around which the sun and planets spin. In myth, Mt Meru is fantastically high, 1,082,000 km. Sacred to Hindu, Buddhist and Jain religions, they recreate it, as at LiuPan Mountains (Ningxia, China), ChengDe (China), Angkor Wat (Cambodia).

Sumeria was a significant country in Sumeru civilization, standing at the end of both Polynesia's seafaring routes and China's Great Silk Road. See 'Seafaring' below.

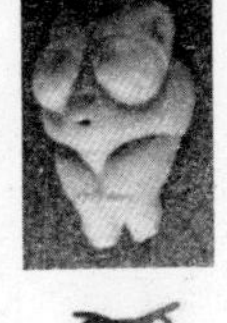

A 70,000 year old intermarriage of Saba and Neandertal in the Levant produced CroMagnon. Later, CroMagnon pushed into Europe (See 'Ice ages' above). Then we see this new bee goddess. This 'Venus' was made between 24,000-22,000ya, Austria. Marija Gimbutas' 'Gods and Goddesses of Old Europe' has this Spanish dancing bee goddess cave painting of 5,000ya, (bottom picture, by Antonio Beltrán, 1979). See eyes; also, lines on both heads compare with pharaoh's headdress.

Honey, and the pyramid shape create a preservative effect, preserving mummies like larvae. Ancient seeds from a pyramid have been grown successfully.

Domens go with lines

Dolmen culture promises simplicity of line and space; (See 'Dolmens' above.) Some writing employs long lines.

Sanskrit and other Indian style writing comes from Brahmic. A line is formed along the top of their letters as they're written, like this शतप . This long line style fits with the culture of Neandertal-Celtic design, (See p527). This Indian writing is not ancient, but Harappa (Indus) writing is old; 700 years before Indian writing began, it died, not deciphered.

Celtic ogham runes belong to a recent time. Long lines, little notches. 'Ogham' may come from Turkic 'orchon' runes of XinJiang. Tartan designs are supposed to possess secret encoded information. Eternal lines make up Celtic knotwork.

Correlating dates and evidence of writing, (Refer to p535)

Chinese, Maya and many early writing styles are like Sumerian pictograms, a syllable in each character or glyph. (See p548.) Sumeria had 1,000 pictograms. Sumerian writing begins about 3500BC. More simple account records date much earlier. Chinese writing with linguistic content (eg. sentence) only dates to 1300BC, but simple singular Chinese runes go back to 8,600 years ago (eg. Jiahu, later Banpo).

Here are singular Banpo runes on shards of pottery that I photographed there. Yu ShengWu thinks they match later Chinese number and word pictographs. They do match Hungarian and Norse runes, and Phoenician.

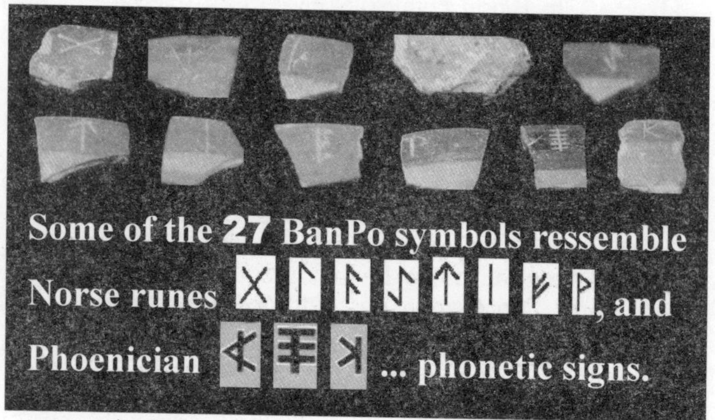

Some of the 27 BanPo symbols ressemble
Norse runes ᚷ ᛚ ᚨ ᛇ ᛏ ᛁ ᚠ ᚹ, and
Phoenician ... phonetic signs.

Banpo runes could be phonetic, might be potters' names. In France, 600 potters' names were found on the bottoms of pots at ancient pottery site La Graufesenque. These names enabled Gaulish language to be partly recovered.

Space time continnum

Like an insect exoskeleton, insect whisperer culture is hard-skinned and mysterious. North America's turtle and Central America's snake were earlier hard-skinned friends. (See turtle-snake dark warrior p511; Maya writing pp,577.) Chinese writing (not early runes) appeared first as oracles on tortoise shells. In Chinese legend, writing was developed by Cang Jie 仓颉. Talking to the bees is a gentle Celtic custom.

Most insects have compound eyes, with thousands of photoreceptors and multiple lenses, but they do a poor job of providing vision. Writing (and especially computer use) makes our vision more like theirs. Pyramids may be pictured with an eye at the top, as on the US dollar. An eye for an eye.

To call rain, the lofty pyramid had better have trees as the most ruined ones do. We need to all be rainmakers, soil caretakers, insect managers. Rain was in the Maya mind... El Castillo and the Pyramid of the Moon are decorated with the mask of Maya rain god Chaac, and produce a strange sound effect of raindrops when people climb their steps.

The Maya eye of the universe, Hunab Ku, has a spiral like the pyramid ziggurats of Sumeria. They called them etemenanki, the foundation of heaven and earth. They could have a spiral ramp. The Silbury Hill mound in Britain apparently had a spiral.

Seafarers

The sea is the home of human adventure. Did the Polynesians provide one link between Old World and New?

Sumerians

I have three evidences for a Polynesian connection to Sumeria – proper names, vocabulary, seafaring boundaries.

Names: Sumeru culture in South Asia is the culture of the Great Mount Meru. Names like Sumeria, Samoa, Savai'i (mutates into names like Hawai'i), Swahili (in East Africa), Svafrlami (Old Norse), Sumatra (Indonesia) belong to it.

Sumeru is a mountain in east Africa (See 'Pyramids' above, and p485). Shumeru is what Akkadians called the Sumerians; but Sumerians called themselves Sag-gi-ga, black-headed people (on red hair see p416). There are two basic human cultures, Neandertal-Celtic and Sumeru-Saba.

East Ocean vocab meets West Ocean vocab:

'Sea Peoples' refers to a Phoenician network of peoples who attacked southeast Mediterannean cities about 1200BC. But there's a hierarchy of masters on the sea. Pacific and Atlantic mariners have status. Sumeria's ancient words seem to be of Celtic origin – king, god and place names.

Sumerian followed by Gàidhlig word histories: Nanshe – fish goddess; *naomh* = saint, holy, sacred; *eise* = fish. Nina – lady of water; *nighean* = daughter, maiden, unmarried woman; *àbh* = water. (Ninagal – prince of the great waters. Seems prince as gentleman can take feminine title; a matriarchal society. *gal* = valor, kindred; *galach* = valiant, brave.) kashshaptu – witch; *caisreabhaiche* = conjurer, juggler.

Kishar = foremost of the firmlands; *tir* = land (as distinct from water); *sar* = excellent, matchless. Most significant in relation to a proposed connection to the Maya is the house mountain, Ekur; *eachras* = house; *tùr* = tower, fortification, turret, fort, castle; *tul* = heap, hillock, hearth, fire; (OG) flood, beginning, face, fashion, relic. (Turan is the name Huns have for central Eurasia. (www.hunmagyar.org .) Changing of t to k (*tùr* > Sumerian kur) is not found in Samoan speech, but appears later in Polynesia, (eg. Samoan 'boy' = tama > Hawaiian kama). Sumerian-Samoan comparison, p543.

The two ends of the west coast mountain ranges are important to the Americas culturally. How the mountains Denali and Aconcagua act as two poles (See 'Aconcagua' above), the house of the sun (gold) and the house of the moon (copper). Sumerian: Ehursagkalamma = Mountainhead for All Lands; Hursagmu = Mountain of the Sky-Chambers… hur- / ehur- = mountain (also: e- = house), -sag- = head.

I haven't worked out a word history of these Sumerian mountain names, what they represent. 'Mountainhead', -hursag-, calls to mind the giant heads of Easter Island and Central America, also the 'fat boy' magnetic stone carvings. These, like dolmens, can represent a welcome for seafarers.

Like 'Aconcagua' the sentry, they may honor Sumerian god Nergal (Great Watcher); *neuladair* = astrologer, meteorologist (weatherman); *neul* = star, cloud, sight, nap or wink of sleep, glimpse of light, trance, complexion, hue.

Thunder of industry and weaponry

In 'The Origin of Copper', the man's hammering at the copper is a feature of the story. It seems that at the time of the Sumerians, metalworking was beginning to be an issue, a competition for power and even an arms race.

The Hittites devised the method for creating iron, and they kept it secret for 400 years. Then local Sea Peoples attacked the whole of the eastern Mediterannean's city states and devastated that civilization. One odd fact is that Phoenician sea traders' cities in the region are not destroyed. The whole human culture of copper gave way to the industrial iron culture of the Hittites, though their empire also fell in time.

Sumerian / Gàidhlig devil – Dingir xul = evil god; *dinge* = (OG) thunder, oppression, tyranny, doctrine, dictation; *Dis* = may be an ancient Neandertal god (see Hlīngit for 'moon', p304); *cùl* = back of anything, guard, care, anxiety; *olc* = bad, evil, wicked, incomplete, mischievous, unfortunate.

Dingir seems to be a thunder god, perhaps born from metalworking industry. Iron, though less worthy a metal than bronze, surpassed it due to availability. (See 'Copper' above.)Personally as a Celt I concur if Sumerians say the god of thunder (like Thor of Germanic-Norse religion who brought rape and pillage) was evil. His emblem is the hammer, and later the swastika (p551). Scots were attacked by the English King Edward I, who cherished the title 'Hammer of the Scots'.

Polite society of seafarers

The English' politest time was when they ventured most on the sea, in the Victorian era. The Sumerians are credited with inventing the sailboat, though some say it's the Egyptians. It's within reason to identify Sumeria as Polynesian homeland.

Samoan language and culture of the Pacific is highly civilized. The principle of fa'aaloalo, respect, requires the younger honor the older at every level. Self-denigrating words can be used to maintain a humble manner. Different vocabulary are used by those in the know according to the requirements of politeness. For example, look is va'ai. But to a high chief one may say silasila, to a talking chief māimoa, and to an artisan taga'i (pronounced tanga'i, g=ng). These polite words are used in formal speeches.

Without the courage of seafaring, politeness can lose its foundations. Polynesian culture lent nobility to human culture, but maybe the gift is unlucky since most humans don't exercise this courage of seafaring. We can acknowledge nobility of spirit, and instead of the cult of 'confidence', have reverence. Pride cometh before a fall.

Some Sumerian words followed by Samoan: wing – kappu / 'apa'au. desire – mina / mana'o (& vina = crave). ten – esrum / sefulu. seize – sabatu / (avatu = give to, give over). stir up – dalahu / (tolotolo = stir about, as with a stick). sharpen – selu /(selu = comb). return – taru / (tali, fa'atali = wait / talu = since). go – alaku / alu. know – idu / iloa. love – arammu / alofa. sick – marus (is sick) / ma'i. ghosts – bu'idu / aītu. female – sinnis, moon god is Sin / (Sina = moon goddess). lip – saptu / laugutu. dust – epru / pefu.

Ancestral migration canoes define identity in Māori culture. The Mayflower ship stands for pilgrim identity. To understand why seafaring is important, we only need to look at the history of human migration. The scariest and daringest was the migration of Polynesians into the Pacific.

All roads lead to Sumeria

Subtlety is an essential part of seafarer intelligence. Developed under intense pressure of survival on the sea. Never have migrants required more courage than in the settlement of Polynesia. Sumeria may be the Pacific homeland, Elamite and Luwian-Hittite cultures on either side.

Edin represents a kind of openness, it means wild areas around a city. The Garden of Eden seems to be originally Dilmun, a special place at the Shaat al Arab where the two rivers, Tigris and Euphrates, join together and flow to the Persian Gulf. It is in the marshlands or Sealand between Elam on the east and Sumeria. There was a village there in 1860, Umm Daleiminn. In the famous Sumerian classic, the Epic of Gilgamesh, Utnapishtim is put in Dilmun to enjoy immortality with the gods. *Dilmain* in Gàidhlig means meet, proper, fit, becoming; and *dilimich* means endow. Info is at www.bibleorigins.net/sealandsmapsofancientlowermesopotamia.html on Dilmun. This Sealand had trading dynasties.

Be there or be square

Maybe squarish Hebrew writing is from Elam's squarish writing. Elam is east of Sumeria. Many Hebrews were in captivity in Babylon. Purim festival may relate to these mysteries. The prophet Daniel's tomb is in Susa, Elam. www.biblesearchers.com/prophecy/daniel/daniel8-1.shtml

We don't have a lot of Elamite writing to study. They came under a vicious attack in which even their land was salted, in 650BC. The aim was to wipe out all trace of them.

(Elamite (a)k), כ (Hebrew k); ⊕ ka (Crete, Linear A)

(Elamite ši), צסש (Hebrew ṣ, s & š / ś); si(Crete, Lin.A)

Crete's Linear A is from 3800ya. These abstract phonetic constructions resemble that of Maya glyphs. (p577.) These and Luwian glyphs from www.ancientscripts.com . Maya 'k' is an image of hair or open downturned mouth (or both), Maya 'a' is an open hand or a whole mouth. Maya 's' is a septum (between nose and lips), Maya 'i' is closed puckered lips.

Other Mesopotamian writing systems use phonetic abstract images of mouth, tongue and breath. Elamite (which developed alongside Sumerian) and Crete abstract method inspired it. Cuneiform (Akkadian example):

mu pu The breath flows with 'pu', so the vowel 'u' is on the outside (on the left), with mu 'u' is within (right).

ti pa The long vertical wedge is for t and a (and some other sounds). For t, because the tongue meets the roof of the mouth, for a because the mouth is more open.

Hebrew alphabet has a whole system of esoteric

meaning with mathematical principles and natural philosophy, the Tree of Life or Kaballah. Each letter has numerical value. Isaac Newton wrote more about it than he wrote on the science of light. (See also 'Greenberg and the Nightshade Effect' above, on the Tree of Knowledge.) On Daniel's tomb, www.biblesearchers.com/prophecy/daniel/daniel8-1.shtml .

Related Luwian culture is opposite Elam on the west, at the Turkish coast. Their cartoonlike glyphs look quite similar to Maya ones (See p577); they had a city called Khaballa.

Boundaries are essential to our understanding

When the Polynesians left for the Pacific, they didn't follow mini elephants like the little hobbit people of Flores, Indonesia. They followed great whales of the open sea.

Once committed to the ocean, Polynesian skills and courage knew no bounds. Like the explosion of life on earth before the Permian extinction supposedly killed off a majority of life species, they stretched themselves.

The Polynesian odyssey began in 16,000ya, Pacific language development followed, leading up to the time writing began in Sumeria and the Danube. It could be Sumerian transformed into a tonal-agglutinative language through influence of Polynesia (and perhaps the New World). (See 'Mannered language' above, on how language transforms.)

Unseen boundaries help define the pattern of waterways that connect and cross our lands. Seafaring culture has its own pressures that help to make up our evolution. (See 'Iodine theory of evolution', p456, on the role of stress.) In the wide open ocean, boundaries keep people sane. Robert Louis Stevenson, who lived in Samoa near where I lived, wrote about how moral and upstanding Samoan people are. Native American culture has a rich canoe travel heritage.

Five seafaring regions:

- Danube-BlackSea-Nile-CaspianSea region
- Mediterannean-Aegean-Rhône-EnglishChannel region
- PersianGulf-Indus-Ganges-Pacific region
- Caribbean-Mississippi-Amazon-GreatLakes region
- Baltic-YellowRiver-YangtzeRiver-PearlRiver region

The subtle fish

It could be that the subtle seafarer's intelligence is necessary to our existence or evolution. It's thought that fishermen were the main Polynesian explorers. Polynesian gods usually fish up the islands in myth. A fish stands for subtlety mixed with kindness. On some Banpo dishes and pots (of the Chinese Neolithic period) there are cool fishes.

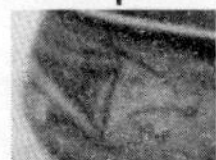

Lyall Watson wrote 'Gifts of Unknown Things', in which he mentions Indonesian fishing methods; they go into the water and listen to the fish. The Chinese I Ching, hexagram #61 tells us 'Pigs and fishes. Good fortune... Pigs and fishes are the least intelligent of all creatures. When even such creatures are influenced, it shows the great power of truth.'

Celtic seafarers

Farley Mowat has sold millions of copies of his 36 various books, including one that influenced the fate of some of the northernmost peoples of Alaska. Somewhere in one of these books he describes Scottish seafarers arriving in the Americas in the 8th century. More info on Celtic seafaring at www.advancingwomen.com/technology/keltic_seafaring.php .

My Celtic word history of Hlīngit suggests the connection must go back thousands of years earlier. And if the first Native Americans arriving around 25,000 years ago were Celtic, we are starting to approach Neandertal time. (See 'DNA' and 'Greenberg and the Na Dene mystery', above.)

Celts are known for our love of the sea. The Celtic *curach* or coracle, and other boats, were often humble in form and in purpose. History also records Caesar and his Admiral Brutus hired the Celtic navy, which supplied many ships.

Crichton Miller has shown how Celtic seafarers used the Celtic cross to navigate. (See 'Medicine wheel' above.) He has registered patents, and demonstrated the instrument at Cambridge University. It is a simple tool, a cross with a circle, yet they could use it to measure locations according to the stars, and plan their direction. (Polynesians had another simple navigation tool, a little grid of reeds or something, with shells affixed for island locations.)

It's said early druidh and monk travelers also island-hopped across the North Atlantic. (See 'Druidhs' above.) Skara Brae is one of the greatest European Neolithic villages remaining to us, found in that island environment.

In a sustainable lifestyle we pass on important survival skills. We master skills – there may be fewer safety nets for failure. The Chinese I Ching hexagram #62, Preponderance of the Small reads '...a time when transition must be made, but without going too far. When one has the trust of creatures, one sets them in motion... The flying bird brings the message: It is not well to strive upward, It is well to remain below. ... The bird should not try to surpass itself and fly into the sun; it should descend to earth, where its nest is.'

Sitka places

'The Origin of Copper' was told by a person from Sitka. I don't know where the action takes place. Possibly it takes place in the Copper Basin, not in Sitka. That's a guess, based on copper resource being at upper Copper River. The large lake where the sun's sons' canoe was, I imagine as Lake Ahtna. (See 'Copper', and 'Lake Ahtna' above.)

This story kind of is like two stories in one. The part up till when she gets away from the bears is a common story on its own. (See 'Bears', above.) I read Tom Peters at Teslin said to Nora Dauenhauer, 'So let me tell you the rest of the story…'.

In 'The Origin of Copper', the bear-man takes the girl to mountains that looked like two logs. I wonder, are they real specific mountains? A bear's den could look like a huge old log. There is a poetic double-meaning to it, discovered through the Gàidhlig parent language. I figure the Hlīngit word for log, xao, comes from the Gàidhlig *sgonn* = block of wood, shapeless hill. (See p562.)

There is a website showing collected place names provided by elders; work on it was overseen by Herman Kitka Sr, www.sitkatribe.org/placenames/home.html . Herman provided place knowledge earlier to Thomas F. Thornton over a period of some years, and Thornton has also written a book containing information on places.

Brief info on Sitka can be found at this website: www.kiksadi.com/sitka/tlingit_kiksadi_interest.php . There is info on Hlīngit territory in the New World Encyclopedia online. You can enjoy a tribal tour (custom-tailored if you like) - contact Sitka Tribal Tours, operations@sitkatours.com . They also have information about the Hlīngit on their website. They have regular training with the elders.

Tonal language

Some languages use tone to create meaning. Hlīngit is one. Imagine two words pronounced the same, but one word (or a syllable in it) must have a high tone – the high tone makes it a different word with a different meaning.

My suggestion is that tone in Asia, Africa etc. came from the Native American tonal languages. Tonogenesis is the study of tone development. It's great on technicalities of tone, but I'd like to maybe take more of a cultural viewpoint. While I believe tonal language developed first in the Americas, certainly not all American Indian languages are tonal.

On p551, we see how word roots develop tone in Hlīngit.

A minor tone system that is just used for some words or syllables and functions similar to stress is a pitch accent. It could have been the first stage in tonal language evolution.

Why should we need tone? Tonal and agglutinative language (language with many word particles) probably originate together in the same process. You identify which key particle among many others is the word root. (See 'Mannered language' above.) Or small particles end up the same, so they need different tones.

And tone spreads. Old World tonal language cultures (as in Southeast Asia and Bantu language family that has now spread across much of Sub-Saharan Africa) could have picked up tone from Polynesian oceangoing travelers.

The spin on Sumeru homeland culture

Polynesia is at the east end of Sumeru cultural region. Sumeria (part of Sumeru culture), is credited as world's first civilization, and inventors of sail. Their language is thought to be tonal. Sumeru and Neandertal-Celtic are two broad human cultural systems. Sumeru is the culture of an East African homeland marked by the mountain, Mt Meru. (Su- means great.) Southeast Asia has a great reverence for Sumeru homeland in legend. In China it is revered, in India especially. Hindu, Buddhist, Jain religions all revere Sumeru.

Sumerian and Chinese are the world's ancient writing systems, but evidence shows Sumerian to be earlier. (See p537.) Here on the left is Sumerian from 5000ya (after it became a little abstract, before it developed into cuneiform) and on the right is modern Chinese characters or hanzi. From top to bottom, pictographs for head, walk, hand, barley / rice, bread, water (Sumerian) / zhou (ancient Chinese Han administrative region / place surrounded by water... being that New World Han are People of the River), day, bird.

(Further on this, see 'Seafaring' above, about Sumerian civilization, the link to Polynesian, vocabulary comparison.)

West to east timeline of Sumeru Culture development:

- Mt Meru African cultural evolution, since 5mya
- Java culture 200,000ya (first wave)
- Neandertal intermarriage, Levant, 70,000-47,000ya
- Migration around the South Asian coasts 70,000ya
- Mariners settle Polynesia, Savai'i the major center

The big island of Savai'i in Samoa is like a homeland of all Polynesia. Hence, the Big Island of Hawai'i is named Hawai'i, the mythical homeland of the Māori people is Hawaiki, there are others, possibly even Siberian Yupik Eskimo village Savoonga on St. Lawrence Island. Sumeru culture is all about homeland.

Semites play a part in Sumeru culture, maybe like an eye in the storm. (See swastika p551.) Like the rock of Kabba pilgrims walk around in Mecca. They and the Berbers are resistant to tone, despite its spread across Africa through the Bantu family. The Akkadians took over Sumeria, Sumerians spoke tonal language, Akkadian Semites didn't. Info at www.atlasofworldhistory.com/ENGLISH/TEXT/Semites.html , a simple chronological history of Semite peoples.

Hypertonal language of Oceania

Polynesian languages are not classified as tonal, but I'd call them hypertonal. Their language is extremely expressive, with a lot of lively and very finely controlled stresses. Jumping off from the many closeknit islands of Southeast Asia, Samoa is the foothold. Samoan language structure is the example for Pacific Island language, ancestral to other Polynesian languages. In Samoan a word becomes a whole family of words through tone-stress variation:

titilo = look; tilotilo = have a look, look clearly; tīlotilo (may have an odd or a rising tone) = look rudely, when it's not your business; tīlo = take a quick look, look in a shameful or disgraceful way; tiīlo (two tone levels) = look rudely in spite of others wishes; and so on... The possibilities are kind of infinite, open to construction.

This fluid use of tone for streamlining word families supports intuitive thinking and allows mariners to focus their memory and education on navigation. There is the rhythm of the sea in the language. Its regular rhythm makes odd stresses and tones stand out.

Here is a different example. The Samoan word for metal, uamea, (from Tongan). I've seen it written u'amea, but there is no glottal stop. A slight pause, yes. The u is long, and the a is in a different tone. People use tone steps to separate sounds, and in English tone steps are used for separating phrases / ideas. It doesn't matter what tone, and the shift is very slight. This kind of tone shift is also used to underline seriousness, the way people separate syllables in English when serious.

The Pacific role in tonal language must cause us to reevaluate the status of Polynesian culture as a civilization. As a child listening to Samoan speakers for the first time in my stepfamily, I found the tone in their voices really amazing!!

There is a special kind of kinship in the intense Pacific Island way of life. It may have stimulated the development of moieties as well. (See 'Moiety' above.) There can be boundary issues. Pacific culture lives within a volcanic circle of fire, the Pacific Rim. Hawai'i has a volcano goddess, Pele.

Tonal language around the world

More than half the total number of languages in the world are tonal, but the number of actual speakers may be nearer a third. Austro-Asiatic languages are non-tonal. But near to Polynesia, some Melanesian languages (Austronesian family) in Papua New Guinea are tonal. Yabem is better known as missionaries made it a lingua franca for a while. It has simple tone which is thought to have been acquired fairly recently. They just use a low tone for some words, eg. oc = sun, òc = my foot.

Africa has the large expanding Bantu family, including Swahili, Shona, Sukuma and Xhosa. Many of Africa's have two tones, but some have three, four or five. They have high mobility of tone – the tone on one syllable affects other syllables. Tone research is dominated by African studies.

Asia has the broadest 'tonal inventory', and highest ratio of tonal languages. Cantonese, in the south of China, has nine tones. In China, tone chainshifts according to rules of influence of one tone on a neighboring tone.

In Europe, tone is most rare. Later Saka arrivals from the Central Eurasia region are the ones. Scandinavian languages like Norwegian, are tonal. German and Greek were tonal before. (Saka are Syrian-Scyths of the Mideast / Central Eurasia, On their spread, see 'Ice ages' above. Their expression of Sumeru is 'Middle Earth'.)

Central America is rich in tonal language, with complex stresses and tones. South American tone is not so well known so far. Three of their best-studied language families, Carib, Guarani and Quechua, are clearly non-tonal. Moira Yip reckons the South American tonal languages are more similar to African tone than to Asian or Central American.

South American tonal languages identified so far are Pirahã (Mura family), Barasana (Tukanoan family), Bora (Witotoan), Maomande (Namiquara), Iñapai (Maipuran which is Arawakan family), Yagua (Peba-Yaguan).

Tonal language in North America

North America hasn't got much truly tonal language, it's mostly accentual. The two North American families in which tonal languages are common are Athabaskan and Kiowa-Tanoan. Most Iroquois languages are non-tonal but Mohawk, Onondaga and Cherokee are. Hopi, Yaqui. Some Salishan and Wakashan. Alabama, Choctaw.

Most Athabaskan languages like Hlīngit have two tones. They differ in which tone is default, high or low tone. There are 24 Northern Athabaskan languages, eleven of them in Alaska. Tanacross seems to sit at the middle of these in terms of language type. (See 'Tanacross language', Wikipedia.)

Ahtna did not develop tone (or they lost it). Lower and Upper Tanana and Han language developed a low tone instead of the high tone of Hlīngit. Han have four tones to their language – low, high, rising, falling. (Chinese Han have high, rising, dipping and falling.) Navajo (South Athabaskan) is closest to truly tonal, all syllables have tone.

Tonal language speakers are evolved a little differently

There are two genes people who speak tonal languages often have, MCPH1 (microcephalin) and MCPH3 (ASPM). Online see 'ASPM & Microcephalin & Tonal Languages?' by Razib Khan. On how ancient human species' brains worked, K W. Krause 'Intelligence, language, morality: The neuroscience of human endurance' in 'The Humanist'. Some kind of microcephalin relates to brain size. (See 'DNA' above.)

Research shows more people who speak tonal language may have good musical tone awareness, like perfect pitch. I've heard horridly off-key singing in China, though. Maybe tonal language produces greater extremes of both good and poor tone awareness. Higher stakes, higher pressure.

The spread of tonal-agglutinative language

The swastika symbolizes the oceanic power of tonal language, sweeping away or eroding at word history in the process of language adaptations in the Old World. (See 'Mannered language' above, and 'Medicine men' p502.)

As a weapon it is the hammer of Thor, (See p543); the stone-throwing of earliest European man Homo georgicus; Chinese throwing weapon of a cord with a stone at either end.

Swastika-like comets are recorded on Chinese silk from Mawangdui; (swastika in Chinese: wànjìshì. wàn 万 = great number / absolute). See Chinese–Georgian 'shen' p500.

The black sun – see http://abob.libs.uga.edu/bobk/sw/ and www.valdostamuseum.org/hamsmith/swas.html - is a second-sun Saturn culture (from Inca possibly, See p506.) There is a book by Lewis Greenberg. In India, east- and west-facing swastikas suggest the dichotomy of two human cultures, Sumeru vs Celtic. Migration of souls represented in India's spiritual swastika is also a dogma for actual migration of peoples. Sanskrit su (great) + asti (be) = swastikah.

Sumeria	Han	Norse	Hun
Africa	South America	Turkey	Punjab

The swastika is an image of a bird footprint. It's found in Troy (a Luwian city, see p544, 577). Hummingbird (p561) could be the American origin of the swastika totem. (See p419.) An ancient one in Mississippi looks like winged llamas.

Indian brahmins made fire with a swastika kind of tool, a pramantha that spins inside an arani. In India, Punjabi is a tonal language (three tones). Joan L.G. Baari describes how it is part of a range of tonal languages stretching through from Pakistan and Afghanistan. (She also explores the relation between tone and song; See p495.)

Hun peoples rode the Uighur route (later became the Silk Road), southwest into Central Eurasia, bringing horsepower, metalworking, terror, intermarriage (See p542.) Their language was tonal-agglutinative. On how Chinese Han language became tonal, see pp495, 502-503, 561.

Tone marks the Gàidhlig root in Hlīngit speech

Tones are at the Gàidhlig root word stress point.

(Placement of tone: Sentence 50)

A'ya	aq	dA'xawe	hAs	ā'wadjAq	yū'łūqAna'.
To	make	way for her	they	killed	the cannibal.

A'ya The main particle is **a'** – to.

dA'xawe The main particle is **dA'** or **dA'x**, awe just means 'explaining'.

ā'wadjAq The root is **ā'** – *marbh* = kill.

yū'łūqAna' The **yū'** commonly has high tone, it shows respect. The **łūqA** is adjective (support word), and **na'** is noun (focus).

In Chinese, masculine-feminine gender becomes tone

I realized there are more falling tones than other tones in Chinese, so it's almost like a default tone. For proof I pulled out a few arbitrary examples from a small Oxford dictionary: zhī (high level tone) 12 words, zhí (rising tone) 8 words, zhǐ (dipping tone) 7 words, zhì (falling tone) 21 words; huō (high) 1, huó (rising) 2, huǒ (dipping) 3, huò (falling) 7; jī 23, jí 19, jǐ 6, jì 23; dāo 1, dáo 0, dǎo 6, dào 6; cōng 4, cóng 3, cǒng 0, còng 0; wēi 7, wéi 8, wěi 10, wèi 11. Falling tone is more frequent.

Chinese possesses a word class from the west, as it's part of the Neandertal-Celtic family. It's tonal, but the same principle as gender in French. (See 'Gendered language' above.) In French, the feminine gender gives us words that represent something that 'is what it is'. The masculine gender gives us the 'dynamic', things that are in a process of becoming. Here is how Chinese tone works (examples from that Oxford dictionary, and my assistant's memory for vocab).

HOT and COLD, yin and yang tones

The most pure words for hot or cold conform best to my theory. Hot, falling tone – rè 热 hot, ardent, heat, fever, rush, craze, heat up; chì 炽 flaming, ablaze; zhì 炙 roast, roast meat, broil, toast (zhìrè 炙热 scorching hot, burning). Cold, rising tone – liáng 凉 cool, cold, disappointed, discouraged; hán 寒 cold, afraid, fearful, poor, needy (kùhán 酷寒 extremely cold, severe cold; yánhán 严寒 bitter cold, severe cold).

Summer, xià 夏 uses the hot yang tone; winter dōng 冬 is neutral temperature level (high) tone. I guess there are natural ways to keep warm in winter. Wēn 温 (warm, lukewarm, temperature, warm up, review, revise) bears a neutral tone, whilst nuǎn 暖 (warm, warm up) bears an 'either' tone.

Shāo 烧 (fever, temperature, burn, cook, bake, heat, stew after frying, roast, run a fever) and bīng 冰 (ice, cool in ice) are neutral. My guess is because ice can cause a burning sensation, fever can cause chills, cooking breaks down the vital essence or life force of food, ultimately cooling it. Snow, xuě 雪 as dipping tone is an either tone, either hot or cold. A blanket of snow can protect crops like winter wheat from cold. Lǐnlǐn 凛凛 cold, stern, awe-inspiring (awe can be a warm feeling); lěng 冷 cold (temperature / manner), out-of-the-way, unfrequented, deserted, strange, rare.

Some things are the opposite tone to what you'd think. Like snowblindness, cold can burn. Light can be cold. This is the realm of metaphysics. (No surprise Chinese traditional medicine, TCM, focuses on hot and cold.) Dòng 冻 freeze, feel very cold, jelly; zhèn 镇 cool with cold water or ice, guard, garrison, press down, garrison post, town; rán 燃 burn, ignite, light; zhuó 灼 burn scorch, luminous; yán 炎 scorching, extremely hot, inflammation.

Maybe in the end, it's not tone itself that is a genetic development but metaphysics and the ability to rise above common perception to a more refined understanding, one we can share socially and propagate for the good of all nature.

Trade

Info on what was traded by Hlĩngit, Jay Miller's essay 'Alaskan Tlingit and Tsimshian'. Trading in North America (map) at www.cradleboard.org/curriculum/powwow/supplements/images/a_trading.gif. The Maya in Central America were active traders, Aztecs after them not so much, but pochteca were the Aztec merchant class. They traveled with guards. Info at www.associatedcontent.com/article/494813/the_aztec_trading_system_pg2.html?cat=37. Aztec had highly ordered trade (naualoztomeca were merchant spies; patrols protected buyers; tencenunenque were long distance traders). Inca Empire had vast trade. Some say copper was traded very long ago to Egypt from the Wisconsin Copper Complex (See 'Aconcagua' above), but evidence is lacking. Spices from the New World were found on Egyptian mummies in scientific analysis. A book: 'Societies, Networks and Transitions, a Global History: To 1500' by Craig A. Lockard.

Trade and society

In Hlĩngit society historically, Eagle and Raven groups controlled passes along the river between inland resource areas and the coast. Detail at www.sheldonmuseum.com and www.haines.ak.us. Copper and eulachon oil provided important resources for trade and sharing. Hlĩngit trade empire was second only to the Inca Empire, according to www.snowwowl.com/peopletlingit3.html.

Adam Smith, a Scot, wrote 'Wealth of Nations', and became known as the father of modern economics. Trade raises issues of access, balance of power and alliances, so it comes into philosophy. Smith was a morality professor. See 'Ice ages' also on origins of money and trade.

Translation

When we translate, it can mean changing the words a bit. The words will have their own culture, poetry and usage.

(Adapt your translation. Example: Sentence 100)

Duyê'tk!°	**A'q!**	**ān**	**yē**	**wutî'.**
Her little child	then	with it	so	she stayed.

My translation: So then she settled in on the outskirts of town with her little child.

I translated **A'q!** 'on the outskirts' because the q! particle gives the sense of 'at the border or frontier… she stayed all the way over there. (Also *aig* in Gàidhlig means at, near, on account of. It's ak in Hlĩngit, signifying present action in some direction. Even part of a particle can change, ak > aq.)

The **A'** in **A'q!** could be 'referring to someone before they take action, or before something happens', (from the Gàidhlig *a* = at, to, in, about, in the act of; See p100.) They lived like outcasts over there in the branch house before something happened with the fathers' canoe to change their fortunes.

In Native American languages, manner indicators are important; little particles in the words show the manner of doing something, the extent, how much / far / intensely, in what relation to others. (See 'Mannered languages', above.)

(Translate manner of action. Example: Sentence 149)

AxAniŷe'	**îq-gwâte'''**	**yū'aŷaosîqa.**
With me	you are going to stay,"	what he said to her.

My translation: "You are going to stay here faithfully with me and be loved," is what he said to her.

In **AxAniŷe'** the particle, **ŷe'**, adds mood and feeling to the meaning. It gives the sense of 'pull and redemption'. In **îq-gwâte' q** as in the previous example describes full extent. She's committed 'all the way' to stay with him there.

I often translate the many Hlīngit pronouns more specifically, to be clearer. English doesn't need so many pronouns. Gàidhlig word history shows double meanings and poetry, giving a more intimate understanding.

Hlīngit has a lot of prepositions (to, at, into, etc.). Observation of action and position is acute and detailed.

(Flexible link word translating. Example: Sentence 170)

Yū'tcac-hît	**ġetła'a**	**hît**	**nēł**
The branch house	inside	house	into
Acuka'ołîtsAk.			
they kicked.			

My translation: Without a thought they kicked the branch house door right in.

Turtle Island and the ice shell

North America is known as Turtle Island. Sioux crafted a turtle or lizard out of a child's placenta, for them to wear. If North America is shaped like a turtle, could be South America is shaped like a lizard. www.turtleisland.org is a network.

Turtle-shaped buildings for extreme weather conditions

The Eskimo igloo made of ice is turtle-shaped. It seems the shell of ice that would cover lands in the northern hemisphere could be another reason for the name.

Round-shaped buildings seem common in Celtic prehistory. The roundhouse is a lovely shape, with a thatched roof like a curved turtleshell. Wikipedia shows a picture of a palloza of Galicia, Spain. A palloza is a roundhouse designed to withstand the severe winters at 1200m altitude. www.kevinwafer.com/celts/roundhouse.html. In Apulia, Southern Italy, their roundhouse is called a trullo.

The Hohokum of New Mexico have one. The Celts had the dun, an ancient round tower home. In Papua New Guinea they have roundhouses. Polynesians use oval thatched houses, though today often replaced with modern rectangular houses. There is the circular rondavel in Southern Africa. A roundhouse suits a very cold or very hot place.

Ancient turtle, a symbol of steady evolution

There are 48 kinds of turtles in North America, including the terrapin (Algonquin name for some kinds). See www.ehow.com/facts_6757120_field-guide-north-american-turtles.html#ixzz1C8jLezEc . The turtle is ancient, more old than the dinosaurs. It evolved 200 million years ago.

Ice shell a key to evolution

If the turtle represents an ice shell, it could also represent Neandertal ice age evolution. (See 'Neandertal language' above.) Ice ages could have brought us closer to animals. Our brother animals played a big part in advancing civilization.

Animal domestication has to go down as the major step in human evolution. But once we begin to grow crops, especially grains, we come in conflict with animals. A Scot, John Muir, brought the idea of national parks to the rescue. Some people, maybe myself, cannot tolerate gluten, a protein in many grains like wheat, barley and sticky rice. Maybe this is partly our desire for harmony with nature influencing us.

It may have been at those bitterly cold times when Neandertal lived in ice age environments that they began to learn to domesticate animals. The animals would deal with people to survive. As Bob Dylan said in 'No Direction Home', cold is a great leveler. There is evidence Neandertal ate domesticated animals – the good condition of the animals they ate. Wolf fossils have been found nearby Neandertal fossils. (First tamed animal, See 'Ice ages' above.) The cold climate suited palloza roundhouse of Galicia is designed to house animals in a separate part of the house.

Turtle Island ice culture

Glaciers were treated like living things in Hlīngit culture, and any impolite manners or behavior toward a glacier could lead to serious consequences. They were super-highways, too, not necessarily barriers. Info on this culture and history is at http://pubs.aina.ucalgary.ca/arctic/Arctic54-4-377.pdf . See also transfer of Turtle Island culture to China p510.

Vowel 'a'

The light 'a' is necessary in Hlīngit writing, and modern writing needs to accommodate it. Rhythm of speech is strengthened by the light 'a'. Variation of a's is part of the beauty of Native American, giving it a free and civilized feel. The Gael has ancient history in use of dipthongs (double vowels) so we are very fluent in the wisdom of vowels.

Eliza Doolittle, in the film 'My Fair Lady', has shocking yet powerful vowels. In modern human languages, throaty vowels are counterbalanced by far-to-the-front-of-the-mouth vowels, which produce a civilized sound to our ear, having evolved later in time. Cantonese has many vowels at the front of the mouth – it's one of my favorite languages in song.

When I listen to Native American singers on 'Sacred Spirit', when I read the myths for myself, when I hear the speech in films, it's the beautiful light 'a' that I love to hear. There is a lovely delicacy and humor in it. There are altogether four a's in Hlīngit, although â is rare.

(Various a's. Example: Sentence 1)

An	**kułayA't!**	**dîgī'ŷīga**	**a'ya**	**u**
Town	was long	in the middle of	it	lived

ānqā'wo.
a chief.

If I say **kułayA't!** with a broad second 'a', it will be heavy and indelicate. This 'A' is made in the front of the mouth. Learn to have two regions of the tongue for the a vowels. For light a, dip the front of the tongue and make a slight cup. Accuracy is more important when the high vocal tone lands on the 'a'. It will be beautiful with a light 'a'.

The a's in **ānqā'wo** on the other hand should be broad, open and strong, and the second 'a' in the word has high tone. Steady vowels, steady rhythm, steady reverence for the chief.

'A' is the vowel most common and basic in human speech, so it's natural that we should give it variety.

Vowel 'o' and the five-vowel argument

Hlīngit o

The vowel 'o' is very important and necessary. In modern Hlīngit writing it needs to be present. I have put it in, definitely. I would never remove it as Christian missionaries did! The problem of lack of 'o' vowel in modern writing is found also in Quechua (in South America).

In Hlīngit, 'o' sound reresents a peak of energy. See Phonology, 'O is too powerful', p392. It appears as a particle on its own (as the other vowels do). It can be an infix, or fitted into a word (even into another particle) to change the meaning. God names in Africa tend to begin with O-.)

When Hlīngit evolved from Gàidhlig, it dropped many of the high-energy o's. The 'o' is used to give more power to a word. Hlīngit also has a series of manner particles that use the dipthong ao. These particles give more power to the manner or action being expressed. (See these words in Phonology, 'Ao is a special dipthong', on p372.)

A war of vowels in South America

Quechua is the most commonly spoken Amerindian language, with 8–10 million Quechua (or Runa Simi) speakers. It's a language family, not one single language. Neighbors understand one another's nearby dialects but don't understand faraway ones. Bolivia, Ecuador and Peru have more speakers.

Germanic/English linguists have had native language specialists under heavy attack on this issue of 'o' vowel for some decades, such that resources are more and more being printed in three vowels instead of five. Governments and educationists begin following Germanic scholars instead of native people's wisdom (as in local language organizations).

Paul Heggarty is a Cambridge University linguist. He has an argument on his website for three vowels at www.arch.cam.ac.uk/~pah1003/quechua/Eng/Main/i_ISSUES.HTM where he argues long and hard for three vowels. This faction is partly right, but like left-wing revolutionaries, they are ready to throw out the baby with the bathwater, ambitious to become the new-money monarchs of industrial society.

Heggarty's rationale is that native specialists are alienated already by their own Spanish education system, and what's more are uneducated in linguistics, and serve ignorant non-natives who want pronunciation spelled out. [A – They confess pronunciation bears me out; B – Native academics work for their own people.] The argument is that e and o are not necessary, that Quechua people of various dialects really use i not e, and u not o. That having five vowels is complicating, and dictionaries are not accurate.

Serafín M. Coronel-Molina talks of the factions in 'Corpus Planning for the Southern Peruvian Quechua Language'. I say this argument is part of a political power-bloc, fought on the ground. Many small farming families in South America are ending up in slums due to unique problems caused by foreign GM agribusiness. (Film 'The World According to Monsanto'.)

Intelligent variations in spelling

Here I'm answering examples from Paul Heggarty, which he pulled from some dictionaries to criticize. It's said there are lots more 'problems' like this to be found. As parent language, Gàidhlig is the Rosetta Stone, the key. (See also p349-353, where I compare languages from across the Americas using the Gàidhlig words as guide.)

Chiqaq / cheqaq – infix gives reason for use of e

Heggarty reckons the only spelling the dictionary should need is chiqaq, not cheqaq. It means 'true'. Cheqaq is closest to the word of origin, Gàidhlig *dearbh* = true.

Pronunciation: d is pronounced more like dj, it is more like *djearbh*, because it's before e. (See 'Broad to broad, Slender to slender' rule, p411). The bh is not plosive, it doesn't catch the air and make a little explosion of air from the lips. It's almost silent, a little like m. Notice how a labial (lip sound) can also becomes a k/q sound in Hlīngit. (See Phonology section, p391.) The extra q of cheqaq is added between e and a because Native American tends to not import the Gàidhlig dipthongs (combinations of vowels). It adapts them. (See Phonology section, 'Dipthongs', p366.)

Taking e and i as particles, borrowing Hlīngit translation, 'e' means beginning and end, repetitive tasks; 'i' means taking time or care. Infixes are normal in Native American words; swapping infixes (even one letter) is not rare.

Context examples from the dictionary: Cheqaq runa, true man. Chiqaqtas ñak'aqqa kan. In Spanish, *Dice que es verdad que hay pistaco.* Means 'Tell which is true and which is a pistaco (foreign cannibal).' In the first phrase example, cheqaq runa, 'e' means through and through a true man. In the example chiqaqtas, 'i' means take care in judging the truth. It seems like an adjective particle versus adverb particle.

The true rule is that 'o' and 'e' are for tradition, 'u' and 'i' are functional; 'o' and 'e' are for past, the 'u' and 'i' are for future. The native dictionarians did right. This is the dichotomy (two-way division of reality) that belongs to American Indian cultures. See 'Dichotomy' above.

The official language school in Peru is Qheswa Simi Hamut'ana Kuraq Suntur. Heggarty advises people in regard to this Quechua Language Academy in Cusco, "Whatever they may say, seriously you should take no notice of them whatever they say on [the vowel] issue." A fine way to promote progress. He recommends article 'Neither the State nor the Grass Roots'.

Notice an e in the very name of the people. Some people spell it with i, Qhwichua. The difference between light ĭ and ee is one factor. One of Peru's eight climatic regions is named Quechua. The name means 'land of temperate climate'. Could we be more temperate?

Olqey, drink fast – losing o loses culture

Paul Hoggerty gave that olqey was put into the u section of the dictionary in error. Olqey means drink fast. 'O' has energy so there may be urgency. Without urgency, a functional remark could use 'u', ulqey. Maybe in sober mood the authors made the error. The origin in Gàidhlig is *òl* = drink.

Qespe / qespi – it's how we respond to complexity

Heggarty gives qespe as unnecessary variation. The e is substitute suffix, qespe has a sense of a precious glass or crystal; qespi, useful glass or crystal. Webster's has qespi = glass, q'ispirumi = diamond. The 'e' particle is 'beginning to end' (lasting tradition), 'i' is taking time and care (functional).

Quechua has particles, but it is thought it just has lots of suffixes. Juggling suffixes, prefixes and infixes may be frustrating and annoying to Germanic/English speakers, but to native speakers they are intelligent. Brain genes MCPH and ASPM are evolved to deal with this added level of complexity. Opal is the national gemstone of Peru, and its spiritual power in tradition is to help people choose the right words!

Qowe / qowi – there is emotion vested in the vowels

Heggarty's quote of a dictionary gives qowe or qowi for some kind of guinea pig (cavy). It is a special totem, one of the few animals which became first domesticated in the New World, the gentle llama and cavy. Quechua guinea pig statues are as old as 2500 years. Most Andean homes keep them for meat. They bred special varieties, exchanged as gifts.

The 'o' in qowe or qowi gives a cherished feeling. Some websites give quwi, jaca. With few e's and o's, Webster's Quechua dictionary online gives 'quwi / (sometimes) qoy'. Qoy also means deliver, confer. Guinea pigs are used in folk healing for diagnosis, they 'confer'. 'Deliver' in that cavy were gift items. We all use language poetically in word association. Poetry is not just ornament, it's pattern.

Best argument for three vowels is 'o' and 'e' (being further back in the mouth respectively than broad 'a'/'u' and slender 'i') hardly occur except with 'q' (uvular sound in the throat). But it assumes 'qo' equals 'qu'. Quechua learners say Quechua is really easy to learn. But it has its own poetry. Native American languages are known as difficult languages.. many agglutinative languages are. Linguists might ought to struggle over the use of word particles instead of vowels.

Peter Muysken has studied the way in which many Quechua roots and suffixes are borrowed from Spanish. See Mark Rosenfelder's www.zompist.com/quechua.html. There may be 30% Spanish in Quechua. Local Spanish is also influenced by Quechua. Motosidad means Quechua three vowels accent in Spanish. Quechua has about a thousand word roots plus a thousand imported Spanish ones - http://emeld.org/workshop/2002/presentations/weber/emeld.pdf. Spanish f,b,d,g have entered Quechua. Spanish (Gaul) is related to Gàidhlig. See also 'Quechuistics' by C Tustison.

Vowels may not be so trivial

Samoan was settled following Sumeria's development of sail. They removed consonants from Sumerian words, preferring vowels. Their language supported a brave evolution, learning to live on small islands across a wide ocean.

In common vulgar speech, the Samoan people almost all use the harsher sounds k (not t)... ng (not n). (See p543.) I spoke it this way (age 11-16) learning the language in Samoa. When I was about 22, I decided that I was going to switch to tautala lelei (good speech). For example, say tautala not kaukala. It was a turning point in my life. I found there was so much more I could say with simple elegance. We need to learn what boundaries mean. In Gàidhlig, English is termed *beurla*, sharp language. It may not be a compliment.

Shiny happy people holding hands (- REM)

In Aztec culture, the hummingbird is a messenger between words. Shining hummingbird is a fine symbol of all that is special and unique in New World language culture. A high energy bird that can fly in any direction, the only bird that can fly backward. But it can't walk, nor can the related swift. www.frontiernet.net/~jaakkola/articles.htm .

Maybe this is how we see the American Indian culture. It's so brilliant, we want it to figuratively be able to not only fly in every direction, but walk too. We should be able to approach it on the level of wonder and joy. The vowel 'o' expresses the peak of energy, the pleasure of living. I love 'o'.

Reasons for Quechua language full vowel system:

- preserves word history and poetry
- flexibility to express manner and mood
- obeys American Indian language sound use rules
- the vowels are particles in agglutinative language
- dichotomy of vowels is part of complex intuitive word structure; it's a feature of Native American culture

Motivation and pleasure are basic to language learning. http://ezinearticles.com/?Which-is-the-Easiest-Language-to-Learn?-Rating-the-14-Most-Popular-Course-Offerings&id=656519. Treasuring the beauty of the language helps. In Lenape (grandfather people) language, a new spelling pops up, Lunaape. The name means 'real men'. Gàidhlig word history: *leanaban* = infant, little child, petted or spoiled child, silly person. (Sound sourceword, Compare p396) // *leannan* =

person, sweetheart, spouse // *leanmhuinn* = kindred, clanship, bond of connection, tie of kinship // *leanmhuinneach* = follower, adherer. It should be spelt Le-, not Lu-, as far as I see.

In fact, the 'o' is hOly. In 'The Origin of Copper', q'ōs, the word for shine, can have a long o. Many of the o's appear with q, as Heggarty said, but also with d. Palatals q & d are ancient sounds.

The Hlīngit word ānqā'wo, 'great town man', the chief, (in Sentence 1) takes o from the Gàidhlig *mhór* = great, extensive, important, chief, principle, noble, proud, lofty, of high rank.

The place that the bear-man takes the young woman in the story, the xao, is a holy place (Sentences 13-14). It is the mountain place that looked like logs. That is poetic. It comes from the parent Gàidhlig *sgonn* = block of wood, shapeless hill. In Scottish culture, the Stone of Scone is also holy. (See also Sumerian mountainhead, p543.)

Kings are crowned on Scone. Maybe it was stolen by the English king Edward I. In 1601 the King of Scots King James VI became King James I of the U.K. and the royals suffered manipulation. Scottish experts believe Edward got a fake stone. See www.alba.org.uk/scotching/liafail.html .

Anyway, the stone Edward stole was returned in recent times. People can visit Scone Palace today, the place Scottish and Pictish leaders met to decide their future, 843AD. Scone is a place in Scotland, ancient capital of the Picts.

Many Scots descend from Picts, but our people adopted Irish language. Of course, the Picts were Celts, like all the indigenous West European tribes before the Skandi-Slavic arrival from the south. (See 'Ice Ages' above.) Wikipedia has an article on Pictish language. (See also 'Gàidhlig language' above.)

A Pictish king named Cruach became a mythical hero god when he struggled to keep an independent Pictish nation alive. His capital was on the Isle of Anglesey, where the last traditional druids were massacred by Romans. (See 'Druidhs' above.) The Pictish mother goddess, Cailleach Mheur was the mother goddess of Britain. (See 'Grandmother Mouse' above.)

Scott Shaubel has good information on the Pictish kingdom online... thanks... but he says some things designed to divide and separate, a colonial ploy. His site is at www.care2.com/news/member/185341883/935050 .

I hope that the ideas in this book, and its knowledge will strengthen bonds, bring comfort and freedom. And of course improve control over school results and problem-solving.

There is potential for deeper understanding and easier relations between different tribes or nations. We can learn these languages. Sir Walter Scott wrote 'I am a Scotsman, therefore I had to fight my way into the world.' I did too.

I hope for the energy of the 'o', which really belongs to the wise men, the medicine men and women, living in community with animals, plants as well as men in a post-modern world. Following the medicine woman lends us health without constant crisis, harmony rather than ugliness, better awareness of what beauty is. Sustaining us with courage to sweep chronic problems out from under the rug.

POSTCRIPT

In the final period of editing, I learned the Goodbye Turtle story. I was to be leaving China after eight years, and spent some time staying with my kind and hospitable Cantonese friend Ruth Li, who's done so much for me in this whole phase of my life. I really thank her and her family for their support.

On the tenth day of the Chinese New Year, 2011, Ruth made a soup named BáWàngbiéjī (named for the King of Chu, King Bá). It is made of terrapin (freshwater turtle) shell and chicken. The turtle is cooked separately but its shell is added to the chicken soup. The soup name is full of puns. The king's consort was YuJi, -Ji sounds like ji = chicken. Bié means turtle in the north, and means goodbye. You'll see why these puns are poetic.

The soup story was told me by the family. I'll recount their version. The great Qin empire that united China had lost power. Then there was a struggle between the great states. The state of Han, and the state of Chu in the south (western Hunan province today), were going to battle. BáWàng (King Bá) expected to lose.

His consort Yuji wanted to accompany him, couldn't bear to see him go off without her. He refused. Yuji danced a sword dance for him. In the dance she slit her throat with the sword and died. The king arrived to do battle with his army. They looked around and saw no one, but what they heard was two homeland songs of the Chu people.

It was the cunning Han. They had learned the songs, and hiding unseen, they whispered them gently and sadly on the breeze. The Chu soldiers freaked out. They suddenly got homesick, little by little they deserted and disappeared back home. The king was left with 13 loyal men, and they were executed by the Han, but BáWàng was let free.

He arrived at the Wu River and was offered crossing by a ferryman, but couldn't bear facing his brothers and sisters. He slit his throat too.

So there are two sayings, 'Sìmiàn Chùgē' (Chu songs in the four directions), and 'Shímiàn măifú' (hidden ambushes in ten directions). I read of Robert Milton on Douglas Island working in Hlīngit education as a native speaker, his harsh beating as a boy for speaking "the poison language" in the classroom. You may be the answer to someone's deepest questions.

Coming of age

The Origin of Copper seems to be a coming-of-age story. So this is kind of a discussion section. Various cultures celebrate coming of age (becoming a man or a woman), including some Native American ones. Some tradition might be go to the wilderness by yourself, find your vision, survive on your own, don't eat (fast). Maybe your medicine animal comes to you, or you find a special plant. Anglo-Saxons had the song quest. Navajo (also Athabaskan) have their way.

An event may be partly private and partly social. Some might consider high school graduation to be our default coming of age rite.

Dr. Marianne Rolland, a counselor in Alaska, had coming of age ceremonies for two daughters and her son, each taking some years to prepare. You can read (maybe before discussions) 'Our Children's Coming of Age' at www.whiteravencenter.org/?page_id=338 .

There is an Apache sunrise ceremony information site at www.webwinds.com/yupanqui/apachesunrise.htm . Shaunasay Whitefeather Tate has shared more information on Native American ceremony at www.bellaonline.com/articles/art27025.asp .

The father of psychoanalysis, Carl Jung, believed acknowledgment is an important part of our mental processes. It seems to be a natural part of the coming of age ceremony. Palo Alto Medical Foundation website has something by Nancy Brown. General information on rituals is at Wikipedia, 'Rite of passage'.

Some other cultures in America that celebrate coming of age are Jewish culture (bar-mitzvah). (There is info at www.jafi.org.il, go to 'Life Cycle'.) And the Spanish culture celebrates the quincañera.

Some cultural practices from around the world can appear shocking, so some websites have pages about what is seen as freaky rites, that may involve pain or risk or a hard challenge. Sometimes initiations to prove yourself act as coming of age rites.

Coming of age: Ideas & discussion

Our lifestyles vary a lot in the modern world. Though we are different, it gives us rich resources for celebration. In the story, the girl liked to pick berries. This and dropping the berries could be symbolic. Berries also produce dishes for social occasions, especially in Alaska. How do you celebrate **life**? What do your favorite things symbolize?

Becoming a man or woman may coincide with developing certain **skills**. What skills for adulthood are important? How about survival skills? Are there some skills that everybody learns as a teenager? Are there dangers or troubles teenagers commonly face? If so, could they be faced better, having coming-of-age customs?

In 'The Origin of Copper' they probably share a lifestyle that gives them unity and a **focus** for celebration. In a world where young people prepare for specialized and varied careers, how can their vision for the future be celebrated together with others meaningfully?

Have you experienced a 'blessing'? The father tenderly offers his daughter food to eat in the story. Even his canoe seems glad to see her return. Could a coming-of-age ceremony help members of a **family** appreciate each other more? For example, trust. What role might elders play? Does it have relevance toward the generation gap?

Do ceremonies **change** your life? For better or worse? Are they worth the expense, do they need to be expensive? Is competition or status a consideration? Should someone have to prove themself?

What does destiny mean to you? Does it have anything to do with morals or **ethics**? Would you choose for these to play a part in your ceremony? Do you prefer anarchy and surprise, or orderly steps?

Imagine your **ideal** coming-of-age ceremony (where, what, who, when, how). Would you share your feelings for people in a speech?

Imagine you were passing on some **wisdom** to future generations. What would you tell them? What has sharing stories meant in your life? Could storytelling ability be an organizational skill for creating order in our world? What popular story might represent your life?

Could celebrating coming of age change our **society**? What do you think of (or know of) bar mitzvah or quinceañera? Would it be patriotic to include more Native American culture in the national culture through coming-of-age celebrations? If so, how? Can you foresee effects?

Perhaps an elder can now answer these questions with their view.

The Origin of Copper

Once you are familiar with the story, the words and the structure of the language, then you can try reading it straight through. Try to remember the meaning.

An kuɬayA't! dīgī'ŷīga a'ya u ānqā'wo. Dusī' qok!ī't! akucītA'n. Qok!ī't! ān ū'at duī'c guxq!ᵘ tîn. Akā'yan kaoĻîŷA's! yuχū'ts! hāL!î yudā'qq! qok!ī't!ê. Yē aŷa'osîqa yūχū'ts! hāL!î, "Ts!As qa'q!osi ŷidê' hAs aLī'L! toq qAkᵘ."

Ātxê'qdê hAs ayA' daā'dawe ŷa'oɬik!ūts dukA'gu. Duī'c guxq!ū'tcawe ŷAsahē'x akā'dê dudjiŷī's. LAxdê' yā'duīc neɬixA'nq!awe ts!u ŷa'olik!ūts. Tc!uLe' yē aŷa'osîqa "Tc!a wae'tc dē' ŷAsaha."

Akā'dê tc!a Lē' nA'xawe de At a'na doxA'nt ū'wagut yuqā' wAs!-ya acakA'nAɬyên. "Iqâca"' Le yū'Acia'osîqa. Tc!uLe' Acī'n ġone' uwaA't.

DAq datcū'n Asiyu' dēx xao taŷinA'x Acī'n ŷā'waAt. XAtc cā'ayu xao yAX Ac tuwā'ŷatî. Duītē'x qoŷa'odū'waci yucawA't yū'antqenītc. Yên yu'qodūciawa duite'q! yuġā' wuduwatA'n.

XAtc χūts! qoa'nî Asiyu' Acū'waca yua'xk!Anya-ka'oĻîgAdî yuānŷê'dî. Xāt gā naAdî' naA'ttc yuχūts! qoa'nî'. Yuxā't ga naA'dî itī'q!awe hīn tākᵘcā'gê yAdanē'nutc. Ho' qo'a ts!As χūk ALī'q!anutc.

Kē aġaA'dînawe xāt ā'ni dAx qāk!udA's! kāxkī'nde du'qêtcnutc. KAdukī'ksînutc. Atūtxī'nawe Le ex yêx At akuġā'ntc yū'caq xōq!ᵘ. Doayē' qo'a awe' ts!As kuɬkī'stc yū'χūk yū'cāwat. Akā'q!awe Lēɬ unaɬA' wâsa' odusniyî' yuānyêtq!ᵘ.

Ts!u Anaā'dawe ts!u hAs wuā't ġA'nġa tc!a yā'doq!osî ŷêdê' a'we aositī'n yucā'wAttc s!ēq. Yū'gutc kītū'nAx nacu' qAġA'qqocā-nAk! Asiyu' Acigā' wusu'. "Nēɬ gu tcxAnk!. Lēɬ niya' kucîgAnē'x At iŷA'dawe, xūts! qoa'ni awe' ī'usinē'x." Acī'n qonā'xdaq aka'wanîk. Tc!uLe' Acu-kāwadjA. "Yū'do ŷī'c ānî'."

AyA'xawe tc!u ts!utā't xāt ġa naadê', ġonaye' ā'dawe AdakA'dīnawe yūt wudjiχī'χ. Yī'gîŷî ke aā'dawe duitē'x qoya'oduwacî χūts! qoa'nitc. Yāq! kē uwaL!A'k duL!ā'ke yucā'wAt. De Lēq! cā KAnA'x ŷawucîχī'awe qox awuĻîgê'n duî'tdê. Lē qaġê't yAx ġā'awe ŷatī' duî't χūts! qoa'nî. Ackā' yAx

ŷāġāā'dawe ciaŷidē'kdaġā'x.

Ak!ayaxê' dāk udjixī'x. Yū'a Len A'dî gīyīġē't gwâyu' łixā'c yū'yāk[u] cAdakū'q! Aca'. "Hā'nde hīnt icī'x," yuacia'osîqa. Le akā'de hīnt wudjixī'x. Yāx wuduwaŷē'q. Tc!uLe' Acī'n dekī't wudzîxA'q ġAgā'n tūt.

ŁuqAnā' Asiyu' hAs ā'waca yū'ġAgān ŷê'tq!î. HAs A'ġacān Le'łsdjî hAs ułsā'k[u]. Lē sadjA'qx. ŶīdA'tî ā'ŷî qo'aawe ctū'gas a'odîca. A'ya aq dA'xawe hAs ā'wadjAq yū'łūqAna'. Ts!ūtsxA'n ā'nî kînā'q! ayu' hAs ā'wadjAq. Tc!aŷē'guskî wucdA'x awułîsū'. Atcawe' łuqAna' ā'caŷAndihēn. Ts!ū'tsxAn ā'nî Le k!awê'łguha.

Duī'c ā'nî akînā' wuġaxī'xîn yū'ġAgān ye yên dosqê'tc, "Hē duī'c ā'nî." Wānanī'sawe ŷêt hAs ā'wa-ū. HAsdutcukA'tawe ŷiatA'n hAsduī'c yā'gu xūts! yāk[u]. Qō'waAxtc yū'yāk[u]. Āŷî's At ka'ołiga. Āŷî's At ka'ołiga. HAsduwū' xA'ndî dAnē't aŷîde' ye wududzī'nê.

HAsduī'n ġonaye' ūwagu't. Tc!āk[u] yā'nagu'tîawe qox Akū'dadjītc. XAtc u'tiyānġahē'n, awe' wē'yāk[u] dAnē't hAs akust!ē'q!Atc ayat!A'kq![u]. Yū'yāk[u] āeġayā't hAs ū'waqox dūwu'.

Awusikū' duī'c hī'tî. Le āeġayā' dāq ūwagu't. Duī'k!tcawe nēłt!ā' uwagu't "AxĻā'k! gānt ūwagu't."

Akā'q!awe dudjā'q duLā'tc tc!āk[u] qot wudzîgī'tî duĻā'k!Atc wAq kaodAnigītc. Ā'yux wugū't duLā'. XAtc q!ē'ġa Asiyu' dA'qde hAs duła't. HAs qo'a Lēł hAs dutī'n. XAtc dē'tc!a A'sîyu yū'Ałdî's q!os yêx kātuwā'(ŷ)ati. Dāq kAdudjē'ławe yū'AtłaAt ā'yux ā'wagut. "Lēł da At," yū'siaodudziqa. DucA't ye ŷawaqa', "Detc!a'a.awe' weAłdī's-q!os ŷi yêx ŷatī'. Yē ŷana-isAqa a dāq ŷiA'dî."

Ye ŷa'odudzîqa. Dāq uwaA't. Tc!uLe' ġAgā'n q!ōs wA'sâ nēł kAx dugu'ġun yū'ġAgan q!ōs yū'cāwAt tuwA'nq! hAsduŷī't k!Atsk![u] ts!u q!wAseŷê' Ałts!u' ġAgā'n q!ōs ŷêx ŷatī'. Tc!uLe' nēłq! yên hAs qē'awe tsa wA'sa Atū'nAx kês yê'nAx hAs ŷî yA'xawe ŷasiate' yuqoġā's!. "Atġaxā' dê Axsī'k![u]" yū'ŷawaqa yuānqā'wo.

LAx ckAstā'xwâ awe' wudjîxī'x hAsduq!oe's hī'nġa. Ax ke ā'watAn kîdjū'k qī'naŷî. Aqadê' awatsā'q. Yū yên kā'watAn xēL! qAx Lēł cka' wucku'k yuqā'. Cunāŷê't yên da yē'ġawetsa, duī'k! k!Atsk![u] kā'waqa.

Tc!uLē'xdê hīn hA'sduq!oē'dê ā'wayA hA'sduīk! k!A'tsk![u]. Qot ġagū'dawe duī'k! hīn ġā a'watan q!īca' duxo'xq![u] wA'nq!es. DA'xda hī'nġa gū'dawe Acdjī'n awu'łīcāt qā hīn q!ēq!. TcuLe' nēł awî'sīne'awe duxo'xq![u] awA'n xA'nq! aqadē' uduwatsā'k kîdjū'k q!ī'nayî. Tc!uyū' dudjī'n wudułcā'dî awe' La yū'yênkā'watAn xēL!qāx.

Lē awē' wudîna'q duxo'xq![u] wA'nġA'ndî dunA'q. Ts!uhē't!aawe ġacA'ttc, Le atū'nAx wudjA'łtc. Tc!uLe' Lēł hAs wudustī'n. HA'sduyā'gu qo'a awe' ā kAt wudjiχī'χ.

HAsdūŷī'dî qo'a awe' yē'At hAs aodîcī' qahā's!tc ŷāqġadjā'q. Atcawe' duī'c nAġanā'n Atk!A'tsk![u] q!AnAskîdē'tc wudjā'qtc. LAx wâ'yu kAcū'sawedê duyê'tk![u], duLā' tîn gā'nîyAx ka'oduĻî-u'. Ān tcukA'q!awe tcāc hît aka' aołîyA'x.

Duyê'tk![o] A'q! ān yē wutī'. A'cutcnutc duyê'tk![o] yū'tcāc hît ŷîk. DesgwA'tc L!agā'yan nAłgē'n.

Qaq!aitē'awe dukadê'q doġê'tcnutc. "Yā't!ayauwaqā'," yuawe' daŷadoqā'nutc. U'x udułcu'qnutc. Wānanī'sawe yux wudjiχī'χ yuAtk!A'tsk![o] Ackułŷê'tîxōq!. "Tca-ī' Q!aī'tî-cūye'-qā" La yū'duwasa.

DuLā' ye aya'osîqa, "SAks A'xdjîŷîs łayA'x." ALe' ye anAsnī'awe tc!ū'ya akA'ndagAnêawe' ānagu'ttc at!o'kt!. ŁdakA't A'dawe at!o'kt!īnutc.

Qāx ŷaqsatī'yawe desgwa'tc yū'āk! aŷahê'taqguttc. Q!ū'na ā'daq gū'tsawe Acŷîs ŷînAx ke q!ē'waχiχ. Q!ānA'x łatī' Ałeq!ā'.

DAxdanī'n ye Ac nAsnī' duLā' q!ē'wawūs!, "Dā'sayu aLe'?" TcuLe' yên a'osînî ŷīs Lāk. "Dekī' q!wAn dāq īcī'q îyA'x q!aowut!ā'xe χāk[u] qâ'djî gA'łaat. Iī'c yāgu' awe'." Aq! āyA'x dugudē'awe AcyA'x q!ē'wat!āx. "Dułēq!A' tcA t!u'k." Tc!uLe' awut!ū'guawe ye uduwaA'x "Ġā" yēł yA'x.

Ayê'x caŷa'oĻiχAc yeyA'x awe' wūne' ayêxak!ā'wu. XAtc ēq yā'gu ayu' yēk[u]dīwuq! ayAxak!āw'o. XAtc tc!As Le yē'tî ē'qayu, Le kā'wawAL! yū'yāk[u] łdakA't ā. Tāt ŷinA'x awe' ā'waya duhī'tî dê duLā' xA'ndî. Lēł Łīngī'ttc wusko'.

Tc!uLe' ā'Len hī'txawe ŷā'nAłyAx yuī'q. Yutcā'ctaŷīq! ade'awe ā't!Aq!anutc Lāq sAkᵘ kīs sAkᵘ. Lēł ġayē's! qōstī'ŷīn qA'tcu ēq yAx ŷatī'ŷī At. Tînna' yAx ts!u at!ē'q!. Le nēł ŷī'ya AcA'kAnadjAł.

Tc!uLe' dokA't ku-doxē'tc q!aīte'. "Yā'dat!A'q!-anqā'wo." Yên asnī' wehî't qa yu'tînna de cā'ŷadîhēn yū'nîłq! ade' At!aq!A't. Tc!aye' u'xanAx dułcu'ġtawe', k!êsā'nî xō yux nacî'qtc. "Tca-ī' Q!a-īte'-cū'-ye-qā."

Yū'ans!atî'-si Lēł dudjîde' yē'qasado'ha. Łdaka't yētx ducā'q!awe' tc!uLe' aŷî's yên ū'wani.

Hūtc qo'a tā'dawe ctā'de yē'djîwudîne. Eq kAtî'q aosîte'. Ātē'xŷa aosîku' yuānyê'dê. T!aq!ā'nAxawe Atc yu-Aqłî'tsAqk yucā'wAt yuē'q-kAtî'q!tc.

Yucawā'ttc aołicā't. Aodzînî'q!. Lēł aġa' wus-ha yuē'q. Lēł łîngî't-ānē'q! ax dustî'ndjîayu' ēq. Tc!uLe' ā'waxox, "Hāgu gā'nq!a." XA'ni yux wugū't.

"Axhî'tîŷīdê' xā'naAde. AxAniŷe' îq-gwâte'" yū'aŷaosîqa. GudAxqā'x sayu' ū'wadjî Lēł ye'awusku. Yū'duīqonī'k qāx sateyî', ts!As yuî'qtê ayu' Acī'n ŷā'naAt.

Tc!a dudjî' cukAdawe' nēł cū'djîxîn, yuē'q q!axā't duyê't kaodîgA'naŷî'. Tc!uLe' gutxA'tsayu Le nēłŷī' caŷaqā'wadjAł yū'tînna. Tc!uLe' ā'waca duhî'tîq!.

Du-īġā' qodicī' yū'cawAt. Wudū'dziha k!ū'nŷagīŷî. KAnaxsa' dēx oxe' Aġa' uġa'qoduciŷa'. Wānanī'sawe duī'c gux ye' aŷa'osîqa, "K!ē ġêna't qe'cî."
At kū'wacî yū'gux doxA'nt. Tc!uLe' ā'nēł ŷawusaŷe'awe yū'gux ġā'nî qo'xodjîqAq. Duŷê't ka'odigAn.

Yuhî't ŷī'dAx, "Nēł gu'" yū'aŷaosîqa yū'cāwAt xoxtc. "Łîł kīnigī'q ya Axhî'tî," Le yū'aŷaosîqa. Yē qo'a yên aŷa'osîqa, "'Q!a-ī'tîcuye-qātc uwaca' ' yuq!wA'nskāniłnîq." LA nēł wugudī'awe aka'wanêk. "Q!a-ī'îcuye-qātc uwaca'" yū'ckAłnīk.

Tc!uLe' awe' yūx hAs dju'deAt. "Axsī'k!" yū'q!oyaqa duLa'. Tc!uLe' q!a'wułt hAs łū'waguq. Yū'tcac-hît ġetła'a hît nēł Acuka'ołîtsAx. "DAm" yū'yudowaAx.

Duŷê'tayu kaodigA'n. Yuhî'tŷīanA'q gā'nîqox hAs wu'diqêL!. Gūsū' aŷî's k!ānt wunū'gu? Tc!uLe' kāwadī'q!. Nēłdê' hAs naā'dawe aġā' qoqā'awaqa duwu'. DoxA'nt hAs ā'dawe nAs!gaducu’ tînna’ Acnā’ŷe aosî’ne Asī’ awucā’ŷetc.

Le dadA’xdê caoduĻîġê’tc yutcā’c-hît ŷīŷî. Yut ka’odigAn yū’ēq.

Qo’a duī’c awe’ ye Acī’t ta’oditAn duīġā’ At nAġasū’t. Atcawe’ ŷiŷidA’de qawu ts!u q!anAckîdē’x nA’xsAtīn yuġā’ayu At yAsē’k.

Atcawe’ hē’nAxa ēq ā’q!aołitsīn. Aq! ye At wuniŷī’tc. Tc!uya’ ŷîdAt xA’nġāt ts!u dēx gux ckA’teAtsinen tînna’. TcA LA’k^{u} qo’dzîtī’yī-Atx sîtî’ Aq!.

Modern script text

An kuhlayắt’ digéeŷēega áya u aanқáawo. Dusée қok’éet’ akushitắn. Қok’éet’ aan óoat duéesh guxқ’^{u} tin. Akáayan kaodliŷ́ắs’ yuχóots’ haatl’i yudáaққ’ қok’éet’ê. Yei ayáosiқa yooχóots’ haatli, “Ts’ăs қáқ’osee ŷeedế hăs atléetl’ toқ қăk^{u}.”

Aatxếқdê hăs ayắ da.áadawe ŷáohleek’oots dukắgu. Duéesh guxқ’óotshawe ŷăsahéix akáadê dudjeeŷís. Tlăxdế yáaduēesh nehleexắnқ’awe ts’u ŷáoleek’oots. Tsh’utlé yei aŷa’osiқa “Tsh’a waétsh déi ŷăsaha.”

Akáadê tsh’a tléi nắxawe de ăt ána doxắnt óowagut yuқáa wăs’-ya ashakắnăhlyên. “Eeқâshá” tle yóoăsheeáosiқa. Tsh’utlé ăshéen ġoné uwaắt.

Dăқ datshóon ăseeyú deix xao taŷeenắx ăshéen ŷáawaăt. Xătsh sháa.ayu xao yăx ăsh tuwáaŷati. Duēetéix қoŷa’odóowashee yushawắt yóoantқenēetsh. Yên yúқodoosheeawa dueetéқ’ yuġáa wuduwatắn.

Xătsh xoots’ қoáni ăsiyú ăshóowasha yuáxk’ănya-káodligădi yuaanŷếdi. Xaat gaa naădí naắttsh yuxoots’ қoání. Yuxáat ga naắdi eetéeқ’awe heen taak^{u}sháagê yădanéinutsh. Hó qóa ts’ăs χook ătléeқ’anutsh.

Kei aġaắdinawe xaat áanee dăx қaak’udắs’ kaaxkínde dúқêtshnutsh. Kădukíksinutsh. Atootxéenawe tle ex yêx ăt akuġáantsh yóoshaқ xōқ’^{u}. Doayéi қóa awé ts’ăs kuhlkéestsh yóoχook yóoshaawat. Akáaқ’awe tleihl unahlắ wâsá odusneeyí yuaanyêtқ’^{u}.

Ts'u ănaáadawe ts'u hăs wuáat ġăṅġa tsh'a yáadoķ'osi ŷêdế áwe aositéen yusháawăttsh s'eiķ. Yóogutsh kitóonăx nashú ķăġắķķoshaa-năk'. Ăseeyú ăsheegáa wusú. "Neihl gu tshxănk'. Tleihl neeyá kushigănéix ăt eeŷắdawe, xoots' ķoánee awé éeuseenéix." Ăshéen ķonáaxdaķ akáwanik. Tsh'utlé ăshu-káawadjă. "Yóodo ŷēe.éesh aaní."

Ayắxawe tsh'u ts'utáat xaat ġa na.adế, ġonayé áadawe ădakắdeenawe yoot wudjeeχéeχ. Yéegiŷi ke a.áadawe dueetéix ķoyáoduwashi χoots' ķoáneetsh. Yaaķ' kei uwatl'ắk dutl'áake yusháawăt. De tleiķ' shaa kănắx ŷawushiχéeawe ķox awudligến duítdê. Tlei ķaġết yăx ġắawe ŷatí duít χoots' ķoáni. Ăshkáa yăx ŷaaġaa.áadawe sheeaŷeedéikdaġáax.

Ak'ayaχế daak udjeeχéeχ. Yóoa tlen ắdi gēeyēeġéit gwâyú hleeχáash yóoyaak^{u} shădakóoķ' ăshá. "Háande hēent eeshíx," yuasheeáosiķa. Tle akáade hēent wudjeeχéeχ. Yaax wuduwaŷéiķ. Tsh'utlé ăshéen dekéet wudzixắķ ġăgáan toot.

Hluķănáa ăseeyú hăs áawasha yóoġăgaan ŷếtķ'i. Hăs ắġashaan tiéhlsdji hăs uhlsáak^{u}. Tlei sadjắķx. Ŷeedắti áaŷi ķóa.awe shtóogas áodisha. Áya aķ dắxawe hăs áawadjăķ yóohlooķăná. Ts'ootsxắn áani kináaķ' ayú hăs áawadjăķ. Tsh'aŷéiguski wushdắx awuhlisóo. Ătshawé hluķăná áashaŷăndeehéin. Ts'óotsχăn áani tle k'awếhlguha.

Duéesh áani akináa wuġaχíχin yóoġăgaan ye yên dosķếtsh, "Hei duéēsh áani." Waananéesawe ŷêt hăs áawa-oo. Hăsdutshukắtawe ŷeeatắn hăsduéesh yáagu χoots' yaak^{u}. Ķốwaăxtsh yóoyaak^{u}. Aaŷís ăt káohleega. Hăsduwóo xắndi dănéit aŷidé ye wududzínê.

Hăsduéen ġonayé oowagút. Tsh'aak^{u} yáanagútiawe ķox ăkóodadjeetsh. Xătsh úteeyaanġahéin, awé wéiyaak^{u} dănéit hăs akust'éiķ'ătsh ayat'ắkķ'^{u}. Yóoyaak^{u} aaeġayáat hăs óowaķox doowú.

Awuseekóo duéesh híti. Tle aaeġayáa daaķ oowagút. Duéek'tshawe neihlt'áa uwagút "Ăxdláak' gaant oowagút."

Akáaķ'awe dudjáaķ dutláatsh tsh'aak^{u} ķot wudzigéēti dudláak'ătsh wăķ kaodăneegēetsh. Áayux wugóot dutláa. Xătsh ķ'éiġa ăseeyú dắķde hăs duhlát. Hăs ķóa tleihl hăs dutéen. Xătsh déitsh!a ắsiyu yóoăhldís ķ'os yêx kaatuwáa(ŷ)atee. Daaķ kădudjéihlawe yóoăt.hlaăt áayux áawagut. "Tleihl da ăt," yóosheeaodudzeeķa. Dushắt ye ŷawaķá, "Detsh'á.a.awé weăhldís-ķ'os ŷee yêx ŷatí. Yei ŷana-eesăķa a daaķ ŷeeắdi."

Ye ŷáodudziķa. Daaķ uwaắt. Tsh'utlé ġăgáan ķ'ōs wắsâ neihl kăx dugúġun yóoġăgan ķ'ōs yóoshaawăt tuwắnķ' hăsduŷéet k'ătsk'ᵘ ts'u ķ'wăseŷế ăhlts'ú ġăgáan ķ'ōs ŷêx ŷatí. Tsh'utlé neihlķ' yên hăs ķéi.awe tsa wắsa ătóonăx kês yếnăx hăs ŷi yắxawe ŷaseeaté yuķoġáas'. "Ătġăxáa dê ăxséek'ᵘ" yóoŷawaķa yuaanķáawo.

Tlăx shkăstáaxwâ awé wudjiχéeχ hăsduķ'oés héenġa. Ax ke áawatăn kidjóok ķínaŷi. Ax ke áawatăn kidjóok ķínaŷi. Yoo yên káawatăn xeitl' ķăx tleihl shká wushkúk yuķáa. Shunaaŷết yên da yéiġawetsa, duéek' k'ătsk'ᵘ káawaķa.

Tshutléixdê heen hắsduķ'oéidê áawayă hắsdueek' k'ắtsk'ᵘ. Ķot ġagóodawe duéek' hēen ġaa áwatan ķ'ēeshá duxóxķ'ᵘ wắnķ'es. Dắxda héenġa góodawe ăshdjéen awúhlishaat ķaa hēen ķ'eiķ'. Tshutlé neihl awísēenéawe duxóxķ'ᵘ awắn xắnķ' aķadéi uduwatsáak kidjóok ķ'ínayi. Tsh'uyóo dudjéen wuduhlsháadi awé tla yóoyênkáawatăn xeitl'ķaax.

Tlei awéi wudináķ duxóxķ'ᵘ wắnġắndi dunắķ. Ts'uhéit'a.awe aġashắttsh, tle atóonăx wudjắhltsh. Tsh'utlé tleihl hăs wudustéen. Hắsduyáagu ķóa awé aa kăt wudjeeχéeχ.

Hăsdooŷéedi ķóa awé yéi.ăt hăs aodishí ķaháas'tsh ŷaaķġadjáaķ. Ătshawé duéesh năġanáan ătk'ắtsk'ᵘ ķ'ănăskidéitsh wudjáaķtsh. Hăsdooŷéedi ķóa awé yéi.ăt hăs aodishí ķaháas'tsh ŷaaķġadjáaķ. Ătshawé duéesh năġanáan ătk'ắtsk'ᵘ ķ'ănăskidéitsh wudjáaķtsh. Tlăx wắyu kăshóosawedê duyếtk'ᵘ, dutláa tin gáaniyăx káodudli-ú. Aan tshukắķ'awe tshaash hit aká aohliyắx.

Duyếtk'ᵒ ắķ' aan yei wutí. Ắshutshnutsh duyếtk'ᵒ yóotshaash hit ŷik. Desgwắtsh tl'agáayan năhlgéin.

Ķaķ'aitéi.awe dukadếķ doġếtshnutsh. "Yáat'ayauwaķáa," yuawé daŷadoqáanutsh. Úx uduhlshúķnutsh. Waananéesawe yux wudjeeχéeχ yuătk'ắtsk'ᵒ ăshkuhlŷếtixōķ'. "Tsha-ée Ķ'aéeti-shooyé-ķaa" tla yóoduwasa.

Dutláa ye ayáosiķa, "Săks ắxdjiŷis hlayắx." Atlé ye anăsnéeawe tsh'óoya akắndaġănêawé aanagúttsh at'ókt'. Hldakắt ắdawe at'ókt'inutsh.

Ķaax ŷaķsatéeyawe desgwátsh yóoaak' aŷahḗtaķguttsh. Ķ'óona áadaq góotsawe ăshŷis ŷinăx ke ķ'éiwaχeeχ. Ķ'aanắx hlatí ăhleķ'áa.

Dăxdanéen ye ăsh năsnée dutláa ķ'éiwawoos', "Dáasayu atlé?" Tshutlé yên áosini ŷees tlaak. "Dekée ķ'wăn daaq eeshéeķ iyắx ķ'aowut'áaxe xaak^u ķắdji gắhla.at. Ee.éesh yaagú awé. Aķ' aayắx dugudéi.awe ăshyắx ķ'éiwat'aax. "Duhleiķ'ắ tshă t'úk." Tsh'utlé awut'óoguawe ye uduwaắx "Ġaa" yeihl yắx.

Ayḗx shaŷáodleeχăsh yeyắx awé wooné ayêxak'áawu. Xătsh eiķ yáagu ayú yeik^udēewuķ' ayăxakaaẃo. Xătsh tsh'ăs tle yéiti éiķayu, tle káawawătl' yóoyaak^u hldakắt aa. Taat ŷeenắx awé áawaya duhíti dê dutláa xắndi. Tleihl Hlēengíttsh wuskó.

Tsh'utlé áatlen hítxawe ŷáanăhlyăx yuéeķ. Yutsháashtaŷēeķ' adéawe áat'ăķ'anutsh tlaaķ săk^u kēes săk^u. Tleihl ġayéis' ķōstéeŷēen ķắtshu eiq yăx ŷatéeŷēe ăt. Tinná yăx ts'u at'éiķ'. Tle neihl ŷéeya ăshắkănadjăhl.

Tsh'utlé dokắt ku-doxéitsh ķ'aēeté. "Yáadat'ắķ'-anķáawo." Yên asnée wehít ķa yútinna de sháaŷadihein yóonihlķ' adé ăt'aķ'ắt. Tsh'ayé úxanăx duhlshúġtawé, k'êsáani xō yux nashíķtsh. "Tsha-ée ķ'a-ēeté-shóo-ye-ķaa."

Yóoans'atí-see tleihl dudjidé yéiķasadóha. Hldakắt yeitx dusháaķ'awé tsh'utlé aŷís yên óowanee.

Hootsh ķóa táadawe shtáade yéidjiwudine. Eķ kătíķ aosité. Aatéixŷa aosikú yuaanyḗdê. T'aķ'áanăxawe ătsh yu-ăķhlítsăķk yusháawăt yuéiķ-kătíķ'tsh.

Yushawáattsh aohleesháat. Aodziníķ'. Tleihl aġá wus-ha yuéiķ. Tleihl hleengít-aanéiķ' ax dustíndjiayú eiķ. Tsh'utlé áawaxox, "Haagu gáanķ'a." Xắnee yux wugóot.

"Ăxhítiŷēedḗ xáana.ăde. Axăneeŷé iķ-gwâté" yóoaŷaosiķa. Gudăxķáax sayú óowadji tleihl yéawusku. Yóodueeķonéek ķaax sateŷí, ts'ăs yuíķtê ayú ăshéen ŷáanaăt.

Tsh'a dudjí shukădawé neihl shóodjixin, yuéiķ ķ'axáat duyḗt kaodigắnaŷí. Tsh'utlé gutxắtsayu tle neihlŷée shaŷaķáawadjăhl yóotinna. Tsh'utlé áawasha duhítiķ'.

Du-ēeġáa ķodeeshée yóoshawăt. Wudóodzeeha k'óonŷageeŷi. Kănaxsá deix oxé ăġá uġáķodusheeŷá. Waananéesawe duéesh gux yé aŷáosiķa, "K'ei ġênát ķéshi." Ăt kóowashi yóogux doxănt. Tsh'utlé áaneihl ŷawusaŷéawe yóogux ġáani ķóxodjiķăķ. Duŷết káodeegăn.

Yuhít ŷéedăx, "Neihl gú" yóoaŷaosiķa yóoshaaawăt xoxtsh. "Hlihl kēeneegéeķ ya ăxhíti tle yóoaŷaosiķa. Yei ķóa yên aŷáosiķa, "'Ķ'a-éetishuye-ķaatsh uwashá' yuķ'wănskaaneehlniķ." Tlă neihl wugudéeawe akáwanêk. "Ķ'a-ée.ishuye-ķaatsh uwashá" yóoshkăhlneek.

Tsh'utlé awé yoox hăs djúdeăt. "Ăxséek'" yóoķ'oyaķa dutlá. Tsh'utlé aķ'áwuhlt hăs hlóowaguķ. Yóotshash-hit ġet.hlá.a hit neihl ăshukáohlitsăx. "Dăm" yóoyudowaăx.

Duyếtayu kaodeegăn. Yuhítŷeeanăķ gáaniķox hăs wúdeeķêtl'. Goosóo aŷís k'aant wunóogu? Tsh'utlé kaawadéeķ'. Neihldế hăs na.áadawe aġáa ķoķáaawaķa duwú. Doxănt hăs áadawe năs'gadushú tinná ăshnáaŷe aosíne ăsée awusháaŷetsh.

Tle adadăxdê shaodudliġếtsh yutsháash-hit ŷeeŷi. Yut káodeegăn yóoeiķ. Ķóa duéesh awé ye ăshéet táodeetăn duēeġáa ăt năġasóot. Ătshawé ŷeeŷeedăde ķawu ts'u ķ'anăshkidéix năxsătēen yuġáa.ayu ăt yăséik.

Ătshawé héinăxa eiķ áaķ'aohleetsēen. Ăķ' ye ăt wuneeŷéetsh. Tsh'uyá ŷidăt xănġaat ts'u deix gux shkăteătseenen tinná. Tshă tlăk[u] ķódzitéeyēe-ătx sití ăķ'.

Some study exercises

Here are some things you can do to use the story to improve your fluency and understanding of Hlīngit.

1. Select some particles one by one, and look up the examples. Discuss the use and variations of the examples with a partner.
2. Choose a sentence, take a word out and put in other vocabulary. Simple sentences may be best, beware of word particle use. If a native speaker is available, check your creations with them. Make it a good exchange process with them.
3. Save your favorite words in a list, the words that are valuable for your self-expression. This is your word nest. Learn to make useful sentences with them.
4. In a group, teach one another lessons.
5. Master the palatal sound word particles… d, de, daq, q / q!, qo, ak / k, ki, ax, xa, x, s, tʌn.
6. Have a particle to focus on for a whole week, change weekly.
7. Use a manner particle to express a real feeling or experience. Make a skit from it. Perform for a native speaker, gain their advice.
8. Read to each other, or do a round robin, one sentence each.
9. Notice the use of yu, cu and we particles. Practice, with the help of a native speaker. Which sentences have more cu/yu?
10. Practice the ao particles (refer to Phonology p372).. Act out the sentences in the story, and new sentences you make up.
11. Choose a topic (maybe from the Bibliography & Notes or a part of the story), and compile sentences relating to this topic. A class could make a display board, or a big flip chart. Ask some native speakers and collect. When you have been to see a native speaker, consider how you can share your experience with others. Stories lighten things. What can you do for a native speaker, to gain a chance to practice with them real language use? Should you develop a bit first?
12. Focus on tone, help each other improve.
13. Do the prepositions one by one. Can it be done with humor? Try short comic strips. Share them. Polish them.
14. Build some simple sentences around an item, eg. A leaf, a door, a piece of food. Seek out model sentences in the story to help. Keep a list of where you get stuck, and follow up with a native speaker.
15. Keep some things for sharing with outside groups.
16. Practice pronouns and people words. Vary your voice loud and soft, to get more control of the sound.
17. Look into different ways to say is and was. Use the story sentence examples as models.

18. Compare use of ġa and di. Practice passive and active verbs. Also work on wudzî.
19. Pick out sentences and words about coming and going, and practice. See u, uwa, gu, naAdi. You can do actions too, or make up a sequence of actions together, like a journey, or a day. Practice orally. Try to sound fluent.
20. Practice words for how much, any kind of measure. Find them in the story. You can start with ku on p259. There is also Len.
21. Practice words for location. Words or particles like de, dAq, t, q, also yi, neł, gīyīġē't. Do TPR (use physical things).
22. Work on good vowels, get the different a's clear.
23. Seize the chance to speak in real life. Eg. Speak to your pet, say your prayers in Hlīngit, have a partner and say something real to them in Hlīngit every day or week, regularly. Try the phone.

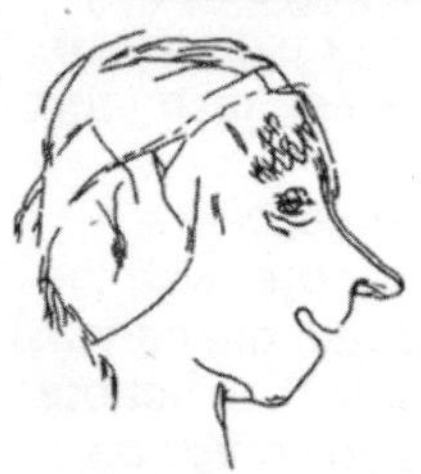

Original cartoonists

This sketch, and the two on p580 are from 14,000-15,000ya, La Marche cave, Western France, of 155 floor engravings. This is after Neandertal time, but possibly Neandertal descendants kept their memory. © Sketches by Victor McAllister, (www.godsriddle.org) based on ones in BBC article.

Vitality 20%, Skankiness 80%

There's an equation we call the 80-20 equation, Pareto's Principle. Pareto observed that in Italy 20% of people own 80% of the wealth. Dr Joseph Juran called it the 'vital few and trivial many' Like 20% of the work takes 80% of your time. It's supposed to apply to anything. A little yeast makes bread rise. In science and history, we ought to know what leads to change. Human nature tells us. That's the medicine man's role. We could say 80% of history is effect, only 20% is cause. Maya writing and even Maya religion may have led change. Our violence may be ruder than their human sacrifice cult.

Scandinavian ugly troll stories is Germanic people dancing on the graves of Neandertal. Are Germanic tankheads and lummox bodies not just as skanky? Neandertal may have been gorgeous. Kids' books today picture boys and men with big butts and narrow shoulders. If we reward the pathetic to keep down the powerful, that is just gross. Maya made books on fig bark paper with lime coating, bound in wood covers. These books didn't last long in a tropical environment, remaining just as globs in tombs. Four original books (a Maya book is called a 'codex') survived burnings by Christians.

Genius of body language

Phonetic writing has to picture sound. Compared to Mesopotamian cuneiform (see an Akkadian example on p544), Maya writing is much less abstract. We can see what body parts they used for their images. They had the genius to make it like cartoons. Whereas Mesopotamian writing gives an abstract image of breath and tongue.

Some parts of the mouth are harder to draw, for example Maya scribes used the top of the head in place of the roof of the mouth. It's easier to show two feet (and more interesting) than to show breath. The two feet of the sound 'h' represent that breath comes from below, from good posture. Ideas may come from sign language, too.

These glyphs were obtained by copyright permission © from FAMSI, the Foundation for Advancement of Mesoamerican Studies Inc., in Crystal River, Florida. www.famsi.org . The glyphs are from the Montgomery dictionary found on the FAMSI website. The interpretation of body part formatting is my own.

BA -- B (teeth) and A (open hand / whole mouth). Bottom right glyph has the whole mouth showing parts, and an extra mouth with teeth in the right-hand circle. Bottom left is whole mouth, with teeth below. The bottom two glyphs also can double as open hand (palm at the top, fingers downward). Top glyph is teeth / whole mouth.

CHI -- CH (puckered lips) and I (closed puckered lips). This is double puckered lips, one open one closed. The bottom circle is the closed lips, the top circle made by the fingers is the open lips. Since another letter, P, is shown by lips on the face, using the hand helps distinguish CHI.

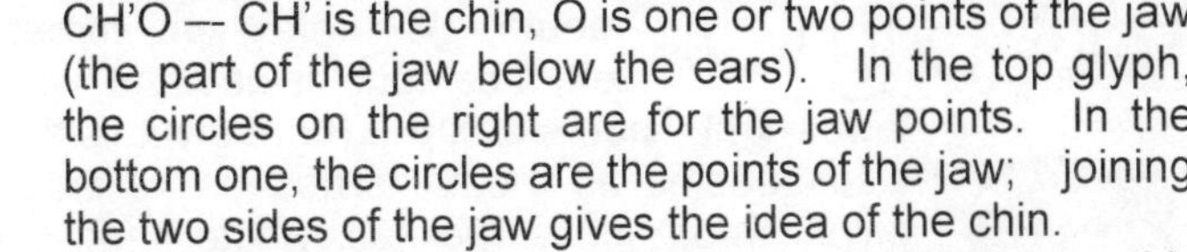

CH'O -- CH' is the chin, O is one or two points of the jaw (the part of the jaw below the ears). In the top glyph, the circles on the right are for the jaw points. In the bottom one, the circles are the points of the jaw; joining the two sides of the jaw gives the idea of the chin.

HA -- H (two feet) and A (open hand / whole mouth). The two feet are at the left and bottom. One foot doubles as a large mouth, the whole also doubles as an open hand with circles at top for the base (palm) and feet acting as fingers.

JO -- J (puckered lips with teeth) and O (one or two points of the jaw). The left and right images have teeth around the outside. The outer part of them is the jaw. In the center and right image, the teeth are where the jaws meet. The three dots represent two points of the jaw and puckered lips.

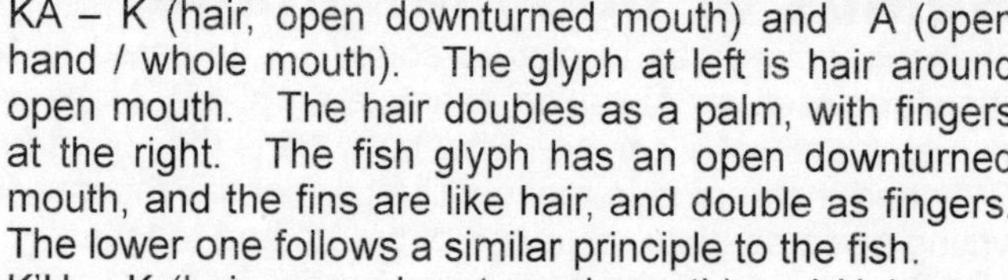

KA – K (hair, open downturned mouth) and A (open hand / whole mouth). The glyph at left is hair around open mouth. The hair doubles as a palm, with fingers at the right. The fish glyph has an open downturned mouth, and the fins are like hair, and double as fingers. The lower one follows a similar principle to the fish.

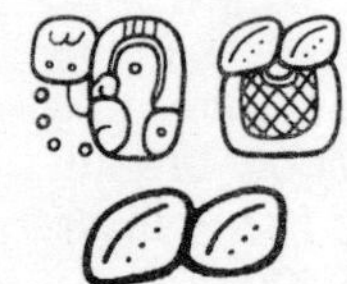

K'U – K (hair, open downturned mouth) and U (one or two cheekbones). The left glyph has cheekbone at right and attached left, hair around top, and semi-circle around slightly downturned mouth to show it's open. The other two are more simple, top right is an open mouth, each cheekbone also has a downturned mouth.

LI – L (two eyes) and I (closed puckered lips, which may be transparent). On the left, two eyelids with sets of lashes placed together, double as puckered closed lips. Center, two eyes and puckered lips. Right, the bird's beak stands in for puckered lips, closed around a worm. One eye shows, and the worm's head suggests the other.

MA – M (fingers) and A (open hand / whole mouth). Left glyph has a hand for M and another for A. Top right has same, and also another hand below (fingers at the bottom). Lower glyph has one hand doubling as two, so two sets of fingers (the circling dots are also fingers). The palm doubles as a mouth, showing the whole inside.

NA – N (throat, air in throat) and A (open hand / whole mouth). Far left, whole mouth, air. Left glyph, throat with air at left, face doubles as hand, with palm at lower right, fingers at top. Right glyph is throat with air, also doubles as mouth turned on its side. Far right glyph, throat looks like hair, whole head doubles as a mouth (mouth doubles as throat). The glyph on this page has throat with air looking like hair, curled hair at top right doubles as palm and hair as fingers. The ear also looks like a mouth.

PU – P (lips on face, ear) and U (one or two cheekbones). A cheekbone doubles as ear, and the middle of the ear doubles as lips.

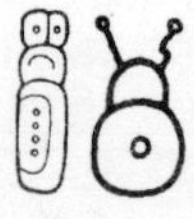

SI – S (septum) and I (closed puckered lips, which may be transparent). Left glyph, a septum that looks like a bug or sth with a face. Bottom part can double as closed puckered lips (transparent). The eyes double as nostrils. Right glyph, septum and closed puckered lips.

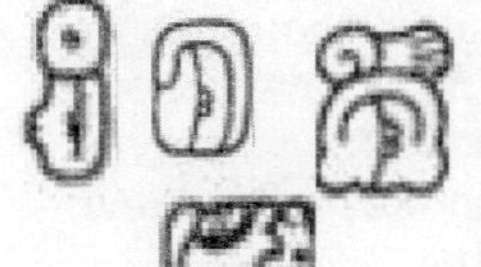

TE – T (top of the head) and E (tongue). Top left and center glyphs, the tongue is on the top of the head. Top right, tongue and tastebud on the top of the head. Bottom glyph, poking tongue out, also tongue on top of head.

TZO – TZ (uvula) and O (pursed lips / open hand). The pursed lips are transparent, and the uvula shows hanging from top. The center also may be palm with fingers below.

TZ'U – TZ' (tastebud) and U (one or two cheekbones). Tastebud with cheekbone a small patch on it (left glyph has cheekbone at left middle, and right glyph has cheekbone at right).

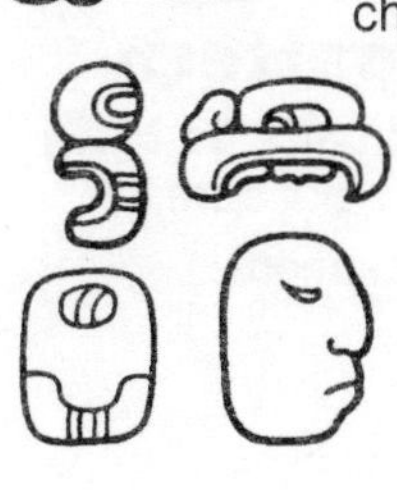

WA – W (fat cheeks) and A (open hand / whole mouth). Top left, two fat cheeks which could also double as open hands seen from the side (the lower cheek moreso). Top right, the bottom part is the two fat cheeks of the face, and two fat cheeks are joined on again. The top part of the glyph doubles as a palm of a hand, opening downward. Bottom left, the line across is nose and cheeks line. Bottom right, one fat cheek; head also doubles as a open hand, the nose is thumb.

XI – X (square head) and I (closed puckered lips, which may be transparent). Head is square, and lips are transparent, showing the inside of the mouth.

YA – Y (nose, half-open hand) and A (open hand / whole mouth). Left glyph, two half-open hands with nose (two nostrils) in between. Right glyph, large nose on the left, head also doubles as hand with half-open curled fingers.

Not pictured, T' – sinuses, CH' – chin, K' – whole head of hair, downturned mouth.

Phoenician vehicle for language contact

Polynesians settled the Pacific beginning 16,000ya, their trips back to Sumeria brought change. Some probably joined with the Phoenicians, who began to imitate their seafaring Polynesian heroes. Taking on a role as global sea traders, the Phoenicians developed astronomy, navigation, writing, coded symbolism and an absorbent language. Syrian Phoenician language absorbed Scythian, Turkic, Italian, and Celtic words, so far as I can see.

Phoenician is said to be extinct. See http://phoenicia.org on their struggle today. This is the home of the Phoenician International

Research Center. At http://malta.lebaneseclub.org/dictionary.htm, see how many of the words look like English. English have been living there. Scythian (Saka) is a common influence. is strong. Bengt Hemtun has good info from Scandinavian point of view. http://www.catshaman.com/09handman/0cadmus.htm

In Carthage (today's Tunisia, Africa) and around that region, the Phoenician dialect was Punic. World history, including Celtic, Greek and Hebrew or biblical, is clouded with extreme claims on Phoenician identity. Phoenician is a member of the Semitic language family. A Phoenician trading post may be one source of Scots language or dialect in Scotland. Scots is not Gàidhlig, it's a kind of mixed English language. See also 'Seafaring' in Bibliography & Notes.

Roman letters follow the Maya pattern

Phonetic Roman letters picture much the same body parts as Maya. Why Maya and Roman characters work out the same is not sure.

a mouth (circle) and top of throat ***b*** septum (line), tooth
c puckered lips (as in Maya ch)
d (None in Mayan) head (circle), hair up
e tongue (circle is root of it)
f (None in Mayan) lips (top and bottom curves), teeth (vertical line)
g head (circle) and hair ***h*** body (line), two feet
i neck, closed puckered lips ***j*** puckered lips, tooth or tusk
k hair (line), mouth (circle) is open and downturned
l nose ***m*** fingers
n tooth, air from throat; or tongue (curved line) behind teeth (line)
o pursed lips ***p*** neck (line), ear or lips (circle)
q (None in Mayan) head (circle) and hair (line)
r (None in Mayan) tongue (curve), tooth (line)
s nose, septum, tongue ***t*** face, hairline
u cheekbone, neck (line) ***v*** (None in Mayan) fat cheek
w fat cheeks ***x*** square head
y half-open hand (wrist at the bottom), or forehead and nose
z inside of the mouth